dtv

1943/44 verfaßte der 1939 in die USA emigrierte Dramatiker Carl Zuckmayer für den amerikanischen Geheimdienst ›Office of Strategic Services‹ 150 Charakterporträts von Schriftstellern, Publizisten, Verlegern, Schauspielern, Regisseuren und Musikern, die im ›Dritten Reich‹ zum Teil herausragende Positionen bekleidet haben. Hans Albers, Gustaf Gründgens, Heinz Rühmann und Theo Lingen gehören ebenso zu den Beschriebenen und Beurteilten, wie Gottfried Benn, Ernst Jünger, Wilhelm Furtwängler und Peter Suhrkamp.

Im Jahre 2002 konnten die bislang gesperrten Geheimdossiers erstmals veröffentlicht werden. Ein ausführliches Nachwort, Kommentare zu den Personen sowie ein Register ergänzen dieses außergewöhnliche Dokument der Exilliteratur, das Marcel Reich-Ranicki als »die beste Prosa Zuckmayers« rühmte.

Carl Zuckmayer, geboren 1896 in Nackenheim/Rhein, arbeitete als freier Schriftsteller und Dramaturg, bevor er 1933 Deutschland verließ. 1938 Emigration über die Schweiz in die USA. 1958 kehrte er in die Schweiz zurück, wo er 1977 starb. Zu seinen berühmtesten Werken gehören ›Der Hauptmann von Köpenick‹ (1931) und ›Des Teufels General‹ (1942) sowie seine Autobiographie ›Als wär's ein Stück von mir‹ (1967).

Carl Zuckmayer

Geheimreport

Herausgegeben von
Gunther Nickel und Johanna Schrön

Deutscher Taschenbuch Verlag

April 2004
Deutscher Taschenbuch Verlag GmbH & Co. KG,
München
www.dtv.de
© 2002 Wallstein Verlag, Göttingen
Umschlagkonzept: Balk & Brumshagen
Umschlagbild: Erste Originalseite von Zuckmayers ›Geheimreport‹
(© Deutsches Literaturarchiv, Marbach)
Gesetzt aus der Stempel Garamond
Satz: Wallstein Verlag, Göttingen
Druck und Bindung: Druckerei C. H. Beck, Nördlingen
Gedruckt auf säurefreiem, chlorfrei gebleichtem Papier
Printed in Germany · ISBN 3-423-13189-6

Geheimreport

Mary Wigman   Nicht ... - abhredt

Ponten,
Hans Reimann,
Blunck
Johst
Ina Seidel
Hans Frank
Paul Alverdes
Fred Antoine Angermayer
Benz
...linger
...oeger
Bronnen
Agnes Miegel
Blücher
Brues
Wilhelm Michel
Siegfried Graff
Rehberg
Geysenheiner
...s Grimm
...rmann Claudius
Wilhelm v. Scholz
Kasimir Edschmid
Leonhard Adelt
Fallada Ditzen
Juenger
Kaestner
Friedrich Huch
Jacob Schaffner
Johannes v. Leers
Schmidtbonn

Kippenberg

Bruno Brehm +
Schreyvogel +
Fransky +
Prof. Genst +
Erwin Reinalter +
Ed. Firtle +
Hans Nüchtern (sehr unklärlich)
Wener Kraemerschussel +
Louis Bareata +
Sternaux
Erik Krünes (Obersau) +
Lothar Mechtel +
Sturm Nürchterlich !
O. M. Fontana
Hilde Wagener
Otto Treszler
Alma Seidler !
Fred Hennings +
Eisenprobst +
Maria Kramer ✱ !
Stein Koesler ?
Anton Edthofer !
Carroll Mardayn !
Hans Thinnig ?
Hermann Thimig ?
Socel Prima +
Andreas Thom

Erik Reger   Hamm ...
emil Strauss   Wöllecke ...
Ratsfeld   Albrecht Waesche (Athiund)
Hans Brandenburg
Otto Flake
Wilhelm Hausenstein
Barlach
Dietzenschmidt
Surkamp   Ernst Cer Claasen
Jannings
George   Hegner
Kloepfer   Hubostin
Holl   Kayßler
Gruendgens   Lingert
Krauss   Luböing
Maria Bard
Theo Lingen
Weichert
Achaz
Legal
Erich Engel
Fehling
Hilpert
Ruehmann
Dorsch
Falkenberg   T. v. Gerlach
Wernicke   Paul Schumm
Ziegel   Würdet ?
Albers
Gerda Mueller   25.1.181

Paquet

Meissner (Intendant Ffm)

Hans Christoph Kaergel

Weismantel

Clemens Krauss

Hoesslin

Jochum

Imekoven

Glaeser +

entano

?burg

K.H.Strohm, Oper, Wien

Hans Freyer

Guenther Ipsen

Sch. Düsseldorf
Max Mell +

Buch

Ihering

*Die beiden ersten Seiten von Zuckmayers ›Geheimreport‹,
Originale im DLA, Format: 20,3 × 26,7 cm*

Charakterologie

Allgemeines

Da es sich in unserem Fall hauptsächlich um die Vertreter künstlerischer oder kunstnaher Berufe handelt – Schauspieler, Regisseure, Dichter, Maler, Musiker, Schriftsteller, Journalisten, – muss man sich darüber klar sein, dass man sie charakterologisch – und besonders in ihrem charakterlichen Verhalten während einer Zeit politischer Umschwünge und Katastrophen – anders beurteilen muss als etwa führende Politiker, Industrielle, Militärs, Beamte, Wissenschaftler.

Mehr als anderswo in der Welt war in Deutschland die Auffassung daheim, dass der Künstler eine geringere gesellschaftliche Verantwortung trage als andere Menschen, ja dass er sozusagen ausserhalb der politischen, sozialen und ökonomischen Ordnung ein Eigenleben führe, dessen Boden und Firmament eben die überzeitliche Welt der Künste sei, die Ewigkeit, das Universum, ein Traumreich, das nicht einmal einer religiösen Autorität, nur der vom Künstler selbst erfühlten Gottheit, unterstehe. (Wo weiltest Du, als ich die Welt verteilte? Ich war, sprach der Poet, bei Dir.) – ~~So spricht Schiller mit seinem Gott~~). Über die Ursachen und Gründe dazu, weshalb diese Auffassung grade in Deutschland weiter verbreitet und tiefer verwurzelt war als in anderen Kulturkreisen – zum Beispiel den romanischen in denen gesellschaftliche Form, Lebensform und künstlerische Formung in einem ganz anderen und viel ausgeglicheneren Verhältnis stehen, – lässt sich vieles anführen was hier keinen Platz hat. Tatsache ist, dass eine ganze Reihe der hier zu behandelnden Personen auf dem Standpunkt standen und vielleicht noch stehen, die ganze Schweinerei ginge sie im Grund nichts an. Sie seien dazu da, ihre Kunst zu machen, und es käme nur darauf an dass die Kunst gedeihe und weiterlebe – ganz gleich unter welchen äusseren Umständen und unter welchen Bedingungen der Umwelt – selbst wenn man, um der Existenz des Künstlers, also der von ihm zu schaffenden Kunst willen, mit dieser Umwelt Kompromisse schliessen und sich ihren jeweiligen Forderungen und Spielregeln anpassen müsse. Ich ~~will~~ kann mich hier auch nicht darauf einlassen, die geistige oder moralische Haltbarkeit dieses Standpunkts zu untersuchen, sondern nur feststellen dass er existiert, und dass man ihn bei der generellen Beurteilung des Verhaltens vieler unserer Klienten nicht ausser acht lassen kann.

Schauspieler sind ja überhaupt psychologische Zwischenstufen.

Ich bin der Ansicht, dass der Schauspielerberuf solche Eigenschaften und Haltungen wie ~~allgemeine Intelligenz,~~ Selbstkontrolle, Verantwortungsgefühl, geistige Klarheit, charakterliche Zuverlässigkeit, nicht ~~direkt~~ unbedingt ausschliesst, wohl aber meistens vernebelt, untergräbt, doppelbödig macht. (Dies gilt für Männer mehr als für Frauen, denen die Schauspielerei ›natürlicher angewachsen‹ ist und daher ihr inneres Wesen im allgemeinen weniger beeinträchtigt oder verbiegt. »An actor is, always, a little worse than a man. An actress, sometimes, a little better than a woman«, sagt man in England.)

Die meisten Schauspieler neigen zu einer Art von Infantilismus, der ihnen auch die Vorgänge des realen Lebens, die blutige Wirklichkeit, zum Spiel, zur rasch wandelbaren Szene, zur Inszenierung, und ihre eigne Position oder Aktivität darin zur Rolle werden lässt. Viele bedeutende Schauspieler zeigen deutliche Züge von Schizophrenie. Grade für die Besten der europäischen und besonders deutschen Schauspieler ist ihre Kunst vielfach die Sache einer bis zur Wahnsinnsgrenze besessenen Leidenschaftlichkeit, – was man bei angelsächsischen Schauspielern, die mehr oder weniger begabt oder geschickt ihren »job« tun, so bitter vermisst. – Im Fall des Dritten Reichs konnten viele Schauspieler sich einfach ihrer Bewunderung für die Tricks der Regie, den Glanz und die Wirksamkeit der Vorstellung, die dramatische Akzentuierung und den routiniert gesetzten Knalleffekt, nicht entziehen, – während andere aus unüberwindlichem Erfolgs-Instinkt, (der noch nicht einmal unbedingt materiell bedingt sein muss), es nicht aushalten konnten, bei so vielen Vorhängen und einem so tobenden Applaus, wie ihn die ›Machtergreifung‹ durch die Nazis mit sich brachten, zu fehlen, sondern sie mussten, wenn auch als Statisten und ganz im Hintergrund, mit dabei sein. Wieder andere liessen sich wirklich und ernstlich und mit einer gradezu komischen Naivität in eine Wundergläubigkeit hinein bluffen, in der sie bereit waren, den raffiniertesten Demagogen als Kalenderheiligen, ja als Heiland zu sehen und sich eine partielle Blindheit für Tatsachen anzueignen. {Ich erinnere mich zum Beispiel sehr genau, wie mein alter Freund Werner Krauss – auf dessen janushafte Doppelerscheinung ich später ausführlich zurück komme – in einer Zeit, in der er noch ganz voll Empörung über Unrecht und Unterdrückungen des Regimes war und sich nur wohl fühlte, wenn er die Grenze Österreichs überschritten hatte – von einem Besuch in Berchtesgaden erzählte, wo er beim ›Führer‹ eingeladen war. »Ich kam hin«, sagte er, »zynisch wie ein Pharisäer, und dachte: mir wirst Du nichts vorspielen, mein Junge. Aber als ich ihn da im Kreis seiner nächsten Freunde sitzen sah und mit ihnen reden hörte, (am Kaffeetisch mit Rudolf Hess und anderen), – da wusste ich: Jesus unter den Jüngern.«

Er sagte das mit einem ganz andächtigen Gesicht, wie ein bekehrter Römer. Fragte man ihn dann, wie er sich das mit den Verbrechen in den KZs, den Pogroms, der Korruption und allen anderen Gemeinheiten der Nazis zusammenreime, dann sagte er: »Der Führer steht oberhalb dieser Welt. Er hat ein so grosses Ziel vor Augen, – (nämlich allen Völkern auf der Erde, einschliesslich den Juden, wenn auch mit Gewalt, ihren rechten Platz und damit den ewigen Frieden zu geben!), – dass er die ›Schattenseiten‹ garnicht sehen kann.«

Das sagte, und glaubte, ein sonst durchaus kühl denkender und höchst traitabler Mensch, weder dumm noch bösartig, der sich sogar in vielen Fällen höchst anständig und zuverlässig gezeigt hat. Aber – ein Schauspieler.}

Natürlich kam als weitere Verlockung hinzu der reiche und glänzende Aufwand, den die Nazis für die äussere Erhaltung ihres Theaterlebens machten, und die organisatorische Geschicklichkeit, mit der sie – auf Gottweisswessen Kosten – ihre Bühnen zu subventionieren verstanden.

Im grossen Ganzen glaube ich, dass die meisten Schauspieler, die im Dritten Reich wirken und sogar Positionen einnehmen, nicht im politischen, oder im kriminellen Sinn, als ›Nazi's‹ bezeichnet werden können. Natürlich kamen hier wie überall die echten, die fanatischen, die bösartigen und unverbesserlichen Nazis aus den Reihen der Zweitrangigen, der Neidischen, der Verbitterten, der Charlatane, die mehr darstellen wollen als sie sind und können. Man hat ja mit Recht im Theaterjargon die ganze Nazibewegung als die ›Revolution der Statisten‹ bezeichnet.

Aber in vielen Fällen weicht meine charakterologische Auffassung der einzelnen Personen vom allgemeinen Antinazischema ab. So halte ich zum Beispiel sogar Gustav Gründgens nicht für den abgründigen Bösewicht, als den ihn die Enttäuschung seiner früheren Freunde sieht ~~(obwohl der Spitzname ›Lackschuh-Satan‹, den die Bühnenarbeiter für ihn erfanden, ein amüsanter Treffer ist)~~. Die Brillanz einer hochbegabten Spielernatur, auf dem Theater wie im Leben auf ›grand jeu‹ eingestellt, kann, besonders unter solch labilen und schwankenden Verhältnissen, nach zwei Seiten wirken.

Für Dichter und Schriftsteller, Journalisten, *Verleger*, (denen – soweit uns bekannt – ein besonderes Kapitel zu widmen ist, und vermutlich ein wichtigeres), – liegt der Fall etwas anders. Mit dem Mittel der Sprache wächst die Verantwortung. Ausserdem haben die Nazis, die wohl wissen wie die Gewichte verteilt sind, andere und bekenntnishaftere Anforderungen an sie gestellt. Aber auch hier lassen sich wesentliche Unterscheidungen machen.

Man könnte – generalisierend – die Künstler und ›Geistigen‹ des Dritten Reichs ungefähr in ein charakterologisches Schema von vier Gruppen einteilen:

~~1. Solche die sich gegen ihre Überzeugung oder besseres Wissen den Nazis an-~~

1. Aktive Nazis und böswillige Mitläufer. Unter böswilligen Mitläufern würde ich solche verstehen, die gegen ihre Überzeugung und ihr besseres Wissen sich den Nazis angeschmissen und für sie gearbeitet haben, bis zur Denunziation und Gefährdung anderer. ~~Der übelste mir bekannte Fall auf diesem Gebiet ist der des ›Humoristen‹ Hans Reimann.~~

2. Gutgläubige Mitläufer, die sich dem Nazi-Zauber nicht entziehen konnten, oder Solche denen die Nazi's ihre berufliche ›Chance‹ gegeben haben, die aber trotzdem versuchten, persönlich anständig zu bleiben.

3. Indifferente und Hilflose, die ihres Berufs und ihrer Existenz wegen dableiben und das Maul halten mussten, ohne über die äusserlichen ›Pflichten‹ hinaus mitzumachen. Zu dieser Gruppe gehört vermutlich die Mehrheit der Schauspieler.

4. Die bewussten Träger des inneren Widerstands, – Solche, die ihre Mission darin sahen, dazubleiben und den Versuch zu machen, gewisse Werte des deutschen Kulturlebens durch die Nazizeit hindurch zu retten oder möglichst intakt zu erhalten, – und Solche, die ihre Position dazu benutzten, zu helfen, auszugleichen und all Denen den Rücken zu stärken, die ›auf den Tag‹ warten. Die Zahl dieser Persönlichkeiten ist vielleicht nicht sehr gross, aber sie können nicht hoch genug eingeschätzt werden, und sie mögen für die Zukunft besonders wichtig sein. Es ist unsere Aufgabe, sie vor den Missverständnissen durch ein engstirniges und fanatisches Schema zu bewahren, das alle Leute, die unter den Nazis weitergearbeitet haben oder gar Positionen bekamen, in den selben Topf schmeisst

Es gibt dann noch kompliziertere Einzelfälle, die in keine Einteilung passen. Hierher gehören die ›Heimkehrer‹ – die schon einmal emigriert waren und zurück gegangen sind. Man kann auch das nicht generalisieren. Der Fall Rudolf Forster ist der eines ›anständigen‹ Heimkehrers, der in der Emigration keine Chance sah als innerlich und äusserlich zu Grund zu gehen und mit seiner Rückkehr Niemandem schadete, kein Bekenntnis damit verband und sich in jeder Weise völlig zurückhaltend und taktvoll benahm. Der andere Fall ist der des Schriftstellers Ernst Glaeser, der als Convertit heimkehrte und den üblichen Convertierten-Eifer an den Tag legte. Abgesehen vom Umfall gewisser Österreicher, die vor dem Einmarsch als Repräsentanten des ›österreichischen Menschen‹ und der katholischen Hierarchie auftraten, um dann Hitlerhymnen zu dichten oder Nazistücke zu schreiben, ist mir kein Fall bekannt, denn über Bernhard Brentano bin ich nicht orientiert. Zu den völlig integren und einwandfreien ›Heimkehrern‹ gehört der Maler und Bühnenbildner Ernst Schütte, der im Anfang, 1933-34, in Paris beinah verhungerte und dann auf Anforderung Heinz Hilpert's, des Besten aller Nicht-Nazis im deutschen Kunstleben, mitsamt seiner jüdischen Frau zurückging, ohne sich scheiden zu lassen oder sie zu verleugnen, und der – obwohl durch Hilpert persönlich und beruflich gehalten und geschützt – in Deutschland Schwereres durchmacht als die Meisten, die draussen geblieben sind.

Die folgenden Notizen über Charakter und Verhalten verschiedener in Deutschland und Österreich lebender Schriftsteller, Künstler, Schauspieler, Theaterleiter, Regisseure, Journalisten, Verleger – sind grösstenteils auf Personen beschränkt, die dem Verfasser genau bekannt sind. Biographische Details sind trotzdem in den meisten Fällen nicht aufzubringen, – wohl auch in diesem Zusammenhang überflüssig oder leicht zu ergänzen. Die Kenntnis des Verfassers über das Verhalten der betreffenden Personen unter der Hitler-Diktatur reicht nur bis zum Sommer 1939 oder zum Eintritt Amerikas in den Krieg. Bei den meisten ist jedoch eine wesentliche oder grundsätzliche Änderung in der Zwischenzeit nicht anzunehmen. Es wird versucht nur zu berichten was aus eigner Beobachtung oder sichersten Quellen feststeht.

Gruppe 1: Positiv (Vom Nazi-Einfluss unberührt, widerstrebend, zuverlässig)

Verleger: Henry Goverts, Dr. Claassen, Peter Suhrkamp

Autoren: Wiechert, Kurt Heuser, Carossa, *(Barlach) Kästner*
Theaterleiter, Regisseure usw: Hilpert, Ibach, Gustl Mayer, Hans Nüchtern, Erhard Buschbeck, Erich Ziegel, Otto Falckenberg. *Ernst Schütte, Caspar Neher?*

Schauspieler, Künstler usw: Dorsch, Wessely, Horney, Mardayn, Grete Wiesenthal, Alma Seidler, Maria Kramer, Gerda Müller, Impekoven, Odemar, Wernicke, Rühmann, Attila Hörbiger,? Anton Edthofer, Winterstein, *Wegener*, v. Meyrink, Albers, Hans und Hermann Thimig. *Rudolf Forster.*

Besonderer Fall: Die Kabarettisten (Werner Fink, Valentin, Weiss Ferdl usw)

Gruppe 2: Negativ (Nazis, Anschmeisser, Nutzniesser, Kreaturen)

(Es erscheint hier unnötig, bekannte Naziführer und -publizisten wie Johst, Rainer Schlösser, Blunck, E.W. Möller usw. zu erwähnen)

Hans Reimann, Siegmund Graff, Hans Rehberg, Bronnen, Billinger, Jakob Schaffner, *Gottfried Benn* Ernst Glaeser,? Brentano (??), Friedl Strindberg, – Sonderfall Friedrich Sieburg. Bruno Brehm, Hans Schreyvogel, H. H. Ortner, Erik Kruenes, Waggerl, Mirko Jelusich, Roman Bahner, Karl Heinz Martin,? Karl Holl

Eugen Rex, Benno von Arent, Lothar Müthel, Fred Hennings, Harald Paulsen, Oscar Sima, Maria Paudler, Leni Riefenstahl, Sybille Schmitz??, Tony van Eyck, Heinrich Schroth, Hans Schöbinger, Friedl Czepa, Paul Westermeier, Johannes Riemann, – Heinrich George, Eugen Klöpfer, Fritz Genschow, Rene Stobrawa.

Gruppe 3: Sonderfälle, teils positiv, teils negativ – nicht ohne weiteres einzuordnen

Ernst und F.W. Jünger, ~~Kästner,~~ Fallada, Paul Fechter –

Mary Wigman, Hans Niedecken-Gebhardt. Erbprinz Reuss, Jhering. *Tilly u. Pamela Wedekind.*

Erich Engel – Jürgen Fehling. Furtwängler.

Gustav Gründgens.

Jannings – Krauss.

Willy Forst G.W. Pabst.

Gruppe 4: Indifferente, Undurchsichtige, Verschwommene, Fragliche:

(Negativ) Ponten, Hans Franck, Paul Alverdes, Angermayer, Blüher, Brues, Michel, Geysenheiner, Ina Seidel, Agnes Miegel, Wilhelm Schäfer, Emil Strauss, Karl Bröger, Hans Grimm, – Tietjen, Clemens Krauss, – die Brüder Schulz Dornburg. Graf Solms-Laubach.

(Positiv oder vermutlich positiv) Erik Reger, Hatzfeld, Dietzenschmidt, Hausenstein, Brandenburg, Otto Flake, W. von

Scholz, Kasimir Edschmid, Leonhard Adelt, Schmidtbonn, Fritz Peter Buch, Weichert, Theo Lingen, Achaz, Legal, Kayssler, Walter Frank, Gülstorff, Röbbeling, Herterich, Lennartz, Hoppe, Käthe Gold, Heinrich Marlow, Stanislaus Fuchs, Hannes Küpper, Kurt Elwenspoek, Herbert Maisch, die Kippenbergs, Hermann Stehr.

Dez. 1943 abgeschlossen. Viele Änderungen in der Klassifizierung vorgenommen.

I.

1. Dr. Henry Goverts.

Seit 1935 bekannt als Gründer und Besitzer des Hamburger Goverts-Verlags, der – obwohl inmitten der Nazizeit aufgebaut, sich bemüht, nur Bücher von Qualität oder Weltgeltung zu bringen und keinerlei Naziliteratur anzunehmen.

Sohn wohlhabender Hamburger Kaufmannsfamilie – Mutter Engländerin. (Die Mutter lebt ausserhalb Deutschlands, in Liechtenstein. Verf. hatte die Gelegenheit, Dr. Goverts dort noch im Jahr 1939 zu treffen und von ihm wichtige Informationen über Personen und Verhältnisse innerhalb Deutschlands zu bekommen)

War Leutnant der Feldartillerie im ersten Weltkrieg, studierte Soziologie bei Alfred Weber in Heidelberg. War künstlerisch und literarisch ambitioniert ohne ~~besonderes~~ hervorragendes Talent, Verfasser einiger Gedichtbändchen.

Es handelt sich hier um einen Mann von keiner besonderen schöpferischen Fähigkeit aber von ausgezeichneter Bildung und bestem Niveau. Jeder leiseste Kompromiss mit nationalsozialistischen Ideen bei ihm *völlig ausgeschlossen*. Ein wenig ›Buddenbrook-Typus‹ der nobleren, ästhetischen Richtung. Keine leidenschaftliche, kämpferische Natur – (eher etwas verspielt, im ~~Menschlichen~~ Geistigen wie im Erotischen) – aber als Charakter von absoluter Zuverlässigkeit. In jeder Weise generös, vornehm. Dem Verfasser ist bekannt dass er verschiedenen aus den Konzentrationslagern entlassenen Freunden ohne jeden Vorbehalt tätige Hilfe erwiesen hat und auch mit ›Verdächtigen‹ und Missliebigen die Verbindung aufrecht hielt. Seine Diskretion ist bis zur Abenteuerlichkeit gesteigert (Diskretion als Sensation des Verschweigens, Geheimnisses – trotz besonderer Lust an der Anekdote). Im Fall eines Zusammenbruchs des Naziregimes von grossem Wert für alle Art von Verbindung und kulturellen Neuaufbau – weil durchaus zuverlässig und aus erster Hand informiert. Unverheiratet. Etwa 48 Jahre alt.

Eugen Claassen, ca. 1937, Photo DLA

2. Dr. Claassen. Mitarbeiter und verantwortlicher Herausgeber im Goverts-Verlag. Zwischen 45 und 50. Starker, aktiver Charakter. Seine Arbeit als Verlagsleiter und seine Haltung unter Hitler war mustergültig. Als *Typus* mehr kämpferisch als Goverts. Scheint es verstanden zu haben, den Nazis durch Mut zu imponieren und gleichzeitig mit grossem Geschick seine Ziele durchzusetzen. Hohes geistiges Niveau, Qualitätsgefühl, Sachkenntnis. So lang Österreich existierte war er in ständigem Kontakt mit dort lebenden Antinazi-Autoren und Emigranten.

3. Peter Suhrkamp. (Vermutlich um 50, – Kriegsteilnehmer 14-18, – nach 1919 erfolgloser expressionistischer Dramatiker, dann Dramaturg bei Hartung, später Mitarbeiter im Ullsteinhaus, jahrelang Redakteur des ›Uhu‹).

Der Fall Suhrkamp, eines an sich ausgezeichneten Mannes, ist dadurch etwas erschwert, dass die Verhältnisse ihn gezwungen haben, das grosse Haus S. Fischer, Berlin, zu ›arisieren‹. Ganz bestimmt hat Suhrkamp das nur getan, um den Verlag – der heute auch seinen Namen trägt – vor völliger Auflösung durch die Nazis zu retten und nach Möglichkeit in den alten Kulturtraditionen weiter zu führen. Wie weit dies gelungen ist oder gelingen konnte ist eine andere Frage. Sicher hat Suhrkamp nie mit den Nazis gemeinsame Sache gemacht, sondern nur gezwungenermassen mit ihren Autoritäten gearbeitet. Immer noch – soweit überblickbar – versuchte er im Krieg die alten (in Deutschland verbliebenen) Autoren des Verlags zu stützen und durchzusetzen (besonderen Einsatz für den in Nazikreisen höchst suspekten, in der Schweiz lebenden Hermann Hesse), – und Neuerscheinungen nach Qualitätsgrundsätzen auszuwählen. Natürlich musste er, als ›Erbe‹ des verhassten Hauses Fischer, der dauernden Gefährdung durch Denunziation, Neid, Verdächtigungen usw. Rechnung tragen und konnte sich nach aussen hin nicht exponieren. Dies hat manchmal zu Missdeutungen von Seiten ausgewanderter Kreise geführt, die sich die Situation nicht vorstellen konnten. Der Verfasser weiss positiv, dass ihm z.B. schon vor dem Jahr 1938 verboten wurde mit ausgewanderten früheren Verlagsleuten und Autoren zu korrespondieren, dass seine Post überwacht, heimlich geöffnet und zensuriert wurde und dass er über jeden Schritt Rechenschaft abzulegen hatte. Trotzdem hat er soviel wie möglich von den alten Verbindungen aufrecht erhalten. Noch im Jahr 1940 hat der Verfasser von ihm – via Schweiz – sehr verzweifelte und deprimierte (und weissgott nicht Nazi-infizierte) Nachricht erhalten. Als der Verf. im Jahr 1938 aus Österreich fliehen musste, hat Suhrkamp seiner Familie tagelang in Berlin Asyl gewährt, bis

Peter Suhrkamp, Anfang der 50er Jahre, Photo Suhrkamp Verlag

auch deren Ausreise gesichert war, ohne Rücksicht auf die Schwierigkeiten die ihm selbst daraus hätten erwachsen können. Suhrkamp lehnte den Gedanken an Auswanderung für sich selbst ab: vor allem, weil er, wie Viele, die Überzeugung hatte, dass man die besseren Kräfte in Deutschland nicht einfach allein lassen könne und dürfe, dass Leute da bleiben müssten um etwas Vorhandenes zu verteidigen und durch die Zerstörungszeit zu retten, und dass für solche, die nicht fliehen *mussten*, der verantwortliche Platz in Deutschland sei. Dieser Standpunkt ist bei Vielen der in Deutschland Gebliebenen, zum Beispiel auch Heinz Hilpert, durchaus ehrlich und m.E. auch richtig gewesen.

Persönlich ist Suhrkamp ein sehr tief veranlagter, etwas versponnener, etwas vergrübelter, etwas querköpfischer Charakter, mehr depressiv als optimistisch, mehr norddeutscher ›Spökenkieker‹ als Philosoph, schriftstellerisch mehr eigenwilliger Amateur als echtes Talent, mit künstlerischem Empfinden aber leicht puristischer Attitude, in seinen Grundanschauungen und seinem inneren Wesen klar und sauber. Äusserst leistungsfähiger Arbeiter, vorzüglich als Leiter einer Arbeitsgemeinschaft. Man würde ihm eine innere Auflockerung wünschen, einen Tropfen keltischen, romanischen, jüdischen Bluts – aber leider waren wohl alle seine Vorfahren entschlossene Niedersachsen. Desto respektabler erscheint seine persönliche Entwicklung zu einem Mann von kultureller Bedeutung.

Ich widme dem Fall Suhrkamp besonderen Raum, weil die legitimen S. Fischer-Erben, Brigitte und Gottfried Bermann-Fischer, mit einer gewissen verständlichen Bitterkeit manche Einzelheiten der Haltung Suhrkamps nach ihrer Auswanderung missdeuten, (nachdem sie ihn selbst in den Verlag berufen und mit dem Überleitungsgeschäft beauftragt haben). Es handelt sich da zum Teil um persönliche Missverständnisse und Wesensunterschiede. Es steht aber ausser jedem Zweifel dass Suhrkamp niemals antisemitische Massnahmen oder Strömungen gebilligt, unterstützt, gutgeheissen hätte, er ist auch kein ›Nutzniesser‹ sondern hat ein höchst kompliziertes und schweres Amt übernommen. Ich halte Suhrkamp für einen der berufenen Helfer und Mitarbeiter in allen kulturellen Übergangs-Stadien und für die Neugestaltung Deutschlands nach dem Krieg.

4. Ernst Wiechert: in jeder seiner Äusserungen, besonders der berühmten Rede über den ›Dichter und seine Zeit‹ an der Münchner Universität im Jahre 1935, die ihm sogar eine Zeit in Dachau eingebracht haben soll, – hat Wiechert seinen aus

religiösen und weltanschaulichen Quellen erwachsenen Widerstand gegen die Nazis dargetan. Einer der besten und tapfersten von allen in Deutschland verbliebenen Schriftstellern. Nach der persönlichen Auffassung des Verf. kein ganz grosser Dichter im Sinn der Weltliteratur aber mit wundervollen, durchaus dichterischen Zügen und manchmal Erfüllungen. Grosser überzeugungsstarker Charakter. Wiechert wird einer der berufensten Sprecher und Vertreter der anständigen und wertvollen Deutschen sein, und, falls er das Hitlerende überlebt, vor allen Dingen von der Jugend in Deutschland gehört werden.

5. Carossa: Einzelgänger von unbedingter Integrität und Noblesse. Wenn der schmutzige Nazinebel weicht, wird auf seinem Bild kein Fleck oder Hauch zurück bleiben.

6. Ernst Barlach: Dem Verf. ist über Barlachs Leben und Wirken während der letzten zehn Jahre nichts bekannt. Er hörte einmal dass ihn die Nazis als ›entartet‹ abgelehnt haben, dass er wegen Neigung zu christlichem Sektierertum ihren Autoritäten verdächtig war, dass er völlig isoliert und abseitig irgendwo in Norddeutschland lebt.

7. Kurt Heuser.
Kurt Heuser, der heut Ende der Dreissig sein muss, ging als junger Mensch nach Afrika und arbeitete eine Zeitlang – mehrere Jahre – auf einer ziemlich wüsten Plantage im ostafrikanischen Busch. Er kam dann krank und verfiebert zurück, trank sich aber mit Hilfe des Verf. gesund. Er veröffentlichte bei S. Fischer einige hochbegabte Novellen und einen kurzen Roman über seine afrikanischen Eindrücke und begann ganz der schriftstellerischen Arbeit zu leben. Obwohl er ein Repräsentant jener Generation ist, die nach dem letzten Krieg aufwuchs und allen Nachteilen der deutschen Wirtschaftslage ausgesetzt war, hat er sich niemals jenen ›Erniedrigten und Beleidigten‹ zugesellt, aus denen sich die Nazibewegung re-

krutierte. Mehr contemplativ als aktivistisch oder militant, ist er ein Mann von – selbsterworbenem – höchstem geistigen und kulturellen Niveau – und charakterlich durchaus zuverlässig. Er vermied unter der Hitlerdiktatur jeden Verkehr mit Nazis oder Nazifreunden und hielt mit allen Mitteln die Verbindung zu den ausgewanderten deutschen Schriftstellern aufrecht, so lang es irgend möglich war. Er gehört ohne Zweifel zu denen, die die Stunden bis zu Hitlers Ende zählen und auf Erlösung warten, weil Deutschland für sie auch wenn sie nicht persönlich bedroht sind, ein Kerker geworden ist. *Achtung:* Heuser wird oft mit Heinrich Hauser verwechselt – der im Anfang der Nazizeit sein Buch ›Ein Mann lernt fliegen‹ mit Siegheil Hermann Göring gewidmet hat, aber später ausgewandert ist und in Amerika eine Art Apologie der – nazifeindlichen – Junker-Klasse veröffentlicht hat. Heinrich Hauser ist ein journalistisch und essayistisch sehr begabter Schriftsteller aber als Charakter mit Vorsicht zu geniessen.

Bei Heuser und Hauser fällt mir ein anderer Schriftsteller des jüngeren S. Fischer-Kreises ein, der noch in Deutschland lebt: Manfred Hausmann. Er kommt aus dem Worpsweder Kreis und gehört etwa zur selben Generation wie Kurt Heuser. Soweit ich ihn kannte schien er mir charakterlich vertrauenswert – über seinen Werdegang und sein Verhalten unter Hitler weiss ich nichts – als dass sein Stil offenbar schlechter wurde (was aber leider nicht bestraft werden kann).

8. Heinz Hilpert.
Von allen in Deutschland verbliebenen Theaterleuten der entschiedenste, aktivste, leidenschaftlichste Nazigegner. Man wird fragen: wie geht das damit zusammen, dass er als Leiter des vom Propagandaministerium subventionierten Deutschen Theaters, des Josefstädter Theaters in Wien und der Salzburger Festspiele, ein ausgesprochener Exponent des kulturellen Lebens im Nazideutschland, ein von den Naziautoritäten anerkannter Mann an erster Stelle, ja der Auserwählte des Dr. Goebbels ist? Antwort: es geht zusammen – wie so vieles –

Heinz Hilpert und Carl Zuckmayer in Frankfurt, 1947, Photo DLA

anscheinend Unvereinbares – in dem seelisch verworrenen und organisatorisch intakten Bienenstock oder Ameisenbau des Nazistaates. Die Nazis sind und waren immer einerseits ganz radikal mit Austilgung ihrer Gegner, ungeachtet ob darunter ›wertvolle Kräfte‹ oder sogar unersetzliche Werte für Deutschland mit ausgetilgt wurden. Andrerseits haben sie immer Ausnahmen gemacht, wo sie glaubten, sicher sein zu können, dass diese ihnen nicht wirklich schaden sondern ihrem Glanz, ihrem Prestige, aber auch ihrem eignen Wohlbehagen oder Standard dienlich sein könnten. Mag es für die Besetzung einer provinziellen Intendanz ausschlaggebender gewesen sein, ob der Kandidat ein guter Nazi war oder gute Parteibeziehungen hatte als was er leistete, – so wollten sie unter allen Umständen in Berlin ein hohes Theaterniveau erhalten und auch selbst, oder vielleicht einige ihrer Ratgeber, Mitläufer, Damen – erstklassiges Theater sehen. Die Auswahl für überprovinzielle, wirklich fähige Theaterleiter war nicht so gross, nachdem die

Juden und ›Kulturbolschewisten‹ gegangen worden waren. Dazu kam die Konkurrenz zwischen dem (ehemals) preussischen Innenministerium (Vater Göring) und dem Prop-Min (Bruder Goebbels). Göring hatte sich in die schillernde und skrupellose, theatralisch blendende Persönlichkeit des Gustav Gründgens vernarrt und füllte dessen hochpferdigen Motor mit allem erdenklichen Betriebsstoff um ihn an erster Stelle rennen zu machen. Goebbels hatte nicht viele Pfeile im Köcher. Er brauchte »etwas anderes«, – einen Sturmbock des Theaters, statt eines wundervoll radschlagenden Pfauen, einen ganzen Kerl, – und nichts war natürlicher als dass ein Mann wie Hilpert, der nie kroch, nie katzbuckelte, nie seiner selbst unsicher wurde, (wie es all die anderen, die Weichert, Karlheinz Martin usw, waren) – und der gleichzeitig vom Vertrauen der gesamten Schauspielerschaft getragen war, – von den Nichtnazis sowieso, und sogar von den Nazis unter den Schauspielern weil sie einfach wussten dass sie unter seiner Regie besser sind und mehr Erfolgschancen haben – bei ihm das Rennen machten, – und zwar ohne ihm nachzulaufen. Er wurde geholt. Und das Seltsame an dem durchaus unberechenbaren Nazi-Comment ist es ja, dass sie bereit sind einem ›Geholten‹ sogar einen eigenen Kopf zu zu gestehen (der allerdings immer an einem Haar hängt).

Es soll aber hier nicht von Nazipsychologie die Rede sein (wozu eine hundertseitige Abhandlung kaum ausreichen würde, die der Verf. bestimmt nie schreiben wird), – sondern von Heinz Hilpert.

Wer nicht selbst miterlebt hat, wie Hilpert zum Beispiel, auf einer Probe im Jahr 1936 (der der Verf., damals auf einem ›illegalen Besuch‹ in Berlin, im dunklen Zuschauerraum beiwohnte), dem ›Heil-Hitler‹ eines beflissenen Statisten nach langem, vernichtendem Blick, Räuspern, Spucken und bedeutsamen Kopfschütteln, mit einem breiten ›Guten Mor'jn‹ antwortete, kann sich von dem Ton der an seinen Bühnen herrschte und von dem, was er sich trotz dauernder Denunziationen erlauben konnte, keine Vorstellung machen.

Viel wichtiger aber als diese kleineren und mehr äusserlich determinierten Beispiele von ›Zivilcourage‹ ist die innere Einstellung Hilperts und sein – im Ergebnis wohl tragischer – Versuch, die Reinheit und Echtheit deutscher Kunst durch eine ordinäre und nichtswürdige Periode (von deren Vergänglichkeit er immer überzeugt war) hindurch zu retten.

Im Anfang versuchte er wohl noch, den Nazis im Spielplan, dramaturgisch, ein Schnippchen zu schlagen, Stücke oder Fassungen von Stücken durchzusetzen, die im Gegensatz zum Nazismus standen oder ihre Prinzipien – ohne dass man es beweisen konnte – ad absurdum führten. Auf die Dauer ging das nicht. Er musste sogar – einmal in einer Spielzeit – irgendein Nazistück, einen E.W. Möller oder S. Graff oder sonst einen Propmin-Schützling, spielen und zog sich gewöhnlich dadurch aus der Affaire dass er sie nicht selbst inszenierte. Wenn man aber seinen Spielplan vom Winter 1942/43 anschaut, der in einer ›Kulturnummer‹ des »Reich« im Frühsommer zu lesen war, – so findet man: Klassiker, deutsche und Shakespeare, – historische Lustspiele, Bearbeitungen, einen Bernhard Shaw (in Deutschland heute noch als ›irischer Dramatiker‹ erlaubt), – kurz: als gäbs keinen Krieg und keinen Adolf. Entscheidend aber ist Folgendes – {und ich kann es so kurz zusammen fassen – da ich es wirklich weiss, ~~dass~~ damit diese Behandlung des Falles Hilpert sich nicht zu einer Apologie auswächst: innerhalb seines persönlichen Kreises und innerhalb der ihm wie einem Häuptling folgenden und ergebenen Schauspieler, hat Heinz Hilpert etwas aufrecht erhalten was es sonst im Nazideutschland kaum mehr gibt: Naivität, gläubige und reine Kunstbegeisterung, absolute Wahrheitsliebe (den Gegensatz zu Verlogenheit) – und Humor.

Hilpert ist in hohem Grad Temperamentsmensch. In seinen Neigungen und Abneigungen ganz unmittelbar und elementar. Dabei in seiner seelischen Anlage ausserordentlich sensitiv, fast überempfindsam, und von einer verwundbaren Zartheit die ihren Schutz oft hinter überbetonter Derbheit oder Lautheit oder Robustheit sucht. Er ist in seinem Lebens- und

Kunstgefühl, ein dramatischer Lyriker, ein romantischer Realist, sein Gott ist Franz Schubert. Er neigt zu Purismus und übersteigerter Ablehnung von Erscheinungen die ihm vermischt, unsauber, verwirrend, vorkommen, hat aber genug Phantasie und Nerv, um sich blindlings in Schönheit – künstlerische und menschliche – zu verlieben. Er ist ein ewiger Verliebter. Sein Eros ist in hohem Mass der ›Eros paedagogicus‹ – was ihn eben in einer so seltenen Weise befähigt, die infantile Empfindungswelt der Schauspieler zu beherrschen, denen er absichtslos und ohne Pedanterie einen inneren Halt, eine grade Linie, einen seelischen Stundenplan vorlebt (in den auch die Pausen und die geschwänzten Stunden – o Bocksfuss deutscher Sprache – heimlich eingebaut sind}.

Alter wohl knapp unter oder um die Fünfzig. Verheiratet – der erwachsene Sohn, ein begabter Cellospieler – vermutlich in der Armee. Er, und seine Getreuen, sollten den Untergang des Nazireichs überleben und würden dann – wenn es je dazu kommt – zum Kernstock eines neuen lebendigen Deutschland gehören.

9. Dr. Alfred Ibach.
Dramaturg, Theater- und Verlagsfachmann. Stammt aus dem Saargebiet, katholische Familie, wendete sich nach vollendetem Literaturstudium der praktischen Theaterarbeit zu, zuerst als Dramaturg in Frankfurt am Main, dann von Hilpert als Dramaturg ans Deutsche Theater Berlin berufen. Alter wohl Ende der Dreissig oder Anfang Vierzig.

Alfred Ibach, der heute – das heisst bis 1941 kontrollierbar – eine bedeutende Verwaltungsposition im Theaterbetrieb von Berlin und Wien bekleidet (Deutsches Theater – Berlin, Theater in der Josephstadt – Wien und in der Leitung der Salzburger Festspiele) – ist ein Mensch von ungewöhnlich sauberer Intelligenz und sensibler Geistigkeit. Er ist das was man einen ›Versteher‹ nennen könnte, selbst unschöpferisch, ohne eigene künstlerische Phantasie oder Gestaltungskraft, aber mit einem immer wachen und lebendigen Verständnis für alles Künstlerische begabt und jederzeit bereit, in Selbstlosigkeit und ohne falschen Ehrgeiz produktiven Menschen mit seinem ganzen Arbeitseinsatz und enormer Begeisterungsfähigkeit zu helfen und zur Seite zu stehen. (Dieser Typus ist in reiner und ehrlicher Form seltener als man glaubt. Die meisten ›Beiständer‹ im künstlerischen und literarischen Betrieb, Dramaturgen, Verlagslektoren, viele Kritiker, rekrutieren sich aus ›Enttäuschten‹, aus solchen die eigentlich selbst Autoren, Dramatiker, Regisseure, sein möchten oder sein zu können glauben, das heisst sie betrachten ihre Stellung als etwas Untergeordnetes was ihnen eigentlich nicht zukommt, und was sie nur vorübergehend aus Existenzgründen tun oder aus persönlichem Pech statt ihrer eigentlichen Mission zu tun gezwungen sind. Daher findet man in ihren Reihen vielfach verärgerte, verbitterte und missgünstige Leute – prädestiniert zu Nazis – und Solche, die diesen Beruf freiwillig und ohne Ressentiment ausfüllen sondern mit Stolz und Freude sagen können ›Ich dien‹, sind daher schon deshalb charakterologisch hoch einzuschätzen. Die Nazis haben nun seit Beginn ihrer Herrschaft und ganz bewusst ›von oben herab‹ die Position des Dramaturgen in den verschiedenen Staats- Stadt- und Privat-Theatern – die natürlich auch nicht mehr privat sind sondern auf Kontrolle und Subvention durch Nazi-Kulturstellen angewiesen – ausgebaut und den einzelnen Dramaturgen mehr Macht gegeben als sie je vorher hatten, ja, sie haben vielfach – vom sogenannten Reichs-Dramaturgen Dr. Schlösser abwärts – den Dramaturgen die eigentlich leitende Position gegeben und sie mit zuverlässigen Nazis besetzt. Da man zu Intendanten oder Direktoren gewöhnlich Leute nehmen musste die vorher schon Erfahrung oder Erfolg am Theater hatten und wenigstens einige künstlerische Fähigkeit besassen, schaffte sich die Partei auf diese Weise ihre Kontrollstation oder mindestens ihre Zelle im Theaterbetrieb. Auch wurden die Dramaturgenposten vielfach als Belohnung oder Dank verteilt, oder als öffentliche Ehrung und Repräsentation, so war Hans Johst in den ersten Jahren nach 1933 Chefdramaturg der Berliner

Staatstheater. Es gehört zur Charakteristik des in Nr. 8 behandelten Heinz Hilpert, dass er sich solche Parteikreaturen und Günstlinge des Propagandaministeriums nicht ins Büro setzen liess, sondern einen Mann wie Ibach, obwohl er bei den Nazis unbeliebt war und in seinem Herzen und seiner Haltung ein unveränderlicher Antinazi ist, für eine so bedeutende Position durchsetzte. Das gelang ihm allerdings erst nach dem ›Anschluss‹ Österreichs, als er mit seiner eignen erweiterten Stellung auch erweiterte Vollmachten bekam.)

Ibach, der vor dem Beginn der Naziherrschaft eine sehr unglückliche Ehe gelöst hatte, lebte mit einer ›nichtarischen‹ Schauspielerin und ging mit ihr im Jahre 1933 zunächst nach England ins Exil. Als diese Verbindung sich aus Gründen privater Natur trennte, liess er sich in Österreich nieder – von dem wir damals Alle hofften, dass es den Nazis nicht zufallen sondern eine Zuflucht deutscher Kultur bleiben werde. Dort wurde er im Jahr 1938 vom Anschluss überrascht, und war aus beruflichen und familiären Gründen zum Bleiben gezwungen, obwohl er sich, seines früheren freiwilligen Exils, seiner nie verleugneten Beziehungen zu ›Nichtariern‹ und Antinazis, und einer bösartigen Denunziation halber, vor Naziverfolgungen keineswegs sicher fühlen durfte.

Er hatte damals eine leitende Verwaltungsstellung im Wiener E.P. Tal-Verlag übernommen und musste dessen Umgruppierung – oder Liquidation – durchführen, da die ›nichtarische‹ Besitzerin zum Auswandern gezwungen war. Durch Hilperts Einsatz blieb er ungefährdet und wurde von ihm in seine Theater übernommen, denen er früher, vor seiner Auswanderung, in Berlin schon angehört hatte.

Ibach ist in seinem persönlichen Eigenleben eher kompliziert, nervös, scheu, zurückhaltend und von einer gewissen zerstreuten oder auch verträumten Gespanntheit. Seine hervorragenden Eigenschaften sind seelische Vornehmheit, auch Zartheit, und vollständige freundschaftliche Ergebenheit, Treue, zu Menschen, die ihm nahstehen oder wertvoll erscheinen. Wo es um persönliche Treue und Zuverlässigkeit geht, besitzt er Mut und Entschlusskraft, was er dem Verf. dieser Zeilen in den Tagen der österreichischen Katastrophe durch die Tat bewiesen hat. Seine geistige Kapazität ist solid fundiert, qualitätvoll, und wenn nicht bedeutend so doch keineswegs oberflächlich. Für ein neues deutsches Kultusministerium, in dem man Persönlichkeiten von schattenfreier demokratischer und humanitärer Gesinnung und menschlicher wie politischer Zuverlässigkeit brauchen dürfte, würde ich Ibach sofort für eine Schlüsselstellung vorschlagen. Leider war er bereits in den letzten Jahren vor dem Einmarsch in Österreich gesundheitlich sehr beeinträchtigt, und soll später zeitweise sehr krank gewesen sein, mag sich aber inzwischen erholt haben. –

10. Auguste (Gustl) Mayer.

Wer zwischen dem letzten Krieg und der Nazikatastrophe irgendetwas mit den Berliner oder Wiener Reinhardtbühnen zu tun hatte, kennt ›Gustl‹ Mayer, die für mehr als ein Jahrzehnt das Besetzungsbüro des Deutschen Theaters in Berlin leitete und darüber hinaus in allen möglichen Bezirken der Theaterleitung die rechte Hand Max Reinhardts und seiner Direktoren war. Sie ist aus katholischer österreichischer Familie, Nichte des weiland Kardinal Pfiffl, und widmete ihr Leben von Jugend auf dem Theater im allgemeinen und im besonderen dem Bereich des Reinhardtschen Genie's. Was von Ibach zu sagen war gilt von ihr in noch höherem Masse: ohne selbst irgendwelche künstlerischen Ambitionen zu haben, dient sie der Sache des Theaters mit Leib und Seele und mit einer gradezu feurigen Begeisterung. Sie könnte ohne Theater nicht atmen und leben, man könnte fast erklären dass sie mit dem Theater verheiratet ist und ihm alle Seelen- und Lebenskräfte darbringt, die andere Frauen einer Ehe oder Familie widmen würden. Was den internen Betrieb des Berliner Theaters anlangt, den künstlerischen sowohl wie den geschäftlichen, so gibt es wohl kaum eine Person von detaillierterer und exakterer Fachkenntnis. Ihr Einfluss, nicht nur auf leitende

Stellen sondern auch auf Schauspieler und Schauspielerinnen, war stets enorm und ungewöhnlich – und Jeder hatte das Vertrauen, dass sie – etwa bei Rollen- und Besetzungsfragen – das Interesse beider Seiten, des Theaterleiters aber ebenso des betreffenden Künstlers – vertrat. Sie führte alle entscheidenden Verhandlungen für Max Reinhardt mit seinen Künstlern, und diese waren gewohnt, in allen Streitfragen, von ihr das ›letzte Wort‹ und den besten Rat zu hören. Ihre Position im Gesamtleben der Berliner Theaterwelt wäre von Amerika aus gesehen am ehesten der eines first-rate Agent zu vergleichen, der auf den ›Producer‹ ebenso Einfluss hat wie auf seinen Klienten und von Beiden respektiert und als Vertrauensperson angesehen wird.

Im Fall einer Umformung des kulturellen Lebens in Deutschland nach der Vernichtung der Nazis wäre Gustl Mayer überhaupt unentbehrlich – da es kaum eine zweite Persönlichkeit von ihrer abundanten Personalkenntnis geben dürfte, die gleichzeitig ein hohes intellektuelles Niveau hält und als Charakter über jedem Zweifel steht. Jede Inclination zu Nazitum ist bei ihr völlig ausgeschlossen, sie hat tausendmal bewiesen, in ihrem sehr komplizierten Berufsgebiet, dass sie zwar die dort besonders unerlässlichen diplomatischen, taktischen und psychologischen Methoden vollauf beherrscht ohne jemals ins – beim Theater so naheliegende – Intrigantentum zu verfallen.

Nach Reinhardts Vertreibung behielt sie unter Hilpert ihre Stellung im Büro des deutschen Theaters bis 1937 oder 1938 bei, und wurde dann von Gründgens in gleicher Position an die Staatstheater verpflichtet. Soweit der Verf. diesen Wechsel beurteilen kann, war ihre Stellung an den vom Propagandaministerium der Goebbels abhängigen Hilpertbühnen dadurch schwierig geworden, dass man ihr dort auf Grund von persönlichen Rankünen und Verdächtigungen nicht wohl gesonnen war – und sie infolgedessen in ihrer Tätigkeit beschränkt oder so sehr beeinträchtigt war dass sie es selbst nicht mehr als fruchtbar empfand und sie wohl auch für die hilpertsche

Direktion nicht das leisten konnte was sie in ihrer bisherigen Stellung gewohnt war. Bei Gründgens, der sich mit seiner brillanten Taktik und Personalbehandlung der ›Höheren Stellen‹ innerhalb des Betriebs eine sehr grosse Freizügigkeit und eine verhältnismässig grosse Unabhängigkeit geschaffen hatte, konnte sie vermutlich in ihrem Fachgebiet, dem Besetzungswesen, der vertraulichen Verhandlung mit Schauspielern und der Plazierung der richtigen Leute an die bestmögliche Stelle, mehr ausrichten. Es scheint dass sie das Gefühl hatte, dort in ihrer persönlichen Arbeit weniger nazi-abhängig zu sein. Aus privater Verbindung in den Tagen des österreichischen Anschlusses kann Verf. bezeugen dass sie auch dann noch und zwar erst recht, als Staatstheater-Angestellte, im Sinn des Widerstands gegen Nazitum und Kulturzerstörung wirkte. Ihr Verhalten gegen gefährdete oder direkt verfolgte Personen zeigte einen Grad von persönlicher Anständigkeit und Charakterstärke, der auch ihre weitere Entwicklung, die wir nicht mehr überblicken können, ausser Zweifel stellt. Sie war, zum mindesten bis 1939, unverheiratet, überzeugte Junggesellin aber kein Spinster-Typus, sehr energisch, sehr aktiv, sehr amüsant und witzig, und trotz aller Lust an Anekdote und Personalaffairen, nicht verklatscht und bestimmt nicht zwischenträgerisch. Alter vermutlich um die Vierzig oder vielleicht auch Mitte der Vierzig.

11. Ernst Schütte.
Soviel mir bekannt ein Familienglied der Grossindustriellen Schütte-Lanz. Von Familienbeziehungen völlig unabhängig seit dem letzten Weltkrieg, in dem er teilnahm, als Maler, Zeichner, später Bühnenbildner lebend.

Alter wohl knapp unter Fünfzig. Allerbester deutscher Typus: aufgeschlossen, begabt, von warmherzigem und noblem Temperament, ganz ohne jede Geltungssucht oder Überheblichkeit, weltbürgerlich gescheit, musisch, lebensheiter und ernst, treu, zuverlässig, und – ›unpolitisch‹. Viele der besten Reinhardtaufführungen waren von ihm ausgestattet. Im Jahr

1933 verliess er mit seiner ›nichtarischen‹ Frau Deutschland und arbeitete zunächst für Reinhardts Fledermaus-Inszenierung in Paris. Das Leben in Paris, wo er als Bühnenbildner nicht Fuss fassen konnte, sondern versuchen musste als ›Freier Maler‹ mit kleinen Einrichtungsaufträgen für moderne Bar's und Tanzlokale etc. zu existieren, versetzte ihn bald mit seiner Familie, Frau und Tochter, in kaum erträgliche Armut. Als Hilpert ihn nach einiger Zeit ans Deutsche Theater nach Berlin zurückholte, leistete er zuerst nur sehr zögernd Folge und unter der absoluten Bedingung, dass dies an seiner Ehe – mit einer ›Volljüdin‹ nichts ändern und in sein Privatleben nicht eingreifen dürfe. Er ist einer der ganz Wenigen, die diese Klausel bis auf den heutigen Tag (Kontrollierbar bis 1941, aber Veränderung nicht anzunehmen) wirklich durchgesetzt haben. Natürlich tritt ein Bühnenmaler nicht so ins Bewusstsein und ins Licht der Öffentlichkeit wie ein Schauspieler, von denen man die meisten ›nichtarisch‹ verheirateten zur Scheidung gezwungen hat. Aber gewiss führte sein Bestehen auf dieser Ehe und auf Nichtbelästigung seiner Frau zu einer Kette schwerster Charakter- und Lebensbelastungen, die er mit aller möglichen Kraft und Gelassenheit durchzustehen versucht. Was ihn nach Deutschland, das heisst zu Hilpert, zurückführte, war wohl erst in zweiter Linie materielle Not, in erster Linie künstlerisches Verantwortungsgefühl und der Drang nach Produktivität, die ihm im Exil lahmgelegt wurde – denn sein wesentlicher Beruf war eben nicht Bilder zu malen und Restaurants einzurichten sondern dramatisches Theater, Welttheater bildnerisch mitzugestalten – und diese Produktivität konnte er auf der Welt nur in Zusammenarbeit mit Menschen gleicher Anschauung und gleicher Ziele haben. Das Aufrechterhalten einer von der politischen Zersetzung nicht angefressenen und verdorbenen Theaterkunst, – durch die Zerstörungszeit durch mit der Hoffnung auf eine baldige Änderung, – war für ihn wie für Hilpert einer der Gründe – Träume? – die ihn nach Deutschland zurück zwang. Dass er das Leben dort – trotz aller Möglichkeiten künstlerischer Entfaltung und wirtschaftlicher Unabhängigkeit – als einen elenden Zwang empfand, obwohl man ihm die ›nichtarische‹ Frau und ›halbarische‹ Tochter unbehelligt liess, – erlebte der Verfasser dieser Notizen im Jahr 1939, wo Ernst Schütte sich einen Urlaub in die Schweiz verschaffte um von ihm vor seiner Übersiedelung nach Amerika Abschied zu nehmen. Wir – die Exilierten und Vertriebenen, die in jeder Beziehung dem Ungewissen entgegen gingen, – waren ruhige und nervenstarke Leute im Verhältnis zu ihm der seine unangetastete und produktive Stellung in der Heimat gesichert hatte, aber gradezu körperlich litt und fast einen Nervenzusammenbruch hatte vor Ekel über seine Umwelt.

Sein Zustand, zwischen hektischer Lustigkeit und krampfhaft unterdrückter Verzweiflung, erinnerte mich sehr an den von Fronturlaubern im Jahr 1917 oder 18, die wussten dass sie ins unvermeidliche Verderben zurück müssen. –

Sollte es wieder ein freies deutsches Theater geben wird Ernst Schütte sein bester und berufenster Bühnenmaler sein.

12. *Caspar Neher*, einer der eigenartigsten und begabtesten Bühnenmaler, der in Deutschland geblieben ist, wird in einem Nachtrag behandelt werden, da Verf. zufällig Gelegenheit hat, durch gemeinsame Bekannte in nächster Zeit Informationen über ihn zu bekommen.

13. Erich Ziegel – früher Mitdirektor der Münchner Kammerspiele, dann Leiter der Kammerspiele in Hamburg für lange Jahre, – einer der fortschrittlichen Regisseure Deutschlands während und vor der Republik, – Alter wohl Anfang oder Mitte Fünfzig, – war mit einer bekannten jüdischen Schauspielerin, die auch Regie führte und als Theaterleiterin tätig war, verheiratet und ging zunächst nach der ›Machtergreifung‹ nach Österreich, wo er aber, wohl infolge der dortigen Animosität gegen Norddeutsche, keine Position finden konnte. Er wurde später von Gründgens, der sich vieler von den Nazis ›beurlaubter‹ Talente annahm und sie in ihren Beruf zurück

brachte, ans Staatstheater nach Berlin geholt, und zwar als Schauspieler und Regisseur. Seine Frau begleitete ihn zunächst dorthin und hatte keine direkten Schwierigkeiten ausser der beruflichen Lahmlegung. Ob sie noch zusammenleben oder ob die Frau später Deutschland verlassen hat, ist dem Verf. nicht bekannt. Wenn es so sein sollte so liegt in diesem Fall bestimmt eine Trennung in gegenseitiger Übereinstimmung und Vereinbarung vor – denn Ziegel ist ein durch und durch anständiger Charakter – nur vermutlich weder als Talent noch als Persönlichkeit stark genug um im Ausland etwa eine Bassermann-Carrière machen zu können. Als Emigrant hätte er das Heer der Erfolg- und Stellungslosen, die trotz früherer Leistungen und guten Namens hier keine Chance haben und nicht mehr jung genug sind um etwas neues anzufangen, vermehrt. In Deutschland hält er eine verhältnismässig angesehene und einflussreiche Position im Theaterleben, ohne mit den Nazis etwas gemein zu haben. Es ist immer wieder zu sagen, dass die Existenz solcher nicht hervorragender aber guter, anständiger und noch niveaubewusster Leute in Deutschland wichtiger ist als ihr ziemlich sicheres Verkommen oder Zermahlenwerden in der Emigration.

14. Otto Falckenberg's Fall liegt ähnlich.
Viele seiner alten Freunde haben es ihm übelgenommen, dass er nicht auswanderte sondern die Münchner Kammerspiele weiterführte (und auf dem alten künstlerischen Standard zu halten suchte), obwohl dies natürlich nur noch unter Nazi-Ägide möglich war und mit Kompromissen im Spielplan, durch das Propagandaministerium angeordnete Uraufführungen von Nazi-Autoren, gelegentliche ›Festvorstellungen‹ für oder in Anwesenheit hoher Nazileiter oder des ›Führers‹ persönlich undsoweiter, – sogar Annahme von Titeln oder Ehrenposten innerhalb der nationalsozialistischen ›Kultur‹-Organisationen, – lauter Zugeständnisse um die man nicht herum kommt, wenn man dort überhaupt geblieben ist, und die ein Mann wie Falckenberg sicher nur mit grossem Wider-

willen und aus Not, ohne jede wirkliche Anteilnahme mit-macht. Dagegen steht die positive Tatsache, dass ein Stamm von Schauspielern und ein künstlerischer Nachwuchs in Deutschland an einem Mann wie ihm immer noch einen Mass-stab und eine Richtweisung hat, und dass er eben im deutschen Theaterleben eine Position durchhält, die sonst von einem Nazi oder Nazigünstling besetzt und ganz mit Nazi-Inhalt, Propaganda und Einfluss, aufgefüllt würde.

Falckenberg muss sich heute den Sechzig nähern. Er ist kein aktiver, energischer, tatkräftiger Mensch – mehr sensibel als stark, mehr nach- oder sich-einfühlend als selbstschöpferisch, neigt zu Müdigkeit, Melancholie, Depressionen, aber er hat eine künstlerische Phantasie und eine noble, warmherzige Gesinnung, deren Integrität sich auch in der Nazizeit nicht verändert haben dürfte.

15. Hans Nüchtern

Österreicher, war in den letzten Jahren vor dem ›Anschluss‹ Leiter der ›Ravag‹, des österreichischen Radios – das heisst literarischer Leiter und verantwortlich für das Programm. Er hat in diesem Posten unter den Regierungen Dollfuss und Schuschnigg mustergültig gewirkt – sich von jeder partei-lichen Einseitigkeit und ›autoritären‹ Linie frei gehalten, und, mit Ausnahme einer radikalen und aktiven Nazi-Gegner-schaft, die überpolitische, kulturelle Freiheit des Rundfunks mit grosser Intelligenz und Stilgefühl aufrecht erhalten. Er ist Katholik und gehörte politisch wohl dem liberalsten, fortschrittlichsten und unbedingt demokratischen Flügel der katholischen, christlich-sozialen Richtung an. Auch schrift-stellerisch hat er – ohne allzu grosse Publizität – in diesem Sinn gearbeitet. Er wurde nach dem Einmarsch sofort entlas-sen und hatte wohl eine Zeitlang ziemliche Schwierigkeiten, entging aber der Verhaftung und dem KZ, da er keine direkte politische sondern eine mehr literarische Stellung einnahm. Er hat aber in keiner Weise mit den Nazis paktiert und sich seit-dem völlig ins Privatleben zurück gezogen (Information reicht auch hier nur bis etwa 1941), und wird wohl heute in irgendeiner kleinen Position sein Brot verdienen falls er nicht, als Mann in der ersten Vierzigerhälfte, zum Militär eingezogen ist. Einfacher, anständiger, hilfsbereiter Charakter.

16. Erhard Buschbeck war viele Jahre hindurch Chefdramaturg des Wiener Burgtheaters, schon unter der Direktion des Hofrat Herterich, des Hofrat Wildgans und dann des Direktors Hermann Röbbeling (der später unter mehr ›Indifferenten‹ zu behandeln sein wird). Auch Buschbeck ist ein gläubiger Katholik und neigt zu einem noblen, kulturbewussten und liberalen Konservativismus. Sofort nach dem Nazi-Einmarsch wurde er seines Amtes enthoben und hat sich um keine Stellung unter dem Nazi-Regime bemüht. Nach allen persönlichen Berichten und Informationen hat Buschbeck, der politisch nicht weiter hervorgetreten war und daher keiner direkten Verfolgung ausgesetzt, ⟨sich⟩ in der Nazizeit hervorragend anständig verhalten, sich beruflich völlig zurückgezogen oder nur für ⟨seinen⟩ Lebensunterhalt gearbeitet und soll besonders zuverlässig, hilfsbereit und treu zu verfolgten oder gefährdeten Freunden und Berufsgenossen gewesen sein. Vermutlich ist er über dem Militärdienstalter, wohl um die Fünfzig, und dürfte noch in Wien oder in Österreich auf dem Land leben. Er gehört wie Hans Nüchtern zu den Leuten denen man politisch und menschlich volles Vertrauen entgegen bringen kann.

17. Unter diesem Paragraphen möchte ich die Personalia einer Reihe von Schauspielerinnen gekürzt zusammen fassen, von denen einwandfrei, auf Grund persönlicher Erfahrungen, fortgesetzter Informationen und aktiver Äusserungen, feststeht dass sie nichts mit den Nazis zu tun haben, auch wenn sie unter dem Nazi-Regime zum Teil eine besondere Beliebtheit geniessen und in ihrer Karriere fortgeschritten sind. Alle die hier erwähnten Schauspielerinnen, wie sie auch sonst in ihrem weiblichen und künstlerischen Temperament differieren mö-

gen, haben in der Nazizeit und in entscheidenden Situationen grosse Charakterstärke, Zuverlässigkeit und Mut bewiesen und mehr geistige Unabhängigkeit und Klarheit des Denkens gezeigt als viele ihrer männlichen Kollegen.

Käthe Dorsch ist an erster Stelle zu nennen.

Sie war für die Nazis immer der Inbegriff der ›blonden deutschen Frau‹ und ihr hoher Rang als Schauspielerin machte sie im Berliner Theaterleben unentbehrlich. Eine alte Freundschaft mit Göring, die auf dessen junge Leutnantszeit vor dem letzten Krieg zurück ging, verschaffte ihr ausserdem einen starken persönlichen Einfluss auf leitende Nazibehörden. Diesen Einfluss, der den ›kleineren‹ Nazimamelucken gegenüber eine gewisse Macht bedeutete, nutzte sie uneingeschränkt aus, um allen möglichen Verfolgten, Gefährdeten, Hilflosen und Verfemten, zu helfen und beizustehen. Im Anfang der Nazizeit hatte sie in Theaterkreisen den Spitznamen ›Die Judenmutter‹, da sie eine ganze Menge jüdischer Kollegen und Kolleginnen unter ihre Fittiche nahm, vor Verhaftungen oder Misshandlungen schützte, zur Auswanderung und sogar zu einigen Mitteln verhalf, noch im Ausland mit Geld und Beziehungen unterstützte usw. Darüber hinaus hat sie sich für Verhaftete und KZ-Insassen mit grossem Mut und ohne Rücksicht auf etwaige Folgen für sie selbst eingesetzt, es sind ihr Entlassungen und sogar Lebensrettungen gelungen, und wenn garnichts mehr anderes half, hatte sie einen letzten Ausweg der keinem anderen Menschen zur Verfügung stand, sie drückte das mit den Worten aus: Ich laufe zu Hermann und kriege einen Weinkrampf. – Dem war der starke Mann nicht gewachsen. Mehr als einer hat solchen Weinkrämpfen sein Leben oder seine Freiheit zu verdanken.

Käthe's Bedeutung und Laufbahn als Schauspielerin ist bekannt, über ihr mutmassliches Alter möchte ich mich der Äusserung enthalten.

Paula Wessely, das grösste Talent der jüngeren Generation, die stärkste und bedeutendste Schauspielerin die Österreich in langer Zeit hervorgebracht hat, spielte zwar auch in der Hitlerzeit immer wieder für einige Monate in Berlin bei Hilpert, war aber stets von Nazieinflüssen völlig frei und hoffte auf die Erhaltung eines unabhängigen Österreich. Als Österreich fiel war sie grade in Wien tätig, wo sie die Hauptrolle in einem neuen Stück des Verf. spielen sollte, das aber dann natürlich nicht mehr zur Aufführung kam. Sie weigerte sich energisch, anstelle dieser Rolle in den Stücken führender Naziautoren aufzutreten, die ihr sofort angeboten wurden, sondern zog sich auf die Klassiker zurück, und setzte es durch, in den Wochen des ›Anschlusses‹ und der ›Volksabstimmung‹, in denen sonst in allen Theatern ›nationale‹ Erhebungs- oder Propagandastücke gespielt wurden, die ›Minna von Barnhelm‹ zu geben. Auch weiterhin in der Kriegszeit hat sie nach Möglichkeit Klassiker oder ältere Stücke gespielt und sich auch im Film nie auf Propaganda-Rollen eingelassen. Darüber hinaus hat sie und ihr Gatte Attila Hörbiger in den Tagen des Anschlusses vielen Freunden geholfen und sich gegen die Verfemten und Abgesetzten mit grösster Treue und Anhänglichkeit verhalten. So lang es ihr irgend möglich war hielt sie stets die Verbindung mit ausgewanderten Freunden aufrecht. Sie und Hörbiger brachten in den schlimmsten Tagen der Verfolgungen nach dem Anschluss einen jüdischen Kollegen in ihrem eignen Wagen durch das Land und bis zur Grenze, damit er unbehelligt entkommen konnte.

Brigitte Horney – die nach einer recht guten Bühnenkarriere ein Star im deutschen Film wurde und es wohl heut noch ist – eine kraftvolle, lebensstarke, intelligente Persönlichkeit, – versuchte trotz glänzender Filmangebote in den Jahren 1935 bis 37 sich eine Stellung im englischen Film zu verschaffen, um die unerträgliche Atmosphäre des nazibeherrschten Berlin verlassen zu können. Sie hat in London hart gearbeitet und auch eine Filmhauptrolle gespielt, konnte jedoch mit der

Brigitte Horney mit Joachim Gottschalk in
›Aufruhr in Damaskus‹, 1939

Sprache nicht fertig werden und musste nach Deutschland zurück. Sie lebt dort in einem privaten Freundeskreis, der in keinem Zusammenhang mit den Nazis steht und sich aus geistig unabhängigen Schriftstellern, Künstlern und Theaterleuten zusammensetzt. –

Von den Wiener Schauspielerinnen *Christl Mardayn*, (die ebenfalls, ohne Erfolg, den Versuch machte, in England Film- oder Bühnen-Engagement zu finden), – und den Burgtheaterschauspielerinnen *Alma Seidler* und *Maria Kramer*, – ist

Ähnliches zu sagen wie von Paula Wessely und Brigitte Horney, obwohl nähere Einzelheiten dem Verf. nicht bekannt sind. Er hat aber zuverlässige Informationen über ihr ausgezeichnetes und vornehmes Verhalten – oder Sich-Fernhalten von aller Nazi-Clique und Mitmacherei – und ihre nachweisliche Anständigkeit und Anhänglichkeit und Hilfsbereitschaft für alte Feunde, die von den Nazis verfolgt oder vertrieben wurden.

Grete Wiesenthal – auch in ihren reiferen Jahren immer noch der Inbegriff wienerischer Tanzkunst und weiblicher Grazie, fühlte sich vom ›Anschluss‹ Österreichs wie von einem furchtbaren persönlichen Unglück betroffen und empfand es als eine qualvolle Last, unter diesen Umständen in Österreich weiter zu leben. Auswanderung war jedoch für sie aus familiären, wirtschaftlichen und anderen privaten Gründen unmöglich. Nazitum ist ihr im innersten Wesen und in jeder seiner Äusserungen zuwider und völlig entgegengesetzt. Die Nazis haben sie nach der Besetzung Österreichs in eine sogenannte Deutsche Akademie in Wien berufen und ihr die Leitung der Tanzschule übertragen, ein Auftrag dem sie sich weder entziehen konnte noch wollte, da sie sich dort in ihrem Kreis von Schülerinnen, die sie auch menschlich in hohem Maass beeinflusst, frei und ohne Annahme irgendwelcher Nazidoktrinen betätigen konnte. Es ist im Gegenteil ziemlich sicher, dass man in ihrer Gruppe und ihren Einzelschülerinnen einen Stamm von nicht-nazi-infizierten jungen Frauen finden wird. Grete Wiesenthal ist eine Frau von grosser echter Geistes- und Herzensbildung, Dichter wie Hugo von Hofmannsthal und viele andere waren ihre nahen Freunde, sie ist eine leidenschaftlich emotionelle Natur, stark im Lieben und Hassen, aber durch die Reife eines klaren, bedeutenden Charakters ausgeglichen.

Gerda Müller, die ›litauische Wölfin‹, Tochter eines Gutsbesitzers von der ehemaligen deutsch-russischen Grenze, war ein elementares Prachtstück von einer Schauspielerin und

einem Weib und ein ganzer Kerl – trotz ihrer vitalen Weiblich-
keit fast maskulin in ihrem Denken und in ihrer Lebensart –
bis eine schwere Lungenkrankheit sie fast ganz an ihrer
Berufsausübung hinderte. Sie hatte eine Neigung zu slawisch-
nihilistischer Selbstzerstörung, manchmal ans Dämonische
grenzend, aber auch in Zeiten alkoholischer Verfallenheit niemals verkommen, niemals verschlampt, niemals banal. Es lässt
sich kaum ein Mensch denken dem weniger am eignen Vorteil
gelegen – der weniger egoistisch ist, jederzeit bereit, alles für
andere zu tun oder herzuschenken. Dabei kämpferisch und
eigenwillig im Geistigen, von starkem intellektuellem Kriti-
zismus, eher hart als weich, unsentimental, ohne Illusionen.
Freunden gegenüber der beste und zuverlässigste Kamerad.
Kurz vor Hitlers ›Machtergreifung‹ heiratete sie den damaligen Oberbürgermeister von Königsberg, einen Sozialdemokraten, der von den Nazis sofort entlassen und zeitweise
verfolgt wurde, und hielt natürlich ganz und gar zu ihm. Sie
war dadurch für eine gewisse Zeit von den Bühnen verbannt,
spielte aber später wieder gelegentlich, soweit es ihre Gesund-
heit erlaubte. Verf. hatte zuletzt im Sommer 1941 eine Nachricht von ihr aus einem schweizer Lungensanatorium, wo sie
sich angeblich auf dem Weg der Besserung befand. Soweit bekannt lebte sie in den letzten Jahren in Berlin.

18. In dieser Rubrik werden in ähnlicher Form eine Reihe von
Schauspielern zusammen gefasst, deren positives Verhalten
unter der Naziherrschaft notorisch ist.

Toni Impekoven, Doyen der Schauspielerschaft in Frankfurt
am Main. Er muss heut ein alter Herr sein. Auf englisch würde
man seinen Charakter ›genial‹ nennen. Humorig, charmant,
durchaus gutmütig, normal gescheit, grundanständig. Hat sich
von allem Nazitum strikt zurückgehalten und nach Aussagen
vieler Kollegen in seiner prominenten Stellung an den Frankfurter Bühnen bemüht, möglichst ausgleichend und mildernd
in der Nazizeit zu wirken.

Ähnliches ist von *Fritz Odemar* bekannt, der im Berliner Theater und Film eine bekannte Figur geworden ist und dessen menschliches Verhalten seit 1933 als beispielhaft bezeichnet wurde. Ernster Komiker, melancholischer Lebensgeniesser, Frauenfreund, amüsanter Bonvivant, fast immer in Geldschwierigkeiten, deren er mit Humor und Grazie Herr wird. Mag um die Fünfzig sein.

Otto Wernicke, Charakterspieler an Hilperts Deutschem Theater. Im Film spielte er gewöhnlich den gutmütig-derben, polternden und zigarrenrauchenden Kriminalkommissar, von dem sich dann herausstellt, dass er garnicht so dumm ist wie er aussieht. Sein Begabungsniveau ist aber viel höher, vermutlich ist er eine der stärksten Persönlichkeiten des schauspielerischen ›Nachwuchses‹, das heisst der Generation die heute vierzig ist. Von Natur freundlich und gutmütig, weniger primitiv als er äusserlich wirkt, – dass er kein Nazi ist sondern auf die Erlösung von ihnen wartet liegt auf der Hand. Er war mit einer jüdischen Frau verheiratet und weigerte sich sich scheiden zu lassen, wurde zwar von Hilpert als Schauspieler trotzdem gehalten, blieb jedoch allen Organisationen und öffentlichen Veranstaltungen usw, denen die Schauspieler sonst pflichtweise beizuwohnen haben, fern. Ob das auf die Dauer gelungen ist scheint fraglich, in den meisten Fällen (wie im Fall Albers) musste zum mindesten nach aussen hin eine örtliche Trennung durchgeführt werden. Es scheint gewiss dass Wernicke sich in jeder Weise als anständiger Charakter gezeigt hat. Keine näheren Informationen über ihn seit 1939, – er erscheint aber in den Theaterberichten der berliner Blätter von 1942/43 an führender Stelle. –

Auch der sehr beliebte Komiker *Heinz Rühmann*, ein geborener Rheinländer, wohl Anfang der Vierzig, war mit einer jüdischen Frau verheiratet und befand sich im Anfang der Hitlerzeit in einer persönlich besonders komplizierten Lage (die eigentlich in das Gebiet des Privatlebens gehört, das andere

Heinz Rühmann (die andere Person ist unbekannt), Photo FAZ

Leute nichts angeht, aber hier aus charakterologischen Gründen mit allem Respekt und aller Zurückhaltung vertraulich erwähnt werden muss). Die Ehe war nämlich sehr unglücklich und die Frau (nach dem persönlichen Eindruck des Verf.) eine Landplage, und R. war grade im Begriff sich von ihr zu trennen, wozu es offenbar höchste Zeit war, – als plötzlich Hitler zur Macht kam und jeder Schuft sich von seiner nichtarischen Frau scheiden liess. Dieser Umstand zwang R. aus Gründen der Selbstachtung und der Zivilcourage, vor allem wohl der Anständigkeit gegen die Frau, jahrelang eine an sich überlebte und sinnlos gewordene Ehe weiterzuführen, – nur weil es unter diesen Voraussetzungen nicht anging sich von einer Jüdin – offensichtlich unter Ausnutzung der Konstellation – zu trennen. Er hat grosse Schwierigkeiten deshalb auf sich genommen, die grösste eben vermutlich zu Hause. Mehr braucht eigentlich über R.s einwandfreien Charakter und seine wirklich bezaubernde Persönlichkeit nicht ausgesagt zu werden. Soviel dem Verf. bekannt wurde nach mehr als fünf Jahren der Naziherrschaft und dann auf Wunsch der Frau die Ehe schliesslich getrennt, doch diese Nachricht ist nicht verbürgt. Rühmann hatte als Privatsport fliegen gelernt – er war ein Freund und Schüler des späteren Luftgenerals (und Nicht-Nazi's) Udet, und soll bei Beginn des Kriegs als Kampfflieger in die Armee gegangen sein. Ein Gerücht von seinem Tod in Polen hat sich nicht bestätigt, und es ist dem Verf. nicht bekannt ob er heute noch der Luftwaffe angehört oder wieder Theater spielt. Charakterlich ist er in jedem Fall ein vorzüglicher Mann.

Von der ›alten Garde‹ – den heute zwischen 60- und 70jährigen Schauspielern guten Ranges – sind als Noblemen und ganz erstklassige Charaktere zu nennen: *Eduard von Winterstein* und *Paul Wegener*. Mit Beiden war auch nicht der geringste Nazikompromiss zu machen. Winterstein hat sich als alter Herr selbstverständlich zu seiner jüdischen Frau bekannt und die Idee einer Trennung wäre für ihn nie in Frage gekommen. Da die Frau nicht Schauspielerin war, wie Else Bassermann, lag der Fall für ihn einfacher, man hat selbst von Naziseite seinen Charakter und seine Leistung respektiert und ihn in Ruhe gelassen. Er spielt, nimmt aber an keiner wie immer gearteten öffentlichen Angelegenheit teil. (Auch Bassermann hätte vermutlich Deutschland nicht verlassen und nicht die Gigantenleistung auf sich genommen, mit 70 Jahren Star in einer fremden Sprache zu werden die er vorher nicht beherrschte, hätte er nicht seine Frau für eine berufene Schauspielerin gehalten und ihre Ausschaltung von der deutschen Bühne – als ›Nichtarierin‹, als eine unerträgliche Beschimpfung empfunden.) Paul Wegener sagte im Jahre 1933 zu dem Nazi-Obmann Laubinger (inzwischen verstorben), der ihn nötigen wollte an einer N.S. Schauspielerversammlung teilzunehmen um seine ›Stellung‹ zu bewahren, in schlichter Weise: Lecken Sie mich mitsamt Ihrem Führer a.A., ich geh ins Kloster. – Auf diesem beispielhaften Standpunkt hat er durch all die Jahre verharrt. Ob er noch spielt weiss ich nicht. Es ist zu hoffen dass er das Ende erlebt. Wenn nicht sollte man ihm ein Denkmal setzen. Winterstein hatte mehr die lutherische Festigkeit eines ehrenhaften Altkonservativen. Wegener die gelassene Weisheit eines chinesischen Philosophen. Winterstein war oder ist der begrenztere – Wegener der begabtere, phantasievollere. Jeder in seiner Art ein ganzer Mann – obwohl Schauspieler.

Hubert von Meyerink – obwohl Schauspieler und noch dazu überzeugter Homosexueller – (wenn ihm auch gelegentlich aus Versehen kleine Fehltritte mit dem anderen Geschlecht passierten, die er stets ehrlich bereut hat), – hat sich in der Nazizeit ganz famos und auf der Höhe seines intellektuellen Niveaus benommen. Aus vielen Berichten naher Freunde ist bekannt dass er durch nichts zu bewegen war sich mit der Naziclique einzulassen, die ihm natürlich als ›Altaristokraten‹ und aus anderen Gründen alle möglichen Avancen machte. Er soll sich besonders hilfreich und freundschaftlich in vielen Fällen erwiesen haben und gilt als einer der Eckpfeiler der Antinazis unter den Schauspielern.

Persönliche Erfahrungen des Verf. in den Jahren 1935 bis 38 ermöglichen es ihm für die ausgezeichnete Haltung und unerwartete charakterliche Sauberkeit des bekannten Filmstars *Hans Albers* Zeugnis zu leisten. Auch er gehörte zu den mit einer ›nichtarischen‹ Frau behafteten Protagonisten – und der Fall war dadurch erschwert dass er mit dieser Frau nicht legal verheiratet war jedoch seit langen Jahren zusammen gelebt hat und sie auf keinen Fall verlassen wollte. Er versuchte sie nach der ›Machtergreifung‹ auch gesetzlich zu heiraten – soviel bekannt waren vorher gewisse Schwierigkeiten wegen einer früheren Ehe eines der beiden Teile im Weg – aber die Nazibehörden versagten ihm die Bewilligung, und – einmal auf den Fall aufmerksam geworden – zwangen sie ihn zu einer lokalen Trennung, die er jedoch auf alle mögliche Weise immer wieder umging. In seiner Situation – als ›Nationalheld‹ der filmversessenen Jugend – der ›blonde Hans‹, der starke Mann auf der Leinwand, – war natürlich ein öffentliches Ärgernis unmöglich, und er musste sich äusserlich fügen. Auswanderung wäre für einen Menschen mit seinen beschränkten und nur in einem gewissen Bezirk wirksamen künstlerischen Mitteln Selbstmord gewesen. Er würde in Hollywood in der Statisterie als stummer älterer Stormtrooper in Antinazifilms verwendet werden und 10 Dollar für den Aufnahmetag bekommen. Auch in Deutschland scheint sein Stern im Sinken, er spielt jetzt schon im Film den Mann, der das Mädchen nicht kriegt sondern sich an seinem Sohne freut.

Er ist weder ein grosser Schauspieler noch ein bedeutender Mensch, aber ein durchaus anständiger und famoser Kerl und hat mehr Charakter bewiesen als viele Andere – denn für ihn gab es die Versuchung – mit einer ganz kleinen Schweinerei – ›der‹ Naziheros des Films und der deutschen Bühne zu werden. Wer von drüben kommt, weiss, was es heisst, dem zu widerstehen.

Von österreichischen Schauspielern ist noch *Anton Edthofer* zu nennen, der es ebenfalls verschmäht hat, sich den Naziherrschern anzuschmeissen und irgendwelche Vorteile aus dem Regimewechsel in Wien zu ziehen. Er hat jede öffentliche Ehrenstellung usw die man für ihn parat hatte, abgelehnt und lebt ausserhalb seiner künstlerischen Arbeit, wie dem Verf.

Das Plakat zum utopischen Film ›F. P. 1 antwortet nicht‹,
mit Paul Hartmann, Sybille Schmitz und Hans Albers, 1932

aus zuverlässigen Aussagen bekannt, völlig zurück gezogen
und in treuer Anhänglichkeit an alte derzeit nicht beliebte
oder vertriebene Freunde und Ideale.

Auch von den Brüdern Helenen's – Hans und Hermann Thimig – wird Ähnliches berichtet. Verf. hat keine nähere Information. Es ist aber wahrscheinlich, dass sie sich zum mindesten neutral verhalten und sich keinen charakterlichen Lapsus in dieser Zeit zu schulden kommen lassen.

Zum Abschluss des positiven Kapitels ein paar Worte über den Sonderfall des ›Heimkehrers‹ Rudolf Forster. Als Mensch und Schauspieler von einer nervösen Sensibilität und oft ans exaltierte grenzenden Geistigkeit – der nirgends schlechter hinpasst als ins dritte Reich, – obwohl man ihn dort, seiner hochgewachsenen und blonden Erscheinung wegen – gerne sah. Er ging vor Ausbruch des Kriegs nach Amerika und war hier mit der of course nichtarischen Schauspielerin Eleonora von Mendelssohn verheiratet – diese Ehe wäre aber vermutlich aus rein privaten und nicht politischen Gründen in die Brüche gegangen. Forster machte die verzweifel⟨t⟩sten Anstrengungen, hier künstlerisch Fuss zu fassen. Er arbeitete mit einer fanatischen Besessenheit um die Sprache zu beherrschen – aber wer ihn wie der Verf. von Proben und gemeinsamer Arbeit kennt und weiss, durch welch grausame Hemmungen und nervöse Widerstände er hindurch musste, um schon auf deutsch einen Satz auf der Bühne heraus zu bringen und wie er immer wieder um jede neue Rolle kämpfen und sich quälen musste, – weiss dass er in einer fremden Sprache, die ihn von vornherein selfconscious machte, nie wirklich hätte arbeiten und seine grossen, ungewöhnlichen Gaben zeigen können. Er brachte es in einem Stück von Sidney Kingsley zu einer Rolle am Broadway – nachdem er aus Lampenfieber kurz vorher aus der Hauptrolle eines Stückes noch bei der Generalprobe ausgesprungen war – er hatte sogar einen gewissen Erfolg und man fand ihn ›interessant‹, – aber damit war es aus und es ergab sich keine weitere Chance für ihn. Er setzte sich der Schinderei in Hollywood aus und machte ›Test's‹ bei allen möglichen Studio's – mit dem Erfolg dass man ihm bestenfalls kleine Dreckrollen anbot und ihn für die ihm zukommende

Arbeit nichteinmal ins Auge fasste. Sein *Typus* konnte hier unter keinen Umständen Verständnis oder Erfolg erwarten. Er war sozusagen – wie die meisten deutschen Dichter – unübersetzbar. Er hätte mit einem Wort hier verhungern oder ein erniedrigendes Leben als um kleine Rollen bettelnder Mitläufer führen müssen. Er ging zurück da ihm nichts anderes übrig blieb, und da er die Gewähr hatte dass er drüben bei Hilpert ohne politische oder menschliche Kompromisse rein künstlerisch arbeiten konnte. Sein Entree nach der Rückkehr war Shakespeares Richard der Zweite. Auch kein Nazi-Stück. Es ist dem Verf. positiv bekannt dass Forster sich nach seiner Rückkehr strikt weigerte irgendwelche für die Nazis verwendbaren Interviews zu geben oder sich in irgendeiner Weise über amerikanische Verhältnisse, Emigranten usw auszulassen, wie man es anderen vielleicht hätte in den Mund legen können. Trotz seiner bitteren Erfahrungen – er ist zu gescheit um die tieferen Gründe dafür nicht zu erkennen und sie ›übelzunehmen‹, hat er in dem einzigen von ihm gegebenen Interview für die deutschen Blätter über Hollywood nur ausgesagt: dass dort ›ernste Arbeit geleistet wird‹ neben allerlei Auswüchsen wie sie überall im Filmbetrieb zu finden seien. Wir können und müssen Rudolf Forster nach wie vor als einen der unseren betrachten. Seine Rückkehr bedeutete keinen Umfall, sie war ein Akt der reinen Selbsterhaltung. Es ist zu hoffen dass wir ihn auf einer künftigen freien deutschen Bühne an dem Platz wiederfinden, der seiner Kunst gebührt.

Überall im In- und Ausland sind die Witze über den Nazistaat bekannt, die von den ›erlaubten‹, dann wieder mal verbotenen, wieder erlaubten usw. Kabarettisten Werner Fink, Karl Valentin und Weiss Ferdl, tatsächlich oder angeblich, geprägt worden sind. Obwohl die Nazis bewusst diesen öffentlichen Spassmachern zeitweise die Narrenfreiheit gewährt haben, weil sie einen gewissen ›kontrollierten‹ und kontrollierbaren Humor für ein günstiges Ventil gegen Unwillen und Widerstand hielten, machen diese Komiker natürlich ihre Scherze immer mit dem Hals in der Schlinge. Werner Fink hat das seinerzeit öffentlich angedeutet indem er als Bühnendekoration das Schwert des Damokles über seinem Rednerpult anbringen liess. Was im Lauf des Kriegs aus ihm geworden ist, wissen wir nicht. Bis 1939 ging er in grosser Kühnheit über das erlaubte Mass des ›kritischen Humors‹ immer wieder hinaus und gab den Zuhörern mindestens zwischen den Zeilen Gelegenheit zu einem ingrimmigen Einverständnis, wofür er dann und wann in Arbeits- oder Schulungs-Lagern abbüssen musste. Karl Valentin mit seinem skurrilen und völlig eigenbrödlerischen bayerischen Dickschädel wird sich nie in eine offizielle Fassung des ›deutschen Humors‹ einfügen sondern immer Wege finden, wenn auch nur durch ein saublödes Lächeln oder eine Handbewegung, seiner Meinung Ausdruck zu geben. Mögen die Nazis auch glauben dass sie sich diese Leute als Clowns halten, da man sie dem Publikum nicht ohne weiteres wegnehmen, sie andererseits aber durch Zensur und Bedrohung im Zaum halten kann, – so ist doch die Bedeutung ihrer noch so vorsichtigen Scherze, die Existenz ihrer Kabaretts in einem Reich allgemeiner starrer Humorlosigkeit, die Popularität ihrer Persönlichkeit und das allgemeine Wissen darum, dass ihre Witze garnicht so ›gutartig‹ und ›harmlos‹ gemeint sind und dass ein Körnchen Salz hier in Wirklichkeit einen Schwefelregen bedeutet, für den inneren Widerstand des deutschen Volks nicht zu unterschätzen.

Wie lang ein Mensch diese Existenz auf des Messers Schneide durchhalten kann – die Werner Fink jahrelang geführt hat – und was der Krieg, speziell im jetzigen Stadium und seit den schweren Bombardements der deutschen Städte, daraus gemacht hat, entzieht sich unserer Beurteilung. Die Wirkung Werner Finks und Valentins bis 1939 im Antinazi-Sinn ist notorisch und lässt hoffen dass sich etwas davon auch im Krieg erhalten hat. Vor allem ist zu hoffen dass solche Existenzen Hitlers Ende überleben. Sie mögen für unser Verständnis des uns nicht mehr bekannten Deutschland – und umgekehrt für Deutschlands Verständnis der äusseren Welt – wichtiger sein als viele Politiker und Journalisten.

Hiermit ist der Bericht über einwandfrei und nachweislich positive Charaktere geschlossen und muss einer weniger erfreulichen und zum Teil recht peinlichen Personaluntersuchung Platz machen.

19. Nachtrag zu den ›Kabarettisten‹, die im vorigen Absatz vielleicht zu sehr als bekannt vorausgesetzt worden sind.

Karl Valentin, der heute bald sechzig sein dürfte, ist durchaus Volkskomiker, er ist in der ›Au‹, den »slums« von München, geboren und begann als Biergartenmusikant in einer Blechkapelle. Er bildete seinen eigenen Stil aus, der im wesentlichen auf dem Sich-Dumm-Stellen, einem sonderbar hinterhältigen, immer etwas doppelbödigen bayerischen Volkswitz gegründet ist. Innerhalb dieses Stils in Verbindung mit einer artistisch sehr raffinierten und ganz persönlichen Excentrik, erreichte er eine klassische Meisterschaft. Seine Frau und Partnerin *Liesl Karlstadt*, die häufig in Hosenrollen, als ›dummer Lehrbub‹ etwa, mit ihm auftritt, soll angeblich Jüdin oder jüdischer Abstammung sein, was aber zweifelhaft erscheint. (Immerhin ist es nicht ausgeschlossen, und selbst wenn es so wäre lässt es sich erklären, dass die Nazis sie trotzdem mit ihm auftreten lassen – nämlich aus den gleichen Gründen aus dem sie ihn trotz seiner bissigen Witze auf Kosten der Nazis nicht wirklich verfolgen: erstens gibt es ein paar bayerische Obernazis, in leitenden Stellungen, die gern über ihn und seine ›selbstgemachten‹ Stücke – undenkbar ohne die Karlstadt – lachen und seine Witze im Grund für harmlos oder sogar für ein ›Ventil‹ der Volksstimmung halten das man nicht absperren soll, – zweitens ist er so populär und ein solches Wahrzeichen Münchens und Bayerns, dass man ihn ebensowenig einfach abräumen und verschwinden lassen kann wie etwa den Kardinal Faulhaber von der Kanzel. Das letztere wäre wohl sogar noch eher den Münchnern zuzumuten als dass man ihnen den Valentin nähme.
Valentin ist ein Spintisierer, Eigenbrödler, Hypochonder wie viele Komiker, und natürlich kein politischer Kämpfer,

Karl Valentin, Photo Ullstein Bild

sondern im Grund ein bayrischer Partikularist, der am liebsten südlich der Mainlinie seine Ruh haben möchte und dem preussischer Tonfall körperlich weh tut wie einem Hund ein hoher Sopran. Der Instinkt für alles ›was nicht stimmt‹, das Aufspüren der grossen Fehlerquelle im kleinen alltäglich menschlichen Verhalten, die Kritik am Dummen, Verblödeten, Stupiden, Hirnverrammelten, durch seine schlau verschlagene Darstellung, liegt in der Natur seines bayrischen Witzes und findet selbstverständlich im Nazitum ein Ziel, an dem er garnicht vorbei treffen könnte und das er gradezu zwangsläufig aufs Korn nehmen muss: denn er ist ein wirklicher, und kein bestellter, Charakter-Ausdruck seines Volkes.

Werner Fink hingegen ist viel mehr ein bewusster politischer Satiriker und sein Kabarett hatte immer politische Kampfziele. Dass die Nazis es ihm, mehr oder weniger getarnt, so lange durchgehen liessen (nach unbestätigten Berichten ist er seit einiger Zeit an der Ostfront!) – kommt zum Teil auch aus dieser ›Ventil‹-Einstellung, die glaubt dass eine gewisse erlaubte Humor-Kritik der verbotenen und gefährlicheren den Wind aus dem Segel nähme. Er ist vermutlich Ende der Dreissig, begann nach kurzem Studium in den zwanziger Jahren als Schauspieler ohne besonderen Erfolg und kreierte auf dem Kabarett einen neuen Typus: den schüchternen Conferencier, mit blassem Gesicht, Brille, Verlegenheit, stotterndem Tonfall, der aber ganz genau seine Pointe zu setzen und zu übertragen weiss, betont intellektuell und mit einer leisen Selbstironie, deren ›tiefere Bedeutung‹ auch den primitiven Hörer erreicht.

Weiss Ferdl – mit seinem bürgerlichen Namen Ferdinand Weisheitinger – ist der konventionellste in dieser Reihe, dessen Vorstellung oft etwas von dem Niveau des ›Maxl‹ in Yorkville hat.

Auch bei ihm kommt die Kritik am Nazitum hauptsächlich aus bayrischem Partikularismus und aus der den Bayern eingeborenen Skepsis – ohne die tieferen Quellen des Valentinschen Humors zu haben.

Gruppe 2.

Wie in der Vorbemerkung zum Ausdruck gebracht, kann auf die Charakteristik bekannter Naziführer, den Repräsentanten oder Leitern ihres ›Kulturlebens‹, verzichtet werden, da sie sich in ihren eignen Äusserungen und ihrer Tätigkeit genügend kennzeichnet. Es wäre aber ein Irrtum in solchen Wortführern lauter überzeugte und gläubige Hitler-Apostel zu sehen, denen man eben diese Überzeugtheit und Gläubigkeit noch zu gut halten könnte. Viele von ihnen hätten auch anders gekonnt, wären die Dinge anders gekommen. Hans Johst hat zwar schon seit Mitte der Zwanziger Jahre der ›Bewegung‹ angehört und war der nächste Freund und Helfer des Heinrich Himmler, hat aber gleichzeitig versucht in der Zeit der weimarer Republik beim »artfremden« Theater unter jüdischer Leitung anzukommen – bei dem er nur deshalb nicht durchdrang, weil seine Stücke nach überraschenden Anfangserfolgen immer schlechter wurden. Grade kurz vor Hitlers Machtantritt, noch im Jahr 1932, machte er verzweifelte Anstrengungen, sein Stück ›Thomas Paine‹ an Jessner's ›verjudetem‹ Staatstheater anzubringen und es liegen Briefe von ihm an den jüdischen Schauspieler Kortner vor, in denen er ihn flehentlich bat die Hauptrolle zu übernehmen. Es wird ihm die Äusserung nachgesagt (etwa um die Jahreswende 32-33): »Wenn der Adolf jetzt aber nicht rasch macht, dann schmeiss ich meinen Schlageter ins Feuer und schreib ein Stresemann-Drama, denn der ist ja eigentlich der tragische Charakter unserer Zeit.« Zuzutrauen wäre es ihm gewesen. Er liebte es den weltfremd-naiven Poeten zu spielen, ganz ›deutsche Seele‹ mit sächsischem Dialekteinschlag, aber nach der ›Machtergreifung‹ kehrte er plötzlich den Gewaltmenschen heraus und besann sich auf seine Ur-Instinkte. Ein paar Monate vor der Besetzung Österreichs traf er in Zürich, wo er einen literarischen Vortragsabend zu Nazipropaganda ausnutzte, mit dem österreichischen Minister Guido Zernatto zusammen, der dort auch einen Vortrag hielt, und sagte zu ihm: ›Interessant so ein

Gesicht zu sehen, von dem man weiss dass es in ein paar Wochen zu Brei geschossen ist‹, – und fügte noch geniesserisch hinzu: ›zu Muus zerschlagen.‹ – Herrn Johst's Gesicht zu sehen, bleibe uns für den Rest unserer Tage erspart. Hinab mit ihm in die Vergessenheit.

Vom Reichsdramaturgen Rainer Schlösser sei nur eine Äusserung notiert, die er zu Käthe Dorsch und Heinz Hilpert machte, als sie ihn im Anfang der Nazizeit fragten warum sie denn nicht ein Stück des Verf. dieser Zeilen spielen dürften. Er wurde bleich vor Wut und sagte: »Der hat genug Tantiemen verdient, der hat genug Kaviar gefressen, jetzt sind wir dran!« – woraus sich die Motive und Grundsätze seiner Reichsdramaturgie genügend erhellen.

Auch Eberhard Wolfgang Möller ist ein Opportunist der sich ebenso gern jeder anderen herrschenden Richtung angeschmissen hätte, und gegen Blunck ist vor allem seine stinkende Langeweiligkeit ins Feld zu führen. »Erschlagt ihn wegen seiner schlechten Verse.« (Nicht von mir.)

20. *Hans Reimann* ist von allen Nazi-Kreaturen die übelste Erscheinung. Er ist der geborene Leichenfledderer, – und machte ja auch seinen populärsten Erfolg in der Nachkriegszeit auf Kosten des abgesetzten sächsischen Königs, über den er mit grossem Geschick und sehr pointensicher Anekdoten, Witze und Aussprüche sammelte. Reimann's sächsischer Dialektwitz hatte zwar keinen Charme aber oft eine unwiderstehliche Komik. In fingerfertiger Benutzung der Zeitströmungen, des intellektuellen Linksradikalismus nach dem letzten Weltkrieg, des depressiven Galgenhumors, der Verhohnepippelung alles Traditionellen, des ›Bourgeois‹ und insbesondere der bürgerlichen Familie, machte er als Kabarettist und satirischer Schriftsteller in der Zeit der weimarer Republik seine Karriere. In seinem eigenen leipziger Kabarett, ›Zum Blauen Affen‹ genannt, wurde all das gepflegt was damals gängig war und

was seine späteren Naziherrn als ›Kulturbolschewismus‹ verdammt und verdonnert haben. Autoren wie Walter Mehring, Tucholski und andere, je linker desto besser, traten dort auf und Reimann war stolz darauf sich ihr ›Freund‹ nennen zu dürfen. Kaum aber kamen die Nazis zur Macht, als er sich winselnd und kriechend um ihre Gunst bewarb, sofort bereit, alles zu verraten, zu beschimpfen und zu bespucken, was ihm gestern noch für den Beifall seines Publikums gut genug war, und im Gegensatz zu Leuten wie eben Werner Fink oder auch weniger mutigen, die aber dann mindestens versuchten, neutral zu sein und politische oder aktuelle Themen überhaupt zu vermeiden, begann er ohne Übergang seine Kabarettwitze, Lieder und Satiren auf wüstesten Antisemitismus und bösartigste Hetzerei gegen solche Menschengruppen, die damals grösstenteils noch in Deutschland leben mussten, der furchtbarsten Gefahr und den elendesten Martern ausgesetzt, – ›umzustellen‹. Der armselige KZ-Insasse wurde von ihm als willkommene Ulkfigur nach Art des Kasernenhoftrottels alter Zeiten benutzt, und seine Speichelleckerei gegen die Nazis verstieg sich zu Geschmacklosigkeiten, die sogar seinen Herrn fast zu viel wurden. Während die Berliner Volkskomikerin, Claire Waldoff, der unter den anständigen Leuten ein Platz gebührt hätte, wäre sie noch am Leben, – mit ihrem Couplet ›Hermann heesst er‹ – auf Göring gemünzt – so viele Lacher hatte dass es dem Reichsmarschall zu bunt wurde und er die Gestapo einschreiten liess, – brachte Hans Reimann eingeflochten in seine schamlosen Satiren auf Wehrlose kleine Heldengeschichten aus dem letzten Krieg, in denen Göring in so übertriebener und lachhafter Weise als Fliegerheros dargestellt und den verschiedenen Drachentötern der Legende gleichgesetzt wurde, bis ihm auch das zuviel wurde und R. ein Verbot bekam Göring zu verherrlichen, weil G. mit Recht fürchtete dass ihn das noch lächerlicher mache als die Strophen der Waldoff. Von Reimann aber war es nicht so gemeint – er hatte bestimmt keine andere Absicht gehabt als sich einen goldenen Lorbeerzweig zu verdienen. Immerhin gelang es

Hans Reimann mit seiner Frau, 1926, Photo DLA

Reimann, dauernder Mitarbeiter der gefährlichsten und mäch-
tigsten Nazizeitschrift, des himmler'schen ›Schwarzen Korps‹,
zu werden, und seine übelste Schurken- und Feiglingstat leistete er sich in dessen Spalten im Jahr 1938, als man unmittel-

bar nach dem Überfall auf Österreich einige frühere Kollegen und Freunde von ihm, verhältnismässig harmlose jüdische Komiker aus Wien, die sich natürlich in der Schuschnigg-Periode dort einige Antinazi-Witze geleistet hatten, einfing, misshandelte und in die KZs sperrte – unter anderem Reimanns besonderen Intimus aus alten Kabarettzeiten, Paul Morgan. Das Schwarze Korps brachte eine jener Photographien, wie sie als Zeugnis tiefster Niedertracht, unausdenkbarer Gemeinheit und grösster Schande des Menschengeschlechts bestehen bleiben: der hilf- und wehrlose Paul Morgan (inzwischen in einem KZ elend verstorben), und ein paar andere Juden, wie gefangene Tiere ausgestellt, verprügelt, unrasiert, ohne Kragen, mit verschmutzter Kleidung, geduckt, vor Angst und Schlägen halb verblödet, ein Bild des Jammers und der Zerbrochenheit, zwischen zwei stolz in die Brust geworfenen, schwer bewaffneten S.A. Männern, aufgenommen bei der Einlieferung von einem KZ ins andere. Darunter ein Artikel, geschrieben und gezeichnet von Hans Reimann, in dem diese menschlichen Wracks beschimpft und verspottet wurden und es der SA und SS sozusagen schriftlich gegeben und klar gemacht, warum man solche Schädlinge mit Fug und Recht zu misshandeln habe. Dies ist wohl die denkbar grösste Erbärmlichkeit, die mir von einem Nazianschmeisser bekannt geworden ist. Ich muss aber noch ein persönliches Erlebnis mit Hans Reimann hier beifügen, das seinen Charakter letztlich enthüllt und jede weitere Analyse überflüssig macht. Im Frühjahr 1934 fuhr ich zum ersten Mal nach den scheusslichen Apriltagen von 1933 nach Berlin. Ich habe später, 1935 und 1936, noch zwei weitere ›illegale‹ Ausflüge nach Berlin gemacht und mich bis zu einer Woche dort ganz offen bewegt – was zwar sehr leichtsinnig war aber ich konnte der Versuchung nicht widerstehen mir Szene und Akteurs der deutschen Tragödie aus der Nähe anzuschauen und die Verbindung mit Freunden aufrecht zu halten die durch Korrespondenz nicht weiterzuführen war, – bin auch jedesmal wieder glücklich herausgekommen. Bei diesem ersten Aufenthalt nach der Nazifizierung in Berlin wohnte ich in einem Nebenzimmer meiner ehemaligen Wohnung (mit Hinterausgang), – die ich einem braven, und den Nazis unverdächtigen, Schauspieler vermietet hatte. Irgendwie hatte sich in Literatur- und Theaterkreisen herum gesprochen, dass ich in Berlin sei – und es knüpften sich sofort Gerüchte daran, dass die Nazis mich ›geholt‹ hätten um mich in ihren Kulturkreis ›einzubauen‹. Es hiess sogar ich sei zum staatlichen Schillerpreis vorgeschlagen, – was damals tatsächlich durch einen naiven Nationalisten und ehrlichen Dichtersmann, Rudolf G. Binding, geschehen war – allerdings zur wütendsten Empörung der ›echten‹ Nazis, die daraufhin den Preis für ein Jahr suspendierten. – Nur zu willig glaubte Hans Reimann an diese Gerüchte, die ihm die Hoffnung gaben einen Gesinnungs- und Bundesgenossen gefunden zu haben, – und da er meine alte Adresse kannte, erschien er am letzten Vormittag meines Aufenthaltes plötzlich unangemeldet in meiner Wohnung. Er habe etwas ganz Dringliches und Wichtiges mit mir zu besprechen. Er könne sich denken dass ich jetzt nach dem richtigen Stoff suche, um unter den neuen Verhältnissen einen grossen populären Bühnenerfolg wie den des (den Nazis zu Tod verhassten) Fröhlichen Weinberg, zu erzielen. Er, Reimann, habe diesen Stoff, und er kenne sich mit dem ›neuen‹ Theaterpublikum und der Kritik gut genug aus, um zu wissen womit man jetzt den Rahm abschöpfen könne. Nur fehle ihm persönlich leider die ›dramatische Kraft‹ um ihn zu ›gestalten‹, und er wolle ihn mir gegen entsprechende Beteiligung ›überlassen‹, wenn ich darauf bestünde sogar ohne Nennung seines Namens. Es sei ein sicheres Geschäft und der richtige Weg zum Volksdramatiker der Nation zu werden. – Ich liess ihn erzählen. – Der Stoff griff die Skandal-Affaire eines früheren sozialdemokratischen Bürgermeisters von Berlin auf, dessen Frau sich angeblich durch jüdische Schieber – die damals tatsächlich als Finanzbetrüger grösseren Stils entlarvt worden waren – einen teuren Pelz sehr billig hatte verschaffen lassen, um auf diese Weise zu grossen geschäftlichen Stadt- und Gemeinde-Aufträgen zu kommen. (In Wirklichkeit hatte es sich bei der Sache nicht um eine Schiebung, sondern nur um eine Blödheit und Ungeschicklichkeit des betreffenden Bürgermeister-Ehepaares gehandelt, keineswegs um erwiesene Bestechung.) Der Name des Bürgermeisters sollte bei Reimann, in einer billigen Verdrehung seines wirklichen Namens, ›Bürgermeister Übel‹ heissen, und ähnlich, in ordinärer Schlüsselmanier, war der gesamte Personenzettel des Stückes angedacht, in dem die Sozialisten, Demokraten, Intellektuellen und Juden mit den gemeinsten Verleumdungen als eine Bande korrupter Schufte und Idioten dargestellt und verhöhnt wurden. Das Ganze sollte heissen: ›Der Judenpelz‹, – und besonders stolz war Reimann auf seine Idee für den Schlussvorhang, das Ende des dritten Aktes, in dem ein SA-Mann, den er als ›strahlend jung und männlich wie Siegfried‹ kennzeichnete, mit eisernem Besen, (wörtlich genommen), die Bühne auskehrte und den Spuk verjagte. Der ganze ›Stoff‹ strotzte von unglaublichen Gemeinheiten, auf deren ekelhafte Details er sich besonders viel einbildete, und er glaubte dass dies für einen ›starken dramatischen Dichter‹ ein gefundenes Fressen sei. Ich hörte ihn bis zu Ende an und schaute ihm dann eine Zeitlang ins Gesicht, ohne ein Wort zu sagen, bis er unsicher wurde und anfing herumzustottern – es sei natürlich vieles übertrieben und entspreche nicht ganz den Tatsachen, aber es sei eben das Symbol usw usw. Ich stand plötzlich auf und sagte ihm sehr ruhig wenn er nicht sofort und ohne ein weiteres Wort gehe, würde ich ihn die sechs stöckige Treppe hinunter werfen. Zum Ohrfeigen sei er mir zu dreckig und anspucken solle er sich lieber selbst. – Daraufhin fing er plötzlich an zu weinen – laut zu schluchzen – sich an die Stirn und die Brust zu schlagen, ja er bekam einen richtigen hysterischen Weinkrampf – klagte sich an, er sei ein Schwein, ein Verräter, er wisse es selbst, aber man müsse doch leben, usw – ich habe ganz recht, er verdiene nichts anderes als Verachtung, ich habe ja keine Ahnung was er ›durchmache‹, in welcher Verzweiflung er lebe usw. – bis ich schliesslich, krank vor Ekel, meinen Hut nahm um meinerseits weg und in die frische Luft zu gehen. Er lief noch im Flur hinter mir her und sagte: »Ich bin der letzte Dreck – ich gehöre erschossen, an die Wand gestellt ...«

(Mit dieser letzten Äusserung, die ich von ihm hörte, können wir uns einverstanden erklären. –

Übrigens packte ich sofort nach seinem Zerknirschungsanfall meine Sachen und brachte sie an den Bahnhof, von dem ich sowieso am Abend die Stadt verliess, kehrte in meine Wohnung nicht mehr – auch später nicht – zurück. Soviel Reue schien mir gefährlich – und ich hatte recht. Schon am selben Nachmittag wurde bei dem Untermieter meiner Wohnung von einem ›Blockwart‹, der von SA begleitet war, nach mir gefragt – nur sechs Stunden zu spät.)

21. In Hans Reimann haben wir einen Typus kennen gelernt, den es in solcher Vollständigkeit sonst nur selten gibt. Bei den meisten anderen in diesem Kapitel finden wir nur Teilzüge dieser Art – immerhin mag seine Grundhaltung, sowohl die Schamlosigkeit und Erfolgsschleicherei als die gelegentliche Zerknirschung und völlige innere Verlogenheit – für den Durchschnitt der Umfaller und Anschmeisser charakteristisch sein.

Siegmund Graff – Mitautor eines noch unter der Republik mit Erfolg gespielten, anständigen Schützengrabenstückes, – warf sich den Nazis in gradezu masochistischer Begeisterung zu, sobald sie an die Macht kamen. Vorher hatte er krampfhaft versucht, seinen Anschluss an die repräsentative Literatur des Freien Deutschland zu finden und es gibt wohl kaum eine führende Persönlichkeit der damaligen (vor-Nazistischen) Theaterwelt – Dramatiker, Regisseure, Bühnen- und Verlagsleiter, – der nicht mit seinen bewundernden, begeisterten, dankbaren, Empfehlung oder Annahme suchenden Briefen bombardiert worden wäre. Vermutlich waren die guten Ansätze und Teile des Kriegsstücks ›Die endlose Strasse‹ von

seinem – an einer alten Kriegsverletzung verstorbenen – Mitarbeiter gekommen, – denn was Graff allein leistete ging nie
über das gänzlich Epigonale hinaus und hatte dem deutschen
Theater aber auch nichts – noch nicht einmal braves Handwerk – zu geben. So machte er sich denn eine Stellung als
Laufbursche und später Subaltern-Beamter des Propagandaministeriums und bildete sich ein Postament als Bühnenautor
auf den Attrappen der Scheintoten, der verbotenen, vertriebenen oder in absentia verdammten früheren und legitimen
Dramatikern. Er ist ein kleiner, inferiorer Mann, schon rein
äusserlich minderwertig und unbedeutend, dem ein beglück-
ter Kadavergehorsam innewohnt – die geborene Kreatur,
aufblühend unter dem Anschiss eines preussischen Unteroffi-
ziers, und natürlich eignet ihm auch jenes neidisch-rachsüch-
tige Aufmucken des kleinen Mannes, das man bei den Nazis
als ›revolutionäre Gesinnung‹ ausmarkten konnte.

Seine theoretischen Äusserungen unterbieten stilistisch das
schlechteste Hitlerdeutsch, seine Stücke werden aus Angst vor
dem Propmin und auf dessen Befehl aufgeführt, denn natürlich ist er einer jener Radfahrer, die nach oben tief buckeln um
wo irgend möglich ihre erbuckelte Machtposition durch bru-
tales Treten auszukosten. Schwamm drüber.

22. *Hans Rehberg* ist ein viel schwierigerer Fall, weil begabt.
Er begann mit einem noch etwas farblosen Cecil Rhodes-Drama, das vom Staatstheater Berlin vor Hitlers Zeit gespielt
wurde – und unter den Nazis schwang er sich zu einer Art von
preussischem Staats-Dramatiker auf. Er verschafft sich durch
Parteimitgliedschaft, SA-Gruppenführer usw sowie durch
peinlich hölderlinisierende Hymnen auf den Führer Rücken-
deckung und Sicherung, um sich dann als Dramatiker seinen
eignen Weg und Stil erlauben zu können. Seine Preussendramen sind nun keineswegs das konventionelle historische
Pappdeckeltheater, auch nicht, wie viele der neueren Stücke
unter Naziägide, klassizistische Blutlosigkeiten – sondern es
vermählte sich da ein Drang nach Grösse – grosser Form,

grossem Gestaltenformat, grossem Darstellungs-Stil – den Bedürfnissen einer modernen Inszenierungskunst, (der es auf den Inhalt weniger als auf den ›Rhythmus‹ und die makaber-symbolistische Atmosphäre ankam, und wie sie vor allem Jürgen Fehling am Staatstheater pflegte und noch pflegt.) Man könnte sagen dass Rehberg ein Shakespeare-Haftes Format anstrebt zu dem ihm der eigentliche Gehalt, die dichterische Bedeutung, die Gestaltungskraft fehlt, und die deshalb immer hohl und gewaltsam bleibt. Seine Gestalten wanken auf der Bühne herum wie überlebensgrosse, künstlich aufgetriebene Ballonfiguren, niemals Menschen, auch keine Übermenschen, auch keine Symbole oder Schicksalsträger oder Darstellungen gewaltiger, guter und böser Leidenschaften, – noch nicht einmal im skizzenhaften und genialischen Sinn eines Grabbe, – sondern wie willkürlich ins Riesenhafte verzerrte und unorganisch gebliebene Schablonen, den ungeschlachten Rüstungen und gedunsenen Gummianzügen von Tiefseetauchern gleich, die statt mit Blut, Geist und Seele mit einem schweren, stickigen Gas gefüllt im trüben und wolkigen Grundwasser – Blasen und Schlamm aufwühlend – einher stapfen. Natürlich hat er allerhand verblasene und verschwommene Ideen und ein ›System‹ nach dem er in mächtigen Dramenreihen den heroischen Menschen, die nordische Tragik, das europäische Verhängnis, die Gestaltwerdung des Elementaren, die Überwindung des russischen Dunkelmenschen usw erstrebt, aber es ist alles kalt, künstlich, gewaltsam. Als Mensch ist er ohne Zweifel ein Schubiak. Er ist nicht dumm genug um im Nazitum zu dem er sich mit Haut und Haaren bekannt hat wirklich jene ›Grösse‹ und jenen ›Adlerflug‹ zu sehen den er darin verherrlichen will. Von ihm stammt der (zu Heinz Hilpert gesprochene) Satz: Heutzutag gibts nur eins: unten oder oben sein. Man haut mit – oder man wird gehauen. – Damit wäre SA-Gruppenführer Rehmannberg (von dem der Verf. nicht weiss was im Krieg aus ihm geworden ist) – gekennzeichnet und erledigt.

23. *Arnolt Bronnen*. Verf. möchte als bekannt voraussetzen dass es sich hier um den ehemals erfolgreichen Autor des Drama's ›Vatermord‹, Vertreter des radikalen Expressionismus auf der Bühne der Nachkriegszeit, der ›Exzesse‹, ›Anarchie in Sillian‹ usw. handelt, – der einstmals die Rolle des revolutionären Sturm- und Drang-Dramatikers spielte und in wild umkämpften literarischen Matineen durchgesetzt wurde. Seine »Wildheit« war immer literarisch, seine Erotik künstlich überhitzt und ohne Eros, seine Rebellion ziel- und gehaltlos. Seine Schreibart ist kalt, knöchern, knackt in den Gelenken, es gibt keine Zeile etwa eines Gedichtes von ihm die bestehen würde. Schon in dem Stück ›Rheinische Rebellen‹ – 1923 – in dem er eine krampfhaft theatralische Dramatisierung der französischen Ruhrbesetzung versuchte, zeigte er nationalistische Tendenzen, und später bekannte er sich lang vor der Machtergreifung zum nationalistischen Aktivismus. Er biederte sich mit den Nazis an und so lange Bronnen eine literarische Modegestalt in Berlin war machten die Nazis gerne Gebrauch von seinem ›Einsatz‹, obwohl er mit dem Vatermord usw längst bei ihnen auf der Liste der ›Kulturbolschewisten‹ stand. Bei seiner Heirat mit einer baltischen Dame (aus dem Rosenbergkreis) im Jahr 30 war⟨en⟩ Dr. und Mrs. Goebbels, und eine Reihe Ganz- oder Halbnazis, aber ebensoviele seiner früheren Linksradikalen Freunde, als Gäste anwesend. Seine, Bronnens, Frau war die saubere Dame, die sich nicht scheute in dem Remarque-Film, »Im Westen nichts Neues«, weisse Mäuse im Publikum loszulassen und auf diese enorme Rohheit bei einer Darstellung des Sterbens junger Soldaten an der Westfront auch noch stolz war. Tatsächlich haben sie damit in Verein mit Pöbelkundgebungen damals von einer schwächlichen Regierung das Verbot der Aufführung dieses Films erreicht. (Verf. dieser Zeilen hat sich in einer Kundgebung gegen dieses Verbot, bei der er persönlich gegen Herrn Dr. Goebbels auftrat und ihn ridikülisierte, dessen unversöhnlichen Hass zugezogen). Als die Nazis zur Macht kamen war Bronnen – der bis dahin eine gutbezahlte Stellung im deutschen

Arnolt Bronnen als Spielleiter, 1939, Photo DLA

Rundfunk bekleidet hatte (da seine Stücke und Bücher ihm keine Existenz einbringen konnten, ob mit oder ohne Vatermord – mit oder ohne Nazis), in einer peinlichen Lage. Er war nämlich der Sohn eines jüdischen Schullehrers in Wien, Dr. Bronner, der als junger Mann unter dem Namen Franz Adamus auch Stücke naturalistischer Sozialfärbung geschrieben hatte. Flugs deklarierte Bronnen sich als unehelichen Sohn – bezichtigte seine Mutter des Ehebruchs und machte seinen Vater zum Hahnrei – und brachte irgendwelche ›Beweise‹ bei dass er ein Fehltritt seiner Mama mit einem arischen Erzeuger gewesen sei. Diese Schweinerei hat ihm nicht viel genutzt. Obwohl er sich noch besonders bei den Nazis einzuschmieren versuchte, indem er nach der ›Machtergreifung‹

einen ›Enthüllungsroman‹ über den deutschen Rundfunk in der Zeit der Republik veröffentlichte, – ähnlich wie Herr Reimann seine früheren Kollegen und auch Vorgesetzten, bei denen er in hohem Sold gestanden hatte, – mit Schmutz bewerfend und ihre ›jüdische Korruption‹ anprangernd, – jetzt, wo sie ihn nicht mehr bezahlen konnten, sondern – wie z.B. Dr. Flesch – hilflos im KZ sassen, – hatte er trotzdem bei den Nazis kein Glück. Er hatte früher – als dafür noch ein Markt war – zu viel Brunst geschrieben. Zu viel Mutterbeschlafung – zuviel Excesse. Die Nazis konnten einen Mann mit solch entarteter Vergangenheit ihrem Spiessbürgerpublikum nicht zumuten. Man setzte ihn auf Eis – in eine untergeordnete Rundfunkposition – in der er vermutlich weniger verdient und mehr angeschrieen wird als in den Zeiten der ›Korruption‹ – und als Autor ist er vergessen. Eine Dramatisierung des Michael Kohlhaas von Kleist, an die er sich wagte, wurde nur in Halle an der Saale zur Aufführung gebracht.

In der Blütezeit der ›Nationalen Überhebung‹, Frühling 1933, veröffentlichte Bronnen im Berliner Lokalanzeiger ein Pamphlet gegen Max Reinhardt, (an dessen Theatern seine ersten Versuche und sein erster Erfolg – Vatermord – durchgesetzt worden war). Er verstieg sich darin zu dem folgenden, ungeheuerlichen Verbrechen gegen die Würde der deutschen Sprache und den guten Geschmack: der Artikel endete mit den Worten: »Jetzt aber nicht mehr Reinhardt – sondern rein und hart.« Diese schamlose Plattheit und Sprachverschleimung zeigt mehr als alles andere seine ›Entwicklung‹ als Autor und Charakter.

Alter 46-48, – er hatte den letzten Krieg bei den Tiroler Kaiserjägern mitgemacht und einen Halsschuss bekommen, von dem er noch einen Stimmbandschaden zurück behalten hat. Daher sein heiseres Organ, das mit seinem Charakter weiter nichts zu tun hat. Eine noch so wohltönende Stimme würde ihn nicht besser machen. –

24. Richard Billinger.

Billinger kommt aus der gleichen Ecke Österreichs wie Hitler, dem Innviertel. Sein Geburtsort, St. Marienkirchen bei Schärding, ist kaum ein paar Gehstunden von Braunau entfernt. Dies ist nicht ganz ein lokaler Zufall – nicht eine reine Belanglosigkeit, – obwohl Billinger selbst bis zur ›Machtergreifung‹ keinerlei Verhältnis zu den Nazis – wie überhaupt zu keiner politischen Realität – hatte, und obwohl er sich sicher nie zu Hitler hingezogen gefühlt hätte, so lang das nicht unbedingt opportun war. Aber in dieser Ecke – nah der Inn-Mündung in die Donau – zwischen Passau, Schärding, Wasserburg und Burghausen, – scheint ein besonderer Boden für das Wachstum zwielichtiger zweigesichtiger medialer oder auch pathologisch deformierter Halb-Genies oder Ganz-Charlatane zu sein, eine Brutstätte für Hellseher, Dunkelredner, Wachträumer, Mondbesessene, überhaupt für alles Hexenmässige, Dämonologische, Irrlichternde.

(Eine Untersuchung über diese besondere Lokalität – ›Hitler's Brut-Hecke‹, – wird vom Verf., der dort Land und Leute genau kennt, vorbereitet. Hier ist Alfred Kubin zu Hause, bei dem sich der Hexen- und Gespensterbrodem dieser Gegend ins wirklich Geniale verdichtet hat, – hier gab es alle möglichen Sektierer, Natur- und Geist-Heiler, Landstrassen- und Lumpenheilige, Handaufleger, Gesundbeter und Kurpfuscher, – hier gab es auch die berühmten ›Schneider-Büben‹, – zwei Bauernsöhne, deren Mediale Fähigkeiten weit über die Gegend hinaus bekannt wurden, und bei deren spiritistischen Seancen die Möbel in der Stube herum flogen, dass dem Schrenck-Notzing Hören und Sehen verging und er die Buben verschiedensten wissenschaftlichen Gesellschaften vorführte, – bis sich dann herausstellte, dass sie ihre an sich vorhandenen Fähigkeiten mit Hilfe eines ›Gang‹s von Erwachsenen geschickt ausgebaut und durch alle möglichen Tricks merkantilisiert hatten.) Die ›Schneider-Büben‹ und ihr Fall bilden eine direkte Parallele zum Fall Billinger. Auch bei ihm sind originale Fähigkeiten vorhanden, sogar echtes

Talent, dichterische Begabung, visionäre Elemente, – die dann mit bauernschlauer ~~Geschicklichkeit~~ Gerissenheit verfälscht, der Mode und Zeitrichtung angepasst, und mit Gewinn verkauft wurden. Billinger ist ein degenerierter Bauer, ein parfumierter Landmann, ein dörflicher Decadent. Also ganz der Richtige um den Nazis als Inbegriff eines Blut- und Boden-Dichters zu gelten. Zwei Meter hoch und mit dem Brustkorb eines Pflugochsen, hat er nie in seinem Leben ein landwirtschaftliches Gerät angerührt, Bauernarbeit und Landleben ist ihm im Grund verhasst, die Natur ist ihm nur als ein äusserliches Kolorit und bestenfalls als romantisches Stimmungselement bekannt, aber ihre Wirklichkeit ist ihm unvertraut, fremd und zuwider. Dabei ist er nicht der Typus des ›Intellektuellen‹, der sich primitiv und bodenständig gibt, sondern er ist wirklich ganz dumpf, ungeweckt und verwölkt, in Kinderängsten und Abergläubischkeit befangen, – nur dass er aus alledem nicht schöpft und bildet, sondern – von einigen seiner frühen Gedichte abgesehen – eine Manier, eine Pose und ein Geschäft macht. Das Verhexte, Böse, Grausame, Dämonensüchtige, Krankhafte, Lauernde, auch Blutrünstige und Perverse, ist für ihn die produktive Essenz des Landvolks und Bauerntums, und wo das Element sich regt, verfällt er in Blinden Schrecken. (Eine seiner Charakteristika ist wahnsinnige Gewitterfurcht). Alles Kräftige, Starke, Einfache ist ihm peinlich und wesensfremd. Süsse Liköre und Pralinés – dies ist nicht symbolisch gemeint sondern tatsächlich, – sind seine Lieblingsnahrung, raffinierte Parfums sein Entzücken. Frauen sind ihm körperlich ekelhaft, seine homosexuelle Veranlagung bringt ihn immer wieder in völlig abhängige, verfallene Hörigkeit zu jenem Typus ›männlicher Huren‹, effeminierter Muskelmänner, Grosstadt-Matrosen, Masseure, Nachtkellner und Strichjungens. Er ist eitel, rachsüchtig, vollkommen unzuverlässig, unglaublich feige und jederzeit zu jedem Verrat bereit, besonders an solchen Leuten, die er hasst weil er ihnen etwas zu verdanken hat oder die seine Maske ›primitiver Urwüchsigkeit‹ durchschaut haben.

Richard Billinger, 1934, Photo DLA

Auf diese Weise machte er natürlich seine Karriere bei den Nazis – unter deren dramatischen und literarischen Nullen er immer noch mit seinem Talent und seiner Sprachartistik ein Gipfel ist. Aber seine Karriere im Dritten Reich verlief nicht ohne Fährlichkeiten. Im Jahr 1935 kam er ins Untersuchungsgefängnis zu München, – aber nicht wegen politischer Verdächtigkeit sondern wegen seiner sexuellen Veranlagung. Eine Passion für einen ›Reichswehrsoldaten‹, den er sogar zeitweise als einen ›Sekretär‹ anstellte, hatte ihn hineingeritten. Dieser Reichswehrsoldat war nämlich ein gefährlicher Abenteurer, und betrieb, bereits unter Hitler, bezahlte Armeespionage für eine auswärtige Macht. Als die Sache aufkam, desertierte er, –

und verbarg sich für einige Nächte in Billinger's münchner Wohnung. Es ist ziemlich sicher dass Billinger wirklich davon nichts wusste und ihn einfach als ›lieben Besuch‹ beherbergte. Die Gestapo – oder war es die politische Polizei – war ihm aber auf die Spur gekommen, der Mann wurde in Billingers Wohnung verhaftet, und in kurzem Prozess zum Tod verurteilt, hingerichtet. Es stellte sich heraus dass – dieses Falles wegen – Billingers Telephon schon seit einiger Zeit überwacht war und seine Korrespondenz bespitzelt. Er wurde verhaftet und es sollte ihm ein Unzuchtsprozess gemacht werden, als Beweisstücke hatte man Abschriften von ›Liebesbriefen‹ die zwischen ihm und dem Deserteur ausgetauscht worden waren, abgehorchte Telephongespräche usw. – Billingers damaliger Verlag S. Fischer, noch unter ›nichtarischer‹ Leitung, machte die grössten Anstrengungen um ihn frei zu bekommen – mit einem gewissen Erfolg, von dem sich aber später herausstellte, dass er eigentlich der Fürsprache des damals schon Gewaltigen Heinrich Himmler zu verdanken war, bei dem ein gemeinsamer Freund aus der SS für Billinger vorstellig geworden war. So kam B. nach einigen Wochen verhältnismässig milder Haft wieder frei, ohne dass die Episode nachteilige Folgen für ihn gehabt hätte: er wurde im Gegenteil jetzt auf dem Berliner Theater als ›Nazi-Blubo-Dramatiker‹ protegiert. Von da an tat er natürlich alles, um seine Protegéstellung zu halten und zu befestigen. Kennzeichnend für die Attitude, die er jetzt annahm, ist ein Interview mit ihm das (im Jahr 36 oder 37) im Völkischen Beobachter erschien, – gegeben in seiner neuen Berliner Wohnung, in dem er dem Reporter seinen Schreibtisch zeigte, ein Prachtstück von einer alten, massiven, zweifellos ›echten‹ Holzplatte. Diesen Tisch, sagte er, habe er sich aus seinem Heimatort kommen lassen. Es sei der Schlacht-Tisch seines Metzger-Grossvaters gewesen, und als Kind habe er noch gesehen wie der darauf junge Ferkel und Kälber abgestochen habe. Das alte schwärzliche Blut der Schlachttiere sei noch in den Kerben und Schrunden des Tisches eingekrustet, den niemand waschen oder abhobeln dürfe, – denn das rege

ihn beim Dichten an. – Tiefere Bedeutung für seine Veranlagung und die Quellen seines Charakters und seines Schaffens
kommt einer Stelle aus seinem Drama ›Die Rosse‹ zu, einer seiner ersten und noch unspekulativen Arbeiten, ursprünglich ein
skizzenhaft hingeworfener Einakter, also wirklich ein ›Wurf‹,
später zu einem mehraktigen abendfüllenden Schauspiel aus-
gewalzt. Ein Bub sieht, in der Stube des Rossknechts, ein Bild
des Heiligen Sebastian, wie er an einem Baum lehnt, nackt,
jung, mit Pfeilen gespickt, aus vielen Wunden blutend.

›Schön is er‹, sagt der Bub.

›Den ham's gemartert‹, murmelt dumpf der Rossknecht.

›Wer denn?‹, fragt der Bub.

›Die römischen Soldaten.‹

›Warum ham's den gemartert?‹ fragt der Bub.

Rossknecht schweigt, stiert vor sich hin.

›Warum ham's den gemartert??!‹

›Weil's ihn so mög'n haben,‹ – sagt der Rossknecht – (»wie
aus dem Traum sprechend«)

Billinger ist Ende der Vierzig, geborener Österreicher, hat
aber die ganze Zeit 1933-1938, so lange Österreich noch frei
war und sich gegen die Nazis wehrte, in Deutschland gelebt
und jede Verbindung mit Österreich aufgegeben. Er stammt
nicht mehr direkt aus dem arbeitenden Bauerntum, sondern
aus dem dörflichen Kleinbürgerstand, – seine Eltern hatten
eine ›Gemischtwarenhandlung‹. Schwankend zwischen ›Neuheidentum‹ und katholischem Mystizismus (der immer nur
eine ästhetische Attitude bei ihm war, keine Überzeugung dahinter), würde er jederzeit versuchen ›Neuheidentum‹ und
Nazis wieder gegen Österreichertum und Religiösität einzu-
tauschen, wenn das vorteilhafter wäre. Wie ein solcher Gesin-
nungswandel beurteilt werden müsste, geht aus dem Gesagten
deutlich genug hervor.

25. *Jakob Schaffner* – dem Verf. nicht persönlich bekannt und
als Autor nie für ihn besonders interessant geworden – hat, als
Schweizer – also ohne jeden eventuellen Vorwand einer Nöti-

gung – heftige Nazipropaganda gemacht, und alles Mögliche versucht, in Artikeln, Büchern, Vorträgen usw. um die Eidgenossen für Hitler zu begeistern und innerlich sturmreif zu machen. Dem Verf. ist kaum ein anderer Schweizer bekannt, der sich in dieser Weise zum Nazi-Apostel und zum Verräter an den Idealen und der Tradition seines Landes gemacht hat. –

26. *Gottfried Benn.* Im Gegensatz zu Billinger, Rehberg – oder gar Graff und Reimann – bestimmt nicht aus Opportunismus und Spekulation – sondern aus ›Unbehagen an der Kultur‹ – geistiger Verzweiflung – weltanschaulicher Verworrenheit die an Wahnsinnsgrenzen trieb – im Jahr 33 zu den Nazis übergegangen. Der esoterischste Lyriker des Expressionismus – in selbstzerstörerischer Krassheit wie in seinem Gedichtbuch ›Fleisch‹ – in manischer Wortklangverliebtheit und neo-klassischem Formalismus seiner späteren Gedichte – hilflos um Sinn und Gestalt in einer sich zerlösenden Geistesepoche – um das ›Ur-Wort‹ und den Mythus ringend. Es gibt einen erschütternden Aufsatz von ihm, der kurz vor der Nazizeit, etwa 1932 oder 31, in der – linksradikalen – Weltbühne erschien, der Titel hiess soweit ich mich erinnere ›Abschied‹, sicher aber war der Inhalt ein bewusster Abschied von allem was uns gebildet und geformt hat, was uns lieb und lebensbestimmend war, was uns zu Europäern machte und uns das Humanistische Weltbild gab, – von dem er selbst komme und bestimmt sei: Abschied von Paris und vom Mittelmeer, von Erasmus und Goethe, von Aufklärung und »Liberté«, von den Gebeten um Schönheit und Menschenwürde –, – indem er visionär verkündete dass ›Das Neue‹ über all das wegbrausen werde wie eine Sturmflut der kein Damm widerstehen kann – dass Zerstörung unserer ›alten‹ Formenwelt der Preis ist um den ›das Neue‹ in die Welt kommen wird um fruchtbar und lebendig zu sein – dass wir mit sehenden Augen unserer Kultur Untergang beiwohnen und – sofern wir wirklich sehen was ist – ihn wünschen müssen, obwohl er unser Tod ist. – Die Herausgeber dieser Zeitschrift und ihre Leser hätten be-

Gottfried Benn, 1936, Photo DLA

stimmt nicht geglaubt dass ›das Neue‹ dem Dichter auch in seiner verzerrtesten und abscheulichsten Gestalt begrüssenswert sein könne und dass er etwas anderes mit dem ›Neuen‹ gemeint habe, als den Marsch des östlichen Sozialismus – von Russland her – dem auch dieser Kreis von Intellektuellen die ›Kultur‹ aus bitterer Notwendigkeit geopfert hätte. Aber Benn bezog schon damals – für den der zwischen seinen Zeilen las – den rationalistischen und humanitären Sozialismus in jene ›alte‹ Welt ein, deren Untergang er sang und von der er schweren Abschied nahm. Und als die Nazi's kamen – von denen ihn der ganze Abgrund trennt der zwischen geistigem Niveau und völliger Qualitätslosigkeit klafft – glaubte er in dem lawinenartig blinden Geschehen und dem qualvoll dunklen Volksdrang nach ›mythisch heroischer‹ Verbundenheit – einen Teil oder wenigstens eine Funktion dieses ›neuen‹ zu sehen das unentrinnbar über die Welt kommen müsse und dessen Sendung göttlich sei.

Eine Zeitlang verfiel er sogar dem Führer- und Hitlermythos und machte sich zu seinem Fürsprech – was zu einem sofortigen rapiden und gradezu grotesken Sturz seiner dichterischen Fähigkeiten führte. Ich gebe einen Beweis, ein Beispiel das mir seiner Krassheit halber im Gedächtnis geblieben ist. Im Jahr 34 veröffentlichte Benn in der Sonntagsbeilage der DAZ ein Gedicht, deutlich auf den Führer und ›die Bewegung‹ gemünzt, das mit folgenden greulichen Versen begann:

>»Der kategorische Nenner
>Der hinter Jahr~~hunderten~~tausenden schlief
>Heisst: Ein paar grosse Männer –
>Und die litten tief.«

Schlechter gehts nicht mehr. Aber es soll nicht einen Augenblick bezweifelt werden, dass Benn, auch wenn er dem Rassenmythus und der Blutmystik verfiel, es ehrlich meinte und keinerlei Anschmeisserei betrieb. Es ging ihm auch nicht um äusseren Erfolg dabei – der konsequent ausblieb. Die Nazis verstanden selbst seine denaturiertesten Gedichte nicht, empfanden ihn doch noch als Kulturbolschewisten, gruben auch einige seiner früheren entarteten Schandtaten aus und liessen ihn zwar unbehelligt, aber auch unbeachtet. Benn leistete sich eine Sache, die einem Vertreter hohen Geistes auch in Zeiten der Verdunkelung und Verwirrung nicht hätte passieren dürfen. Als nämlich in einem Naziblatt sein Name als jüdisch bezeichnet wurde – nämlich das semitische ›Ben‹, – ›Sohn‹, – als Ursprung angenommen, und er der nichtarischen Abstammung verdächtigt wurde, – veröffentlichte er eine hoch peinliche Apologese – dass er mit dieser Rasse nichts zu tun habe – dass er urarisch sei und ganz reinen Blutes – dass das Wort Benn im Fränkischen und Althochdeutschen im Sinn von Berglehne und Hochsitz vorkomme – der ›Hoch-Benn‹, ›Rage-Benn‹ usw, – dass Dichtung aus reinen Quellen nur kommen könne usw. – Womit er sich leider doch als ziemlicher Nieder-Benn gekennzeichnet hat, und seine reinen Quellen in recht mutloser Weise getrübt.

Benn, heut etwa 50, lebt (lebte?) als Arzt für Geschlechtskrankheiten in Berlin. Als Mensch und als Autor mag er heute in einem Zustand der Vereinzelung und Vereinsamung leben, den auch kommende Wandlungen nicht mehr verändern dürften.

27. *Ernst Glaeser* ist nun wiederum ein Fall, dem die Bona Fides abgesprochen werden muss und dessen Übergang zu den Nazis sich in Formen vollzog, die nur als Anschmeisserei, Verrat an sich selbst und anderen und bewusste Spekulation zu deuten sind. Verf. hat Glaeser auch in seiner ›progressiv-linksradikalen‹ Zeit, in der er das bekannte Antikriegs-Buch ›Jahrgang 1902‹ schrieb und, später, in Moskau das Rote Jugendabzeichen erwarb, nie getraut. Er hielt ihn immer für einen Karriere-Revolteur, und hatte dafür nicht nur literarische, stilistische und physiognomische Gründe, sondern linguistische, – die aus dem Unbewussten kommen und daher unbestechlich sind. Es handelte sich um eine bestimmte Art der Anwendung – oder Nicht-Anwendung – des heimatlichen Dialekts, in dem sich eine innere Unsicherheit, Unechtheit und eine Anlage zur Täuschung und Maskerei kenntlich machte. Dem Verf. ist dieser Dialekt bis in seine kleinsten Nuancen vertraut da es sich fast um seinen eignen Jugenddialekt handelt. Glaeser ist in Gross-Gerau, zwischen Mainz und Darmstadt, beheimatet.

Den letzten Krieg hat er – Jahrgang 1902 – nicht mehr in der Front mitgemacht sondern nur noch die Vorstufe, Ausbildung, Arbeitsdienst usw – und ein Ressentiment der ›Erfolglosigkeit‹ oder auf englisch so schön ›frustration‹ muss ihm wie dem Dr. Goebbels aus dieser Zeit verblieben sein, das er mit allen Mitteln auszugleichen suchte. Daher seine Über-Erfolgsgier. Die Warte- oder Wandlungs-Existenz des Emigranten, die auf alle Fälle zunächst eine Kurve nach unten mit sich bringt, konnte er nicht ertragen. Er spielte sich bereits vor seiner Rückkehr auf ein sentimentales Emigrantentum heraus, das Niemandem so verhasst ist als dem durch das Exil selbst fast ums Leben gebrachten Verfasser. Er stellte sich auf den Ütliberg bei Zuerich, wenn die Sonne unterging, und schaute nach Nordwesten: Dort ist die Heimat – dort ist Deutschland ... usw.

Dabei spielte er sich aber immer noch – so lang er sich der Möglichkeit und des Erfolgs seiner Rückkehr-Aktion nicht sicher war – als den gesinnungsfesten Emigranten und Antinazi auf und suchte den Anschluss an die, im Fall er hätte Emigrant bleiben müssen, wichtigen Kreise, die Mann-Family usw., ~~mit allen Mitteln~~ intensiv aufrecht zu erhalten. In Wirklichkeit gingen damals schon seine Verhandlungen mit dem deutschen Konsulat und Nazistellen in Deutschland lustig voran, er war bereits im Frühjahr 1938 nach Deutschland hinüber gefahren um an der Volksabstimmung über Österreich teilzunehmen – dh. einer allgemeinen ›Abstimmung‹ für oder gegen Hitlers Politik, bei der es nur Ja und Nein gab. Sollte er hinübergefahren sein um sein Nein in die Urne zu werfen???

Plötzlich, über Nacht und selbst für seine näheren Freunde überraschend, war er aus der Schweiz verschwunden – und nach ›Hause‹ zurück gekehrt. Es muss alles vorher ›gerichtet‹ worden sein – er soll sich direkt in ein ihm vorher bestimmtes ›Schulungslager‹ für NS-Weltanschauung und Ertüchtigung begeben haben. Diese Schulungslager sind mit KZs keineswegs zu verwechseln, es handelt sich wirklich um ein Training in Nazidenken und -leben, auch richtige Nazi-Auslandsdeut-

sche, die zurückkehrten, hatten das mitzumachen und amü-
sierten sich gut dabei, es ist von vornherein zeitlich begrenzt
und die Absolvierung gilt dann als eine Art Voll~~bürgerlich-
keits~~volksgenossenausweis. Dann erschien Glaeser mit einem
neuen Romanmanuskript in Berlin, und als ein Verleger
(Suhrkamp vom früheren Fischer-Verlag) es ablehnte weil es
ihm nicht gefiel, begann er ohne Übergang mit erpresseri-
schen Drohungen, die er vielleicht im Schulungslager studiert
hatte: Das Propagandaministerium wünscht dass mein Buch
sofort erscheint, es würde Ihrem Verlag die Ablehnung als
politischen Akt auslegen, es ist sehr unvorsichtig von Ihnen,
man legt ›Höheren Orts‹ auf meine Publikationen Wert usw.
(Bei Suhrkamp ist das Buch trotzdem nicht erschienen. Aber
es wird behauptet – ohne dass Verf. dafür Beweise hat – dass
Glaeser das Propagandaministerium mit Informationen und
Material gegen die verschiedenen Autoren der literarischen
Emigration versehen habe und dass er schon vorher als Spitzel
gegen seine Kameraden im Exil für die Gestapo gearbeitet
habe. Dies wie gesagt dem Verf. unbewiesen – aber er hält es
nicht für unmöglich. Ganz ohne Preis und Entgeld nehmen
die Nazis einen ›roten Verbrecher‹ usw. nicht in ihren Schoss
zurück. –

28. Über Bernard von Brentano sind nur Gerüchte bekannt –
zuverlässige Information konnte bis jetzt nicht aufgetrieben
werden. Die Gerüchte besagen, dass auch er, der von 1933 bis
1939 in der Schweiz (Küssnacht bei Zürich) lebte und mit
Glaeser befreundet war, nach Deutschland zurück gekehrt
sein soll und zwar während des Krieges. Ich erwähne das hier
mit allem Vorbehalt. Brentano ist eine trocken lehrhafte, di-
daktische Natur und neigt geistig und schriftstellerisch zum
dogmatischen Rationalismus. Er stand den marxistischen
Doktrinären im wissenschaftlichen Bereich, und im literarischen der lebendigeren Radikalität des Bert Brecht-Kreises
nah, hätte sich aber auch einer Art neukatholischer Scholastik
zuwenden können, es schienen Ansätze dazu vorhanden. Vor

Hitler gehörte er zu der Elite der jüngeren ›Frankfurter Zeitung‹-Autoren, – bei denen eine starke Tendenz herrschte, den ›Liberalismus‹ durch betonten Formwillen zu überwinden. Wie er mit Nazi-Doktrinen fertig werden sollte und auf welch verwinkelte und verquerte Denkweise er sich ihnen anpassen könnte, ist dem Verf. unerfindlich. Um reinen Opportunismus wird es sich bei Brentano kaum handeln – seinem Charakter entspräche eher eine vertrackt spitzfindige Sophistik, an die er selber glaubt ohne wohl irgend Jemand Anderen damit überzeugen zu können. Bei einer persönlichen Begegnung in Zürich im Jahr 1938 erklärte er dem Verf. (der damals in der französischen Schweiz lebte und an die Auswanderung nach Amerika dachte), dass er, Brentano, seiner Arbeit wegen, das deutsche Sprachgebiet nicht verlassen könne. (Das trifft aber gewiss für jeden Dichter zu, – wobei Brentano nicht notwendig unter die Dichter einzurechnen ist, – und es geht dabei halt nicht so sehr um das ›Können‹ als um das ›Müssen‹, ›Dürfen‹ und ›Sollen‹. Als Begründung einer Rückkehr nach Hitlerdeutschland, die besonders im Krieg nicht ohne mindestens begrenzte Conversion erfolgen konnte, scheint das kein hinreichendes Argument, besonders nicht für einen auf politischen Rationalismus eingestellten Schriftsteller. Wenn Leute wie Carossa und Wiechert in Deutschland bleiben – das heisst von Anfang an geblieben sind – so ist das ein vollständig anderer Fall.)

Immerhin besteht die Möglichkeit dass die Gerüchte nicht stimmen, und dass Brentano immer noch am Zürichsee lebt. Es ist zu hoffen. Für diesen Fall braucht seiner vorher erwähnten allgemeinen Charakteristik nichts hinzugefügt zu werden. Sein weiterer Entwicklungsgang würde sich in seinen Arbeiten darstellen. –

29. *Friedl Strindberg* – dem Namen nach ein Sohn August Strindbergs – das heisst von Strindbergs dritter Frau innerhalb der Ehe geboren, – in Wirklichkeit (wobei sich die Kenntnis auf seine eigenen Behauptungen und unverholene

Äusserungen seiner Mutter gründet) – ein natürlicher Sohn Frank Wedekinds, der in der entsprechenden Zeit vor Friedl's Geburt mit dem Ehepaar Strindberg zusammen einen Sommerfrischenaufenthalt in Österreich verbrachte und ihn par occasion gezeugt haben soll. Im Wedekind-Kreis hatte er als Kind den Spitznamen ›Der Sommer-Frischling‹, – dessen er sich auch später immer noch gern rühmte. Tatsächlich schienen seine Gesichtszüge eine gewisse Ähnlichkeit mit Frank Wedekind – und garkeine mit Strindberg – aufzuweisen – was aber auch Einbildung oder wishful thinking sein konnte. Pamela Wedekind (Franks ältere Tochter) bezeichnete ihn stets als ihren Halbbruder – auch dies könnte wishful thinking sein. Mit seinem Charakter hat das nicht viel zu tun, oder höchstens indirekt. Die doppelte Belastung einer solchen Vorfahrenschaft ist für einen nur mittelmässig begabten, selbst nicht produktiven, aber recht intelligenten und ehrgeizigen jungen Mann wohl schwer zu ertragen und mag eine skrupellose Geltungssucht und Karrieregier erklären – (aber nicht entschuldigen). Er war in erster Ehe mit einer dänischen Schriftstellerin (Jüdin) – in zweiter Ehe mit einer Tochter des vor Hitlers Machtantritt verstorbenen Louis Ullstein, Mitbesitzers des Ullsteinhauses, verheiratet. Seine Scheidung und seine zweite Ehe (die Ullstein-Tochter schien geistig nicht ganz in Ordnung und verbrachte lange Jahre in Sanatorien und Asylen – war von irgendeinem Grafen geschieden worden um den jungen Strindberg zu heiraten) – schien seinen Bekannten auch damals schon – ums Jahr 1926 – mehr ein Karriere-Manöver zu sein. Er wurde denn auch journalistischer Mitarbeiter und reisender Auslandskorrespondent der Ullsteinpresse – noch in der Republik-Zeit – und erschien sofort nach Machtantritt als wackerer NS-Journalist in der Nazipresse. In dieser Eigenschaft bereiste er das italienische ›Imperium‹ und schrieb begeisterte Artikel über faschistische Generäle wie Balbo usw die ihm auf die Schulter geklopft hatten, und über die abessinische Eroberung. Vermutlich gehört er heut zu irgendeinem Kriegsberichterstattercordon – Verf. hat ihn seit 1938 aus den Augen verloren und auch kein Bedürfnis, ihn wiederzufinden. Er mag heut Ende der Dreissig sein. Die Ehe mit der nichtarischen Ullsteindame war natürlich längst wieder gelöst worden. –

30. Friedrich Sieburg – hier handelt es sich um einen höchst komplizierten und fast tragischen Fall – den eines hochbegabten, brillianten, enorm befähigten, ehrgeizzerfressenen Menschen, der gegen seine Überzeugung und gewiss unter inneren Kämpfen nicht nur zum Nazischriftsteller, sondern zu einem ihrer gefährlichsten und erfolgreichsten Agenten und Promotor geworden ist.

Ursprünglich ~~aus dem~~ im linksradikalen Lager, Kreis der Weltbühne noch unter Siegfried Jacobsohn, als junges Talent entdeckt und protegiert, verleugnete er nie seine Herkunft vom Stefan George-Kreis, aus dem er aber schon in seiner ›Links‹Zeit ins Aktivistische ausbrach. Er machte Karriere als Auslandskorrespondent für verschiedene grosse deutsche Blätter, schliesslich Frankfurter Zeitung, bei der er blieb und deren geistige Linie er vor und nach der ›Machtergreifung‹ mit bestimmte. Nach einigen Jahren in Kopenhagen ging er nach London, dann nach Paris. Sensationellen Erfolg brachte ihm sein Buch ›Gott in Frankreich‹ und später ›Die Rote Arktis‹ – Eindrücke an Bord eines russischen Eisbrechers auf dem er eine arktische Expedition mitmachte. Beide Bücher wären heute aus vielen Gründen interessant wieder zu lesen – besonders seine Schilderung der ›jungen Bolschewisten‹ – in denen er fast idealisierte junge Nazis schilderte – in einer Zeit als es offiziell in Deutschland noch keinen Nazieinfluss gab. Sieburg hat zunächst ernstlich um sein Deutschtum gerungen und auf alle mögliche Weise versucht, es mit der Naziherrschaft in Einklang zu bringen ohne seinen geistigen Standard und seine weitere Sicht in die Welt aufgeben zu müssen. Er hat sich wohl auch eine Zeitlang vorgemacht dass man durch Dabeisein und Mitten-Hineingehen die Sache heben und verbessern und aus der nationalsozialistischen eine neue und bedeutende nationale Haltung und Anschauung herausklären

Friedrich Sieburg (rechts) mit Benno Reifenberg, 1926,
Photo aus Privatbesitz

könne. Sein Buch ›Es werde Deutschland‹ – 1933 erschienen
aber noch vor ⟨der⟩ ›Machtergreifung‹ geschrieben und trotz
Machtergreifung noch dem damaligen jüdischen Besitzer der
Frankfurter Zeitung, seinem Freund Heinrich Simon, gewidmet, – bewegt sich auf dieser sehr gefährlichen und ganz ver-

schwommenen Grenze – zwischen Nationalismus, Kritik des
›liberalen Denkens‹ und politischer Progressivität. Bald darauf aber machte er seinen – zunächst vorsichtig verhüllten –
Pakt mit dem Teufel. Da die ›Frankfurter Zeitung‹ von den
Nazis bewusst dazu benutzt wurde, um in den westlichen
Ländern den Eindruck des Terrors und der wirklichen hitlerschen Agressionspläne zu mildern oder abzubiegen, hatte Sieburg in den ersten Jahren dort immer noch die Möglichkeit,
›auf seinem Niveau‹ zu schreiben und sich der eigentlichen
Nazidiktion und Propaganda zu enthalten. Desto gefährlicher
wurde seine eigentliche Position. Er war – teils geheim, teils
offen, dem Aussenministerium attachiert und machte Reisen
nach Polen (als man eine Liaison mit den Polen brauchte), Japan, Portugal usw – anscheinend für journalistische Zwecke,
tatsächlich in diplomatischen und taktischen Missionen für
die Hitlerregierung. Seine Weltläufigkeit, Bildung, Sprachen-
kenntnis, und seine aussergewöhnliche stilistische Begabung
machten ihn zu einem unschätzbaren Aktivposten für die
Nazi-Aussenpolitik. Dabei spielte er wohl immer noch in
schlaflosen Nächten mit dem Gedanken, sich aus dieser
Schlinge zu befreien und sich loszusagen – aber es war zu spät.
Die Brücken waren abgebrochen – die Daumschrauben sassen
fest – und der Pakt war mit Blut gezeichnet. Er wurde später
zum Bluturteil – bis jetzt nur für andere und (soweit bekannt)
noch nicht für ihn selbst. Statt weiterer Charakteristik ist es
interessanter ein persönliches Erlebnis mit ihm zu schildern.
Verf. war mit ihm sehr befreundet – besonders auch mit seiner
Frau, einer hervorragenden Persönlichkeit, Dänin, die von
Paris aus Modeberichte schrieb und unter der Tragödie seines
Renegatentums und seines schauerlichen Höllenwegs sichtlich litt ohne etwas ändern oder verhindern zu können. Im
Dezember des Jahres 1938 fand der bekannte Besuch des
Herrn von Ribbentrop in Paris statt, bei dem ein langfristiger
›Freundschaftspakt‹ zwischen Deutschland und Frankreich
abgeschlossen und wieder einmal ›peace for our time‹ verkün-
det wurde. In der Nacht nach dem offiziellen Empfang der

deutschen Delegation durch die französische Regierung, bei dem der Pakt gefeiert wurde und Freundschaftsreden gehalten, traf ich mit Sieburg in einem pariser Cafe zusammen, wir sassen allein und unbelauscht in einer Ecke und tranken Cognac. Sieburg, der noch im Frack war – unmittelbar von dem Regierungsempfang kommend, über den er für die nächste Ausgabe der ›Frankfurter‹ zu schreiben hatte, – befand sich in einem Zustand von exaltierter Verzweiflung wie ich ihn nie gesehen hatte. ›Man sollte sich umbringen bevor man umgebracht wird – man sollte sich totsaufen – Morphium nehmen – wozu lebt man noch hier.‹ – Er schilderte mir mit einem ungeheuren Ausbruch von Ekel und Scham und Abscheu die Atmosphäre dieses ›Verbrüderungs‹Empfangs – die grenzenlose Verlogenheit, den aufgelegten gegenseitigen Schwindel, die Arroganz und Heimtücke der deutschen Delegation, ihren kaum verhüllten Spott über die Komödie, die Idiotie oder Korruptheit und hypnotisierte Selbstvernichtung der französischen Staatsmänner, den Zynismus, bewussten Volks- und Völkerbetrug, die nihilistische Dynamik dahinter, die gesinnungslose Machtgier, die Gewissenlosigkeit und geistige Verrottung. ›C'est la guerre‹, murmelte er immer wieder – ›C'est la guerre‹. Nie habe ich eine so abgründige, diabolische, und begabt erzählte Darstellung der Vorverhängnisse dieses Kriegs und seiner Schrittmacher erlebt. Er war totenblass, der Schweiss stand ihm auf der Stirn, seine Hände zitterten, er wirkte wie ein Selbstmörder, (aber nichts von der inferioren und theatralischen ›Reue‹ eines Hans Reimann. Hier war wirklich ein Mann mit seinem Teufel konfrontiert). Er trank viel Cognac obwohl er in der Nacht noch seinen Leitartikel schreiben musste und verabschiedete sich plötzlich in einer hektischen und fast betrunkenen Wendung – mit einer Umarmung in der ein Congé pour cette vie lag und einem geflüsterten: »Mensch – wie ich Dich beneide.« – Mir schien das in meiner damaligen Lage leicht komisch. Tatsächlich habe ich ihn nie wiedergesehn. Aber am übernächsten Tag kaufte ich mir an der Etoile die Frankfurter Zeitung – und las das

Ergebnis dieser Nacht. Ein Leitartikel, in dem die deutsch-französische Verbrüderung in den glühendsten Farben gepriesen und als ›endgültig‹ gekennzeichnet wurde, Weltfrieden und Weltaufbau verheissend, durchsetzt mit kulturellen Analogien, historischen und weltanschaulichen Argumenten für das ›Ereignis‹, gipfelnd in einer Verherrlichung der hitlerschen Friedenspolitik und des ›ethischen Realismus‹ der französischen Regierung.

And that's that.

Es ist zuverlässig berichtet – obwohl dem Verf. nur aus zweiter Hand bekannt – dass Sieburg – der nach seinem rechtzeitigen Rückzug aus Frankreich der deutschen Pressestelle in Holland zugeteilt worden war – an der Vorbereitungsarbeit der Fünften Kolonne in Holland und Belgien vor dem Einfall im Jahr 1940 entscheidenden Anteil hatte.

Von seiner weiteren Entwicklung – der Höllenfahrt eines enormen Talents und bedeutenden Kopfes, um den es ewig schade ist, – weiss Verf. nichts Näheres. Alter zwischen 47 und 50.

(Nachtrag mit Revisionen und neuen Nachrichten über Sieburg S. *121a* [hier: S. 156])

31. Unter diesem Artikel sollen einige Österreichische Schriftsteller und Nazirenegaten zusammengefasst werden, denen weniger persönliche Bedeutung zukommt.

1. *Bruno Brehm* – Verfasser von nationalistisch eingestellten, in grossdeutschem Sinn gehaltenen Romanen über die Historie der letzten Habsburger – schon vor dem ›Anschluss‹ mit den Nazis liebäugelnd ohne sich offen zu deklarieren – ein williger ›Heimkehrer ins Reich‹ und ›Ostmärkler‹.

2. *Hans Schreyvogel* – unter Schuschnigg noch mehr vaterländisch-österreichisch aber ohne sich zu exponieren – wurde sofort begeisterter Naziapostel und Propagandaschreiber. Mittelmässiges Niveau.

3. *Hans Heinz Ortner* – der sich vor dem ›Anschluss‹ gern als Vertreter der ›katholischen Dichtung‹ in Österreich aufspielte, aber immer nach dem ›Reich‹ schielte und sich nach Möglichkeit brav verhielt um bei den Nazis gespielt werden zu können, – gehört zu jenen erfolgssüchtigen Bühnenschriftstellern konventioneller und epigonaler Art, denen jede Richtung aber auch jede noch so niedrige Intrige recht ist um den eigenen Weg zu bahnen und der ›Konkurrenz‹ den Garaus zu machen. Nach einem Zusammenbruch der Nazis wird er wieder sein Herz für Österreich und seine Devotion zum Katholizismus entdecken, die er beide in schmählichster Weise verkauft und verraten hat.

4. (Hans?) *Waggerl* – der ›falsche Hamsun‹ des salzburger Landes – eine Zeitlang Entdeckung und Leuchte des Inselverlags als bodenständiger Dichter – hatte immer einen falschen Erdgeruch an sich und warf sich der Blu-Bo willfährig in die Arme. Ansprache beim Fackelzug nach dem ›Anschluss‹ usw – Heimkehr ins Reich – und in die ›Reichsschrifttumskammer‹. Begrabt ihn dort.

5. Mirko *Jelusich* – schon seinem Namen nach ein urdeutscher Mann – veröffentlichte ein paar historische Romane mit ›totalitärer Ideologie‹ und wurde als zuverlässiger PG nach dem Anschluss oder sogar sofort am selben Tag zum Direktor des Burgtheaters gemacht. Konnte sich aber wegen völliger Unfähigkeit selbst da und dort nicht halten.

32. Der (sudetendeutsche) Bühnenbildner des Burgtheaters, *Roman Bahner*, der sich unter Schuschnigg als treuen Österreicher tarnte, entlarvte sich nach dem Anschluss als heimlicher Naziparteigenosse und soll sich (nach Gerüchten) in wüstem Antisemitismus ergangen und gegen frühere Kollegen besonders scheusslich benommen haben. Sein ›Talent‹ ist rein dekorativ, ohne Substanz, ohne Phantasie und Niveau.

33. Zurück nach Berlin: ein besonders eifriger Schrittmacher und später Parteigänger der Nazis war der langjährige Kritiker und Feuilleton Chef des ›Tag‹ *Erik Krünes*. Als Kritiker ohne geistigen Rang, hat er sich besonders durch Anprangern und Denunzieren von ›Kulturbolschewisten‹ und ›Schädlingen‹ hervorgetan und als Erzschädling der deutschen Kultur und des Theaters betätigt. Ein eindeutiger und hoffnungsloser Fall.

34. *Karl Heinz Martin*. Vor einem Vierteljahrhundert einer der Avantgardisten des modernen Theaters, wurde berühmt um 1919-20 mit aufsehenerregenden expressionistischen Inszenierungen zuerst in Frankfurt am Main, dann Berlin. Sein Entwicklungsgang, schon in diesen Jahren, zeigt deutlich enorme Fingerfertigkeit ohne Charakter oder Überzeugung. Er ›konnte‹ jeden Stil – und seine besten Aufführungen wurden durch raffinierte Benutzung fremder, von anderen geschaffener Stilelemente erzielt. Er hat eine Menge Fingerspitzengefühl aber keine eigene künstlerische Phantasie – keine Persönlichkeit. Reinhardt's atmosphärische Bühnenkunst, Tairoff's entfesseltes Theater mit der tänzerischen Bewegung, Jessner's lineare Strenge, was immer dem Zeitgeschmack entsprach und wirksam war, wurde von Martin so gut benutzt, dass es fast immer Erfolg hatte.

Politisch gab er sich linksradikal, fast kommunistisch, als Leiter der Berliner Volksbühne in der Vor-Hitler-Zeit bekannte er sich gern zum Proletariat. Mit den Nazis machte er aber sofort seinen Frieden, als es dort gut zu verdienen gab, verliess Wien, wo er die ersten Monate der Hitlerherrschaft ›abgewartet‹ hatte, liess sich von seiner jüdischen Frau scheiden und trat einen Dienst bei Bühne und Film im Dritten Reich an, bei dem es ihm vermutlich auch jetzt noch wohl ergeht. Charakter – nicht vorhanden. (Alter um die 50)

35. Ein ähnlich trübes Kapitel: der frühere Volksbühnendirektor (vor Martin) *Karl Holl* – bis zur ›Machtergreifung‹

ein strammer Sozialdemokrat und Gewerkschaftler – auch als Theaterdirektor in Provinzstädten immer braver SPD-Verwaltungsmann – verstand es der ›neuen Weltanschauung‹ das beste abzugewinnen, nämlich eine Stellung als Leiter einer vom (Nazi-)Staat subventionierten Theaterschule, in der auch NS-Weltanschauung gelehrt wurde. Im Jahr 1936 habe ich – von einer Schauspielerin eingeschmuggelt – als anonymes Publikum dem Weltanschauungsunterricht gelauscht, den die jungen Schauspielerinnen von einer Vertreterin der NS-Frauenschaft an Karl Holls Theaterschule verpasst bekamen. Es war reine Goebbelspropaganda mit Rosenbergphrasen und ermunterte die jungen Damen hauptsächlich zum Gebären, auch illegitim, wenn nur rassenrein. Ein Satz ist mir erinnerlich, den sie als Hauptweltanschauungsprogramm für Künstler verkündete »Das deutsche Volk braucht keine Genies – es ist mit dem einen Genie seines Führers auf Jahrtausende *eingedeckt* (sic!). Wir brauchen gesunde Durchschnittsmenschen, die zu blindem Gehorsam bereit sind.«

Dies die Melodie nach der Karl Holl als Theaterschulbelegschaftsführer tanzte und vermutlich noch tanzt.

36. *Benno von Arent* – von dem Verf. in Vor-Hitler-Zeiten manchen Judaskuss empfangen hat – er pflegte nämlich seine angeblichen ›Freunde‹, wenn er sie nach einiger Zeit irgendwo traf, zu umarmen und auf die Wangen zu küssen, – war einer der stets gut beschäftigten und best bezahlten Bühnenbildner in der Vor-Hitler-Zeit Berlins, mittelmässig begabt, etwas süsslich, aber geschickt und gefällig. Da er sein Brot hauptsächlich ›vom Juden‹ ass – seine Chefs waren Saltenburg, die Rotters, usw., – heuchelte er (bewusst! denn er war schon viele Jahre lang vor der ›Machtergreifung‹ heimliches Mitglied der NSDAP und seine Position im Dritten Reich war gesichert und vorbereitet), – Freundschaft und Kameradschaftlichkeit zu vielen jüdischen Kollegen und Theaterleuten, um sich im Augenblick der Demaskierung in wüstestem und brutalstem Antisemitismus zu ergehen. Nicht homosexuell aber sehr effi-

miniert, reichlich dekadent schon im äusseren und von ›niederem Adel‹ her mit leicht verärgerten Deklassierungsgefühlen und Ressentiments erfüllt, sah er im aufkommenden Faschismus hauptsächlich ein Instrument zur Wiederaufrichtung feudaler Herren-Diktatur, (wie die Meisten seiner Art den sozialistischen Einschlag für reine Bauernfängerei haltend, was wohl auch stimmt), – und betete gleichzeitig lustvoll den brutalen Reitpeitschenschwinger an. Das kleine zarte Bürschchen mit dem lasterhaften Mund und den falschen Hundeaugen soll selbst in dem von ihm gegründeten und geleiteten neuen NS-Bühnenclub mit der Reitpeitsche herumgelaufen sein und mit Kellnern, Verwaltungsleuten, Untergebenen und ›kleinen‹ Mitgliedern herumgeschrien haben. Natürlich hagelte es ›Staatsaufträge‹, er dekorierte viele Hallen und Festräume etc für grosse Versammlungen und Siegesfeiern und übte eine hemmungslose Diktatur über das Bühnenausstattungswesen in Berlin aus, von der sich nur Hilpert und Gründgens in ihren Häusern frei halten konnten. Ende der Dreissig.

37. *Lothar Müthel* – früher Schauspieler des Berliner Staatstheaters – der ›jugendliche Held‹ Jessners und anderer moderner Regisseure in der Nachkriegszeit, spintisiererhaft und gleichzeitig doktrinär veranlagt, war einer der ersten Schauspieler einer gewissen Intelligenzklasse, der dem Nationalsozialismus verfiel. Er trat schon einige Jahre vor Machtergreifung in die Partei ein und befasste sich ganz ernsthaft mit Mythus und Weltanschauung der Nazis ... Er erklärte mir einmal dass Hitler eigentlich garkein wirklicher Mensch sei sondern dass die deutsche Nation ihn sich erdichtet habe. Er sei, ja wahrhaftig, ein fleischgewordenes Gedicht. (Das alles gibt es wirklich. Arme Irre.) –

Den ›Ritterschlag‹ zum Volksgenossen bekam er, als er – noch von intellektuellem Skeptizismus angekränkelt und ohne Überzeugung, nur aus Neugier, – einer nationalsozialistischen Massenversammlung beiwohnte, und ein ›einfacher Arbeiter‹ – aus unwiderstehlichem Drang dem Führer ins

Auge sehen zu können – ihn, den besser gekleideten, mit einem rücksichtslosen ›Mensch – mach ma weg da!‹ in die Seite stiess dass er fast zu Boden fiel. Da ging es durch ihn wie ein elektrischer Schlag und er wusste: das ist Dein Volk – das ist Dein Führer. – (Dies ist nicht von mir erfunden sondern von Müthel in einem Zeitungsartikel, dessen ich mich genau erinnere, so geschrieben.) Er wurde dann Regisseur, versuchte sich in einem chorischen Stil – in dem er mit seinem wirklich gediegenen Können und seiner Bühnenerfahrung vermutlich tüchtige (aber vermutlich auch langweilige) Aufführungen zustand brachte. Nach dem Anschluss Österreichs und dem raschen Fiasko des vorher erwähnten Urdeutschen Herrn Mirko Jelusich – sollte Müthel als Burgtheaterdirektor bestallt und belohnt werden, – hatte aber auf der Fahrt nach Wien einen schweren Autounfall, von dessen Folgen er sich erst allmählich erholen konnte. Soviel bekannt ist er jetzt wieder als Darsteller und Regisseur tätig. Die Direktion des Burgtheaters soll angeblich der später zu behandelnde Herbert Jhering innehaben.

38. Es werden unter dieser Nummer wieder eine Reihe von wenig bedeutsamen Schauspielern und Schauspielerinnen zusammen gefasst, über deren Charakter nur zu sagen ist was sie selbst durch ihre deutliche und aktive Nazitätigkeit erwiesen haben.

1. *Eugen Rex* (von dem Verf. einmal hörte dass er gestorben sei, aber nicht bestätigt bekam), – einer der Ur-Nazis unter den Schauspielern – Typus des Enttäuschten, der mit Hoffnung auf glänzende Karriere als junger Mensch begann aber versagte, verschlampte, sich nicht entwickelte und in der zweiten Reihe blieb. Daran war dann die Demokratie, die Republik, die Kulturbolschewisten und die Juden schuld. Gründer von geheimen Nazizellen unter der Schauspielerschaft, nach ›Machtergreifung‹ auch kein besserer Schauspieler aber mächtiger ›Fachschaftsführer‹.

2. *Harald Paulsen* – ein Renegat, vor der ›Machtergreifung‹ begeisterter Anhänger von Brecht (in dessen Dreigroschenoper er seinen grössten Erfolg hatte) und allen linkseingestellten Theaters, immer zur Krampfigkeit, Unechtheit, Forciertheit neigend. Wurde begeisterter Nationalsozialist, brach mit allen früheren Freunden und Meistern, drängte sich darnach am 1. Mai 1933 bereits die Hakenkreuzfahne für die Schauspielerfachschaft tragen zu dürfen. (Er durfte).

3. *Fred Hennings* – Heldendarsteller des Wiener Burgtheaters, ein ziemlich mittelmässiger Schauspieler und recht dummer Mensch (den Verf. aber trotz seiner Beschränktheit früher immer ganz nett fand.) Soll (nach Gerüchten – keine persönliche Erfahrung) – heimlich Nazi gewesen sein und sich schon unter Schuschnigg als Nazi betätigt haben, – wurde dann offener begeisterter Parteigänger und soll sich (wieder nach Gerüchten) gegen frühere Kollegen, Nichtnazis, Linksleute und Juden, besonders hässlich benommen haben.

4. *Oscar Sima* – ein Österreicher tschechischer Abkunft – begabt als Charakterkomiker – aber mit komischem Charakter (pardon). Schmiss sich den Nazis in Berlin nach der Machtergreifung an, ähnlich wie Paulsen usw, – hatte gelegentliche Reue- und Zerknirschungsanfälle – (vielleicht auch trübe Ahnungen und schlechte Träume.)

5. *Maria Paudler* – eine inferiore Schauspielerin im Köchinnenformat – eine Zeitlang durch rein äusserliche (in Wahrheit nicht vorhandene) angebliche Ähnlichkeit mit Käthe Dorsch für ein urwüchsiges Talent gehalten das sie nie war – prädestiniert für die Erhebung der Küchentrampel und Statisten. Entzückte Anbeterin des schönen Adolf – vermutlich willige Goebbelshure falls sie ihm nicht zu trampelig war.

6. Ähnliches von *Sybille Schmitz* zu sagen – einer zweitklassigen wenn auch nicht unbegabten Schauspielerin von heut wohl Ende der 20 – soll begeisterte Nazianhängerin sein – Näheres dem Verf. nicht bekannt.

*Leni Riefenstahl gratuliert Adolf Hitler in der Reichskanzlei zum
49. Geburtstag (in der Mitte Albert Bormann), 1938, Photo Ullstein Bild*

7. Leni Riefenstahl – die ›Reichsgletscherspalte‹ – auch im
Ausland bekannt geworden durch Berg- und Skifilme –
schwer hysterische Person – masslos ehrgeizig. Ihr ist zu gute
zu halten dass sie keine Renegatin ist, sondern immer an Hitler glaubte als an den Erlöser. Ihrer Karriere ist aber die Erlösung gut bekommen – nachdem vorher ihre Gesinnung sie
nicht gehindert hat beim ›Juden‹ saftige Filmhonorare zu beziehen und sich mit Antinazis für alle Fälle zu stellen. – Als
Hitler ihr für ihre Inszenierung des Olympiade- und eines
Nürnberger Parteitag Films persönlich das Goldene Ehren-
abzeichen oder sowas überreichte, fiel sie auf der Bühne vor
Aufregung in die Freissen, (in Ohnmacht) wobei es ihr miss-
lang dem Führer in die Arme zu sinken – sie sank ihm zu Füssen und er musste, sichtlich angewidert, über sie wegsteigen

um abzugehen. Dieses spielte sich im Berliner Ufapalast ab und wurde auch von Newsreels verfilmt – aber natürlich nicht öffentlich vorgeführt. Der später zu behandelnde Filmregisseur Willy Forst hat den Streifen gesehen und dem Verf. die Szene unvergesslich komisch vorgespielt.–

Leni R. soll angeblich jüdischer Abstammung sein. Schon möglich. Es würde ihren Fall nicht verfeinern. Soll auch mit Hitler geschlafen haben was Verf. aber nicht glaubt. (Beiderseitige Impotenz anzunehmen).

8. *Tony van Eyck* – als ganz junges Mädchen von dem früheren Reinhardt-Direktor und Schriftsteller, späteren Kritiker des 8Uhr Abendblattes Felix Hollaender als genialisch begabtes Theatertalent entdeckt – hatte eine visionär hysterische Art, etwa das Käthchen von Heilbronn zu spielen, von der etwas wirklich Faszinierendes und Ungewöhnliches ausging. Mit zunehmender Reife und Erwachsenheit – sie war bei ihrem ersten Berliner Auftreten kaum 15 – verloren sich diese besonderen Gaben mehr und mehr – das Talent glättete sich ins Alltäglich-Routinierte aus, die Hysterie blieb. Mit brennenden Augen – von Verzückung bleichem Gesicht – finden wir sie auf einer der ersten Photographien, in denen sich der frisch zur Macht gekommene Führer leutselig im Kreise deutscher Künstlerinnen zeigte, – in seiner Nähe stehend, zum Kniefall oder Autodafé bereit. Die Ekstase mag ihrer Karriere förderlich gewesen sein, aber die Stellung die ihr Jugendtalent ihr bei dem noch niveauvollen Theater einbrachte, hat sie nie mehr erobern können.

9. *Heinrich Schroth* – heut bestimmt ein Sechziger – zweitrangiger Berliner ›Gebrauchs-Schauspieler‹, – (dessen Frau, *Käthe Haack*, sich in der Nazizeit nach verschiedenen Aussagen besonders anständig und treu zu alten Freunden benommen haben soll), – war zum Nazi durch Verbitterung und Inferiorität vorbestimmt und ist es auch geworden. Er wurde einer der Haupträdelsführer der neuen NS-Theater Fachschaften, in denen gegen die vertriebenen Meister wie

Reinhardt in Art der Sklavenrebellion nachträglich gewütet wurde. Der typische Esel, zu nichts gut als dem toten Löwen einen Fusstritt zu geben.

10. *Hans Schöbinger* und *Friedl Czepa*, seine Frau, Wiener Operettenschauspieler, die Czepa gelegentlich eine Filmpartnerin der wunderbaren und menschlich grossartigen Wessely, – excellierten bei und nach dem ›Anschluss‹ in wiener Nazitum, Antisemitismus, Hetzerei und Denunziationen, und erhielten auch dementsprechend Verwaltungs- und ›Führer‹ Pöstchen.

11. *Paul Westermeier* und *Johannes Riemann*, wenn auch von etwas stärkeren und im Fall Riemann manchmal gefälligeren Gaben als Darsteller, – gehören in die Kategorie Heinrich Schroth und es ist das gleiche über sie zu sagen was in Punkt 9 weiter oben bemerkt ist. Westermeier brutaler Boxertyp und berliner Dialektcharge – ganz niveaulos und menschlich minderwertig, – Riemann ›besserer Herr‹ mit klassischen Ambitionen, zu denen es nicht reicht. Ideale Nazis ohne Scham und Vertuschung.

12. *Heinrich George* – eines der stärksten Talente der deutschen Bühne, aber stets durch Disziplinlosigkeit, Herrschsucht, Sauferei (ohne Schwung oder Charme) eine unzuverlässige und schwierige, ja gefährliche Bühnenerscheinung, – war schon in der Zeit in der er sich als radikalster Kommunist aufspielte, ein Mensch der imstande war, in der Besoffenheit Kellner und Chauffeure zu prügeln.

Er hat zweifellos genialische Züge die er in selbstberauschter Masslosigkeit übersteigerte und bis zur Ungestalt übertrieb. Jählings von einem Tag auf den anderen wandelte er seine wildkommunistisch revolutionäre Gesinnung in ebenso raserischen Nationalsozialismus – wobei er in lichten Momenten oder nüchternen – oder vielleicht auch ganz betrunkenen – Augenblicken sich über seine Verräterei und deren Folgen klar wird und sein eigenes Todesurteil spricht. Er wagte es, als Götz von Berlichingen mit dem Hitlergruss aufzutreten und

Heinrich George als Götz von Berlichingen
mit Bertha Drews als Elisabeth, Photo FAZ

wurde einer der Führer des nazistischen Theaters. Man schuf
in Berlin eine eigene Bühne für ihn – das Schillertheater, das
früher dem Staatstheater angehörte – die er jetzt noch (soweit
nicht niedergebombt?) – als Direktor leitet.

13. Auch *Eugen Klöpfer* – der einmal der beste und männ-
lichste Schauspieler Deutschlands hätte werden können, hätte
er sich nicht durch künstlerische und menschliche Charakterlosigkeit und Schmierantentum versudelt und versaut, – wurde
für seinen Übergang zu den Nazis und seine treue Hitler-

gefolgschaft mit einer Theaterdirektion belohnt, – er ist Generalintendant der Vereinigten Berliner Volksbühnen (am Bülowplatz und am Nollendorfplatz) – und bekam von den Schauspielern seines beginnenden Delirium wegen den Spitznamen »Herr Generaltatterich«. Äusserlich ein Hüne und weniger ein Fettkloss als George, mehr eine Süddeutsche Bauerngestalt, vereinigt er alles Weibische und Kautschukhafte vieler Schauspielercharaktere in seinem Wesen. Verschlagen, unzuverlässig und heimtückisch wie ein Bär, dabei verrückt ›mit Methode‹, was die Karriere anlangt, war es für ihn von der Zeit, in der er den Reichspräsidenten Ebert als den ›grössten Deutschen‹ feierte bis zur Hitleranbetung, nur ein kleiner Schritt.

14. Das Schauspieler-Ehepaar *Fritz Genschow* und *Renee Stobrawa* leitete in den letzten Jahren vor Hitlers Machtergreifung eine Art Freie Bühne, die sich die ›Gruppe junger Schauspieler‹ nannte und Zeitstücke aufführte, die stets einen betont kommunistischen Charakter hatten, und deren Autoren, Peter Martin Lampl, oder der jetzt dem Moskauer Nationalkomitee angehörende Arzt und Autor Friedrich Wolf, überzeugte Kommunisten waren. Lampl's ›Revolte im Erziehungshaus‹ und Wolf's ›Cyankali‹ waren die stärksten Erfolge ihrer Direktion. Beide, besonders aber Genschow, bekannten sich offen zum Kommunismus und betrachteten das Theater vor allem als Propagandamittel, – Beide traten sofort nach Hitlers Machtergreifung der NSDAP bei und befleissigten sich besonderen NS-Eifers, um ihre Vergangenheit gut zu machen. Genschow wurde SA-Mann und bald bekam er eine Charge, in der er dann jüngere Schauspieler ›ausbildete‹ und statt der kommunistischen Gruppenpropaganda gab es jetzt Drill und Ertüchtigung im Braunen Hemd. Die Nazis haben solche Renegaten – grade aus dem kommunistischen Lager – wenn sie sich von der Radikalität der Bekehrung überzeugt fühlten, immer besonders gern aufgenommen und in ihre Reihen eingebaut. Es ist kaum anzunehmen, dass es sich bei

Leuten wie Genschow (dessen bester Freund Ernst Busch, der
›Barrikaden-Tauber‹, nach Spanien ging und später in einem
französischen KZ fast umkam), – um eine getarnte Konversi-
on handelt, – das heisst dass sie in Wirklichkeit Kommunisten
geblieben wären und sich nach aussen hin, um die ›Bewegung‹
etwa zu zersetzen oder für eine spätere Entwicklung zu wirken; – als Nazis maskiert hätten. Es ist viel wahrscheinlicher
dass sie wirklich bekehrt wurden und zwar nicht nur aus Opportunismus, – dass sie sich tatsächlich vormachen liessen und
selbst vormachten, die Ziele des Nationalsozialismus seien ja
eigentlich ganz ihre eigenen, und nur die Methode, die sie vorher infolge intellektueller Propaganda und jüdischer Über-
redung nicht erkannt hatten, sei eben gesünder, richtiger, weil
wirksamer und erfolgsicherer als die der Dritten Internationale. Wie es um diese Art von Konvertiten wirklich bestellt
ist, wie sie sich weiter entwickelt und verhalten haben, wie der
russische Feldzug Hitlers und überhaupt der Krieg und sein
Ablauf auf sie eingewirkt hat, *können nur Leute beurteilen,*
die selbst in Deutschland leben und aus der Nähe beobachten,
was mit und in den Menschen vorgeht. Überhaupt sind wir für
alle exakteren Beurteilungen und Bewertungen, – so weit es je
dazu kommt, – auf die Hilfe und die Information durch Ver-
trauensleute innerhalb des heutigen Deutschlands angewiesen.
Charakterlich schien Genschow eher sauber und ehrlich als
ein Verräter zu sein, – aber nicht besonders stark und geistig
höchst begrenzt, unselbständig, beeinflussbar. Vielleicht lag
hier der wesentliche Einfluss bei der Frau, – die Stobrawa war
immer von einem Ehrgeiz und einem Erfolgs- und Macht-
willen besessen, der zu ihrem nicht mehr als durchschnitt-
lichen Talent in keinem Verhältnis stand. Beide mögen in den
Dreissig sein.

Damit ist eine Reihe von Charakteristiken vorläufig abgeschlossen, die sich auf einwandfreie Nazi-Mitmacher bezieht.
Es folgen die interessanteren Sonder- und Zwischenfälle.

Gruppe 3:

Sonderfälle.

Ernst und F.W. Jünger.

Kästner, Fallada. Paul Fechter.

Mary Wigman. Hans Niedecken-Gebhardt.

Erbprinz Reuss. Herbert Jhering.

Tilly und Pamela Wedekind.

Die Filmregisseure Willy Forst und G.W. Pabst

Erich Engel. Jürgen Fehling.

Gustav Gründgens.

Furtwängler.

Emil Jannings. Werner Krauss.

Gruppe 4: Fragliche.

A: Vermutlich negativ.
Ponten, Hans Frank, Alverdes, Angermayer, Blüher, Brues, Michel, Geysenheiner, Benno Reiffenberg, Ina Seidel, Agnes Miegel, Wilhelm Schäfer, Emil Strauss, Bröger, Grimm, Tietjen, Clemens Krauss, die Brüder Schulz Dornburg, Graf Solms-Laubach.

B: Vermutlich positiv.
Erik Reger, Hatzfeld, Dietzenschmidt, Hausenstein, Brandenburg, Flake, von Scholz, Edschmid, Adelt, Schmidtbonn, Fr.P. Buch, Weichert, Theo Lingen, Achaz-Duisberg, Legal, Kayssler, Walter Frank, Gülstorff, Röbbeling, Herterich, *Uli Bettac,* Lennartz, Hoppe, Gold, Marlow, St. Fuchs, Hannes Küper, Elwenspoek, Maisch, die Kippenbergs, Hermann Stehr. *Harlan, Körber*

Nachtrag zu Gruppe 2 (Negativ)

Kurt Heynicke – unmittelbar nach dem letzten Krieg und in den ersten Zwanzigerjahren als extrem und ultra ›Expressionistischer‹ Dramatiker und Lyriker gelegentlich gedruckt und aufgeführt – ein Experimentierer und kalter Ekstatiker, ein Geschreib ohne Geruch oder Geschmack, weder herb noch süss, kein Saft, keine Salze, kein Geist, keine Muse, aber sich selbst in pennälerhafter Weise wichtig nehmend und machend. Die personae in einem seiner frühen Stücke nannten sich: Erstes Wesen, Zweites Wesen usw. – Banale Symbolistik. – Vergessenheit wuchs bereits wie eine Schimmelschicht über dem Namen Heynicke – da plötzlich tauchte er hakenkreuzgeschmückt aus der Versenkung und etablierte sich im Dritten Reich als Hymniker des Bluts und der Rasse, nordischer Magus und Verfasser völkischer Thing-Spiele. Vor der ›Machtergreifung‹ gab sich Heynicke, der aus dem Rheinland oder Ruhrgebiet stammt, natürlich sehr linksradikal. Wie überhaupt die meisten der Umfaller, Nachläufer und Renegaten aus dem linksradikalen Lager, häufig direkt aus dem kommunistischen, seltener aus den gemässigten Linkskreisen und *fast nie* aus den bürgerlich liberalen Gesinnungsschichten kommen. In Deutschland hat sich auch der religiöse Gesinnungskreis durchweg gehalten – während die österreichischen Nazi-Opportunisten zum Teil vorher eine ›katholische‹ Weltanschauung vortäuschten, weil das nämlich dort vorher das Opportune war. Linksliteratentum war dort seit Dollfuss aus der Mode gekommen, sozialistische Schriftsteller waren zwar unter Schuschnigg nicht verfolgt, aber ohne Resonanz. Sonst, unter einer anderen herrschenden Richtung, hätten die Hans Heinz Ortner's und Schreyvögel vermutlich rötliche Liedchen gepfiffen. Im übrigen neigte Schuschnigg persönlich zu weitgehender Liberalität in Dingen der Literatur und Kunst, die geistige Freiheit wurde unter seinem Regime in Österreich nicht unterdrückt.

Zwei weitere Ergänzungen ad Österreich:

Hans Sassmann – durch viele Jahre der Hauptkritiker des ›Neuen Wiener Journal‹ – gleichzeitig selbst ehrgeiziger Theaterautor, als Kritiker daher boshaft, neidisch, unehrlich, gesinnungslos und eitel. Wie bei vielen körperlich Benachteiligten, er hat eine fast liliputanerhafte Statur, ist die Eitelkeit bei ihm ins Krankhafte gesteigert. Seine schülerhaften Habsburgerdramen (und andere historische Schwarten) wurden zwar am Burgtheater kraft seiner gefährlichen Stellung als Publizist regelmässig gespielt, hatten jedoch nie wirklichen Widerhall und über die wiener Clique hinaus keinen Beifall. Schon vor dem ›Anschluss‹ liebäugelte er mit den Nazis, ging häufig nach Berlin, versuchte im reichsdeutschen Film als Autor Karriere zu machen und mag wohl auch sonst den Nazis allerlei Judasdienste geleistet haben. Seine alte Freundschaft zu Egon Friedell, dessen geistige Überlegenheit ihn, den unkundigen Böotier, bis zum Grade der Anbetung faszinierte, legte ihm noch gewisse Hemmungen auf. Nachdem Egon Friedell in den ersten Tagen des ›Anschlusses‹ Selbstmord begangen hatte, fielen alle Schranken, und Sassmann decouvrierte sich öffentlich als das was er immer war, ein inferiorer und subalterner Schreibsklave.

Ein schmerzlicher Fall, über den ich mich nur mit grösster Vorsicht und ohne jede Sicherheit äussern möchte, ist der des Dichters *Max Mell*. Ich habe seine Dichtungen, sowohl die religiösen Bühnenspiele als seine Lyrik, immer geliebt und bin im Grund überzeugt von seiner charakterlichen und dichterischen Integrität. Seiner ganzen Persönlichkeit und seiner literarischen und menschlichen Vergangenheit nach kann er kein Nazi und erst recht kein opportunistischer Nazi-Anschmeisser sein. Es wird aber zuverlässig berichtet, dass er im Jahr 1938, nach dem ›Anschluss‹, eine Hitler-Hymne geschrieben und veröffentlicht haben soll und weiterhin eine Reihe von Dichtungen im Sinn des ›nationalen Mythus‹. Ich weiss es nicht, ich habe sie nicht gelesen und es wird mir schwer, das

Berichtete zu glauben, obwohl es von einwandfreien Zeugen kam. Wenn es so ist, – so fehlt mir, im Gegensatz zu einem Fall wie Benn, den ich mir erklären kann, jeglicher Schlüssel dazu.

Gruppe 3.

1. Die Brüder *Ernst Jünger* und *Friedrich Wilhelm Jünger*.
Zur Charakteristik dieser beiden deutschen Autoren, die ich nicht persönlich kenne und von deren privaten Umständen ich nichts weiss, verweise ich auf Heft 10, 1943, der ›Deutschen Blätter‹, Santiago de Chile, das einen ausgezeichneten Aufsatz über Arbeiten Auffassungen und Entwicklungen der beiden enthält.

Ernst Jünger halte ich für den weitaus begabtesten und bedeutendsten der in Deutschland verbliebenen Autoren. Ich glaube dass sowohl seine wie seines jüngeren Bruders Opposition gegen das Naziregime echt ist und mit jener nur sehr bedingten Opposition aus anderen konservativen oder Offizierskreisen nicht identisch ist. Bei den Jünger's kommt sie aus tieferen Quellen. Es handelt sich nicht um militärisch-politische Taktiken, in denen sie etwa mit Hitler differieren, sondern um den Geist. Ernst Jüngers Kriegsverherrlichung hat nichts mit Agression und Weltbeherrschungsplänen zu tun – sein Herren-Ideal nichts mit demagogischem Unsinn a la Herren-›Rasse‹. Ohne Pazifist oder Demokrat zu sein ist es ihm bestimmt ernst mit der Vorstellung einer Weltgestaltung vom Geist her und durch das Medium der höchstentwickelten und höchstdisziplinierten Persönlichkeit. Eine isolierte und sehr unbequeme Position – vielleicht bedeutsamer und mindestens interessanter als verwaschene Durchschnittsvorstellungen von Demokratie, sofern sie kein fassbares Konzept haben. Solche Erscheinungen wie E. und F. W. Jünger mögen in einem gegen die Nazis gewandten Nachkriegsdeutschland noch isolierter sein als jetzt, und wer-

Ernst Jünger, 1942, Photo DLA

den ~~bestimmt~~ vermutlich von der Mehrheit der Linkskreise als ›reaktionär‹ abgetan und abgelehnt werden. In Wirklichkeit sind sie ~~vermutlich~~ weniger reaktionär als viele der ›Progressiven‹ die nichts dazu gelernt haben. Es wäre ein grosser Fehler sie nicht ernst zu nehmen und ihr Schaffen ⟨nicht⟩ mit grösster Aufmerksamkeit und Vorurteilslosigkeit zu beobachten.

2. *Erich Kästner.*

Über sein Verbleiben in Deutschland – und über die Tatsache dass es ihm möglich war ohne von den Nazis eingesperrt oder erledigt zu werden – ist viel diskutiert worden. Ein Nazi ist er bestimmt nie geworden, auch nicht zum Schein. Er selbst hat Freunden erklärt dass er seiner Mutter wegen geblieben sei, zu der er ein besonders inniges Verhältnis hatte, – vielleicht war es eine Beziehung die es Beiden unmöglich gemacht hätte, getrennt weiterzuleben. Bis 1939 lebte er völlig zurückge-zogen und nur im Kreis persönlicher Freunde aus früherer Zeit, ohne politische oder literarische Aktivität, es war ihm von der Schrifttumskammer nur erlaubt Kinderbücher zu publizieren, die natürlich auch ganz ›neutral‹ gehalten sein mussten. Was dann aus ihm geworden ist, weiss ich nicht, – es ist anzunehmen dass sich nichts Wesentliches geändert hat. Auch wenn er es vermutlich nicht wagen kann, mit irgend-welchen ›Untergrundbewegungen‹ in direktem Kontakt zu sein – da er sicher mehr beobachtet und überwacht ist als jeder Andere – gehört er zu den wenigen deutschen Nichtnazis von Ruf und Rang, die die heutigen Verhältnisse innerhalb Deutschlands genau kennen und diese Kenntnis durch alle Phasen der Hitlerherrschaft, ihres Aufstiegs und Niedergangs hindurch, erweitert haben. Wenn er überlebt, mag er einer der wichtigen Männer für die Nachkriegsperiode werden.

Aus seiner sehr öffentlich betonten Mutterbeziehung (er pflegte in der Vorhitlerzeit, wenn er im Radio vorzutragen hatte, immer zuerst seine Mutter anzusprechen und sich zu überzeugen dass sie in Leipzig zuhört), – ist nicht wie im Fall Glaeser auf eine sentimentalisierte ›Heimat‹- und Deutsch-landverklärung zu schliessen, nicht auf eine charakterliche Ver-weichtheit oder geistige Unselbständigkeit, sie ist viel eher ein Schlüssel zu der gewissen rationalistischen Beengtheit sei-nes Schaffens und seines Weltbilds, – zu dem, bei einem im Grund lyrischen Temperament, erstaunlichen Mangel an un-bedingter Schöpferfreude (Zeugungslust) und Welt-Begrei-fen, – der durch Lehrhaftigkeit und Dialektik – wenn auch in

Erich Kästner und seine Mutter, 1932, Photo Ullstein Bild

amüsanter, oft ironisch-überspitzter, manchmal wirklich humornaher Form – ersetzt wird.

3. Hans Fallada.

Inflationsjugend – Nachkriegsgeneration – revolutionär mehr von ›Verhältnissen‹ als vom Geist her – leise verbittert ohne Mickrigkeit, nie ganz frei von der Peinlichkeit gewisser Erinnerungen und kleiner Demütigungen (Wer niemals aus dem Blechnapf frass ...), – doch viel zu verantwortlich gegen ererbtes und erlebtes deutsches Kulturgut, auch zu begabt, um der Plattheit und Verlogenheit einer Nazi-Verbitterung zu verfallen. Ein Typus des deutschen ›kleinen Manns‹, dessen Herz gesund geblieben ist, auch wenn er in der Seele verwirrt, erkrankt und glaubenslos, im Geist nicht mehr als durchschnittlich sein konnte. Das Stärkste was ihm je gelang – vor dem

›Kleinen Mann‹, waren ›Bauern Bonzen Bomben‹ – ein Buch in dem – vom steuergefressenen Kleinbauern her gesehen – dieser ›bessere‹, zutiefst saubere und anständige deutsche Kleinbürger dargestellt wurde, der proletarisiert war bevor er sich (als Nazi) deklassiert fühlen konnte, und um seine menschliche – äussere und innere – Existenz rang, ohne durch Verärgerung und Elend vertiert zu werden. Dieser Typus den Fallada persönlich repräsentiert und als Schriftsteller in allen Nerven hat, ist ein Kernstock des deutschen Volks und wird ein wesentlicher Restbestand Deutschlands sein – in keine ›Klassentheorie‹ ganz hineinpassend – wenn die organisatorische Macht, die ihn zu erfassen und sich völlig einzugliedern versuchte, liquidiert sein wird. Deshalb ist Fallada in seinen positiven und negativen Schilderungen, auch wenn er nicht der ›Zola des neuen Deutschland‹ ist, – so interessant. Deshalb ist es auch ganz natürlich dass er – mit seiner Gattung die keine kosmopolitischen Möglichkeiten hat (denn zolahafte Stosskraft und geniale Einseitigkeit wächst nicht aus dieser Wurzel) – zuhause blieb. Er versuchte ehrlich in seiner Art weiterzuschreiben, ohne sich in irgendwelche Nazipropaganda einzulassen oder ›mitzumachen‹. Bis 1939 hat er es auch nie getan, was seitdem geworden ist weiss ich nicht, nehme aber auch hier keine entscheidende Standortänderung an. Er hat sogar recht mutig und anschaulich, wenn auch ohne wirkliche Erleuchtung, unter der Naziherrschaft in einem Inflationsroman ›Schwarze Reichswehr‹ Aktivitäten geschildert ohne sich in Auffassung und Stil der Nazi-Schablone anzupassen. Man hat ihn in Ruhe gelassen ohne ihn besonders zu protegieren und gewisse Nazistellen haben ihm genug Misstrauen und Abneigung entgegengebracht, um seine Situation in Deutschland zeitweilig zu gefährden. Mir ist erinnerlich dass Emil Jannings – im Jahr 37 – unter ›Kämpfen‹ durchsetzen musste dass man ihn zum Autor eines Janningsfilms nahm, und dass er gegen Filmkammer und Propmin verteidigt werden musste. Die nationalrevolutionäre Haltung seiner kleinen Leute (die sich nicht gegen die Idee aber gegen die Praxis der Weimar-

Hans Fallada, Photo DLA

Republik richtete) machte ihn den Nazis tolerabel, aber er hat vermutlich auch im Krieg nicht in ihr Horn geblasen, sicher nicht bis zum Krieg. Auch falls er mehr und mehr zu Konzessionen gezwungen war, bleibt er ein – keineswegs grosser oder bedeutender – aber anständiger und oft übers Gewöhnliche hinaus begabter Schriftsteller. Ob das Erlebnis dieser

Jahre tiefere produktive Kräfte in ihm löst oder verstopft, können wir nicht beurteilen ohne seine Arbeit zu kennen. An seinem guten Willen und seiner inneren Ehrlichkeit ist nicht zu zweifeln.

(Die letzte Arbeit von Fallada über die Verf. Bescheid weiss, war der ›Eiserne Gustav‹, ein Roman über den Berliner Droschkenkutscher der quer durch Deutschland und Frankreich bis nach Paris kutschierte, um auf diese Weise für seinen alten Gaul Unterstützung zu finden, mit dem er sonst zusammen in Berlin verhungert wäre. Dieser Roman ist auf Anregung von Jannings entstanden, der die Rolle im Film spielen wollte, und natürlich allen möglichen Einfluss geltend machte um der Gestalt eine der herrschenden Richtung entsprechende nationalistische Färbung zu geben.)

4. *Ernst von Salomon* war an der Ermordung Walther Rathenaus im Jahr 22 beteiligt, und legte nach Strafverbüssung seine Erinnerung an diese Zeit und seine Vergangenheit als Freicorpssoldat, Mitglied nationalistischer Geheimbünde usw. in dem sehr interessanten und gut geschriebenen Buch ›Die Geächteten‹ nieder. Es handelt sich dabei um ein reines Erlebniswerk – das heisst die schriftstellerische Leistung war nur Niederschlag des direkten Erlebnisses und nicht, aus dem Erlebnis heraus, Beginn einer Entwicklung. Was Salomon später schrieb ist unter Mittelmass geblieben. Aber als Charakter hatte er durch die Mitschuld am Mord und die Sühne eine wirkliche Entwicklung genommen. Er meinte es vollkommen ehrlich mit seiner Abkehr von nationalistischem Verschwörertum, demagogischem Antisemitismus und völkischem Ressentiment. Er hielt sich daher von den Nazis während ihrer ›Kampfzeit‹ vollständig fern, obwohl er natürlich ein ›Fressen‹ für sie gewesen wäre, und nach der ›Machtergreifung‹ versuchte er, neutral zu bleiben und ›unpolitisch‹ für Film etc zu schreiben. Es ist schon eine ziemliche Charakterleistung dass er sich nicht von den Nazis zum ›Helden‹ und Märtyrer machen liess, er hätte sich leicht einen Schlageternimbus ver-

Gruppe 3: Sonderfälle, teils positiv, teils negativ

Ernst von Salomon, 1930, Photo Ullstein Bild

schaffen können, aber er war allerdings durch Freundschaften und Beziehungen zu Intellektuellen für die Nazis verdorben und leise verdächtig. Sein menschliches Niveau war zu gut um sich ins Nazitum abbiegen zu lassen, als Schriftsteller war er nicht stark genug um dem trüben Strom deutscher Sprach- und Literaturversumpfung zu widerstehen oder einen eignen Stil entgegenzusetzen, da er eben keine eigenen Stilelemente hat. Was er schrieb wurde seicht und phrasenhaft. Es handelt sich dabei auch mehr um Broterwerb da er verheiratet ist und einige Kinder hat. Bleibt das Bild eines anständigen Menschen und unwesentlichen Autors – dessen eines Jugendbuch als Zeitdokument nicht übersehen werden kann. Ob ihm in diesem Krieg gelungen ist was er im letzten wegen zu grosser Jugend so schmerzlich entbehrte, nämlich in die Front zu kommen, – oder ob es ihm damit diesmal nicht so schrecklich dringend war, ist dem Verf. unbekannt. Ebenso unbekannt ob vielleicht echte Empörung und echte Verzweiflung an Deutschland ihn in ein neues, diesmal positives, Verschwörertum und Untergrundarbeit getrieben hat. Es läge in seinen Möglichkeiten, falls er nicht vorzeitig ermüdet ist.

5. *Paul Fechter* – Kunst- und Literaturhistoriker, Offizier im letzten Krieg, langjähriger Hauptkritiker und Feuilletonchef der ›Deutschen Allgemeinen Zeitung‹, war immer ein extrem nationaler Mann, doch von viel zu hoher Intelligenz und viel zu grosser innerer Sauberkeit um je ein Nazi werden zu können. Er war einer von den Leuten die im Krieg ernsthaft und mit aller Konsequenz das ›heldische‹ Element, Gläubigkeit, Einsatz, Opferbereitschaft, erlebt hatten und dieses Ideal rein erhalten und nicht getrübt sehen wollte, daher seine Feindschaft gegen Pazifismus und Linksliteratentum. Natürlich schüttete er dabei das Kind mit dem Bade aus, das heisst, es war ihm garnicht vorstellbar und lag ausserhalb seiner Blickmöglichkeiten, dass in dem lauen schmuddligen und schlecht parfümierten Badewasser das uns allen gleich zuwider ist, überhaupt ein Kind sitzen könne, das, kalt abgerieben und seinen Gouvernanten entzogen, sogar gesund und lebensfähig sein könne. Fechter ist ein gradliniger, einfacher, in seinem Denk- und Phantasieradius begrenzter Kopf, dabei mit wirklich sicherem Instinkt für alles Starke und Eigenwüchsige (sein Einsatz für Ernst Barlach zum Beispiel!), – mit einem Bildungsniveau das sich von Rosenberg-Mythen nicht einnebeln lässt, und mit einem unantastbar sauberen Charakter. In der Nazizeit hat Fechter viel persönlichen Mut bewiesen, sowohl in der Aufrechterhaltung alter Freundschaften und Beziehungen als in seiner Berufsführung. Schon vor dem Tod

seines Freundes, des Chefredakteurs Fritz Klein von der DAZ, der im politischen Journalismus etwa ein Pendant zu Fechters Erscheinung im feuilletonistischen war, – trat Fechter von seinem leitenden Redaktionsposten in der DAZ zurück, da er sich nicht auf Wünsche und Orders der neuen Nazichefs umstellen konnte, er gab auch seine in Berlin immerhin bedeutende Kritikerstellung auf, weigerte sich ziemlich lange, ein ›Kunstbetrachter‹ nach goebbelsschem Rezept zu werden, und führte jahrelang einen etwas Donquixotehaften, aber garnicht ungefährlichen Kampf für ›freie Meinung‹ in Nazideutschland. Mag sein dass sogar ein solcher Kampf, der uns eben gegen Windmühlen gerichtet scheint da wir seine prinzipielle Aussichtslosigkeit kennen, gar nicht so sinnlos war wie es von aussen erscheint – dass er vereinzelten Leuten den Rücken gestärkt oder die Augen geöffnet hat – und es wird ja auf die Dauer nur noch auf solche einzelne ankommen.

Fechter gab nach seiner Resignation von der DAZ einige Jahre hindurch eine kleine Zeitschrift heraus, die er ›Deutsche Zukunft‹ nannte und zum grossen Teil allein oder mit einigen ungenannten Mitarbeitern schrieb, hauptsächlich mit Kulturkritik beschäftigt und an Hand überzeitlicher oder nicht nachweislich aktueller Themen eine indirekte Opposition gegen die herrschende Richtung von Streicher bis Goebbels und Rosenberg zu machen versuchte. Schliesslich war das aber nicht mehr durchzuführen, denn auch der ›gemässigte Nationalismus‹ und die an Erscheinungen wie Jünger orientierte Idee einer geistigen Aristokratie (oder eines revolutionären Konservativismus) wurde für die Nazis schon ›reaktionär‹ wenn nicht verräterisch. Verf. weiss nicht ob die Zeitschrift schliesslich verboten wurde oder ob man sie – mittels Papierverweigerung usw eingehen liess. Sie war natürlich auch materiell kaum zu halten. Ebensowenig konnte Fechter eine unabhängige Schriftsteller- und Herausgeber-Existenz lange durchhalten. Er musste sich den Bedingungen der Nazizwangsorganisationen und der Notwendigkeit des Lebensunterhalts fügen und schrieb wieder Kritiken für die DAZ – ohne jedoch einen

verantwortlichen Redakteurposten zu übernehmen. Diese Information geht bis 1940. Fechters heutige Position würde sich
bis zum gewissen Grad aus seiner Arbeit in der hier von Zeit
zu Zeit erhältlichen DAZ ersehen lassen. Verf. glaubt für seine
charakterliche Integrität und seine persönliche Zuverlässigkeit durchaus bürgen zu können.

6. Ich fasse in diesem Abschnitt vier sehr verschiedne Persönlichkeiten zusammen, und zwar weil ihre Beziehung zu gewissen Elementen und Erscheinungen des Nazikulturlebens
aus ähnlichen, fast gleichen Quellen kommt, ohne dass man
sie mit Nazitum identifizieren darf. Wer in seiner Kunstauffassung, in seinem Stilgefühl, in seiner geistigen und persönlichen Struktur, zum Chorischen, Gruppenhaften, Kollek-
tiven, zur Gestaltung aus dem Gemeinschaftserlebnis oder
zur Wirkung auf rhythmisch erfassbare Gemeinschaftskräfte
mehr neigt als zum individuellen Ausdruck, – zum Gemein-
schaftsethos stärker als zur Einzel-Verantwortung, zur Massen-
ergreifung mehr als zur Wirkung in ein persönliches Leben-
zentrum, – für den bot natürlich die nationalsozialistische
Kulturpropaganda mit ihren Thingspielen, Stadion-Veranstal-
tungen, Massenversammlungen, mit ihrem krampfhaften
Willen zur ›grossen Form‹ und zum primitiven, volkverbin-
denden Symbol, zum Massenrhythmus und zum Kollektiv-
mythos, eine enorme Möglichkeit.

Die weimarer Republik gab der *Mary Wigman* zwar den Beifall ihrer Intellektuellen, aber kein Megaphon in die Hand,
keinen Lautsprecher, keine Schulungsfilme, keine Jugend-
gruppen und keine Riesenräumlichkeiten, in denen sie aus
dem vollen heraus arbeiten und nicht zwanzig oder fünfzig,
sondern Tausende von Tänzern in ihrem enthusiastischen
Rhythmus bewegen konnte. Dass sie die Festaufführung der
berliner Olympiade zum Beispiel tänzerisch und chorisch
leitete, bedeutet keineswegs ein Mitmachen mit den demago-
gischen und verderblichen Nazitendenzen, aber sie konnte

Mary Wigman, Photo DLA

der Verlockung einer solchen Aufgabe überhaupt nicht widerstehen, da sie mit ihrem ganzen Lebens- und Arbeitsziel identisch war.

Es ist möglich dass sie im Jahre 33 etwas zu eilig die Hakenkreuzfahne aufgezogen hat, (Niemand der nicht dabei war, weiss genau, unter welchen Zwangseinflüssen solche Handlungen zustande gekommen sind), – sie hat auch sicher die ›positiven‹ Elemente des Nazismus, eben das Gemeinschaftbildende, überschätzt, aber das Niveau ihrer starken Persönlichkeit machte sie gegen alle niedrige und platte Nazidemagogie gefeit. Auch wenn sie bei einer solchen Gelegenheit wie der Olympiade repräsentierte, kann sie in keiner Weise als Repräsentantin der Nazis aufgefasst werden. Ihre ›priesterliche‹ Auffassung der Tanzkunst fand in dem Gemeinschaftsformalismus des Dritten Reichs eine Nahrung, die sie verarbeiten und an sich reissen musste, – war aber gleichzeitig stark genug um das darin verborgene Gift der Minderwertigkeit und des Hasses zu absorbieren. Persönlich war ihre eigenwillige und gewaltsame Natur ungebrochen und von keiner Naziideologie infiziert, als Verf. zum letzten Mal Gelegenheit hatte, sie – im Jahr 1937 – zu treffen. Auch durch den Krieg ist keine Veränderung anzunehmen.

Ein ähnlicher Fall ist der ihres Mitarbeiters bei der Inszenierung der Olympiade-Festspiele, Dr. *Hans Niedecken-Gebhardt*. Niedecken kam in seiner Kunstauffassung als Opernregisseur vor allem, ebenfalls vom Chorisch-Rhythmischen, tänzerisch bewegten Stilwillen her. Als Intendant des Theaters in Münster i.W. und als Leiter der Sommerfestspiele in Göttingen versuchte er, in den zwanziger Jahren, die Händel-Opern neu zu beleben und dafür eine besondere Form zu finden. Eine starke Beziehung zum Volkstümlichen, Landschaftsverbundenen, belebte und vertiefte seine Neigung zum abstrakten Formalismus – entfernte ihn gleichzeitig vom konventionellen ~~Geschäfts~~Betriebstheater. Im Anfang der Republikanischen Zeit in Deutschland machte er rasch Karriere und galt als einer der kommenden Männer des Theaters, vor allem ein Neugestalter auf dem Gebiet der Opernregie. Dann warf ⟨ihn⟩ ein – seiner homosexuellen Veranlagung entsprungener – Skandalprozess, der ihn die Intendanz in Münster aufzugeben zwang, aus der Bahn, und er konnte im deutschen Kunstleben vor der Nazizeit nicht wieder Fuss fassen. Einige Jahre arbeitete er als Regieassistent des Kapellmeisters Bodanski an der Metropolitan in New York, ohne es in dem schablonenhaften Grossbetrieb einer internationalen Oper zu einer selbständigen Wirkung oder Stellung zu bringen. Er kam grade im Augenblick nach Deutschland zurück, – Sommer 1933, – als die Nazis das deutsche Theaterleben neu organisierten und begabte (nicht-jüdische) Regisseure grad zu an sich rissen, auch wenn sie politisch völlig indifferent waren und zu keiner Naziattitüde neigten. Niedecken, der vorher ums nackte Leben gekämpft hatte und vergeblich nach künstlerischer Auswirkung strebte, hatte plötzlich alles was er brauchte, Stellung, Unterstützung, Mittel, Material, – und wurde einer der führenden Regisseure für Massenspiele usw. im Dritten Reich. Er ist kein Nazi (da ihm Hass und Neid fremd sind), sondern – seiner Veranlagung entsprechend, ein etwas übersteigerter und verschwommener, nicht ganz eindeutiger Charakter, bei dem das Formideal stärker ist als die Vorstellung von einem Inhalt.

Heinrich der Fünfundvierzigste, Erbprinz Reuss-Gera-Ebersdorff, – ein Theater-Enthusiast ohne eigene Produktivität, mit enormer Begeisterungsfähigkeit und einer Neigung zum dogmatischen Formalismus. Als Erbe seiner ungewöhnlich fein gebildeten, noblen und sympathischen Eltern, vorm. regierenden Fürsten von Reuss-Gera, – leitete er in der Republikzeit das ehemalige Geraer Hoftheater das immer noch aus dem reussschen Privatvermögen unterstützt wurde, und war ein Prophet und Vorkämpfer alles fortschrittlichen, modernen und eigenwilligen Strebens auf der Bühne, im dramatischen Bereich, im Tanz. Aus einer persönlichen Weichheit, fast Schwäche heraus besondere Hinneigung zu allem disziplinierten und formal gebundenen, besonders dogmatischen, kollektivistischen und stilstrengen Kunstelement. Bis zur Nazizeit war sein Ideal-Autor Bert Brecht. Er war nicht nur ein doktrinärer Schüler und Anhänger sondern ein persönlicher Freund des Kritikers dieser Richtung (episches Theater, Lehrstück usw), Herbert Jhering. Ihm, dem Erbprinzen, aber fehlte der kritische Verstand und die eigene Urteilsgabe, die den Umschwung eines Jhering von Brechts Lehrtheater und der Piscatorbühne zum Nazi-Thingspiel unverständlich macht. Heinrich der 45. hatte nicht die Gabe, den Unterschied wirklich zu sehen. Dabei ist sein Niveaugefühl gut genug um ihn von platter Nazidemagogie fernzuhalten, sein Charakter zu anständig um ihn zu einem Mitmacher, Anschmeisser, Nutzniesser zu erniedrigen, sein Intellekt aber nicht stark genug und sein künstlerischer Instinkt zu unsicher und unpersönlich, um ihn dem allgemeinen Einfluss widerstehen zu lassen. Er gründete eine Wanderoper, schon vor der Hitlerzeit, die dann unter Naziägide zu einer populären Volksoper ausgebaut wurde, und stellte sich den verschiedenen völkischen Theaterkonstruktionen der Nazis zur Verfügung, – ähnlich wie die Wigman und Niedecken das ›positive Element‹ überschätzend, – und vermutlich über die Scheusslichkeiten des Regimes im Grund tief verzweifelt. Er ist nicht stark genug um wie ein Hilpert Träger eines nicht nazifizierten, eigenen Kunstwillens und eines inneren Widerstands in Deutschland zu sein, – aber er kann ebensowenig als Parteigänger oder Repräsentant der Nazigesinnung und -ideologie angesehen werden. Als Mensch ist er charmant, gutmütig, etwas zu harmlos, – der liebenswürdige und feinsinnige, schon etwas schwache Spross eines noch ganz in seiner Tradition geschlossenen, aber grossherzigen und prachtvollen Elternpaares. Obwohl der Erbprinz meiner eignen Generation angehörte und sich mit besonderer Wärme in meinen Anfängen schon für mich eingesetzt hat, ist für mich die Erinnerung an die Besuche bei den ›alten Fürsten‹ im Schloss Osterstein viel stärker und nachhaltiger als die – so lang Verbindung bestand – ungetrübt freundschaftliche Beziehung zu ihm. –

Schloss Osterstein, das ehemalige Stammschloss der regierenden Fürsten von Gera, das nach dem Tod seiner Eltern in Heinrichs 45. Besitz übergegangen war, sah im Frühling 1933 eine in ihrer pittoresken Tragikomik fast wedekind'sche Szene. Heinrich hatte immer den Ehrgeiz und den ehrlich frommen Wunsch eine Art Grossherzog von Weimar für die höhere deutsche Literatur- und Kunstwelt zu werden. Die Tage der ›Nationalen Erhebung‹ im März 33, die grossen Umschwünge nach dem Reichstagsbrand, gaben ihm die Idee, dass es jetzt, wo Deutschland so viel an geistiger Potenz und künstlerischem Talent verliere (er dachte damals wohl: einer notwendigen Erneuerung opfern müsse), an der Zeit sei, die in Deutschland verbliebenen wertvolleren Kräfte zusammenzufassen und auf ein, von Zeitschwankungen, politischen Tageskämpfen, Übertreibungen und Verzerrungen unabhängiges Ideal zu vereinen. So veranstaltete er ein ›deutsches Dichtertreffen auf Osterstein‹, zu dem solche nationalen Autoren, die von den Nazis anerkannt wurden ohne bis dahin ihre Parteigänger zu sein, eingeladen wurden, – Hermann Stehr vor allem (der aber absagte und auch damals in nobler Isolation verblieb), Emil Strauss und Wilhelm Schäfer, Binding, Josef Ponten, Hans Frank und andere. Auch der ›Arbeiterdichter‹ Karl Bröger, der aber damals schon seine ehernen Rhythmen auf Dr. Goebbels stählerne Romantik eingestellt hatte, fehlte nicht. Von einem Anwesenden – dem inzwischen verstorbenen Rudolf G. Binding, der bei all seiner nationalistischen Übersteigerung ein Edelmann war und blieb, – bekam Verf. eine zwerchfellerschütternde Schilderung des Dichtertreffens, das sofort zu soviel Entzweiungen und so vielen Einzelrichtungen führte, als es Teilnehmer hatte (was fast an die deutsche Emigration in Amerika erinnert). Es wurde zwar ein gemeinsamer Eidschwur geschworen und ein pathetischer Bruderkuss getauscht, die Küssenden hätten sich aber alle lieber auf sizilianische Weise ins Ohrläppchen gebissen, fast Jeder von ihnen war ein seiner Ansicht nach unterschätzter und zurückgesetzter ›Stiller im Land‹ der sich besser dünkte als die Andren, und man ging schliesslich nach vergeblichen Entwürfen einer schwülstig idealistischen Resolution allseitig verfeindet auseinander.

Ein persönlicher Freund Heinrichs war Graf Solms-Laubach, der schon vor Machtergreifung Parteimitglied der NSDAP war und den Ehrgeiz hatte das Theater des Dritten Reichs aufzubauen. Verf. traf ihn einmal im Jahr 31 oder 32 auf Osterstein, wo er dem Erbprinzen klarzumachen versuchte, dass die nationalsozialistische Bewegung trotz kleiner Schönheitsfehler für die Gesundung und Erneuerung Deutschlands unerlässlich und unbedingt notwendig sei, und dass, wenn sie nur einmal dran wären, alles ganz manierlich und kultiviert zugehen und sich ganz von selbst entradikalisieren und geistig entwickeln werde. Durchlaucht glaubte es.

Herbert Jhering aber kann es nicht geglaubt haben. Dafür war er immerhin zu gescheit und hatte einen zu fest umrissenen geistig-politischen Standort. Auch bei ihm wie in den vorher erwähnten Fällen kam natürlich das ›Kulturprogramm‹ der Nazis einer Neigung zum Dogmatischen, Formalistischen, einem Glauben an die ›gemeinschaftsbildende Sendung‹ der Kunst entgegen. Er hätte sich aber allein aus der Liste der Werke die man verbot, der Bücher die man verbrannte, der führenden Persönlichkeiten, die man vertrieb, einsperrte oder erledigte, und der Namen und Leistungen derer, die man propagierte und verherrlichte, die Wahrheit klarmachen können und müssen. Als Verf. ihn im Frühling 1934 in Berlin traf, glaubte er noch an die ›Entwicklungsfähigkeit‹ der Bewegung und war sich allen Ernstes im Unklaren, ob es sich nicht zutiefst um dasselbe handle was Leute wie er, Brecht, Piscator usw eigentlich gewollt hatten, nur ›zunächst‹ mit einem militant-nationalistischen Vorzeichen, das für die ›erste Stosskraft‹ nötig sei und dann ›abgeschwächt‹ werden könne. Das Doktrinäre, unduldsam Zelotische des Nazismus lag seiner trocken-lehrhaften, ganz unkünstlerischen Natur sehr nah, das kollektivistische Element – im ›Stil‹ – schien ihm wichtiger als der essentielle Gehalt oder die menschliche Haltung. Da in seiner ganzen Kulturauffassung das negative Element überhaupt stärker war als das Positive (sah er doch die Aufgabe von junger Kunst hauptsächlich im Kampf *gegen* ästhetischen Individualismus – worunter alles Mögliche verstanden wurde – und für etwas, das es noch nicht gab und das man nur abstrakt formulierte), – konnte er sich in den schlagworthaften Phrasenkampf der Nazis ›gegen‹ das Alte und ›für‹ das Neue etwas hineindenken, was Niemand meinte. »Sie machen doch viel Gutes«, sagte er zu mir, »und das Geschäftstheater bei uns

Herbert Ihering mit seinem Sohn Peter, Photo DLA

war ja sowieso unhaltbar und untergangsreif«, – erzählte mir einiges von den organisatorischen Neuerungen der Nazis auf Theatergebiet, Erfassung des Volksganzen, der vorher kunst-fremden Schichten, der Masse, Umstellung des Theaters vom ›Genussmittel‹ für exklusive Zivilisationsschichten zu einem Lebensbedürfnis und Erziehungsmittel des Gesamtvolkes usw. – und antwortete auf die Frage nach dem *Inhalt* und dem Geist, in dem diese Neugestaltung geschehe, – der werde sich schon ›entwickeln‹ – müsse halt hinein gebracht werden – des-halb lohne es sich dazubleiben und mitzuarbeiten.

Ich bezweifel nicht dass er das geglaubt oder wenigstens sich vorgemacht hat – und natürlich hatte er auch wie viele wohl die geheime Hoffnung dass es nicht lang dauern könne, dass die Extremnazis in absehbarer Zeit gestürzt oder sich selbst verbrauchen würden, gemässigte oder ganz neue Elemente dran kämen und ›das Gute‹ dann halt als Grundlage vorhanden sei, auf der man weiterbauen könne, während das »Schlechte« von selber abbröckle. Er hatte auch kindliche Vorstellungen vom Niveaubedürfnis der Naziführer: »dass sie keine Autoren haben werden sie selbst merken – in längstens einem Jahr werden sie Leute wie Brecht und Sie zurückrufen ...«

Zunächst machte er Karriere – und es war ein peinlicher Anblick ihn auf dem Richterstuhl seines alten, von den Nazis meistgehassten und vertriebenen Erzfeindes Alfred Kerr als Hauptkritiker des Berliner Tageblatts zu sehen. Er hielt sich nicht lang. Als der Kritiker in seine Schranken als Kunstbetrachter gewiesen wurde, der nur Variationen zum Thema der offiziellen Meinung zu spielen habe, versuchte er eine bescheidene Opposition (›Kritik‹ eines von oben erwünschten und angeordneten Stücks des Naziautors E.W. Möller »Rothschild siegt bei Waterloo«). Sie kostete ihm sofort den Redakteurposten und die Kritiklizenz. Man entdeckte seine ›Vergangenheit‹ mit bolschewistischem Geruch und er war ziemlich lang von der Schrifttumskammer ausgeschlossen – was ihn um jeden Erwerb und an den Rand der materiellen Not brachte. Im Jahr 36 sagte Emil Jannings in jovial-gönnerhafter Weise: »Woll'n dem Jungen n Job geben.« Er gewährte ihm Fürsprache bei der Filmkammer, machte seine Harmlosigkeit evident und beschäftigte ihn in der Tobis zunächst als ›Script-Doctor‹ und Neger, anonymen Mitarbeiter an verbesserungsbedürftigen Filmbüchern, brachte ihn später in den dramaturgischen Stab der Filmindustrie und von da wieder in die Schrifttumskammer und zu einer gewissen Reputation. Im Krieg soll er (nach Gerüchten) neuerlich Karriere gemacht haben und es wird behauptet dass er im Jahr 42 oder 43 sogar Direktor des Burgtheaters in Wien geworden sei und noch sei – was sich meiner Kenntnis entzieht, was aber aus Zeitungen und Zeitschriften der letzten Jahre leicht festzustellen wäre.

Ich traf Jhering noch einmal, und zwar im Frühjahr 1939 in der Schweiz, wo sein Stiefsohn (aus erster Ehe seiner Frau) in die selbe Boarding School ging wie meine Tochter. Er sah elend aus und schien noch mehr als früher physisch ausgetrocknet, seelisch haltlos und ganz verstört und verheddert. Eine völlige Unsicherheit ging von ihm aus, eine verzweifelte Isoliertheit, ein Sichklammern an letzte Splitter früherer Verbindungen: »Ich verstehe nicht«, klagte er, »warum die Emigranten auf mich böse sind, ich bin doch kein Nazi geworden, ich konnte doch nichts anderes tun, und man kämpft doch schwer genug.«

Ob er wirklich glaubt, dass er ›kämpft‹? Er machte mehr den Eindruck eines Geschlagenen, – der aufgegeben hat.

7. *Tilly Wedekind*, Frank's Witwe, heut eine alte Dame, – und *Pamela*, Frank's Tochter, die in erster Ehe mit Klaus Mann, in zweiter mit Carl Sternheim verheiratet war, – sind in Deutschland verblieben weil sie vermutlich im Ausland keinerlei Existenzmöglichkeiten sahen, an eine kurze Dauer der Hitlerherrschaft oder an ›Milderungen‹ glaubten, die eine Wiederaufführung der Wedekindstücke an den deutschen Bühnen – und damit eine Existenz für seine Erben – bedeutet hätte. Von verschiedenen deutschen Bühnenleitern wurde auch der Versuch einer Rehabilitation Wedekinds (und der Aufführung seines sehr schwachen Bismarckdramas) gemacht, – aber selbst der in diesem Punkt weitherzige Vater Göring musste ihn bei näherem Anschauen als ganz entartet und zersetzend erkennen. Gustav Gründgens verhalf Beiden zur Erlaubnis im Dritten Reich Theater spielen zu dürfen, beschäftigte Tilly gelegentlich in älteren Rollen und engagierte Pamela ans Staatstheater. Ihre Existenz war auf diese Weise in Deutschland gesichert ohne dass sie sich zu Nazis konvertieren mussten – und es ist auch nicht zu ersehen was sie in der Emigration hätten tun sollen ausser zu verelenden. Tilly ist eine harmlose und gutartige Frau von schwer nervöser Konstitution, ohne besondere Intelligenz oder Begabung, – durchaus liebenswürdig und nett, – Pamela hatte auch keine besondere Eigenart, weder geistig noch menschlich, und kein bemerkenswertes Talent ausser dass sie eben die Tochter ihres Vaters war, ihm etwas ähnlich sah und seine Lieder in seinem Tonfall aber

Tilly Wedekind mit ihren Töchtern Pamela und Kadidja,
Photo DLA

ohne seine Faszination und seinen Impetus vortrug. Dies sind keine Nazifrauen und keine Antinazifrauen, es gebührt ihnen weder Ablehnung noch Bewunderung, eher Mitleid und freundliche Behandlung, wobei Tilly dafür zu ehren ist, dass sie einmal schön war. Der Bannfluch der Familie Mann, die sie lieber Beide in der Emigration verhungern sähen als die Brosamen von Gründgens' Tische essen, sollte sie nicht zu hart treffen und in Absolution mit leichter Busse (knappe 5 Vaterunser) umgewandelt werden.

Gruppe 3: Sonderfälle, teils positiv, teils negativ

8. Zwei Filmregisseure – ein ›normaler‹ und ein unbegreiflicher Fall:
Willy Forst, und G.W. Pabst.

Beide sind Österreicher – Willy Forst war der Typus des eleganten ›Schlieferl‹, (Mischung aus Zahlkellner, Eintänzer und Erzherzog), – Pabst der des radikalen Intellektuellen – gelernter Psychoanalytiker mit starker Tendenz zum dogmatischen Kommunismus.

Bei Beiden ist genau das Gegenteil von dem eingetreten, was man nach äusserlicher Beurteilung hätte erwarten können: der etwas gigolohafte Forst hat sich in der Nazizeit als ein aussergewöhnlich anständiger und trotz ›Karriere‹ von Naziansteckung ganz freigebliebener Charakter erwiesen, – während die Rückkehr des ›Gesinnungs-Künstlers‹ Pabst nach dem grösseren Deutschland in einen recht trüben Nebel gehüllt ist.

Forst ist kein bedeutender Kopf und kein grosser Künstler, aber er hat eine natürliche, fast biologische Schauspielerbegabung und einen brillanten Sinn für künstlerische Wirkung. Wenn er grosses Material in die Hand bekommt – Paula Wessely zum Beispiel – wächst seine Arbeit über seine eigentlichen Grenzen – denen der flüssigen Unterhaltung und des leicht gepfefferten Gesellschaftspiels, hinaus. Er kann Schauspieler führen und er hat echte Lustspielbegabung – viel mehr als guten Operettengeschmack. Sein Sinn fürs Gefällige und Populäre geht gewöhnlich haarscharf am Kitsch vorbei und wird nur selten ordinär. Das Österreichische zeigt sich bei ihm weniger in der wienerischen Elastizität und Wendigkeit oder im ›Charme‹ als in der menschlichen Aufgeschlossenheit und der Sicherheit seines Maassgefühls. Genau diese Qualitäten bewahrten ihn davor für irgendwelche Naziphraseologie oder Demagogie zu fallen und sein wienerischer Skeptizismus bewahrte ihn vor dem Verlust der Urteilskraft. So lange Österreich bestand, hat Forst, der auf die Zulassung seiner Filme ins Reich angewiesen war, sich vorzüglich gehalten und tapfer für seine ›nichtarischen‹ Mitarbeiter gekämpft, tapferer als mancher jüdische Filmproduzent, der noch nach Deutschland ›lieferte‹. In den Tagen des Einmarschs und der nachfolgenden Liquidation Österreichs hat er sich nie zu Propaganda hergegeben und sich völlig zurück gehalten, in vielen privaten Fällen höchst anständig benommen. Er war geschäftlich und vertraglich zu sehr ins österreichisch-deutsche Filmnetz eingesponnen um ohne weiteres wegzukönnen, war sich auch über seine Möglichkeiten draussen nicht sicher, plante aber im Sommer 1939 Auswanderung nach Amerika, als der Krieg ausbrach und es vereitelte. Über seine Tätigkeit in den letzten Jahren ist mir nichts bekannt, man darf aber annehmen dass sie sich auf der selben Linie hält.

Über die Tätigkeit von G.W. Pabst seit seiner Rückkehr im Sommer 1939 – nachdem er sechs Jahre – also seit ›Machtergreifung‹ – von Deutschland und Österreich abwesend war – ist mir auch nichts bekannt, nur über die nebelhaften und unheimlichen Umstände seiner Rückwanderung, die er bis zum letzten Augenblick geheim hielt und die all seinen Freunden und Bekannten als eine unbegreifliche Überraschung kam. Schon die Tatsache dass Pabst in der Zeit der vierzehn Schmachjahre nicht nur einige radikal linksbetonte und ›kulturbolschewistische‹ sondern den bekannten (einzigen) psychoanalytischen Film (auf Grund popularisierter Freudtheorien) gemacht hatte, musste ihn den Nazis höchst unerwünscht und verdächtig erscheinen lassen und schuf ein Verhältnis, das keine harmlose, neutrale Rückkehr (ohne Abschwören, Umkehr und Canossa) ermöglicht hätte. Ausser dem ›psychoanalytischen‹ war Pabst der Regisseur des ›Dreigroschenfilms‹ nach Brecht und anderer Greuel in Naziaugen. Seine ›Westfront 1918‹ war allerdings so gehalten dass man ihn sowohl kommunistisch als faschistisch, sowohl pazifistisch als national-elegisch auffassen konnte, – und der Kohlengrubenfilm ›Kameradschaft‹, der das Grubenunglück in Lens, Frankreich, und die Hilfe deutscher Arbeiter zum

G. W. Pabst mit seiner Frau Gertrude, 1938 in Paris,
Photo Stiftung Deutsche Kinemathek

Gegenstand hatte, konnte in seinen Verbrüderungsszenen ebenso als ›Proletarierallerländer‹ wie als Collaboration-Geste genommen werden. Es lag da schon eine gewisse Unsicherheit oder Unentschiedenheit vor, die aber mehr hintergründig war und erst nachträglich als solche auffällt. Er war eine Zeitlang in Hollywood wo er keinen Erfolg hatte (was einen äusserlichen Schlüssel zum Rückkehrproblem bei einem sehr ehrgeizigen und seiner selbst nicht ganz sicheren Menschen geben könnte), – und arbeitete dann im französischen Film, wo er zwar völlige inhaltliche Freiheit, vorzügliches Schauspielermaterial und einen gewissen Erfolg und Rang hatte, – aber keine bedeutenden Mittel sondern nur sehr beschränkte Möglichkeiten. Er klagte bei unserem letzten Zusammensein in Paris über die finanzielle Beschränkung bei der Arbeit, die Kleinlichkeit des Betriebs in französischen Studios, die tausend materiellen Erschwerungen, und erwähnte auch die im Verhältnis geringen Einkünfte, für die ein Regisseur und Produzent, im Gegensatz zu denen die im englischen Sprachgebiet und auch in Deutschland führende Stellungen einnahmen, in Frankreich arbeiten müsse. –

Dieses letzte Zusammentreffen sei als Charakteristikum für Pabst's Rückkehr hier kurz geschildert. Es vollzog sich im Mai 1939 – etwa eine Woche bevor ich selbst Europa verliess. Wir verbrachten einen Abend in einem pariser Restaurant hauptsächlich in Gesprächen über Amerika, das ich nicht kannte und von dem P. mir ein teils anziehendes teils (was die künstlerischen Möglichkeiten anlangt) pessimistisches Bild entwarf. Die wesentliche Haltung seinerseits in diesem Gespräch war aber die: dass – however – Amerika das einzige Land sei in dem wir überhaupt weiterarbeiten könnten, dass es garkeine andere Wahl gäbe als hinüber zu gehen und dort zu bleiben, – und dass er selbst mit seiner (bei dem Gespräch anwesenden und beteiligten) Frau sofort nach dem letzten Schnitt seines Films, den er in drei Wochen zu beendigen hoffte, überfahren würden. Ja wir besprachen allerlei Pläne für drüben die zu einer gemeinsamen Arbeit hätten führen können und der Abend endete mit einer Art Verabredung in New York – wo ich in zwei, er in vier bis sechs Wochen eintreffen sollten. Mir fiel bei diesem Gespräch nur eine kleine Nebensache auf, die mir sogar in Erinnerung geblieben ist: als ich nämlich erwähnte dass ich Plätze auf einem holländischen Schiff gebucht hatte (man musste damals immerhin doch ein bis zwei Monate, mindestens, vor Überfahrt Kabinen belegen, da die meisten Schiffe sehr besetzt waren), und fragte auf was für einem Schiff er fahren werde, – wurde er etwas unsicher, und seine Frau sagte dann, sie würden ›wahrscheinlich‹ auf einem deutschen Boot fahren, da sie noch deutsche Sperrmark besässen die man auf diese Weise verwenden könne und müsse, denn sonst sei das in Deutschland ›eingefrorene‹ Geld eben verloren. Ich erklärte mir seine plötzliche ›uneasiness‹ und die Antwort durch seine Frau eben damit, dass es ihm etwas peinlich sei zu erzählen, dass er sozusagen unter Naziflagge hinübersegeln werde. An sich war das auch für Emigranten nicht unmöglich, soweit sie nicht unter einer direkten ›kriminellen‹ Verfolgung standen, aber es war natürlich nicht ganz angenehm, da man wusste dass auf den deutschen Schiffen stramme Nazipropaganda getrieben wurde. –

Wir trennten uns mit einem von mir aus ganz sicher gemeinten ›Auf Wiedersehn in New York‹ und mit Adressenaustausch – er gab mir die eines Agenten dem er sein Ankunftsdatum kabeln werde.

Eine Woche später war er in Wien. Zur Zeit unseres Gesprächs war also seine Rückkehr schon gesichert und vorbereitet. Ich hörte später gerüchtweise dass sie von dem bekannten Nazivertreter Abetz mit der deutschen Gesandtschaft in Paris und dann direkt via Goebbels-Filmkammer getätigt worden sein soll. Noch merkwürdiger sein Besuch in der Schweiz, auf der Durchreise nach Deutschland, wo er eine sehr gute alte Freundin von ihm, Mrs. Macpherson (als Schriftstellerin ›Bryher‹) – eine Engländerin – in Vevey besuchte, – die den psychoanalytischen Kreisen nahe stand und sehr viel für emigrierte Psychoanalytiker getan hat. Auch ihr gegenüber demaskierte er sich nicht, behauptete nach Paris zurück und dann nach London-New York zu gehen, hielt die Rolle des Emigranten vollständig aufrecht, machte Verabredungen usw. – hörte von ihr wie vorher von mir noch alles Mögliche über gemeinsame Bekannte und Interessen – und stieg dann in den Zug zur deutschen Grenze.

Ich habe für diesen Fall keinen Schlüssel und die verschiedenen Erklärungen, positiver oder negativer Art, die früher für das Verbleiben exponierter Persönlichkeiten in Deutschland oder für ihre Rückkehr gesagt wurden, treffen hier alle nicht zu. Ich kann dem Tatsachenbericht nichts hinzufügen.

Zum Charakter von Pabst – ausser seinem hochgespannten Ehrgeiz – scheint mir ein Zug erwähnenswert, der mir stark auffiel und im Gedächtnis blieb von unserer allerersten Begegnung – vor etwa achtzehn bis zwanzig Jahren – her. Ich erinnere mich genau dass ich damals zu meiner Frau sagte, als wir weggingen: eigentlich mag ich ihn nicht, denn er lacht

so laut und so viel *mit dem Mund – und nie mit den Augen.*
Diese Beobachtung habe ich später immer wieder bei ihm
gemacht: der Mund hatte die fast bajazzohafte Grimasse des
Lachens, das Lachen war laut und jovial, die Augen blieben
dabei vollkommen glasig starr – hart wasserblau – als seien sie
mit ganz anderen und garnicht herzlich-heiteren Gedanken
beschäftigt. Ich dachte manchmal dass dies an seiner sehr
scharf geschliffenen Brille läge, aber es lag im Auge selbst. –

Vielleicht – dies ist eine völlig vage Vermutung ohne jede
sachliche Grundlage – hat seine Rückkehr mit seiner Frau zu
tun, die eine sehr kühle, sehr reizvolle, sehr undurchsichtige
Person ist und an die er in besonders starkem Maass gebunden
schien. –

Nachtrag zu Pabst:
Ich möchte nicht unerwähnt lassen, dass ich in langjähriger
Bekanntschaft bei Pabst immer wieder eine besondere Hilfsbereitschaft und Zuverlässigkeit gegen Leute, denen es schlecht
ging, beobachtet habe. Wenn man Irgendjemanden wusste,
der in Not war, und Pabst drehte grade einen Film, so konnte
man sich stets an ihn wenden und sicher sein, dass die Betreffenden, wenn nicht anders dann unter der Statisterie, Beschäftigung und etwas zu verdienen bekamen.

Wie alle Filmleute hatte er immer gigantische Pläne, die er
als gesichert hinstellte und die sich dann nicht oder nur im
Bruchteil verwirklichten, – aber in seiner persönlichen Lebenshaltung zeigte er weniger Grossmannsucht und Parvenü-
tum als andere Filmregisseure.

9. Zwei bedeutende Theater-Regisseure: *Erich Engel* und
Jürgen Fehling.
Von früheren Freunden im Exil wird es Engel übel genom-
men, dass er in Deutschland verblieb, da er teilweise jüdischer
Abstammung ist und das irgendwie übertünchen musste.
Erich Engel ist aber ein Mensch, der so vollständig in einer
rein geistigen Welt lebt und eigentlich fast ausserhalb der

Wirklichkeit, dass es im Grund für ihn unwesentlich ist wo er lebt und unter welchen Umständen, denn Leben ist für ihn Denken, an keinen Ort und an keine Zeit gebunden. Engels Neigung zu abstrakter Philosophie und seine grad zu mathematische Denkschärfe steht seinem Künstlertum manchmal im Wege – aber der Sinn für plastische Formung, für eine kontrapunktische Architektonik, und das Durchscheinenlassen, Transparentmachen, der Hintergründe und der Ideenwelt, die einem Kunstwerk und einer dramatischen Gestalt zu Grunde liegen, befähigt ihn immer wieder zu ausserordentlichen Leistungen auf dem Theater, manchmal auch im Film. Er ist von den erstrangigen deutschen Regisseuren vielleicht der ungewöhnlichste, interessanteste ~~wenn auch eigenbrödlerische~~, sicher aber der gescheiteste. Der kleine magere Mann mit den fahrigen, eckigen Bewegungen die immer etwas zerstreut und abwesend wirken, mit der Glatze und dem scharfen Gustav-Mahler-Profil, ist ein Einzelgänger und Eigenbrödler in seiner Kunst und in seinem Leben. Er kann keiner Gruppierung politischer oder doktrinärer Art angehören, er sieht zuviel Problematik, mit der ⟨er⟩ nur allein und in einem selbständigen Denkprozess fertig werden kann. Den Nazis steht er natürlich ganz fern. Er arbeitete in den letzten elf Jahren hauptsächlich bei Hilpert am Deutschen Theater, und mitten in der Nazizeit – also eigentlich ohne Publikum das ihn verstünde und ohne echten Widerhall, gelangen ihm einige seiner besten Inszenierungen (zum Beispiel Shakespeares ›Sturm‹ im Jahr 38). Engel ist fast bis zur Ehrgeizlosigkeit ›sachlich‹, d.h. nur an der Sache selbst interessiert an der er arbeitet, als Charakter ganz selbstbezogen, egozentrisch, nervös, aber vollkommen gradlinig, ohne jede Falschheit, auch an Berufs- und Karrierepolitik in gradezu kindlicher Weise uninteressiert. Seine Ehe wurde vor schon etwa zwanzig Jahren getrennt, es müssen aus ihr erwachsene Kinder da sein, er lebte schon vor und seit dieser Scheidung mit einer jüdischen Freundin, die – soviel ich weiss als polnische Staatsbürgerin – auch in Berlin blieb und – bis zum Jahr 39 – dort für die jüdische Hilfe tätig war und in einem jüdischen Krankenhaus arbeitete. Was dann aus ihr geworden ist weiss ich nicht, aber es ist bestimmt anzunehmen dass Engel mit allen Kräften zu ihr gehalten hat, auch wenn die Verbindung äusserlich nicht aufrecht zu erhalten war. –

Jürgen Fehling ist auch von Mutterseite her mit irgendeiner Tropfenzahl von Jordanwasser gewaschen (was sich – wie Verf. aus eigner Erfahrung weiss, mit den Nazis leicht arrangieren lässt wenn beide Seiten wollen), – äusserlich ist er ein gradezu penetranter niederdeutscher Typ. Auch seine Kunst hat einen niederdeutsch-vernebelten Zug, einen Hang zum Düsteren, Dumpf-Dämonischen, Doppelbödigen und Grotesken. Humor wird bei ihm zur Bruighelschen Fastnachtswildheit, – Tragik zum gespenstischen Totentanz. Dabei ist er ein ganz eigenartiger Gestalter der Szene, das Visuelle und Räumliche kommt bei ihm aus einer ebenso starken persönlichen Anschauung wie das Musikalisch-Rhythmische und Sprachliche aus einem abstrusen aber faszinierenden Gehör. Es kann für seinen Ehrgeiz und seine Eigenwilligkeit nicht leicht gewesen sein, sich einer so dominierenden und völlig andersartigen Persönlichkeit wie Gründgens unterzuordnen, und es gingen auch Geschichten um von allerlei Zerwürfnissen, gelegentlicher Ungnade von seiten der Naziobrigkeit und Schwierigkeiten. Aber er blieb trotzdem neben und unter Gründgens der entscheidende Regisseur und künstlerische Charakter des Staatstheaters. Als Mensch ist er eher unangenehm, eitel, rechthaberisch, auch gelegentlich intrigant, macchiavellistisch, er muss im Umgang mit anderen dominieren und verträgt sehr schlecht Leute, die ihm gewachsen oder überlegen sind. Ein Nazi ist er sicher nicht geworden, er hat seine Stellung und Aufgabe rein künstlerisch abgegrenzt und sich auf keine politische oder offizielle Aktivität eingelassen. Alter zwischen 45 und 50. War unverheiratet so lang Verf. Bescheid weiss – wohl bis 1939 – von der Schauspielerin Lucie Mannheim geschieden, aber schon lang vor der Nazizeit. –

10. *Gustav Gründgens* ist als Regisseur keineswegs so bedeutend und wesentlich wie Engel oder Fehling. Brillianz und enorme, beispiellose Wirkungssicherheit kennzeichnet seine Persönlichkeit als Schauspieler wie als Bühnenleiter. Brillianz, Wirkung, skrupelloser Erfolgsinstinkt, völlige Vorurteils- und Bedenkenlosigkeit, immer mit einem Schuss tollkühnen, fast manischen Abenteurertums, das aber nicht wirklich hochstaplerhaft wird, da zu viel Können, zu viel Qualitätsgefühl, zu viel souveräne Strategie, zu viel Menschenkenntnis und Selbstsicherheit, ja Selbstzucht, dahinter steht. Das Theater steckt ihm in jedem Nerv, es ist untrennbar von seiner persönlichen Existenz, Spiel und Leben sind für ihn kongruent, und zwar Spiel ebensosehr im Sinn des riskanten Einsatzes, des Roulettes und des Pokerbluffs, als in seiner Spiegelung und Bemeisterung durch die Kunst. Aus dieser künstlerisch sublimierten Spielernatur ist seine Karriere bei den Nazis zu verstehen, aus der Lust am Gewagten, am Jonglieren und der glänzenden Equilibristik, am Sprung auf einen schwindelhaften Gipfel, an Wurf und Gewinn, an Repräsentation, grosser Schaustellung und fabelhaft beherrschter Maske, – an Macht und Gefahr. Seine Beziehung zur Macht ist durchaus zynisch und daher stets selbstgefährdend. Er kostet sie aus ohne sie im kleinlichen Sinn zu missbrauchen und ist bereit sie für eine Laune, einen eleganten Trick, manchmal aber auch eine anständige Handlung, aufs Spiel zu setzen. So sehr er seine Stellung mit grosser Theaterpolitik und Personalbeziehungen machte – als Görings Luxuschampion gegen die engere Kulturpolitik der Partei – so sehr er in allen Sätteln der Nazi-Intrige gerecht und all ihren Finten gewachsen war – hat er doch seine künstlerische Qualität, seinen Stil, und seine persönliche Lebensart immer aufrecht erhalten. Einige Male musste er, auf der Kippe des lebensgefährlichen Skandals wegen seiner Vollblut-Homosexualität, scharf vor dem Abgeholt- und Erledigtwerden, plötzlich verreisen, immer wieder kam er – irgendeine bravouröse Volte schlagend – mit grösserer Macht und neu gesicherter Freizügigkeit zurück.

Er musste dann allerdings eine offizielle Scheinehe (mit der Schauspielerin Marianne Hoppe) eingehen, aber er war auch früher schon aus Gründen der Reputation und wohl auch der Personalpolitik – mit Erika Mann – verheiratet. Ohne sich direkt für Andere zu riskieren – und vermutlich sehr subjektiv, nach persönlicher Neigung oder Abneigung, aber auch vielfach aus Respekt vor Niveau und Können, hat er in seiner Machtposition vielen Künstlern geholfen und viele (wie etwa Erich Ziegel), die ganz ausgeschaltet waren, wieder auf dem Theater durchgesetzt. Es ist falsch ihn einfach als den eiskalten Ehrgeizling zu charakterisieren, aber natürlich sind seine fouché-haften Züge nicht zu übersehen. Immerhin ist sein Umschwung vom radikalen ›Kulturbolschewisten‹ zum Götterliebling der Nazis eher begreiflich, weil ›naturgemässer‹, als der anderer Gesinnungshelden. Er ist eigentlich eher ein hässlicher Mensch, mit viel zu hoher Stirn, viel zu grossem Mund, besonders unschönen Händen, schlacksiger Figur, – der es versteht fabelhaft gut auszusehen. Er geht mit unsichtbaren Schlittschuhen an den Füssen am liebsten auf blankem Eis – auf einem weniger glatten und ungefährlichen Boden würde er vermutlich straucheln und stolpern. Er ist noch verhältnismässig jung, wohl kaum über vierzig. Vor ein bis anderthalb Jahren kam das Gerücht er sei ›zurückgetreten‹ und habe sich ›freiwillig‹ in die russische Front gemeldet – wo er vermutlich – fast möchte ich sagen: hoffentlich – in einem Stabsquartier beschäftigt ist das den rechtzeitigen Rückzug nicht versäumt. Es läge aber natürlich auch in seiner Linie, den Rückzug – rechtzeitig? – ja zu versäumen und einen Saltomortale in das Kommittee ›Freies Deutschland‹ zu versuchen. Vielleicht werden wir mit ihm noch Überraschungen erleben. Ich gehöre nicht zu den Calvin's, Cato's oder Robespierre's, die ihn verurteilen und auf die Guillotine schicken würden, – obwohl der St. Just eine seiner besten Rollen war. –

(Nachtrag zu Gründgens S. *120* [hier: S. 153 f.])

Gustaf Gründgens in ›Tanz auf dem Vulkan‹, 1938, Photo FAZ

11. Es ist viel schwerer, sich mit der Existenz Furtwänglers im Dritten Reich abzufinden. Nicht nur weil die Musik in viel höherem Maasse internationale Möglichkeiten bietet als das Theater oder gar die Literatur. Gründgens wäre als Emigrant vielleicht einer von zwanzig erfolgreichen Hollywood-Regisseuren geworden, – vielleicht auch nicht. Furtwängler bestimmt einer der drei oder vier ersten Orchesterleiter. Schlimmer ist, dass er sich als einziger der grossen Dirigenten der drüben blieb, zu einem offiziellen Repräsentanten Nazideutschlands machen lassen musste, – schon vor dem Krieg in der peinlichen Rolle, bei Nazistaatsakten, mit Hitler und Mamelucken in der Loge, zu dirigieren usw.

Jetzt mit der musikalischen Erhebung der Bombenopfer, Kriegsopfer und Parteischergen betraut.

Furtwänglers ursprüngliche Auffassung und Begründung seiner Haltung ist bekannt, sein offener Brief an die Kulturkammer zeigte einen besonnenen aber klaren und ~~offenen~~ mannhaften Einsatz für die Bewahrung einer von Politik und Parteizensur unabhängigen deutschen Kunst. Es war ihm damit völlig ernst, ebenso mit der Äusserung die er bei einem Zusammentreffen in London im Jahr 34 privat zu dem Verf. gemacht hat: Ich kann doch meine Berliner Philharmoniker nicht allein lassen – da sind immer noch sechs Juden dabei. – Ein paar Wochen später aber mussten die Juden heraus, – und sein Geiger Bergmann, den Furtwängler als den ›besten deutschen Bachspieler‹ gekennzeichnet hat, wurde eingesperrt und misshandelt. Nun konnte er also die nichtjüdischen Philharmoniker, die deutsche Musik und das deutsche Musikpublikum nicht allein lassen. Auch an diesem Standpunkt ist etwas Verständliches – man kann sich sagen dass es katastrophal wäre wenn die deutsche Musik für eine Dekade oder mehr, (an längere Dauer glaubte auch damals Niemand), nur noch von Lehar und Richard Wagner bestritten würde und von Militärkapellmeistern der musikalische Geschmack in Deutschland bestimmt. Wenn aber die Diskriminationen für die durch gleiche Kunstgesinnung Verbundenen immer ärger und hoffnungsloser, die Ehrungen und Ehrenstellungen für die eigne Person immer grösser werden, wird die Position des Gebliebenen immer fraglicher und immer mehr belastet. Ausländische Solisten die sich den Ariernachweisbestimmungen nicht unterziehen wollten, kamen nicht mehr in Frage, – moderne Musik wurde als entartet abgelehnt, Furtwängler setzte sich für Hindemith ein, konnte aber das Aufführungsverbot für Hindemiths Musik nicht verhindern. In allen Fragen der künstlerischen Gesinnung wurde er völlig machtlos – die Offizialität seiner Stellung wuchs mehr und mehr. Bis zum Krieg hätte er noch immer gehen können. Mit ›Gewalt‹ hätten ihn die Nazis nicht gehalten, obwohl sie vor ›sanftem Druck‹, Vermögensbeschlagnahme usw, sicher nicht zurück scheuten. Jetzt ist es zu spät.

Wilhelm Furtwängler mit Winifred Wagner in deren Arbeitszimmer,
1936, Photo FAZ

Es ist schon richtig dass Furtwängler der ›deutscheste‹ Musiker unter den grossen Dirigenten ist – aber diese Deutschheit und ihr musikalischer Ausdruck ist sicher nicht an die Grenzen des Dritten Reiches gebunden. Vermutlich konnte er, innerlich, nicht anders handeln – oder nicht so lange es noch Zeit gewesen wäre, – er war immer ein national empfindender Deutscher und er mag auf dem Standpunkt stehen, lieber mit einem schuldig gewordenen Deutschland zu Grunde zu gehen als auf der Seite derer, die es sich zu Feinden gemacht hat, zu triumphieren. Man kann über diesen Standpunkt kein Urteil fällen – wer ihn einnimmt muss ihn mit allen Konsequenzen tragen. Übrigens liegt es auch bis zum gewissen Grad in Furtwänglers persönlichem Charakter, sehr gern ›der Einzige‹ in seinem Gebiet und in seiner Welt zu sein. Die Repräsentation als Staatskapellmeister des Dritten Reichs aber mag ihn immer wieder in schwere Konflikte stürzen. Trauermarsch aus der ›Götterdämmerung‹ –

12. Jannings und Krauss.

Nach der Tragödie Furtwängler – das Satyrspiel und die Rüpelkomödie: Emil. Ich muss vorausschicken, dass ich in diesem Fall Partei bin. Ich liebe die alte Sau. – Es geht mir hier, wie dem zu früh verstorbenen Conrad Veidt, dem der Emil seine erste Frau, die grande diseuse Gussy Holl, weggeheiratet hat, und der einmal sagte: »Das Dumme ist – ohne die Holl kann man ja auskommen, – aber ohne den Emil kann man auf die Dauer nicht leben.« – Daran ist etwas Wahres, – obwohl ›die Holl‹ eine bezaubernde und hinreissende Frau war, – ausser der Massary hatte keine andere mehr diese ganz grosse – fast noch offenbachsche – Tradition und artistische Vollkommenheit des ›leichten Stils‹, – dabei ist sie ein sehr natürlicher, lebensvoller, starker und leidenschaftlicher Mensch, gescheit wie der Teufel, resolut und weiblich, Dame und ›Kerl‹ zugleich, geistvoll, reizvoll, weltläufig und mit allen Humoren gesegnet, – selbst aus ihrer ›Kälte‹ konnte in der Beziehung zu den paar Menschen, die sie gern hatte, ein merkwürdiges, knisterfunkendes Feuer schlagen. Aber obwohl meine persönliche Freundschaft mit ihr, die ich seit 1920 kannte, im Grund tiefer und enger war als die mit dem Emil, – wenn ich mich frage wen ich von Beiden am liebsten wiedersehen möchte, würde ich unbedenklich sagen: die alte Sau – nämlich ihn. (Er trägt auch äusserlich eine Art von schmalzbäckigem Saukopf auf den mächtigen Schultern, der aber auch etwas von der kleinäugigen Verschlagenheit, der leisen Tücke und dem plumpen Charme eines Berner Bären hat.) Emil ist vielgehasst, gegen Wenige richtet sich die Unduldsamkeit der Gerechten so fanatisch und mit so humorloser Strenge. Es ist auch verständlich dass viele Emigranten – frühere Freunde die ihn als Verräter empfinden – und besonders die jüdischen – sehr böse auf ihn sind. Aber wenn er verfolgt würde, würde ich ihn wenn irgend möglich verstecken. Dies gehört durchaus zu seinem Charakterbild.

Er ist – obwohl Schauspieler – eine einzigartige Figur, von Rabelais entworfen, von Balzac ausgeführt, von Daumier

*Emil Jannings und Angela Salloker in der Verfilmung
von Heinrich von Kleists ›Der zerbrochne Krug‹, 1937*

gezeichnet und von Bruighel gemalt, von Moliere verspottet, von George Grosz karikiert. Dies bezieht sich nicht so sehr auf seine Meriten als Akteur, – die sehr bedeutend sind, – sondern mehr auf seine menschliche, besser gesagt: kreatürliche Erscheinung. Ob er ein Mensch ist könnte ich nicht genau sagen, – sicher aber eine der amüsantesten Creationen in Herrgotts Bestiarium und Tiergarten. Seine vulgäre Sprachphantasie (in Emils Mund bekommen die ordinärsten Gossenworte eine geradezu lutherische Ursprünglichkeit), sein pantagruelischer Appetit auf alles Fleischliche und Geniessbare, und selbst seine gerissene, reinecke-fuchs-hafte Sentimentalität, (das Häslein beweinend, während er es verspeist), – es hat alles Format, und den Reiz der Einmaligkeit. »Den gibts nur einmal, der kommt nicht wieder«, ein solches Couplet sollte – von einem Chor befrackter Statisten und röckeschwenkender Cancantänzerinnen – an seinem Grab gesungen werden, – in dem er vielleicht mit einem seiner grossen, häufig von Eccemen geplagten Füsse heut schon steht. Denn er ist trotz seiner Riesennatur kein gesunder Mensch, ja er hat neben seiner vielfach überspielten Vitalität eine Menge pathologisch-nervöser Züge, (krankhaftes Misstrauen, Verfolgungswahn, masochistische Eifersucht, hypochondrische Leiden, Angst vorm Verhungern wenn sein Jahreseinkommen einmal weniger als eine halbe Million beträgt etc.), – und er hat sich zu oft überfressen und zu viele Entfettungskuren gemacht, die dann Ausbrüche von Gicht und Herzattacken zur Folge haben. Er führt das Leben eines notorischen Grossbörsianers mit Grossgrundbesitzerallüren, aber er könnte doch wieder ohne das Theater – und den Theatererfolg – nicht existieren, und das Schauspielertum sitzt ihm so tief im Blut dass er – mit einer gewissen Schizophrenie wie alle geborenen Schauspieler – immer gleichzeitig sich selbst zuschaut und jede seiner Regungen und Handlungen auch als Rolle spielt, die er beliebig steigern oder abschwächen kann. Er ist sehr klug und er hat eine in ihren Grenzen diabolische Menschenkenntnis. Natürlich versteht er nur die ›niederen Bezirke‹ menschlichen Wesens, – (zu den höheren hat er eine kindliche und fast abergläubische Respekts- oder Furchtbeziehung), – aber auf diesen weiss er Flöte zu spielen wie ein Virtuos: sein grösster Spass ist, Leute zu vexieren, auszuholen, aufs Glatteis zu führen, in Verwirrung zu bringen und durch plötzliche unerwartete Schalkswendungen zu verblüffen. Er hat eine unfehlbare Nase dafür, ›wo es stinkt‹, sodass er fast immer trifft, wenn er auf den Busch klopft. Dämonisch ist seine Beziehung zum Geld – da stecken Gobseckzüge. Sein halbes Leben beschäftigen – oder beschäftigten – ihn die Verwaltung seiner Bankkonten, die Kursnotierungen, die Steuerhinterziehung, die richtige oder falsche Anlage. Aber auch dabei beobachtet er sich selbst und weiss sich plötzlich zu ironisieren, – wenn er sich im leisesten von anderer Seite beobachtet oder durchschaut fühlt. Da trifft man ihn auf dem Salzburger Bahnhof und fragt ihn wohin er fahre. »Nach Zürich«, sagt er zwinkernd, (oder nach Amsterdam), – »an meinen Goldbarren riechen.« Er bläht dabei in einer selbstkarrikierenden Weise die Nasenflügel, und man sieht ihn wirklich an seinen tatsächlich in einem Safe versperrten Hartgoldwerten wie an einer Blume oder an einem läufigen Camembert schnüffeln. Man könnte ihn sich auch vorstellen wie einen jener Piraten, die mit ihrem Goldraub auf ein Kliff ohne Wasser und Nahrung verschlagen sind – sich dort noch um ihres Goldes willen bekämpfen und es schliesslich im Wahnsinn verschlingen und daran ersticken. Emils Geldgier hat solche – sehr materiellen und gleichzeitig schon metaphysischen – Dimensionen. Und die Lage, in die ihn schliesslich Hitlers Krieg als Finanzmann gebracht hat, mag ja etwas von dieser Piratensituation an sich haben. Obwohl er sicher noch genug zu essen hat. Aber seine ausländischen Konten werden ihm viele schlechte Träume machen, – und es geht das Gerücht, sogar ziemlich sicher, dass bei der Besetzung Hollands die deutschen Behörden auf der Amstelbank ein unangemeldetes Gold- und Devisenkonto von ihm im Wert von mehreren hunderttausend Mark beschlagnahmt haben, und dass er nur durch gewaltige Schenkungen an die Wohlfahrtskasse der SS und durch ganz grosse Protektion um die Bestrafung herum kam. Das müssen dunkle und schmerzliche Stunden gewesen sein.

Wenn in Emils Gut am Wolfgangsee ein Schwein geschlachtet wurde, dann war er schon wochenlang vorher besonders zärtlich mit dem Tier, – wie er überhaupt eine herzliche Beziehung zu seinen Schweinen hatte, er gab ihnen Namen, lehrte sie darauf zu hören, zeigte sie immer wieder seinen Besuchern, steckte ihnen extra Maiskolben oder Rüben zu, tätschelte sie und sah sie dabei bereits in Schinken, Speckseiten und Würste zerlegt. Je näher das Schlachtefest kam, desto liebreicher wurde Emil zu dem Schwein. Noch drei Tage, dann kommt das scharfe Messerchen, sagte er genussvoll, wobei es ihm leid zu tun schien dass das Schwein ihn nicht ganz verstand. (Er führte mich einmal vor den Käfig, in dem ein einzelner Gänserich extra gefüttert wurde, und sagte laut: Der sitzt in der Todeszelle. – – Aber er weiss es nicht, fügte er dann bedauernd hinzu.)

Kam nun der grosse Tag und wurde das Schwein in der Frühe vom Metzger in die alte Scheune gebracht, in der man es stach und brühte, dann ging Emil – fiebernd vor Erregung – in einen entfernten Raum des Hauses wo er den Schrei des Tieres nicht hören konnte, es musste aber ein Relaisdienst eingerichtet sein, der ihn sofort verständigte wenn der Stich geschehen war: dann rannte er hastig hinüber, zog sich eine grosse mit Blut bespritzte Schlächterschürze an, nahm das lange Messer in die Hand und liess sich so von seiner Stieftochter neben dem toten Schwein photographieren. War dann am Abend die Gästetafel reich besetzt, die Bierhumpen gefüllt und die Schlachtschüsseln mit frischen Würsten und Wellfleisch bedeckt, dann liess er das Bild am Tisch herumgehen und zeigte es besonders gerne zartbesaiteten Damen – vorgebend dass er wirklich sein Schwein selbst abgestochen habe. Aber er war wieder so hellhörig dabei dass er den leisesten Zweifel spürte: meinen Blick beobachtend mit dem ich das Bild betrachtete, beugte er sich zu mir herüber und flüsterte mir zu: »Natürlich Schwindel – nur für den Film undsoweiter. Ausserdem kriegt man mit sowas fast jede Frau ins Bett, besonders die prüden. Kann ich Dir sehr anraten.«

Emil hatte in der Zeit, als man in Hollywood die höchsten Gagen zahlte, den Rahm abgeschöpft, sein Geld geschickt angelegt, durch Spekulationen vervielfacht. Er ahnte den Schwarzen Freitag voraus und verkaufte rechtzeitig seine amerikanischen Stocks und Devisen. Der Bankier Ernst Wallach in Berlin, der eigentlich Emils Finanzberater war, sagte dass er sich von Emil beraten lasse. Es habe noch keinen Kurssturz gegeben, dem Emil nicht ausgewichen sei, keine Hausse bei der er nicht gewonnen habe. Emil kehrte ein paar Jahre vor Hitlers Aufstieg als reicher Mann nach Deutschland zurück, kaufte sich in Österreich ein Gut, hatte sein Vermögen überall in der Welt und in aller Art von Werten verteilt.

Warum warf er sich an die Nazis?

Er hatte immer unaufgefordert allen Leuten erzählt, dass seine Mutter jüdischer Abstammung sei. Er rühmte sich – (häufig auch mir gegenüber) – seines ›jüdischen Köpfchens‹, und wenn ihm irgendein besonders schlauer Schachzug geglückt war, sagte er fast immer: ›Woher hat es der Goy? Von seiner jiddischen Mamme.‹ Ernst Lubitsch – der zu Emils besten Freunden gehörte und ihn heute mit unversöhnlichem, alttestamentarischem Hass verfolgt, – schwört darauf dass die Mutter wirklich jüdisch war, – erzählt dass er in der Zeit, als beide zusammen junge Reinhardtschauspieler waren, jeden Samstag mit Emil nach Haus zu seiner Mutter gegangen sei weil sie den besten Schabbes-Scholeth gekocht habe. Auch wir haben die Mutter gekannt. Ich gebe nicht viel auf Aussehen – man täuscht sich da oft genug über ›semitisch‹ oder ›arisch‹, – aber die Mutter Jannings – sah aus. Und zwar nicht arisch. Er selbst der nicht ›aussah‹, liebte es Judenmaske zu machen, schwere Augendeckel sinken zu lassen und mit einer bestimmten Kopfneigung jahrtausendealte Tragik Verfolgung und Schläue darzustellen. Er sehnte sich immer nach einer solchen Rolle. »Wer es nicht in sich hat«, sagte er oft, »kann es nicht spielen.«

Als Hitler zur Macht kam, wurde im Hause Jannings zunächst von der Mutter und alledem nervös geschwiegen, und später, als der Fall öffentlich behandelt wurde und als er in Berlin seinen ›Ariernachweis‹ erbrachte, erzählte er plötzlich dass er die Wendung mit dem ›jüdischen Köpfchen‹ immer nur als Witz gemeint habe, als Charakteristik und Verulkung für seine Gerissenheit, dass es aber mit Tatsachen nie etwas zu tun gehabt habe – er sagte auch gelegentlich dass er mit einer angeblich jüdischen Mutter ›renommiert‹ habe, weil ja in dieser Zeit Niemand etwas gegolten habe der nicht wenigstens ein bischen jüdisch gewesen sei. Es wird behauptet dass er durch einen von ihm abhängigen Bruder gewisse Familienpapiere habe vernichten lassen und es wurden aus den jüdischen Vorfahren ›russische‹ (was an sich einander nicht unbedingt ausschliessen würde.) Der betreffende Bruder und die Mutter verschwanden dann auch aus Deutschland, zunächst nach Österreich, dann wohl in die Schweiz. Inwieweit das stimmt weiss ich nicht. Ich wiederhole hier nur beides: die Gerüchte, und seine eignen – früheren und späteren – Aussagen. Ich habe mich selbst als Emils Freund auf den Standpunkt gestellt dass es mich nichts angehe – konnte mir aber nicht verkneifen, mit einem gewissen Sadismus, ganz harmlos erscheinende Bemerkungen (nur ihm selbst gegenüber) zu machen, wenn wir ›gemütlich beisammen waren‹, denn bei einem Akteur und Überfalstaff wie ihm waren natürlich auch die Ausbrüche von Verlegenheit, Verzweiflung, unterdrückter Wut und die daraus resultierenden Finten und Gegenzüge köstlich zu beobachten. Es wurde behauptet, er habe irgendwelche armen Teufel von Journalisten, die – in Deutschland – ein Gerücht über seine nichtarische Abstammung verbreitet hatten, ins KZ gebracht, das ist aber *bestimmt nicht wahr.* Aber er hat damit gedroht und sich natürlich der Hilfe ›von oben‹ versichert.

Warum aber warf er sich wirklich an die Nazis, und hatte keine Ruhe bis er ›Staatsschauspieler‹ und Hitlergünstling war? All seine und Gussys Freunde – alle Menschen an denen sie wirklich hingen, waren auf der anderen Seite. Der beste Freund seines Hauses war Kurt Tucholski, – Toller, Mehring usw verkehrten bei ihm, – er verehrte Reinhardt, liebte Lubitsch – man könnte unbegrenzt weiter aufzählen. Das wird ihm ja auch so verübelt. Aber er selbst litt unter diesem Verschwinden seines Freundeskreises, – und konnte trotzdem nicht widerstehen, obwohl ihm sozusagen die Welt offen gestanden hätte wie kaum einem Anderen. (Als ich selbst ihn an meinem letzten Tag in Wien traf – unmittelbar bevor ich fliehen musste – und ihm Adieu sagte, heulte er wie ein Kind, und es waren echte Tränen. Als dann mein Haus und alles andere in Österreich beschlagnahmt wurde, telegraphierte er mir – aus Amsterdam, wo er vermutlich grade wieder mal an seinen Goldbarren roch, – in die Schweiz, dass er alles tun werde um wenigstens Freigabe meiner Privatsachen zu erwirken, – er hat es wie ich zuverlässig weiss auch versucht und sich sogar für mich exponiert, wozu schon ein gewisser Mut gehörte).

Warum also? Der erste Grund war vielleicht, dass er es nicht ertragen konnte, wie viele Schauspieler, bei dem Glanz einer solchen Aufführung und dem tobenden Rauschen eines solchen Applauses nicht ~~fehlen wollte~~ mit an der Rampe zu stehen. Die ›showmanship‹ der Nazis faszinierte ihn mehr als alles Andere. Ein weiterer, ganz privater aber vielleicht sehr tiefgehender Grund, war eine lebenslange ewige Rivalität mit seinem alten Freund und Kollegen Werner Krauss. Als Krauss ›drüben‹ Staatsschauspieler und sogar Staatsrat und ›Kultursenator‹ wurde, sass Emil noch unentschieden und wohl ohne geklärten Ariernachweis in Österreich und platzte einfach vor Neid. Natürlich imponierte ihm auch die Machtentfaltung – und die Chance von Inhabern solcher Machtvollkommenheiten sozusagen als ihresgleichen anerkannt zu werden, selbst an einem Zipfel dieser Macht teilzuhaben. Machthunger war immer seine grösste menschliche Schwäche und vermutlich resultiert der grösste Teil seiner Verhasstheit – ausser in Neid auf sein ›Glück‹ und sein so schmatzend zur Schau getragenes Wohlergehen – darin, dass er sich nie das ›Fühlenlassen‹ seiner Macht gegen Machtlosere verkneifen konnte. Gussy gab mir einmal eine andere Erklärung: dass er tatsächlich in einer künstlerischen Torschlusspanik lebte, seit er aus Amerika zurück gekommen war, er näherte sich damals den Fünfzig, die englische Sprache machte ihm zu grosse Schwierigkeiten, mit dem Aufkommen des Sprechfilms schien seine Karriere dort vorbei, und er ist wirklich so sehr Theatermensch und Schauspieler von Geblüt dass er als Couponschneider und Hotelfluchtenbewohner ohne theatralische Aufgaben nicht leben könnte. In Deutschland bot sich ihm nun eine Gelegenheit, wie sie selbst in der besten Berliner Theaterzeit nicht für ihn da war: nicht nur als Schauspieler, als Leiter, Beeinflusser, Produzent, Direktor, und mit unbegrenzten Geld- und Machtmitteln, künstlerisch zu wirken. Er war ja dann lange Zeit wirklich Leiter der Tobisfilmgesellschaft.

Es wäre nun auch falsch sich vorzustellen, dass Emil, nachdem seine Stellung im Dritten Reich einmal gemacht war, feige gewesen wäre und vor den Nazis gekrochen sei oder gekatzbuckelt habe. Er liebte es im Gegenteil, ›aufzutreten‹ und – wo es nicht schaden konnte – Wahrheiten zu sagen. Auch wieder mehr aus Pampfigkeit u. Machtfreude, – nicht aus Lust an Gefahr wie Gründgens. Natürlich hat das dort seine sehr engen Grenzen. So donnerte er manchmal ziemlich in der ›Filmkammer‹ herum und setzte auch, wie im Fall Jhering oder Fallada, einiges durch. Er selbst erzählte in Österreich eine klassische Anekdote von seinem ›Mannesstolz vor Fürstenthronen‹, die hier nicht fehlen darf. Er war bei Göring in Berchtesgaden eingeladen, und Göring, der seine Darstellung des ›Soldatenkönigs‹ über alles liebte, zeichnete ihn aus indem er ihn zu einem Spaziergang zu zweit in den Garten mitnahm. Dort gesellte sich den Beiden ein immerhin schon drei Monate altes Löwenbaby zu – so oft Emil die Geschichte erzählte wuchs es ein bischen, von der Höhe eines Bernhardinerhundes zu der eines jungen Pferdes, – und schnupperte bedenklich an Emils Beinen herum. Göring merkte dass Emil nervös wurde und fragte ihn plötzlich: »Sie haben doch keine Angst vor meinem kleinen Cäsar?« – Worauf Emil (nach eigner Erzählung) antwortete: »Herr Reichsmarschall, ich habe die Hosen voll.« – »Bravo!«, soll Göring gerufen haben, – »Hut ab vor Ihrem *Mut*! Sie sind der erste Mann, der die *Wahrheit* sagt! Alle anderen sagen: Aber nein, das entzückende Tier undsoweiter, und scheissen sich wirklich an!« –

(G. erzählte dann angeblich eine sehr köstliche Geschichte, wie der kleine Löwe Cäsar einmal die Grenzen des an Hitlers

Grundstück anschliessenden Göringschen Berggartens über-
schritt, und auf einem baumumsäumten Weg dem grade spa-
zierengehenden, in Intuition versunkenen Adolf begegnete,
der im Galopp nach Hause lief, einen nervösen Anfall bekam,
und Göring ans Telephon rief um ihm zu sagen, wenn er das
Vieh noch einmal frei herumlaufen lasse werde er der Leib-
standarte den Befehl geben es zu erschiessen.) –

Den – vermutlich entscheidenden Grund für Emils Nazifizierung weiss ich aus seinem eignen Mund. Er war überzeugt,
dass mindestens für unsere Lebzeiten der Erfolg, nicht nur in-
nenpolitisch, auf ihrer Seite bleiben werde. Als er mir einmal
wieder zureden wollte, mich von ihm mit Göring und Goebbels zusammenbringen zu lassen, um ›Frieden zu schliessen‹
und ›die Wege zu ebnen‹, sagte er ungefähr Folgendes: »Bilde
Dir doch nicht ein, dass die ›Demokratien‹ wirklich etwas gegen Hitler tun werden. Ich hab lang genug in Amerika gelebt
und war oft genug in England. Ich kenne die Brüder. Die denken ja garnicht dran. Warum auch? Etwa wegen der Juden?
Fällt denen garnicht ein. Oder wegen Demokratie? daran
glauben die ja selbst nicht.« – »Vielleicht«, sagte ich, »doch eines
Tages, wegen dessen was man so ›Einflusssphären‹ nennt, – das
heisst, wegen ihres Geldbeutels.« – »Ach was«, sagte Emil,
»die bilden sich doch ein, der Hitler verteidigt ihren Geldbeu-
tel so lange gegen Moskau, bis sie ihm seine Forderungen ab-
kaufen können. Sie werden ihm Österreich geben, Stückchen
Böhmen, den polnischen Korridor und ein paar beschissene
Kolonien. Und dann, wenn er mehr will und es zu einem
showdown kommt, dann ist er so stark dass er sie einsteckt.
Und im Grund wollen die garnichts anderes – selbst wenns
zum Krieg käme. Die suchen ja nur nach einem gerissenen
Umweg, um selber Nazis zu werden. Es gibt nur noch Berlin
und Moskau – alles andere hat für unsere Zeiten ausgespielt. –
In zehn Jahren«, fügte er träumerisch hinzu, »wird die Reichs-
mark die stärkste Valuta sein …«

Hier lag der Kern seines Glaubens. Wir dürfen heute immerhin hoffen, dass er sich getäuscht hat. –

Werner Krauss, in seinen Anfängen dioskurenhaft mit Emil Jannings verbrüdert, ist aus ganz anderem Stoff gemacht. Primitiver, komplizierter, dumpfer, genialischer, weniger weltklug, weniger unterhaltend, doch von einer viel irrationaleren, geheimnisvolleren Phantasie durchwittert und – wenn auch im Alltag weniger ›diabolisch‹ – von einer viel echteren, tieferen Dämonie besessen.

Sein strahlend helles, cheruskerhaftes Blau-Auge ist nicht eigentlich ›falsch‹, aber ungeheuer hintergründig. Niemand kann es durchschauen, es lässt sich nicht ausloten. Dabei ist Krauss, als Mensch, weder eine wirklich grosse Persönlichkeit noch ein wirklich unheimlicher Charakter; seine Intelligenz ist von besserem Durchschnitt, sein Humor ist begrenzt, seine Weinlaune verebbt oft ins Stumpfsinnige, er neigt zu philiströsen, spiessbürgerlichen Zügen, und im grossen Ganzen ist er nett, umgänglich, jovial, und sogar zuverlässig zu Freunden. Nur manchmal schafft sich das Phantastische und Hintergründige einen beklemmenden Ausdruck.

Alles Wesentliche seiner Natur gibt er als Schauspieler – und als Schauspieler ist er in seiner (mehr zeichnerischen als plastisch-bildnerischen Art) ein ganz grosser Kerl. Hier entfalten sich Dämonien, die weit über das artistische Können hinausgehen. Mir fällt ein kleiner Vorfall ein, der sich in meinem Haus in Henndorf, – wo Krauss, der im Sommer am Mondsee lebte, mich oft besuchte, – abgespielt hat. Ich besass eine sogenannte ›schieche Perchtenmaske‹, – ein sehr seltenes und merkwürdiges Stück, etwas über 200 Jahre alt, wie sie in österreichischen Gebirgsdörfern bis in die heutige Zeit hinein beim ›Rauhnachteln‹, bei Fastnachts- oder Adventumzügen, bei allerlei urheidnischen Volksbräuchen, als eine Art Gespensterschreck (Bannung, Beschwörung, Teufelsdarstellung) getragen wurden. Wir hatten sie auf dem Dachboden eines alten Hauses gefunden und erstanden. Es war ein schauerliches Ding – ein grosses aus glattpoliertem Holz geschnitztes Gesicht, mit Lederbändern hinterm Kopf zu befestigen, fast wie eine Negerteufelsmaske, übertrieben lange Nase, böse

Werner Krauß und Ferdinand Marian, Werbeaufnahme für ›Jud Süß‹ (1940)
für den ›Illustrierten Film-Kurier‹ (die Szene gibt es im Film nicht)

schielende Schlitzaugen, grässlich bezahnter Rachen, ein Haar-
schopf von gelbem Flachs. Sie war so beängstigend dass Niemand in meinem Haus sie sehen wollte oder ertragen konnte,
mir selbst ging es ähnlich, wir fürchteten uns alle ein bischen
davor und ich hielt sie nun auch auf dem Dachboden in einer
Kiste verborgen. Im Verlauf eines langen Nachmittags, wo
uns der Wein zwischen Frühstück und Abendessen nicht ausging, kam das Gespräch mit Krauss auf ›Mimik‹, – auf den
mimischen Ausdruck des Schauspielers im Theater und im
Film, – wo die Grossaufnahme ihm neue Wirkungsmöglich-
keiten detaillierter Art gegeben habe, die es früher nicht gab.

Das, sagte Krauss, sei ihm im Grund am Film verhasst. Denn er wolle ja nicht durch einen mit dem Mikroskop zu beobachtenden Gesichtsausdruck wirken. Dafür – sei er nicht Schauspieler geworden. Er wolle ja – – (er dachte lange nach und sagte dann:) zaubern. Ja, zaubern. – Er verachte Schauspieler, sagte er im weiteren Verlauf des unvergesslichen Gesprächs, die es mit der ›Mimik‹ schaffen müssen. Das seien Fratzenschneider. Dazu seien auch die Dichtungen nicht geschrieben. Die grosse dramatische Dichtergestalt – die müsse man eigentlich mit einer Maske spielen können. Ja – das sei das Wahre. Er habe einmal gehört dass man im klassischen Altertum mit Masken gespielt habe. Das habe er sich heimlich immer gewünscht. Er sei überzeugt dass es Niemand ›merken‹ würde, im Publikum, falls er wirklich in Form sei und eine Rolle beherrsche, – ob er eine Maske trage oder sein wirkliches Gesicht so oder so maskiere. Die Maske sei ja der eigentliche Sinn des Sich-Schminkens. Erst hinter der Maske – könne man: halt zaubern.

Ich kam plötzlich auf die Idee, eine Probe mit ihm zu machen, – da er von seinem Daimon besucht schien, – und holte rasch die grässliche schiefe Perchtenmaske herunter. Krauss wurde ganz fasziniert. Er drehte sie hin und her und murmelte vor sich hin, während am Tisch die Unterhaltung weiterging, – aber plötzlich setzte er die Maske auf und alles wurde ganz still. Eine Zeitlang wiegte er den Kopf, man sah nur die Maske und seine, aus den Hemdsärmeln ragenden, sonderbar nackt wirkenden und ausdrucksvollen Hände. Auf einmal sagte er: »Ach – ich bin ja so traurig. Ich kann es nicht überwinden. Ich muss ja weinen. In mir ist alles voll Schmerz. Mein Lebenlang könnt ich weinen.« Auch seine unheimlich starke Stimme war fast monoton. Wir aber sahen alle die Maske weinen. Er fuhr noch eine Zeitlang so fort, er erzählte eine Geschichte wie ihm die Geliebte gestorben sei, und er wisse, es war seine Schuld. (Auch wenn wir alle – einschliesslich seiner zweiten Frau die mit am Tisch sass – nicht gewusst hätten dass sich seine frühere Frau umgebracht hatte – wäre es gleich packend gewesen). Die Maske bekam den Ausdruck tiefster Verzweiflung und schrecklichen, unheilbaren Unglücks. Sie weinte, lautlos und laut. Dann kicherte er plötzlich verlegen und nahm die Maske für einen Moment ab, schien aber selbst garkein Gesicht zu haben. »Weiter«, sagte ich und gab ihm ein neues Glas. Er leerte es, lehnte sich zurück, setzte die Maske wieder auf und schlug sich plötzlich – ohne zu lachen – auf den Schenkel. Nur den Atem zog er ein wie einer der sich so amüsiert dass ihm das Lachen im Hals stecken bleibt. »Kinder«, keuchte er dazwischen, – »Ist das komisch!!« – Ich kann es beschwören, die Maske grinste und schepperte.

Es ging lange so weiter, er spielte Szenen der Komik, des Glücks, der Verzweiflung, des unversöhnlichen Hasses, des Misstrauens und der Furcht – nur mit den Händen und der Maske, und immer nur von ganz primitiven stichworthaften Sätzen begleitet. Wenn er den Kopf schief legte und plötzlich sagte: ›Jetzt bin ich böse‹, – mit einem fast kindisch manirierten Ton wie manchmal sein Franz Moor, – wurde uns kalt. Wenn er lachte, mussten wir uns den Bauch halten. Es war wie eine hypnotische oder magische Seance. Ich habe dann die Maske wieder weggesperrt. So viel über Krauss als Schauspieler ...

Diesen Schauspieler dürfte die deutsche Bühne nie verlieren, so lang er lebt. Wie er sich im einzelnen in der Nazizeit verhalten hat mag bei einem Schauspieler wie ihm vielleicht nicht so wichtig sein. Aber aus der Zeit, in der ich selbst noch Zeuge war, weiss ich Einiges zu berichten, was die Leute die ihn als Nazi verurteilen, nicht wissen. (Was nach 1940 liegt ist mir unbekannt. Emigrantenblätter haben ein Interview veröffentlicht, das er einer wiener Zeitung im Jahr 42 oder 43 gegeben haben soll, als er am Burgtheater Shakespeares Shylock spielte. Er wolle, hiess es da, ›den Juden‹ so darstellen, dass das deutsche Volk sehe und erkenne, wovon es erlöst worden sei. Die ›Kunstbetrachtung‹ über diese Aufführung schilderte denn auch dass er ein völlig unmenschliches mauschelndes und gespenstisches Ungetüm gespielt habe, – eben ›den

Juden‹. – Mag sein dass er diese Dinge gesagt hat. Gottweiss was in einem intellektuell nicht starken Phantasiekopf wie dem des Werner Krauss vorgeht. Ich habe in der Einleitung seine Betrachtungen über Hitler in Berchtesgaden als ›Heiland unter den Jüngern‹ erwähnt, – was er völlig ernst nahm nachdem er noch ein paar Tage vorher den Hitler als kleinen Friseurgehilfen a la Chaplin nachgemacht hatte. Es sind da alle möglichen unkontrollierbaren Einflüsse und Wandlungen möglich. Andrerseits – wer die journalistischen Praktiken im Dritten Reich kennt, weiss genau dass man durch das was gedruckt in der Zeitung steht nie berechtigt ist zu sagen, Jemand habe das wirklich geäussert oder gebilligt. Mir ist der Fall einer Schauspielerin bekannt, die plötzlich in der Presse eine begeisterte Zustimmung zu einer Umfrage über die Politik des Führers mit ihrem Namen gezeichnet fand, nachdem sie auf die Umfrage garnicht geantwortet hatte. Als sie die betreffende Redaktion anrief und fragte wieso man das tun könne, sagte man ihr, es sei wohl ein Irrtum gewesen, aber man müsse sie darauf aufmerksam machen, dass eine Berichtigung in ihrem eignen Interesse nicht gebracht werden könne. Wolle sie auf andere Weise protestieren so habe sie sich die Folgen selber zuzuschreiben. Es gibt viele solche Fälle und ich möchte hier betonen, dass man mit der Beurteilung öffentlicher ›Äusserungen‹ von Einzelpersonen aus dem Nazireich sehr vorsichtig sein muss.‹›

War Werner Krauss ~~war immer gefühlsmässig~~ ein Antisemit? Wenn ja, dann nicht im politischen, höchstens in einem nebelhaft-unklaren, gefühlsmässigen Sinn. Sicher war er nie ein »Judenhasser« nach der Nazidoktrin. Es war ein komplizierter Antisemitismus, in seinem Brennpunkt stand Max Reinhardt, mit dem ihn eine Art von Hassliebe verband und von dem er sich, zu seinem brennenden Leidwesen, unverstanden und unterschätzt glaubte. Von Reinhardts Seite her war es ähnlich, im Grund warben Beide umeinander und stiessen sich bei jeder Annäherung immer wieder ab. – Krauss war auch immer ganz ohne Nazis ›völkisch‹ eingestellt und hatte im Gegensatz zu all den vielen Umfallern nie etwas mit Linksradikalen zu tun – er hatte auch nicht wie Jannings seine Freunde unter den linken Intellektuellen. Als aber der Antisemitismus plötzlich populär wurde und es zum guten Ton gehörte, auf die Juden zu schimpfen, betonte und unterstrich Krauss – wenigstens so lang ich ihn beobachten konnte, in den Jahren 33 bis 38, seine Freundschaften mit Juden und mit Leuten die von den Nazis geächtet waren. Zu mir persönlich war Krauss nie kameradschaftlicher und zuverlässiger als in diesen Jahren, obwohl er wusste dass ich nicht ›mitmachen‹ könne und werde. In einer Reihe von Einzelheiten und besonderen Situationen, die hier zu weit führen würden, hat er mir gegenüber wirkliche Treue bewiesen und zwar ohne jede Rücksicht auf Reputationsschädigung, die ihm daraus hätte erwachsen können. Natürlich war er von dem Nazibrimborium sehr geblendet und die Ehrenstellung die man den bevorzugten Künstlern dort einräumte, die Patronage durch Vater Göring, die Kultur- und Kunsträte, die Titel und Orden, der grossartig aufgezogene ›Betrieb‹ bei festlichen Anlässen, geregelte Auffahrt und überall glänzende Organisation, SS-Ehrenwache und Pimpfe als Platzanweiser für die offiziellen Gäste, er selbst unter einer Reihe befrackter Staatsräte, gleich neben Furtwängler, in der zweiten Reihe hinterm Führer, – das alles imponierte ihm kolossal. Es ging ihm auch künstlerisch und wirtschaftlich gut, er konnte dicke Rollen spielen, jeden Klassiker den er wollte, und hatte in Leuten wie Fehling, Gründgens usw gute Regisseure. Es lag ausserhalb seiner Möglichkeiten, weiter zu sehen. Auswüchse, sagte er, werden sich schon mildern, und damit war das erledigt. Als aber die Nazis in Wien einmarschierten und er plötzlich einmal selber erfuhr, nämlich am Leben von Bekannten und Freunden, was Terror heisst, da schwang er sich aus dem Ungefähr und so unberechenbar wie alles bei ihm zu einer wirklich guten und mutigen Tat auf, – indem er seinen alten Freund und Heurigenkumpan Siegfried Geyer von der Wiener Zeitung ›Die Stunde‹, der von den Nazis tödlich gehasst wurde und den sie, schon seines fast

witzblatthaft pointiert jüdischen Aussehens und seiner hübschen arischen Frau wegen sicher zu Tod gequält hätten, tagelang bei sich in seinem grinzinger Haus beherbergte, bis er seine
sichere Ausreise über die ungarische Grenze gewährleisten
konnte. Dies weiss ich positiv. Es wurde auch behauptet er
habe Geyer selbst in seinem Wagen über die Grenze gebracht,
– da ich schon nicht mehr in Österreich war als das geschehen
sein soll, kann ich es nicht bezeugen. – Krauss ist zutiefst ein
Einsamling – Hagestolz hätte man es früher genannt, obwohl
er zweimal verheiratet war. Seine Beziehung zu Frauen ist
problematisch, hektisch, abstrus, manisch, verfallen oder verächtlich, beiläufig oder hörig, im Grund egozentrisch und
ohne lebendigen Eros. Das Sexuelle bricht bei ihm animalisch
aus und schlägt ins unvermeidliche Triste Post um. Sein lie-
benswertester Zug ist eine (echte, nicht künstlich aufrecht er-
haltene und nicht pubertätmässige) Jungenhaftigkeit, er macht
seine Schauspielerstreiche wie ein Lausbub und auch seine Beziehung zu Reinhardt hatte viel von der des Bösen Buben gegen den Lehrer. Mit mir verband ihn das Indianerspiel, wir
hatten ein gemeinsames Apatschengeheul mit dem wir uns be-
grüssten und rannten als erwachsene Männer in den Wäldern
bei Mondsee oder Henndorf als Trapper und Sioux herum.
Unsere Frauen – (die seine war damals die Schauspielerin Maria Bard, ~~die ihn später wegen eines jungen Nazischauspielers~~
~~verlassen haben soll~~), mussten immer darauf gefasst sein, be-
schlichen, überfallen und symbolisch skalpiert zu werden,
wenn wir beisammen waren. Krauss *muss* dem deutschen
Theater nach der Hitlerzeit erhalten bleiben. Ich habe ein
Vorgefühl, als ob man dann mit Talenten etwas knapp sein
dürfte, und keinen Überschuss zum Verschwenden haben
wird. K. ist jetzt wohl in den späten Fünfzigern. Es ist möglich dass er im Alter seine stärksten und grössten Leistungen
geben wird. ~~Er ist jetzt wohl in den Fünfzigern. Paar Jahre~~
~~jünger als Jannings, – paar Jahre älter als ich. Er steht auch in~~
~~vielen Äusserlichkeiten voll tieferer Bedeutung zwischen un-~~
~~seren Generationen.~~

Als Nachtrag zu Jannings: da hier die Beziehung des Krauss zu Frauen erwähnt wurde. Jannings in seinem nur anscheinend gefrässigen Geschlechtsleben ist von einer geradezu pittoresken Altmodischkeit. Sein Eros ist durchaus der von den Neunziger Jahren. Seine Idealvorstellung, die er oft in trunkener Stunde schwärmerisch und wunschvoll ausmalt: faire l'amour im Boudoir einer Dame, die vollständig fertig zum Ausgehen angezogen ist, grosse Abendtoilette, er selbst im Frack, der Wagen drunten wartend, unmittelbar vor einem ganz offiziellen gesellschaftlichen Empfang, die Dame vollständig überrascht und wie vom Blitz getroffen. Dann – rasch rearrangiert – aber des Geschehenen noch in jedem Nerv bewusst – gemeinsamer vornehmer Eintritt in eine konventionell vornehme Gesellschaft, ›als sei nichts gewesen‹, doch mit gelegentlichem Seitenblick und tiefem Erröten der Dame. – Auf die Frage, ob das nicht ein bischen hastig sei, – würde er sagen: Für das Gemütliche hat man ja den Puff. – (Arme Dame.) –

Schluss der Gruppe Drei.

Nachtrag zu *Gründgens*.
Ein charakteristisches Beispiel für seine Art, auf dem Rasiermesser seilzutanzen und Gefahr zu jonglieren. Als er im Jahr 1936 eine Hamletaufführung mit ihm selbst in der Titelrolle vorbereitete, war Berlin grade voll von Gerüchten über einen neuen Skandal mit ihm wegen ›Schwulität‹, es hiess dass ein Kollege von dieser Gattung aus seinem Landgut Zeesen weg verhaftet worden sei – und es war wirklich ein Moment in dem sein Thron wackelte und sein Kopf lose auf den Schultern sass – sodass Beides durch eine besondere Leistung wieder befestigt werden musste. Kam die Hamletpremiere mit der berühmten Stelle: Ich habe keine Lust am Weibe – die ein anderer in seiner Situation vermutlich gestrichen oder vorsichtig rasch überspielt hätte. Gründgens machte es genau umgekehrt. Fast an der Rampe in der Bühnenmitte, Gesicht zum Publikum, von doppeltem Scheinwerfer beleuchtet, nach

einer jener vergrübelten Pausen die er in die Rolle legte, –
sagte er den Satz plötzlich ganz scharf mit einer Art von poin-
tierter Verachtung ins Auditorium hinein: ›Ich habe keine
Lust am Weibe‹ – – machte dann wieder eine Pause in der
jeden Abend ganz Berlin den Atem anhielt, – und fügte dann
ganz rasch und beiläufig, ohne Einschnitt das Folgende wei-
tersprechend, hinzu: – und auch nicht am Mann. Die Darstellung war ein phantastischer Erfolg für ihn und er war auf eine
ganze Zeit hinaus wieder gesichert und gefestigt. Monatelang
war die Vorstellung ausverkauft, und Jeder Theaterbesucher
in Berlin sagte dem anderen: Du *musst* hören wie der Gründgens sagt: »… usw.«

Kleine Janningsanekdote als Nachtrag.
Meine Frau war im Frühjahr 1936 oder 37 in Berlin, um einige
Angelegenheiten zu ordnen, und besuchte die Familie Jannings in ihren Hotelräumen im Kaiserhof. Auf einem Wand-
sims stand ein grosses Hitlerbild, auf dem Tisch ein grosses
Göringporträt, beide mit Widmung an den deutschen Schauspieler E.J.
    Den Blick beobachtend mit dem meine Frau die Bilder be-
trachtete, sagte Emil: »Na ja. Ganz gut wenn man sowas im
Zimmer stehen hat. Die Kellner zittern.« (Emil liebte immer
von zitternden Kellnern bedient zu werden, ohne dass er sie
jedoch a la Heinrich George brutalisiert hätte. Sie sollten eben
nur zittern, nicht mit den Händen aber innerlich, und bekamen dafür ein mässiges Trinkgeld).
    Es war damals April und man feierte in Berlin gerade des
Führers Geburtstag. Emil brachte meine Frau in seinem Wagen zu einer Verabredung, sie fuhren durch die Tiergarten-
strasse zum Grossen Stern, alles strotzte von Hakenkreuzfahnen und Nazidekorationen. »Schau«, sagte Emil, in seinem
Sitz zurück gelehnt, »ich verstehe garnicht warum der Zuck
nicht wieder hierher will. Es liesse sich doch alles richten,
wenn er nur ein bischen gescheit wäre. Und Du hast Dich doch
jetzt selbst mal überzeugt: es hat sich ja garnichts geändert in

Berlin. Das Pilsener ist so gut wie immer, die Theater sind besser besucht, man kann mehr Geld verdienen als je –« (und mit einem Blick und einer Handbewegung über die Masse von Hakenkreuzflaggen), – »denk Dir mal die paar Fähnchen weg, – und es ist alles wie früher!«

Späterer Nachtrag

Jannings u. Sieburg

Ad *Emil Jannings.*
Einige Leute, die behaupten es bestimmt zu wissen, verbreiten das Gerücht, dass Jannings im Jahr 1943 wegen Devisenverbrechen erschossen worden sei.

Zunächst kann ich es nicht glauben, weil es vom Standpunkt des Dramatikers aus *zu* folgerichtig, von einer gradezu grotesken Konsequenz, erscheint.

Tatsache ist dass in den deutschen Zeitungen von 1943 – zum Beispiel dem Theaterteil des ›Reich‹, der mir in vielen Nummern zugänglich war, – der Name Jannings nur im Anfang (mit einem Film ›Ohm Krüger‹, der den Aufstand der nationalsozialistischen Buren im Anfang des Jahrhunderts gegen das jüdisch-plutokratische Albion darstellt), und dann garnicht mehr aufscheint, aber auch keine Todesanzeige, Nachruf oder dergleichen. Das lässt auf zweierlei deuten: entweder er ist wirklich lautlos liquidiert worden, – oder er lebt, das Gerücht ist wishful Emigranten-Thinking und er sitzt mit etwas Gicht und Zipperlein zur Erholung auf seinem Gut. Mir ist das Letztere wahrscheinlicher – aber möglich ist alles, und die Ereignisse der letzten 10 Jahre scheinen oft genug von einem Filmautor erfunden, jedenfalls mehr von Sudermann als von Gerhart Hauptmann dramatisiert.

Jannings' Busenfreund und Rocher de Bronce unter den Naziführern war der Minister und Reichsbankdiktator Funk, ein rum-seliger Ostpreusse, der sich bei Emil gern befrass und besoff. Wenn Funk noch in power ist, was ich nicht weiss, scheint es mir zweifelhaft dass er Jannings hätte fallen lassen.

Ad *Friedrich Sieburg.*

Die Informationen, die ich zufällig in New York über Sieburgs weiteren Entwicklungsgang erhalten konnte, sind interessanter, weil sie offenbar stimmen.

Es ist da eine ganz überraschende – und bei Sieburgs flexibler Persönlichkeit sehr verständliche Wendung eingetreten. Sieburg scheint heute und schon seit geraumer Zeit zu den Enttäuschten und Abtrünnigen der Naziherrschaft zu gehören (ein ›echter‹ Nazi war er ja nie, wegen zu hohen Niveaus). Seine Karriere scheint auch zu Ende – und es sieht so aus, als sei sie nicht von oben her sondern durch seinen eigenen Willen abgebrochen worden. Ob er wirklich im Jahr 40 Fifth Column Arbeit gemacht hat scheint mir nach dem, was ich jetzt hörte, auch zweifelhaft, er war damals im aktiven diplomatischen Dienst, zuerst tatsächlich in Holland, dann in Berlin, und nach der Niederlage Frankreichs in einer Art Attaché-Position in Paris. Hier scheint es zu Zerwürfnissen und zu einer völligen Déroute seiner Nazikarriere gekommen zu sein. Er nahm nach einiger Zeit seinen Abschied aus dem diplomatischen Corps und dem offiziellen Staatsdienst, verzichtete auf jede Position, und wurde wieder Journalist, und soll von da ab mehr feuilletonistisch als politisch gearbeitet haben. Eine Dame, die mir diese Informationen gab, hat ihn im Jahr 41 in Madrid getroffen, wo er als Auslandskorrespondent für deutsche Blätter tätig war. Seine frühere Frau – eine Dänin, die ich vorher erwähnte, hatte sich von ihm scheiden lassen, er hatte wieder geheiratet, und zwar die Witwe eines im Anfang des Kriegs gefallenen deutschen Generals. Er hat sich zu meiner Bekannten geäussert, dass er ›nicht mehr mitmache‹ und, sozusagen auf neutralem Boden, das ›Ende erwarte‹. Es ist interessant dass er schon damals, vor ›Pearl Harbour‹ und Stalingrad – so empfand, – aber mir kommt es glaubhaft vor.

Paul Alverdes, vermutlich 1938, Photo DLA

⟨Gruppe 4⟩

[Im überlieferten Typoskript fehlen an dieser Stelle drei Seiten.]

2. *Otto Brues* und *Paul Alverdes* – beide Rheinländer und dem literarischen Nachwuchs der ›Kölnischen Zeitung‹ entstammend, (die früher ein konservativ-katholisches Blatt des ›rechten Zentrumsflügels‹ war), – als Schriftsteller nicht unbegabt aber ohne besondere Eigenart, sollen Beide wackere Naziskribenten geworden sein. Näheres unbekannt.

3. *Geysenheiner* (dessen Vorname mir entfallen ist) und *Benno Reiffenberg* repräsentierten die literarisch etwas subtilere und progressivere Richtung des Feuilletons der ›Frankfurter Zeitung‹, dessen Chef soviel ich weiss Reiffenberg unter Nazi-Ägide geworden ist. Reiffenberg begann als Kunstschriftsteller von einigem Rang (zeitweise war er dann in die Spalten unterm Strich des ›Berliner Tageblatts‹ und ein Redaktionsbüro zur linken Alfred Kerrs hinübergewechselt). Eine gewisse stilistische und geistige Charakterlosigkeit war immer an ihm zu beobachten. Das krampfhafte Bestreben immer ›up to date‹ zu schreiben und im literarischen Spitzenrennen zu liegen, wofür Talent und Bedeutung nicht reichte. Er soll eine ziemlich hässliche Naziflöte geblasen haben. Geysenheiner wurde dann ein wohlgelittener ›Kunstbetrachter‹ im Dritten Reich, und befleissigte sich in den paar Artikeln die ich gelegentlich sah, es den echten Nazis in Schwülstigkeit und Verwaschenheit des Stils nachzutun. Ich erinnere mich eines Frühlingsbriefs von ihm in einer Nummer der Frankfurter Zeitung in der Nazizeit, wo er beschreibt wie er im deutschen Wald auf deutscher Erde liegt, von deutscher Luft umsungen, und Ströme deutschen Volkstums und deutscher Vergangenheit aus dem deutschen Boden heraus durch sein Blut rieseln fühlt. Es ist zu hoffen dass er sich dabei wenigstens einen chronischen Stockschnupfen geholt hat. Ein direkter Naziagitator ist er meines Wissens nicht geworden.

4. Eine groteske Erscheinung von literarischer Erfolgshascherei, Charlatanismus und Wetterwendischkeit ist jener *Angermayer*, der sich in seinen modernistischen Anfängen ›Fred Antoine Angermayer‹ zu nennen beliebte, was er später ins völkische ›Friederich Anton‹ umstellte. Als ›Fred Antoine‹ kam er um die Zeit der expressionistischen Hochblüte zuerst mit einem (im Privatdruck auf Büttenpapier veröffentlichten) ›philosophisch-abstrakten‹ Drama im Stil Georg Kaisers heraus, von dem ganze Partien direkt kopiert schienen. Dann kopierte er Carl Sternheim in einem Stück, das weder kühn noch neu noch zeitkritisch sondern nur taktlos war und ›Komödie

um Rosa‹ hiess. Grelle Schwarzweisskarikatur und konventionelle Spiessbürgersatire, (wie Ludwig Thoma ein oder zwei Jahrzehnte früher sie echter empfand und besser konnte). Das Stück wurde zwar da und dort gespielt, aber er konnte sich weder damit noch mit irgendetwas anderem die deutsche Bühne erobern. Eine durchaus unehrliche Schreiberei von einer gewissen dilettantischen Fingerfertigkeit. Als die Flut sich ins Nationalistische wendete und er schon Friedrich Anton hiess, kam er mit einem im Schönherr-Ganghofer-Stil geschriebenen ›Volks-Stück‹ »Flieg, roter Adler von Tirol«. Kommentar überflüssig. Es wurde, dank der vorzüglichen Darstellung einer Tiroler Bauernwirtin durch die (inzwischen verstorbene) Agnes Straub, in Berlin ein gewisser Erfolg, – ohne wirkliche Anerkennung des Autors zu bringen. In kleineren Arbeiten, am Radio undsoweiter, versuchte er sich in allen Sätteln in denen grade von der herrschenden Richtung geritten wurde. Ich weiss nichts über seine Tätigkeit seit 1933, möchte aber fast wetten dass er ein Nazi ist. Er ist es bestimmt seinem Charakter und seiner Persönlichkeit nach. Ein kleiner, mickriger, neidischer und eitler Mensch mit einer niederträchtigen, inferioren Bosheit. Im Jahr 32 traf ich einmal in Berlin mit ihm bei irgendeiner Veranstaltung zusammen, und hörte wie er auf den ihm als ›erfolgreiche Konkurrenz‹ verhassten Dichter Brecht schimpfte. Als Argument der literarischen Vernichtung führte er an, er wisse genau, Brecht habe den Leberkrebs und nur noch drei Jahre zu leben. Ein solcher Mensch könne natürlich nicht ›positiv‹ schreiben. – Aber Angermayer (der aussieht wie die wandelnde Gelbsucht und Leistenschrumpfung), kann, wenn man ihn lässt.

5. Hans Blüher, Pathetiker der Homosexualität und Künder ihrer gesellschaftsbildenden Kräfte, gealterter Wandervogel und intellektueller Schweissfussapostel, müsste seiner ganzen Art, Anlage, Entwicklung nach ein prädestinierter Nazi sein. Vielleicht aber auch ein ›Enttäuschter‹ und Verärgerter, – mir ist über ihn nichts bekannt. Es ist auch nicht so wichtig.

6. Ein ernst zu nehmender und sehr bedenklicher Fall: *Martin Luserke.*

Er kam von der Bewegung der ›Freien Schulgemeinde‹, war einer der begabtesten und eigenwilligsten Leute im ehemaligen wickersdorfer Wynecken-Kreis, gründete ums Jahr 1922 oder 1923 die ›Schule am Meer‹ Juist, die er – als progressives Landschulheim – bis Anfang 1934 leitete, um sie dann im Zug der Nazientwicklung selbst aufzulösen und der Partei als ›Führerschule‹ zu überlassen. Er war im wesentlichen Pädagoge, aber seine Versuche mit der Belebung des Laienspiels, des Schultheaters, der legendenhaften oder ›mythischen‹ Jugenderzählung geben ihm eine gewisse Bedeutung. Soviel ich weiss hat er unterm Hitlerregime nicht mehr als Schulleiter und Pädagoge gewirkt, mindestens nicht bis 1938, sondern sich ganz auf Schriftstellerei konzentriert, und zwar in einer Tonart die dem Rosenbergkreis verwandt erscheinen muss: er bekam einige Naziliteraturpreise und hatte auch zeitweise eine Stellung in der Reichsschrifttumskammer. Seine Fähigkeit und sein Niveau machen es notwendig sich mit ihm etwas näher zu befassen, denn er ist – im Gegensatz zu solchen in Gruppe 3 erwähnten Persönlichkeiten wie die Wigman oder Niedecken – nicht ungefährlich, zumal er einen starken Einfluss auf junge Menschen haben kann.

Luserke ist eine höchst merkwürdige Mischung aus einem kleinen, etwas verrückten Schultyrannen und einem künstlerischen Menschen von beträchtlicher Phantasie. Auch diese Mischung ist nicht ungefährlich. Seine Schulführung neigte immer zur autoritären Form, ja zur Diktatur, auch wenn dort an sich demokratische ~~Formen~~ Gepflogenheiten herrschten: denn was er ausübte war nicht die Diktatur des Rohrstocks oder des Exerzierreglements, sondern der persönlichen Faszination, der fast ans Unerlaubte grenzenden Beeinflussung. Seine Schulgemeinde, kulturell auf dem deutschen Höchstniveau, hatte in ihrer Haltung Hitlerjugendzüge (wovon man sich hierzuland auch eine falsche Vorstellung macht, denn die Hitlerjugend hat neben ihrer militärischen und aggressi-

Martin Luserke, Photo DLA

ven Tendenz die Elemente aller freien Jugendbewegungen Deutschlands in sich aufgesogen und verarbeitet, und hat eine für heranwachsende Kinder faszinierende und fanatisierende ›revolutionäre‹, ›anti-bürgerliche‹ Haltung. Mit Drill, Zwang und Gewalt allein hätte sie sich nicht diese fast religiös ergebene Jüngerschaft erzogen). Ähnliches galt ~~eben~~ für Luserke's Schulgemeinde in den Dünen von Juist, nur dass dort eben nicht Hitler und die deutsche Weltherrschaft, sondern ›Lu‹ (als mythischer Häuptling) und seine ›Seehunde‹ oder ›Robben‹ (wie sich die Kameradschaften der Schüler dort nannten) den göttlichen Inhalt und Mittelpunkt der Welt bedeuteten. Ich habe die Beobachtung gemacht, dass seine ›Juister‹ in noch höherem Maass als es häufig bei den Zöglingen der Landschulheime der Fall war, dort innerlich ganz festgelegt und aufgesogen wurden, in einem Grad der ihnen später den Kontakt und die Bewährung in der Welt ausserhalb Juist's sehr schwer machte. Auch in Lu's ›Neuheidentum‹ (er hätte es nicht so genannt), das sich in der Neigung zu rituellem Religionsersatz, kultischen Tauchbädern im Meer, Verehrung der aufgehenden Gestirne usw, fixierte, – sowie in seiner Auffassung von Gruppen-Ethik und ihren Auswüchsen, den ›Mutproben‹ usw, – steckte schon viel Verwandtschaft mit Nazitum, durch geistige Zucht und humanistische (keineswegs humane!) Gesinnung modifiziert. Seine eignen Werke, besonders ~~eine Art Lagerfeuer~~ seine Zeltgeschichten, die er für seine Schüler schrieb, auch Stücke, die er von ihnen aufführen liess, immer mit märchen- und legendenhaften Themen, sind voll von mythischer Dämonen- und Heroenvisionen, dabei stets etwas künstlich, krampfig, ungewollt schulmeisterlich, und masslos egozentrisch. Im Artistischen, besonders Theatralischen, ist er enorm begabt. Es gibt von ihm ein Werk ›Shakespeare als Bewegungsspiel‹, das ausserordentlich anregende und bemerkenswerte – dabei sehr unkonventionelle – Anschauungen über Regie und Inszenierung enthält, – und seine Aufführungen hatten einen ganz eigenartigen, halb ekstatisch-rhythmischen, halb naiv-lebendigen Charakter. In seiner ebenso genialischen wie eigenbrödlerisch-spintisierenden Art, naturtrunken, chaotisch und doktrinär zugleich, spiegelt sich in besonderer Weise jene Amalgamierung aus geistiger Helle und trüber, nebliger Seelendumpfheit, auch aus hohem Ethos und böser Instinktverfallenheit, die das deutsche Wesen oft so verworren und unverständlich erscheinen lassen (jene Zusammensetzung die im Fall des grossen Genies einen Kleist oder Nietzsche, in tieferer oder tiefster Region einen Hitler oder Julius Streicher erschaffen mag). Bei Luserke handelt es sich um eine Mittelregion, die umso gefährlicher ist weil sie den schöpferischen Drang und das ›Führertum‹ in ihm nur halb erfüllt und zutiefst unbefriedigt lässt. Ich halte deshalb – aus dieser Zusammensetzung und dieser dualistischen Leidenschaftlichkeit heraus – nicht etwa, weil er mit den Nazis seinen Frieden machte und bei ihnen Anerkennung fand, – Luserke für bedenklich als deutschen Jugenderzieher, als der er vielleicht in einem Nachhitlerdeutschland wieder auf den Plan treten könnte. Ich möchte aber hinzufügen, dass mir selbst seine Person, schon sein Aussehen zwischen einem dämonischen Professor Unrat und einem zweiten Steuermann der Handelsmarine, immer geradezu körperlich antipathisch war und dass diese Schilderung vielleicht nicht ganz objektiv ist. Ich versuchte sie so sachlich wie möglich zu gestalten, und muss doch noch sagen, dass ich als Vater ihm nie ein Kind anvertrauen würde.

7. Ein peinlicher Fall ist der des Schriftstellers und Wissenschaftlers *Wilhelm Michel* aus Darmstadt. Aus einem vorzüglichen Literaturhistoriker, speziell Hölderlinforscher (und gradezu Hölderlinapostel) wurde (auf dem bekannten Umweg über Verbitterung, materielle und berufliche Erfolglosigkeit), ein unduldsamer, bösartiger Nazimitläufer – der sich seinen früheren Freunden und der geistigen Schicht, aus der er kam, bewusst entfremdet und sich mit Gott und der Welt verfeindet und zerstritten hat. Es ist umso trauriger weil hier gutes Material und ein hohes Bildungsniveau zuschanden geworden ist.

8. (Hans) *Wilhelm Grimm*, von dessen bekanntem Werk die Nazis ihr Schlagwort ›Volk ohne Raum‹ entlehnt haben, und dessen Kolonialpolitik, Deutschlands Anspruch auf die Erschliessung Afrikas erhebend, gut in ihre Propaganda passte, ist vermutlich heute, als Greis, kein Nazi, sondern ein vereinsamter deutschnationaler Eigenbrödler. Sicher hatte er sich die ›Nationale Erhebung‹ anders gedacht, und soviel ich weiss hat er sich – wie Manche die vorher den aufkommenden

Nazismus begünstigt hatten, zum Beispiel Spengler – nach der
›Machtergreifung‹ ganz zurückgezogen und teilweise kritisch
oder ablehnend geäussert. Er muss ziemlich alt sein und ich
weiss nicht genau ob er noch lebt.

Hans Grimm mit seiner Frau, 1947, Photo DLA

9. *Ina Seidel* und *Agnes Miegel*. Zwei an sich nicht unbegabte
Dichterinnen, die Beide, Agnes Miegel mehr auf balladeskem
Gebiet, Ina Seidel mehr in erzählender Prosa, einige hübsche
und lesenswerte Werke geschaffen haben. Beiden aber eignen
solche Züge, wie ich sie vorher in einer Anmerkung über
die ›Stillen im Lande‹ charakterisiert habe. Beide, ohne etwa
Nazimegären oder Frauenschaftsführerinnen geworden zu
sein, haben kein Käthe-Kollwitz-Format sondern etwas von
schöngeistigen Mädchenschullehrerinnen und Kränzchen-
schwestern. Beide verfielen also zeitweise ganz folgerichtig
einer völligen Hirnvernebelung, in deren trübem Qualm sich
Hitler als der gottgesandte Erlöser der Deutschen, als Baumeister Solness und froher Adelsmensch darstellte. Inwieweit

Ina Seidel, 1944, Photo DLA

solche mysteriösen Verblödungszustände bei an sich begabten und nicht ungescheiten Frauen von mangelnder Drüsentätigkeit stammen (was auch bei Frauen und Müttern der Fall sein kann) – soll hier nicht untersucht werden.

Folgt in Gruppe 4 A Einschaltung über

> Graf Hermann Keyserling und die Nachfolge seiner Weisheits-Schule

> Die Erben Leo Frobenius' und das kulturmorphologische Institut.

> Dann einige Theater- und Opernleute: Clemens Krauss, Tietjen, die Brüder Schulz-Dornburg, Graf Solms Laubach

Gruppe 4 B bunte Reihenfolge von Autoren und Theaterleuten minorum ordinum.

10. Ich möchte hier eine unvorhergesehene kurze Einschaltung bringen: über den Grafen Hermann Keyserling, der ja
wohl in Amerika vor der Kriegszeit hinlänglich bekannt war,
und andere notorische Erscheinungen des deutschen Kultur-
und Geisteslebens.

Keyserling, eine sonderbare Mischung aus Universalgelehr-
ter (mit respektablem Wissen) und Narr, Grandseigneur und
Literat, Snob und Weltmann. Er ist bei alledem kein Nazi geworden und in seiner Substanz viel zu gut um einer sein zu
können. Der deutschen Republik stand er feindlich gegenüber, sein politisches Ideal stellte eine recht verschwommene
Synthese aus Aristokratismus, Konstitutionalismus und revolutionären Impulsen dar, sein baltisches Erbe macht ihn der
Mythen-Mystik geneigt, seine Weltläufigkeit orientiert ihn
mehr nach dem englischen Gentleman Ideal, sein Verstand
nach einem konstruktiven World-Commonwealth. Seine mass-
lose Eitelkeit und Selbstüberschätzung, die seine grotesk riesenhafte Münchhausen- und Hampelmanngestalt als Mittelpunkt der Welt und als den beispielhaften Typus menschlicher
Vollkommenheit sieht, wird von einer oft wirklich genialischen
Anschauungskraft balanciert, und so sehr sich seine Alleswis-
serei und Vielschreiberei oft ins Flache, Banale, Geschwätzige
verliert, manchmal hat er eine robuste Frische und Origina-
lität des Gedankens und des Ausdrucks, die ihn amüsant und
faszinierend machen kann. Eines seiner Bücher, – über die
Völker der alten Welt – das ›Spektrum Europas‹ genannt,
beginnt mit dem lapidaren Satz: »Alle Völker sind selbstverständlich ekelhaft.« Eine Feststellung die mir oft sehr
berechtigt erscheint. In dem gleichen Buch leistet er sich die
groteskesten Clownerien, so wenn er behauptet dass der
Stierkampf in Spanien alle Blutinstinkte dieses Volks so völlig
absorbiere und freimache, dass dort die Politik niemals zu
blutigen Auseinandersetzungen, Kriegen oder Revolutionen,

führen könne. Erschien ein Jahr vor Ausbruch des spanischen Bürgerkriegs. Ich traf ihn zuletzt 1937 in Wien, wo er laut und erbittert über die Nazis schimpfte. Soviel ich weiss haben sie seine ›Schule der Weisheit‹ in Darmstadt geschlossen, obwohl Manche ihrer jüngeren Anhänger zu ihnen übergegangen waren. Es ist aber nicht unwichtig sich Keyserlings zu erinnern, da er immer noch auf eine bestimmte Art junger Leute in Deutschland, und zwar auf gut veranlagte, die nach neuen Zielen und Inhalten suchen, einen gewissen Einfluss haben mag. Die Nachfolger seiner ursprünglichen Weisheits-Schule hatten sich längst gespalten. Ein Teil war unter der Führung des inzwischen verstorbenen Hans Prinzhorn, schon um 1930 herum, ins radikale Nazilager gewechselt. Es waren diejenigen die Victor Klages und Bachofen missverstanden hatten, – wie Prinzhorn selbst, der sich vielleicht als erster bedeutender Gelehrter in Deutschland, lang vor der ›Machtergreifung‹, öffentlich zum Nationalsozialismus bekannte. Interessant ist dabei dass Prinzhorns bedeutendstes Werk, die ›Bildnerei der Geisteskranken‹, sich leidenschaftlich und in gradezu besessener Weise mit dem Weltbild und dem Gestaltungsdrang der Schizophrenen beschäftigte. Im Kreis der Weisheitsschule bekannte man sich – in Reaktion gegen dialektisches und analytisches Denken – zu solchen Schlagwortbegriffen wie ›Tat‹, ›Haltung‹, ›Einsatz‹. Keyserling selbst aber und mit ihm ein Teil sehr begabter junger Leute wendete sich angewidert von der ordinären Nazidemagogie ab – und ich würde mich nicht wundern wenn aus diesen Kreisen heraus gewisse Widerstands- und Empörungszentren gewachsen wären, die für die Wiederherstellung der geistigen Freiheit in Deutschland von Bedeutung sein können. Man sollte sie keineswegs, wie es Linksdemokraten sicher tun werden, in Bausch und Bogen als Nazivasallen und Reaktionäre abtun, sondern sehr genau beobachten, wie und in welcher Art diese Kräfte wieder zu Tag treten werden.

Ein ganz ausserordentlicher Mann (m.E. von viel grösserem Format und bestimmt viel sympathischer als Keyserling) war der vor einigen Jahren verstorbene Gelehrte *Leo Frobenius*, – Leiter des an die Frankfurter Universität angeschlossenen, aber selbständig organisierten, ›Kulturmorphologischen Instituts‹. Obwohl er selbst nicht mehr lebt, ist es nötig sich mit ihm zu beschäftigen, weil er Generationen von Schülern herangezogen hat, eben der Kreis der ›Kulturmorphologen‹, die wie er selbst Aussenseiter des offiziellen akademischen Betriebs, Vorkämpfer einer neuen freien Forschung und einer organischen, von der Enge und Lebensfremdheit des ›Professionellen‹ gelösten Wissenschaft wurden. Ich war mit Frobenius befreundet und habe in den letzten Jahren vor Österreichs und Europas Untergang oft in seiner Gesellschaft bei seinen Besuchen in Wien junge Leute kennen gelernt, Teilnehmer seiner Expeditionen und Schüler seines Instituts, deren Namen ich vergessen habe, die aber als ›Material‹ zum besten und aufgeschlossensten und anständigsten gehörten, was es in Deutschland gibt. Diese jungen Leute, die sich aus Gründen ihrer Existenz, Arbeit usw der offiziellen Naziroutine unterziehen mussten, den oder jenen Verbänden angehören, gewisse Abzeichen tragen usw, waren alle keine Nazis. Sie waren auch keine politischen ›Untergrund‹Kämpfer und keine Linksradikale, aber den Nazis viel ferner und zutiefst feindlicher, wesensfremder, als diese, aus deren Reihen so viele Umfaller kamen. Soweit sie nicht im Krieg gefallen sind, mag sich aus solchen Kreisen eine neue geistige Aristokratie in Deutschland herausbilden. (Auch unter den Schülern des münchner Forschers Edgar Daqué finden sich solche Elemente). Die Frobenius-Schüler hatten ausser seiner Lehre von der ›Wanderung der Kulturen‹, die ja in ihrer Grundauffassung schon dem Nazi-Rassenmythus widerspricht, die Idee der ›orchestralen Weltwirtschaft‹ als zukünftiger Lebensform übernommen, in der Deutschland die Aufgabe des ›Katalysators‹ zufällt (der Vereinung und Verschmelzung an sich unverbindbarer Elemente). – Hier stecken Ansätze und Hoffnungen für das geistige Deutschland!

Leo Frobenius bei der Rückkehr von seiner 12. Afrika-Expedition, 1935,
Photo Ullstein Bild

11. Über *Tietjen*, in der Zeit der Republik Berliner (preussischer) Staatsopernintendant, ist mir nichts bekannt, als dass er im Amt verblieben und noch mit anderen Ämtern beliehen worden sein soll, sich also wohl mit den Nazibehörden entsprechend gestellt haben muss (was aber nichts über seinen Charakter aussagt). Soviel ich weiss war er immer mehr ein Verwaltungs- und Beamtentyp ohne besondere künstlerische oder persönliche Eigenart.

Clemens Krauss, als Musiker glatt und geschickt aber nicht bedeutend, früher eine Art Antipode der erfolgreichen moderneren Dirigenten wie Kleiber und Klemperer, soll immer Nazisympathien gehabt haben und sich im Dritten Reich hohen Ansehens erfreuen. Ich kenne ihn nicht und kann nichts Näheres über ihn mitteilen.

12. Die Brüder *Friedrich* und *Hanns Schulz-Dornburg* sind mir wohl bekannt. Sie entstammen einer Musikerfamilie und genossen Beide eine vorzügliche Musikausbildung. Friedrich, der ältere, heut Anfang der Fünfzig, ist ein sehr begabter Dirigent, Hanns, etwa Mitte der Vierzig, wurde Bühnenregisseur, hauptsächlich für Oper, Beide machten sich ihren Namen in der Zeit der Republik als Vorkämpfer moderner, radikaler Kunstgesinnung. Friedrich, der Musiker, hatte sektiererhafte Züge, trat fanatisch für Erneuerung der Oper (im Sinne chorischen ›Gemeinschaftserlebnisses‹ und strenger Stilisierung) ein, arbeitete eine Zeitlang mit dem vorher besprochenen Dr. Niedecken-Gebhardt, besonders bei dessen Versuchen einer Neubelebung der Händel-Opern, dirigierte Arbeiterchöre im Ruhrgebiet, trank und rauchte nicht, trug eine hochgeschlossene Joppe oder Art ›Russenbluse‹ statt des Fracks und neigte zum Kommunismus. Er war aber im letzten Krieg Kampfflieger, zeitweise unter Görings Kommando, gewesen, und sofort nach Machtergreifung durch die Nazis tauchte er als Dirigent des ersten, von Göring subventionierten ›Luftfahrtorchesters‹ im Reiche auf, die Russenbluse mit militärischen Orden geschmückt, und in sehr kurzer Frist verwandelte sich die Arbeiterjoppe völlig in eine schöne schwarze SS Uniform mit allerlei Führerabzeichen und hübschen Hakenkreuzchen. Er dirigierte die Fliegerkapelle des Reichsmarschalles bei festlichen Staatsangelegenheiten und hatte eine grosse Stellung in der Reichsmusikkammer usw. Was im Krieg aus ihm geworden ist weiss ich nicht.

Hanns S.D. war Regisseur am Reussischen Theater in Gera unter dem vorher besprochenen Erbprinzen Heinrich 45., und setzte sich als Opernleiter hauptsächlich für solche Werke ein, die von den Nazis dann verboten wurden, und für solche Kunst die sie als entartet bezeichneten. Er machte dann aber unter ⟨der⟩ Naziherrschaft eine recht gute Karriere (vielleicht mit Hilfe seines Bruders) als Intendant grösserer Provinz- und Landesbühnen. Ob er innerlich Nazi-infiziert ist, weiss ich nicht, ich glaube eher, dass er – trotz seiner enormen Eitelkeit – zu gescheit dafür ist, im Gegensatz zu seinem Bruder Friedrich, dessen intellektuelle Haltung etwas Engstirniges, fanatisch Vernageltes hatte, verbunden mit einem starken Macht- und Geltungsgelüst, das wohl beiden Brüdern eigen ist.

Ein anderer früherer Mitarbeiter des Erbprinzen Heinrich am Reussischen Landestheater, sein Generalintendant *Bruno Iltz*, soll gleichfalls Nazikarriere gemacht haben – soviel ich hörte als Intendant in Dresden, – er war nicht unbegabt aber mehr glatt, ehrgeizig, ein bischen altmodischer ›Höflings‹-Typus, der bestimmt keine Chance für seinen persönlichen Aufstieg ungenutzt lassen würde.

Leute wie Iltz oder Hanns Schulz-Dornburg sind nicht weiter gefährlich oder bösartig aber mit Vorsicht zu geniessen. Eine Gestalt wie Friedrich Sch.D. ist schon bedenklicher, und recht unangenehm. Grazie und Eleganz eines Rastaqueres a la Gründgens fehlt hier vollständig. Gott bewahre uns vor den Humorlosen!!!

13. Den Grafen *Solms-Laubach* habe ich nur einmal persönlich getroffen und hatte den Eindruck eines harmlosen und etwas beschränkten Kunstidealisten mit verschwommenen Vorstellungen, – durchschnittlicher, vermutlich sogar ganz wohlmeinender Mitläufer einer Zeitströmung. Immerhin war er aktiv in der NSDAP zu deren Kunstausschuss oder wie es wohl hiess er vor der Machtergreifung gehörte, und er wurde zunächst mit der Intendanz der Berliner Volksbühnen belohnt, in deren Führung er sich aber als unfähig erwiesen haben soll,

sodass man ihn bald ersetzte. Er war der Typus des Intendanten der sich blindlings in seine erste jugendliche Schauspielerin verliebt, sie für das grösste Theatergenie aller Zeiten hält, ihr im Bett alle Rollen verspricht und sie dann auch durchsetzt und – selbst in Nazizeiten – stracks in den Durchfall steuert. So ähnlich ist es ihm in Berlin mit einem blonden Mädchen, das ich auch kannte, dessen Namen ich aber folgerichtig vergessen habe, wirklich ergangen. Was weiter aus ihm wurde ist mir unbekannt.

14. *Erik Reger* ist ein sehr begabter Schriftsteller der ›sachlichen‹ – mehr reportierenden als dichterisch gestaltenden – Richtung, aber mit genug Phantasie und Anschauungskraft um seine Darstellungen weit über das Journalistische hinaus zu heben. Im Jahr 32, in dem ich zum Preisrichter bestellt war, habe ich ihm – zusammen mit dem verstorbenen Ödön von Horvath, – für sein Buch ›Die Union der Starken Hand‹ den Kleistpreis gegeben. In diesem Buch hat Reger den sehr interessanten und zum Teil erschütternden Versuch gemacht, die Entwicklung im Deutschen Industriegebiet, besonders in seiner Heimat Essen und der Ruhr, das Schicksal der Arbeiterbewegung zwischen Nazis, Kommunisten und sterbender Demokratie, das Erstarken der Kartelle, Glanz Elend und Wiederaufstieg, Kampf, Intrigue und Diktatur der verschiedenen Industriedynastien a la Krupp von Bohlen, Stinnes, Thyssen, im Zeitraum von 1918 bis etwa 1930 – zu einem grossen Roman zu gestalten. Das Buch wurde im Jahr 31, zwei Jahre vor Hitlers Machtergreifung, vollendet, und mündete in eine Hoffnungslosigkeit, die man ihm damals vielfach übel nahm und grade in Nichtnazikreisen als ›zersetzend‹ und ›negativ‹ abtun wollte, – es war aber die einzige damals zu erkennende Wahrheit. Reger ist ein pessimistischer Rationalist, ohne bedeutende Vision, aber mit klarem Blick und grosser Ehrlichkeit. Er hat dann in einem anderen, schwächeren Buch – das den Rhein und die Flussschiffahrt zum Stoff hat – versucht mehr ans Volkstümliche, Ursprünglichere und auch Zeitlosere

heranzukommen, aber er bleibt immer ›soziologisch gebunden‹. Die Nazis haben seine Bücher nicht direkt bekämpft, da in ihnen eine gewisse Kritik der Vorhitlerperiode oder wenigstens eine Schilderung der Zerfalls- und Schwächeerscheinungen dieser Zeit erkennbar war, die ihnen nicht zuwiderlief, aber sie konnten ihn und seinen Gesichtspunkt auch nicht für sich akklamieren und so weit ich Reger kenne, hat er bestimmt nicht ›mitgemacht‹. Was aus ihm geworden ist, ob er in der Nazizeit neue Arbeiten veröffentlicht hat, weiss ich nicht, – bis 1938 hörte ich dass er als Aussenseiter, geduldet, im Ruhrgebiet lebe und sein Brot als unpolitischer Journalist verdiene. Sollte er noch am Leben sein, dürfte man sich viel Interessantes und Aufklärendes von seiner späteren Schilderung der Nazizeit und besonders des Industriegebiets während des Krieges erwarten. Es ist auch durchaus möglich dass er in irgendwelchem Kontakt mit Untergrundleuten steht oder mindestens von ihren Aktivitäten weiss. Er war linksradikal aber kein Parteikommunist und wird vermutlich für einen neuen deutschen Volks-Sozialismus und eine starke deutsche Demokratie eintreten. –

15. *Adolf von Hatzfeld* – heute wohl fünfzigjährig – der sich vor dem letzten Krieg bei einem unglückseligen jugendlichen Selbstmordversuch das Augenlicht ausgeschossen hat, – kann seinem ganzen Wesen nach nichts mit den Nazis zu tun haben. Ich weiss nichts über ihn. Ich nehme an dass er abseitig und ermüdet in Resignation und Zurückgezogenheit lebt. Ich glaube kaum dass von ihm noch dichterisch Starkes oder Bedeutendes zu erwarten ist.

16. *Dietzenschmidt* – als Dramatiker etwas zu theatralisch und leise verkitscht, – in seiner religiösen – katholischen – Gesinnung grundanständig und ehrlich, – hat sich nach zuverlässigen Berichten von Naziversuchungen völlig sauber gehalten und ist im Dritten Reich in der Versenkung verschwunden. Obwohl er kein starker Dichter ist mögen seine Versuche einer

Wilhelm Hausenstein, etwa 1925, Photo aus Privatbesitz

legendären und volkstümlichen Neugestaltung religiöser Themen nach der Hitlerzeit eine Renaissance und einen gewissen Anklang finden, und sie sind in einer Epoche allgemeiner seelischer Dürre und Hungersnot durchaus zu bejahen.

17. En bloc: von Wilhelm *Hausenstein*, Hans *Brandenburg*, Otto *Flake*, *Schmidtbonn*, Leonhardt *Adelt*, Fritz Peter *Buch*, – habe ich nur, ganz allgemein, gehört sie seien keine Nazimit-

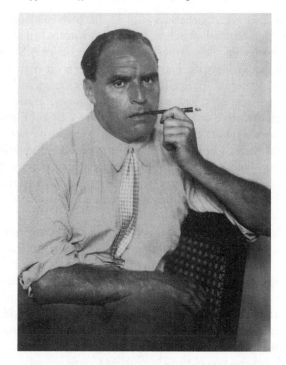

Kasimir Edschmid, 1927, Photo DLA

läufer geworden sondern nähmen eine anständige Haltung
ein. Ausser Flake und Adelt kenne ich keinen von ihnen persönlich und bin auch mit diesen Beiden und ihren späteren
Arbeiten zu wenig vertraut, um sie charakterisieren zu können. Ähnliches gilt für *Wilhelm von Scholz*, der jetzt wohl ein
recht alter Herr ist und – abseits vom Zeit- und Nazige-
tümmel – in seiner schwäbischen Heimat leben soll. *Kasimir
Edschmid*, (Eduard Schmid aus Darmstadt, Lehrersohn mit
Weltmann- und Abenteurersehnsucht), einstmals der Star und
Matador der modernsten Literatur in den Zeiten des Expressionismus, und seiner literarischen und liberalen Vergangenheit

wegen den Nazis sicherlich suspekt, hat sich mit neutraler, mehr der Landschaftsschilderung und Kunstschriftstellerei gewidmeter Feuilletonarbeit irgendwie am Leben gehalten, – (wenigstens so lang die Frankfurter Zeitung noch existierte), – ist aber sicher im Nazireich zu einer Art Schattendasein verdammt, – und es ist kaum anzunehmen dass er für Hitler das Kriegshorn geblasen hat. Er wird wohl wie Viele auf Erlösung und Wiedergeburt in einem befreiten Deutschland hoffen, – er wäre an sich begabt genug um nocheinmal produktiv zu werden, – falls er nicht allmählich verwelkt und verwittert ist. Kein Bekenner, kein Charakterheld, aber auch kein Kriecher und Schweinehund, und sicher nicht ohne Niveau.

18. *Richard Weichert*, der nach dem letzten Krieg mit Regisseuren wie Gustav Hartung, Karlheinz Martin, Leopold Jessner, Jürgen Fehling, zu den Repräsentanten eines neuen Bühnen-Stils gehörte, und viele Jahre hindurch als Intendant des Frankfurter Schauspielhauses vorzügliches Theater machte und einen guten Spielplan aufbaute, ist trotzdem mehr ein tüchtiger Fachmann und erstklassiger Handwerker (manchmal Routinier) als ein wirklich produktiver Künstler. Als Persönlichkeit von gutem Durchschnitt, ohne besondere Charakterzüge, nicht sehr tapfer, nicht sehr feig, von einer gewissen philiströsen Saloppheit, (was man in seiner Heimat Berlin den Typus des ›flotten Koofmich's‹ genannt hat.) Zum Naziregime stellte er sich mit vorsichtiger Zurückhaltung, ohne Anschmeisserei oder Abwehr, versuchte unpolitisch zu arbeiten und zu leben und verhielt sich so anständig wie es möglich ist ohne sich zu exponieren. Da er einer der wenigen nicht vertriebenen tüchtigen Theaterleute der neueren Zeit war, wurde er entsprechend eingesetzt ohne irgendwelche Nazi-Allüren a la George oder Klöpfer anzunehmen. Er leitete eine Zeitlang in Berlin das neugegründete ›Theater des Volkes‹, in dem er Shakespeare und andere Klassiker für die ›Kraft durch Freude‹ Organisationen gab, und in dem sich beim Applaus die Garderobieren, Friseure, Beleuchter, Requisiteure, Bühnenarbeiter

Theo Lingen in ›Glück muß man haben‹, 1945,
Photo Stiftung Deutsche Kinemathek

und vermutlich auch die Closetfrauen zusammen mit der
›künstlerischen Belegschaft‹ verbeugten. Was später aus ihm
wurde weiss ich nicht, vermutlich wird er weiterhin eine der
berliner Bühnen leiten oder als Regisseur tätig sein, es ist auch
nicht anzunehmen dass sich seine Haltung ins Negative geändert haben sollte. Er mag Anfang oder Mitte der Fünfzig sein.

19. *Theo Lingen* – ein für einen Schauspieler ungewöhnlich
intelligenter Mensch – gehörte zu einem Kreis jüngerer
Künstler der sich hauptsächlich um den Dramatiker Bertolt
Brecht und dessen ›Producer‹ Aufricht scharte, – in künstlerischen Dingen radikal fortschrittlich, im politischen linksradikal eingestellt. Er ist – oder war solang mir erinnerlich –

mit Brecht's erster Frau verheiratet, die eine Schwester des nach Amerika ausgewanderten Schriftstellers Otto Zoff ist. Ich glaube mit ziemlicher Sicherheit sagen zu können, dass er im Gegensatz zu Harald Paulsen und anderen Koryphäen der Brecht-Schule, nicht umgefallen und nicht nazi-infiziert ist, sondern in innerer Opposition seinen Stiefel weiter machte. Schon vor der Hitlerzeit hatte er eine gewisse Karriere beim Film gemacht, da sein hauptsächlich komikerhaftes oder satirisches Talent gewisse Possenzüge aufweist. Er wurde dann auch in Nazifilmen entsprechend beschäftigt. Er ist kein grosses Format aber ein guter und gescheiter Schauspieler – mehr vom Intellekt als von der Intuition her gestaltend – und soweit ich das von flüchtiger Bekanntschaft her beurteilen kann, ein anständiger und zuverlässiger Mensch.

20. *Achaz-Duisberg*. Sohn des ›alten Duisberg‹, – i.e. Geheimrat Duisberg, eines der führenden rheinischen Grossindustriellen. Da die Familie ihren guten Namen nicht auf dem Theaterzettel sehen wollte, nannte er sich als Schauspieler Achaz, war wohl auch eine Zeitlang verstossen, wurde dann aber wieder akzeptiert und mit Geld für Theaterunternehmungen subventioniert. Als Schauspieler hatte er gewisse effeminierte, weichliche Züge – Jünglingsrollen mit stilisierten Bewegungen und ästhetischem Sprechgesang – ohne das zigeunerhafte Talent eines Moissi oder die raffinierte Artistik eines Gründgens. Er übernahm – mit duisbergschen Geldern aber noch ohne Nazi-Support – die Berliner Reinhardtbühnen nach der Vertreibung Reinhardts im Frühjahr 1933 – aber noch in einer Art von Einverständnis mit Reinhardt (oder auf Grund eines geschäftlichen Arrangements), und als Einer der den Nazis zwar als Arier usw. akzeptabel war, aber keineswegs als ihr Exponent. Abgesehen davon dass seine Fähigkeiten für eine solche Position nicht entfernt ausreichten und er in ›normalen‹ Zeiten nie als erster Regisseur oder Theaterleiter in Berlin in Frage gekommen wäre, – scheint er sich auch von den Nazis deutlich distanziert zu haben, sodass er sich nicht lange

halten konnte. Als die Nazis dann anfingen, die Organisation der deutschen Bühnen selbst in die Hand zu nehmen, wollten sie, entweder: wirkliche Könner, da wo es ihnen auf Leistung ankam, – oder, wirkliche Nazis. Duisberg Jr. war keins von Beiden und musste bald quittieren. Ich weiss nicht ob er später andere Karriereversuche unter den Nazis gemacht hat oder was sonst aus ihm geworden ist: nach allem was ich erfuhr benahm er sich in der ersten Zeit auch in seiner peinlichen Rolle als Nachfolger Reinhardts durchaus taktvoll und zivilisiert.

21. *Ernst Legal*, ein Mann der heute sechzig sein muss, war ein braver Sozialdemokrat und Bühnengenossenschaftler, und soviel ich weiss ist er es auch unter den Nazis geblieben, das heisst er hat sich nicht wie (der vorher erwähnte) Karl Holl, der eine ganz ähnliche Vergangenheit hatte, zum Nazi-Genossenschaftler gemacht sondern zurück gehalten und nicht angeschmissen. Im Jahr 1918 wurde er von der damaligen Revolution zum Intendanten des Preussischen Staatstheaters in Wiesbaden gemacht, – er war dort vorher Schauspieler gewesen, – aber mehr als gesinnungstüchtiger Gewerkschafts- und Verwaltungsmann denn als künstlerische Potenz. Er kam dann ans Berliner Staatstheater, wo er lange Zeit sowohl als Schauspieler wie als Verwaltungsmann arbeitete. Typus des guten zuverlässigen stramm demokratischen Beamten. Was aus ihm wurde weiss ich nicht, – bestimmt kein Exponent der Nazis.

22. *Friedrich Kayssler*. Obwohl gewisse pathetisch phrasenhafte, pseudo-tiefschürfende Züge der Nazi-Ideologie ihm liegen dürften, ist er im Innern ein zu nobler, vornehmer, qualitätvoller Mensch, um ein Exponent der Nazis geworden zu sein. Er hatte vielleicht nicht die völlig ablehnende, ganz grosszügige und durchaus unantastbare Haltung einiger anderer älterer Herrn, der vorher erwähnten Wegener und Winterstein. Aber ähnlich wie diese zog er sich auf seine ›Klasse‹ zurück: (mit Klasse ist hier Rang und Niveau gemeint). Ein

bischen hat er sich zuerst von solchen Wortklängen wie
›deutsche Wiedergeburt‹ oder ›völkische Reinheit‹ anziehen
lassen, – sie entsprachen so sehr seiner Neigung zu einem
pastorenhaften Weltverbesserertum. Aber der ordinäre Antisemitismus und die marktschreierische Demagogie konnten
bei einem Mann wie ihm doch nicht verfangen sondern
mussten ihn anwidern. Dazu ist er ein zu guter, zu echter
Deutscher. Dazu ist er mit geistigem Deutschtum zu innig
verbunden. Er und seine Gattin Helene Fehdmer müssen
heute sehr alt sein. Wenn sie nach dem Krieg noch leben, wird
man ihnen gern und gut die Hand drücken dürfen. Ob sie
künstlerisch noch tätig sind weiss ich nicht.

23. *Walter Frank*, ein Bayer, war vor der Hitlerzeit und später
nicht einer der grossen, aber einer der sehr guten und hochbegabten Schauspieler des Berliner Staatstheaters, ein naiver,
anständiger, netter und etwas dumpfer Mensch, und da ich
nichts anderes von ihm weiss, glaube ich annehmen zu dürfen
dass er sich in der Nazizeit zurückgehalten und auf seine
Arbeit beschränkt hat. (Von denen die anders handelten und
Nazis wurden, wissen wir es. Wo wir nichts wissen, dürfen
wir bona fides und Anständigkeit eher als das Gegenteil annehmen. Ich bitte diesen Grundsatz auf die Mehrzahl der hier
nicht oder nur flüchtig erwähnten Vertreter des künstlerischen
Lebens in Deutschland anzuwenden).

24. Fast das Gleiche gilt für den vorzüglichen ehemaligen
Reinhardt Schauspieler und Komiker *Max Gülstorff*.

25. *Hermann Röbbeling* war von 1932 bis 1938, also in der
Ära Dollfuss und Schuschnigg, Direktor des Wiener Burgtheaters. Obwohl Protestant und ›Reichsdeutscher‹, verstand
er es auf dem ausserordentlich halsbrecherischen Seil dieser
Position vorzüglich zu jonglieren. Künstlerisch war er eigentlich, obwohl vorher langjähriger Leiter des Deutschen Schauspielhauses in Hamburg, zu einer solchen Stellung nicht quali-

fiziert. Er war ein wundervoller alter Schmierendirektor, die klassische Gestalt des Striese (aus dem Raub der Sabinerinnen) schien ihm auf den Leib geschrieben. Dabei verstand er sein Handwerk, hatte eine gewisse würdevolle Bonhommie am Leibe, und verstand Schauspieler zu behandeln ohne sie wirklich zu verstehen. Das Theater war wie eine Manege für ihn in der seine harmlose lange Peitsche und sein Zungenschnalzen richtig klang. Bei alledem hatte er eine primitive und kindliche Verehrung für Dichtung und grosse Kunst, eine wirkliche Leidenschaft zum ›Höheren‹ obwohl es ihm selbst verschlossen war. Ich halte ihn im Grund für einen anständigen und gutartigen Menschen. Seine Frau, deren asthmatisches Keuchen aus der Intendantenloge heraus die leisen Stellen jeder Vorstellung bedenklich gefährdete, und die deshalb in Schauspielerkreisen den Spitznamen ›Pfeifi‹ hatte, war weniger ›koscher‹. Ehrgeizig und dumm, nahm sie die Partei ihres Sohnes, der sich in Deutschland als Nazi etabliert hatte, sogar recht üble Denunziantenstücke geleistet haben soll und gern die Eltern in sein Lager hinübergezogen hätte. Bei Vater Röbbeling aber war das nicht zu machen. Er war ein guter Landsknecht, und wo er geworben war, da schwang er den Morgenstern. Wes' Brot ich ess, des' Lied ich sing, – hatte bei ihm nichts Opportunistisches sondern war die sachliche Einstellung eines Mannes, der in solchen Zeitwirren nicht das Format hat, selbst mit einer eigenen Überzeugung drüber zu stehen. Nun war er einmal als Leiter der Staatlichen Schauspiele nach Wien gegangen, hatte sich drum beworben, und so stand und fiel er auch mit dem Staat Österreich, der ihn bestallt hatte. In keiner Weise liess er sich wie andere in Österreich wirkende Reichsdeutsche in Naziintrigen gegen das unabhängige Österreich ein oder als Nazipropagandisten von der Art der ›Auslandsdeutschen‹ verwenden. Der alte Schmierenstriese meinte es ganz ernst wenn er sagte: mein Vaterland ist die Kunst. Die Frau Burgtheaterdirektor hatte das Pech furchtbar jüdisch auszusehen, obwohl sie – wie sie sich ausdrückte – ›stink-arisch‹ war. Das Aussehen trügt ja sehr häufig. Aber es trieb Frau Röbbeling natürlich zu einer besonderen Überbetonung ihres Christentums, – und in einer weniger toleranten, weniger liberalen und noblen Ära als der des Schuschnigg-Österreich, in dem man damit keinen Blumentopf gewinnen konnte, hätte sie bestimmt ein bischen Antisemitismus gemacht. Vater Röbbeling wurde von den Nazis sofort seines Amtes enthoben, als sie Österreich eroberten, und ging nach Deutschland, wo er weniger gefährdet war als in dem zunächst von den radikalsten Nazielementen beherrschten Wien. Sicher zu seinem grössten Leidwesen, war er kurz darauf gezwungen (wohl teils von seiner Frau, teils von den Verhältnissen, denn er musste ja wieder eine Stellung haben und leben), im ›Stürmer‹ eine Annonce zu veröffentlichen, des Inhaltes dass ›seine Frau entgegen gewisser Verleumdungen keine Jüdin sei, sondern ihren Ariernachweis ...... bis ins xte Vorfahrenglied ... den Behörden vorgelegt habe.‹ – Er bekam dann soviel ich weiss irgendeine untergeordnete Provinzposition. Spätere Entwicklung unbekannt.

26. *Hofrat Herterich*, – gute alte Burgtheatertradition aus der Habsburgerzeit. Mittelmässiger Künstler, anständiger Verwaltungsmann. Soll – wie sicher viele Andere, von denen ich nichts hörte, – von ihm wurde mir zufällig berichtet, – in der Nazizeit eine durchaus würdige, höchst respektable Haltung gewahrt haben. Man zahle ihm eine Pension.

27. Schauspielerinnen: Elisabeth *Lennartz*, Marianne *Hoppe*, Käthe *Gold*.
Die Gold ist die begabteste und wohl heut die first leading Lady in Berlin, soweit die jüngere (auch nicht mehr ganz junge, etwa dreissigjährige) Generation in Frage kommt. Die wirklich Jungen kennen wir leider nicht mehr. Nazitum ist bei ihr nicht anzunehmen. Bekennertum und Bekenntnis kommt bei den etwas Jüngeren, die bei Machtergreifung der Nazis noch in den Anfängen waren, nicht so sehr in Betracht, – da sie ja vorher keine bestimmte Stellung bezogen hatten

und also weder umfallen noch mitmachen noch widerstehen mussten, sondern einfach unter den gegebenen Verhältnissen ihren Beruf ausüben. Daher ist abgesehen von unserer mangelnden Kenntnis auch wohl über die Jüngeren und Jüngsten nicht so viel auszusagen. Entscheidend ist dass wir einige Vertrauensleute drüben haben, und solche sind ja in diesen Blättern fixiert, auf deren Urteile über die einzelnen Vertreter dieser neueren Künstlergeneration wir uns verlassen können.

Marianne Hoppe wurde im Zug der Ereignisse Frau Gründgens. Inwieweit es sich um eine Reputations-Ehe handelt weiss ich nicht. Witze darüber sind im Dritten Reich dutzendweise im Schwung. Gleiche Generation etwa wie die Gold, – soweit ich sie noch gesehen habe, ein echtes Talent. Näheres unbekannt.

Elisabeth Lennartz – etwas älter als die Vorgenannten – frühere Frau des emigrierten Regisseurs Gustav Hartung – mittlere Begabung – anständiger netter Kerl. Sie spielte im Jahr 34 in Zürich in einem Stück von mir und kämpfte damals sehr mit der Entscheidung ob sie ins Reich zurück gehen solle – aber vermutlich haben abgesehen von den rein beruflichen Notwendigkeiten persönliche Dinge, ihre Verbindung (vielleicht auch Ehe, ich erinnere mich nicht) mit einem jüngeren deutschen Schauspieler in Berlin, dessen Namen mir vielleicht wieder einfallen wird, da er ein anständiger Kerl war, – den Ausschlag gegeben.

28. *Heinrich Marlow*, ein älterer Schauspieler von Hilpert's alter Garde, gutes Niveau, untadeliger Charakter, kein Nazi.

29. *Stanislaus Fuchs* war (und ist noch sofern er noch lebt) Intendant der Schauspiele in Essen-Duisburg, Ruhrtheater, ein alter Schauspieler von grossem Können, ein famoser Mann, kein Nazi, auch gewiss kein Mitmacher geworden. Müsste aber heut ein Siebziger sein.

30. *Hannes Küpper*, ein früherer Brecht-Schüler und Freund des vorher besprochenen Erik Reger, war der Dramaturg des Stanislaus Fuchs und es ist durchaus anzunehmen dass er sich ohne Umfall vorsichtig und brav gehalten hat – es gilt für ihn als Theatermann ähnliches wie für Reger als Schriftsteller und Charakter, – Näheres unbekannt.

31. *Ulrich Bettac*, genannt Uli, ewiger Jünglingstyp von heut etwa 45 Jahren, aus Norddeutschland stammend, langjähriges Mitglied des Burgtheaters, kein bedeutender Schauspieler aber ›grand utilité‹ und beim weiblichen Publikum beliebt, – wurde zwar in einem Interregnum, nach der Besetzung Österreichs, als jener Herr Mirko Jelusich sich trotz seiner guten Nazigesinnung als unfähig erwiesen hatte, – vorübergehend mit der Führung der Direktionsgeschäfte des Burgtheaters betraut, – aber nicht von den Nazis oder weil er Nazi gewesen wäre, sondern weil er, ein grundanständiger und zuverlässiger Kamerad, das Vertrauen all seiner Kollegen aller Stufen und Schichtungen besass. Er hatte auch garnicht den Ehrgeiz, einen solchen Posten zu erobern und zu behalten, sondern er fasste es nur als eine Pflichterfüllung auf. Natürlich wurde er dann auch bald durch einen von der Theaterkammer bestallten Mann ersetzt und wirkte wohl wieder als Schauspieler. Was weiter aus ihm geworden ist weiss ich nicht, sicher kein Nazi. Er ist ein warmherziger, treuer, etwas sentimentaler Charakter – von durchschnittlicher Intelligenz aber gutem Einfühlungsvermögen und echter Begeisterungsfähigkeit. –

32. Ohne potentielle oder politisch aktive Nazis zu sein, machte das Ehepaar *Veit Harlan* und *Hilde Körber* im Dritten Reich eine gewisse Karriere. Besonders im deutschen Film. Die Dinge liegen hier ähnlich wie in manchen früher ausführlich erklärten Fällen anständiger Leute, die unter den Nazis Erfolg hatten ohne sich nazimässig zu benehmen oder zu kompromittieren. Harlan ist der Sohn eines in der Zeit vor dem letzten Krieg vielfach aufgeführten Lustspielautors, von

Veit Harlan bei Vorbereitungen zu Filmaufnahmen für ›Kolberg‹,
1943/44, Photo Stiftung Deutsche Kinemathek

dem ein Stück ›Das Nürnbergisch Ei‹ genannt (und so war es
auch) damals ganz bekannt war und heut ziemlich vergessen
ist. Hilde Körber wurde in den Zwanzigern in einem Stück
von Bruckner, ›Krankheit der Jugend‹ genannt (und so war es
auch), als grosses Talent entdeckt, in der Rolle eines dumpfen,
fast tierhaft geschöpflichen Dienstmädchens. Solche Rollen
blieben auch weiterhin ihre Stärke, ohne dass sie je die Bedeutung einer Lucie Höflich, Dorsch, Wessely, erreichen konnte.
Harlan war eine Zeitlang jugendlicher Held des Staatstheaters,
immer recht gut ohne mehr sein zu können, und wechselte
später zur Regie, hauptsächlich Film, hinüber. Er mag als
Filmregisseur sehr geschickt und geschmackvoll sein. Ich habe
von zuverlässigen Leuten aus der Nazizeit nur Gutes von
ihnen gehört.

33. *Dr. Kurt Elwenspoek*, früher Regisseur und Intendant verschiedener Stadttheater in Deutschland, wurde später literarischer Leiter des Rundfunks in Stuttgart, und war noch im Jahr 39 in dieser Position. Ein kluger, gebildeter, vornehmer Charakter ohne die geringste Möglichkeit zu Nazitum. Demokratisch und pazifistisch gesinnt, erfahren in allen Theater-, Verlags- und Radiosparten, im Fall eines neuen Deutschland ein brauchbarer, zuverlässiger Verwaltungsmann für kulturellen Neuaufbau. Mehrfach verheiratet, geschieden, mit reichem Kindersegen bedacht, ist er immer in Geldnöten, aber in seiner Lebenshaltung eher korrekt und ein bischen akademisch. Seiner persönlichen Loyalität und Kameradschaftlichkeit wegen besonders beliebt bei Schauspielern, Angestellten usw.

34. *Herbert Maisch* entstammte einer Offiziersfamilie und verlor im letzten Weltkrieg als aktiver Leutnant einen Arm. Er hatte eine Leidenschaft fürs Theater, wurde Dramaturg, dann Regisseur, und leistete später Vorzügliches als Intendant des Mannheimer Nationaltheaters und mit der Regie vieler Stücke. Seiner Gesinnung nach immer fortschrittlich, lebendig, nicht linksradikal aber überzeugt demokratisch, wenn auch in einer konservativen Facon – in keiner Faser ein Nazi, sondern ein wirklich guter Deutscher. Nach der Machtergreifung im Jahr 33 nahm man ihm zunächst seine Intendanz, holte ihn aber dann nach Berlin und übertrug ihm das damals von Goebbels patronisierte ›Theater der Jugend‹. Er behielt es nicht lange – vielleicht aus Gründen seiner mangelnden Nazifizierung (ich weiss darüber nichts Näheres), – und wurde von einem Baldur-von-Schirach-Protegé aus den Hitlerjugendkreisen ersetzt. Später war er als Regisseur und Drehbuchautor bei der UFA tätig, bei der sich überhaupt eine Reihe altkonservativer oder konservativ demokratischer Leute in bewusster Distanzierung von den Nazis gehalten haben (oder wenigstens bis 1939 gehalten hatten). Als ich im Jahr 1936 zuletzt in Berlin war, wurde in den leitenden Büros der Ufa, in denen zum Teil ehemalige Deutschnationale (auch alte Hugenberg-Exponenten)

Anton Kippenberg, 1940, Photo DLA

sassen, noch wacker und laut (und zum Teil mit echter Wut und Beschämung über Deutschlands verunstaltetes Gesicht) auf die Nazis geschimpft. Die Ufa wurde dann auch aus ihrer überragenden Vorrangstellung in der deutschen Filmindustrie verdrängt und die vom Staat gewaltig subventionierte Tobis nahm ihren Platz ein. Die Entwicklung nach 1939 ist mir unbekannt, aber ich glaube dass die Ufa immerhin noch als eine kapitalkräftige und arbeitsfähige Gesellschaft besteht. Inwieweit ihre nazifeindlichen Leiter und Mitarbeiter ge‹purged› worden sind kann ich nicht sagen. Über den Verbleib der verschiedenen mir bekannten Persönlichkeiten ihres Stabs liessen sich leicht Erhebungen anstellen.) –

35. Das Ehepaar Kippenberg, seit der Jahrhundertwende oder mindestens der Zeit vor dem letzten Krieg verantwortlich für die Leitung des gediegenen, vornehmen und qualitätvollen

Inselverlags in Leipzig, hatten immer ein wenig deutsch-
tümelnde Tendenzen – oft zu künstlichem ›Volkstum‹ geneigt, was sich in der Wahl und Herausstellung mancher ihrer
Autoren, zum Beispiel Waggerl, zeigte, – aber sie hatten auch
gleichzeitig die Tradition geistiger Freiheit und fühlten sich
dem aus der deutschen Klassik stammenden, wenn auch ins
Klassizistische abgeschwächten Begriff der Welt-Literatur
verantwortlich. Sie waren zu gut und ihr Niveau zu hoch, um
zu einer Blubo-Rassenmythus-Propagandafiliale zu entarten.
Ihre Haltung in den ersten Jahren dieses Kriegs, – ich sah den
Insel-Almanach 1940 und 41, – war der von 1914-18 ähnlich:
ein ›vergeistigter‹ – schillerisch idealisierter Patriotismus – ge-
hoben durch die Pflege völlig zeitlosen und übernationalen
Schrifttums. So lange wie möglich versuchten sie ihre älteren
›nichtarischen‹ Autoren wie Stefan Zweig und andere zu halten – was natürlich bald nicht mehr durchzuführen war. Ihre
Grundlinie dürfte auch heut noch unverändert sein.

Kommentar

Im Kommentar finden sich neben Sacherläuterungen biographische Angaben und Nachweise der einschlägigen Forschungsliteratur zu allen von Zuckmayer portraitierten Personen. Um Vor- oder Rückverweise bei früheren oder späteren Erwähnungen zu vermeiden, verweist das Namenregister am Ende des Bandes auf diese Kommentarpassagen durch kursiv gesetzte Seitenzahlen. Daten zu Personen, die lediglich beiläufig erwähnt werden, sind zur ersten Nennung annotiert. Auf diese Erläuterungen wird im Register ebenfalls durch kursiv gesetzte Seitenzahlen verwiesen. Bei der Wiedergabe von Dokumenten wurden die in der Editorischen Notiz (S. 479 f.) beschriebenen Prinzipien angewendet.

Verwendete Abkürzungen: CZ = Carl Zuckmayer, DLA = Deutsches Literaturarchiv Marbach.

Wo weiltest Du ... bei Dir] CZ zitiert Friedrich Schillers Gedicht *Die Theilung der Erde*; die Verse lauten korrekt: »Wo warst du denn, als man die Welt getheilet? / ›Ich war‹, sprach der Poet, ›bey dir‹.«

An actor ... a woman] Ein Schauspieler ist immer ein bißchen schlimmer als ein Mann. Eine Schauspielerin, manchmal, ein bißchen besser als eine Frau.

Eintritt Amerikas in den Krieg] Am 11. Dezember 1941 erklärte Deutschland den USA den Krieg.

Ponten] Der Abschnitt des Reports über den Schriftsteller Josef Ponten (1883-1940) ist verschollen. Ponten, dessen Roman *Der Babylonische Turm. Geschichte der Sprachverwirrung einer Familie* (1918) u.a. von Thomas Mann sehr geschätzt wurde, ist 1926 in die Preußische Dichterakademie aufgenommen worden. Sein größtes Projekt war von 1926 an das den Wolgadeutschen gewidmete Werk *Volk auf dem Wege* (6 Bde., Stuttgart 1940-1942; unvollendet). Obwohl er aus einer kosmopolitischen Haltung heraus den »faschistischen Nationalismus« ablehnte (vgl. *Der Rhein,* 1925) und sich gegen eine aggressiv-chauvinistische Politik Deutschlands verwahrte, konvergierte sein kulturkritischer Konservatismus an vielen Stellen mit der nationalsozialistischen Weltanschauung (vgl. Lieser 1998). Diesem Konservatismus entsprechend vertrat Ponten in der Preußischen Dichterakademie mit Wilhelm Schäfer

und Erwin Guido Kolbenheyer die Position der antiberline-
rischen, landschaftsorientierten und volksnahen Dichter (vgl.
Wysling 1988, S. 20 f.). 1936 erhielt er den Rheinischen Literaturpreis, 1938 den Münchener Dichterpreis. Über Kontakte zu CZ
konnte nichts ermittelt werden. In CZs Autobiographie wird er
nicht erwähnt.

Franck] Der Abschnitt des Reports über den Schriftsteller Hans
Franck (1879-1964) ist verschollen. Franck war von 1914 an Leiter
der Hochschule für Bühnenkunst und Dramaturg des Schauspielhauses in Düsseldorf. Bekannt wurde er vor allem mit seinen von
1918 an erscheinenden Novellen und Kurzgeschichten (*Das Penta-
gramm der Liebe* [1918]). Von 1921 an lebte er als freier Schriftsteller in Frankenhorst bei Schwerin. Zu Beginn der 1920er Jahre
bekannte er sich bereits zum Nationalsozialismus (vgl. *Das Dritte
Reich. Ein nationalsozialistisches Glaubensbekenntnis*, Heilbronn
1922). Nach der »Machtergreifung« Hitlers veröffentlichte er die
Biographie *Hitler. Ein Volks- und Jugendbuch*, Wiesbaden 1934.
Dennoch blieb ihm die öffentliche Anerkennung durch das Regime versagt. Über Kontakte zu CZ konnte nichts ermittelt werden.
In CZs Autobiographie wird er nicht erwähnt.

Schäfer] Der Abschnitt des Reports über den Schriftsteller und Re-
dakteur Wilhelm Schäfer (1868-1952) ist verschollen. Schäfer wurde
durch seine Anekdoten- und Novellensammlungen bekannt (*Die
Halsbandgeschichte* [1910], *Dreiunddreißig Anekdoten* [1911]).
Von 1900 bis 1923 gab er die in Düsseldorf erscheinende Kunst-
zeitschrift *Die Rheinlande* heraus. 1926 wurde er in die Preußische
Akademie der Künste berufen, wo er 1931 gemeinsam mit Emil
Strauß und Erwin Guido Kolbenheyer unter Protest gegen den
Vorsitz von Heinrich Mann und den »linksliberalen Block« austrat.
1933 traten alle drei Autoren der nach der »Machtergreifung« Hit-
lers »gesäuberten« Akademie wieder bei. Als Schäfers Hauptwerk
gilt sein erfolgreichstes Buch *Die dreizehn Bücher der deutschen
Seele* (1922). Er beschwört darin den Mythos der deutschen
Schicksalsgemeinschaft. 1930, ein Jahr vor der Dramatisierung des
Stoffs durch CZ, veröffentlichte er den biographischen Roman
Der Hauptmann von Köpenick. Schäfer, der ein prominenter Autor
im ›Dritten Reich‹ war, lehnte eine politische Indienstnahme ent-
schieden ab und verstand sich als unpolitischer, prophetischer
Mahner (vgl. Würmann 1996). 1937 erhielt er den Rheinischen
Literaturpreis und 1941 den Goethepreis der Stadt Frankfurt.
Über Kontakte zu CZ ist nichts bekannt. In CZs Autobiographie
wird Schäfer nicht erwähnt.

Strauss] Der Abschnitt des Reports über den Schriftsteller Emil
Strauß (1866-1952) ist verschollen. Strauß lebte von 1925 an als
freier Schriftsteller in Freiburg im Breisgau. Er war von 1926 bis
1931 und erneut von 1933 an Mitglied der Preußischen Akademie
der Künste. 1930 wurde er Mitglied der NSDAP. Der völkisch-
konservative Autor trat in der Öffentlichkeit wenig in Erscheinung.
Dennoch ließ er sich von den ihn umwerbenden Nationalsozialisten
immer wieder vereinnahmen (vgl. sein Bekenntnis *Der Hitler.
Auch eine Erinnerung* im *Völkischen Beobachter*, Norddeutsche
Ausgabe vom 20. April 1933; dazu Schumann 1990, S. 110 f.).
Strauß, dessen erster erfolgreicher Roman, die Schülertragödie
Freund Hein (1902), schon Jahre zurücklag, wurde während des
›Dritten Reichs‹ wieder zu einem auflagenstarken Autor. Die Ro-
mane *Das Riesenspielzeug* (1935) und *Lebenstanz* (1940) ordnen
sich »einer völkischen Gesinnungsphilosophie unter« und propa-
gieren die Heimatverbundenheit als essentiell für die »Erziehung
eines neuen, naturgemäßen Menschen« (vgl. Bohley 1996, S. 238).
Über Kontakte zu CZ ist nichts bekannt. In CZs Autobiographie
wird Strauß nicht erwähnt.

Stehr] Der Abschnitt des Reports über den Lehrer und Schriftsteller
Hermann Stehr (1864-1940) ist verschollen. Stehr wurde 1898 mit
der Veröffentlichung des im S. Fischer Verlag erschienenen Erzäh-
lungsbands *Auf Leben und Tod* bekannt. 1911 ließ er sich vom
Schuldienst befreien und konzentrierte sich auf sein dichterisches
Werk. Vom Naturalismus ausgehend, wandte er sich einem Stil der
mystischen Innerlichkeit zu, bis er sich schließlich der völkisch-
nationalen Strömung der Weimarer Republik anschloß. Er wurde
mit einer Reihe von Ehrungen ausgezeichnet und galt in der NS-
Zeit vorübergehend als einer der bedeutendsten zeitgenössischen
Dichter. 1933 erhielt er den Goethe-Preis der Stadt Frankfurt und
wurde mit dem repräsentativen Amt eines Ehrensenators des
›Reichsverbands Deutscher Schriftsteller‹ betreut. Stehr bedankte
sich mit einer Reihe systemkonformer Bekenntnisse (so zum Beispiel seiner Radioansprache *An die Jugend* vom September 1933;
vgl. Erdmann 1997, S. 326 f.). Stehrs individualistische Weltanschauung war jedoch auf Dauer kaum mit der kollektivistischen NS-
Ideologie zu vereinbaren, so daß seine öffentliche Förderung rasch
abnahm (vgl. den biographischen Abriß in ebd., S. 21-25). Über
Kontakte zu CZ konnte nichts ermittelt werden. In CZs Autobiographie wird Stehr nicht erwähnt. Vgl. auch S. 305, Anm. zu *Stehr.*

Goverts] Henry Goverts (1892-1988) gehörte von 1919 an zu CZs
engsten Freunden (vgl. CZ, *Ein junger Mann kommt nach Heidel-*

berg, in Goverts 1962, S. 7-9; Goverts 1976). 1925 schloß der gelernte Kaufmann sein Studium mit einer Promotion bei Alfred Weber über die Deutung der grundlegenden Bestimmungen im Volkserziehungsprogramm John Ruskins ab. Von 1927 bis 1933 war er als Lehrer an der Volkshochschule Hamburg tätig. 1934 gründete er zusammen mit Eugen Claassen den H. Goverts Verlag. Im März 1945 zog er sich nach Vaduz (Liechtenstein) zurück, wo er ein Haus besaß und auch nach dem Zweiten Weltkrieg lebte. 1950 trennte er sich von Claassen und gründete mit Alfred Scherz den Scherz & Goverts Verlag, den er von 1956 bis 1964 allein als Henry Goverts Verlag weiterführte. Vgl. auch *Carl Zuckmayer an Henry Goverts. Fünf Briefe* [vom 12. September 1945, 23. Januar 1974, 30. März 1974, 16. Juni 1974 und 10. August 1974], in: *Blätter der Carl-Zuckmayer-Gesellschaft*, Jg. 8, 1982, H. 1, S. 20-22, sowie die *Vita Henry Goverts* in Tgahrt 1981, S. 87 f. sowie Goverts 1956.

Weber] Alfred Weber (1868-1958), der Bruder des Soziologen Max Weber, war Volkswirtschaftler, Soziologe, Kulturphilosoph. Henry Goverts beschäftigte er zeitweise als seinen Assistenten und promovierte ihn schließlich zum Dr. phil. CZ nahm 1919 an einem von Weber veranstalteten Soziologen-Klub teil, vor dem er einen Vortrag mit dem Titel *Campanellas Civitas Solis und der Jesuitenstaat in Paraguay* hielt (vgl. *Als wär's ein Stück von mir*, S. 353). Im Wintersemester 1919/20 besuchte er auch Webers »Praktische Volkswirtschaftslehre«, an die sich im Sommersemester 1920 der Besuch von dessen »Allgemeiner Volkswirtschaftslehre« anschloß (Archiv der Ruprecht-Karls-Universität Heidelberg, Studentenakte CZ). Weber zeichnete eine weitgehende Akzeptanz abweichender, und das hieß zum einen marxistischer, zum anderen konservativ-revolutionärer Positionen aus. So promovierte er 1930 den zum Tat-Kreis gehörenden Ernst-Wilhelm Eschmann zum Dr. phil. Er hatte sogar Sympathien für Mussolini, lehnte aber »leidenschaftlich die Übertragung des faschistischen Herrschaftssystems nach Deutschland ab« (Demm 1999, S. 186). Als nach dem Wahlsieg der Nationalsozialisten vom 5. März 1933 in Heidelberg auf öffentlichen Gebäuden die schwarz-weiß-rote Fahne gehißt wurde, ließ Weber sie entfernen – »ein Zeichen außergewöhnlicher Zivilcourage« (ebd., S. 223). Am 12. April 1933 beantragte er seine Beurlaubung für das Sommersemester und seine Emeritierung zum 30. Juli 1933 wegen Vollendung des 65. Lebensjahrs. »Zu seinem eigenen Erstaunen«, so Demm, bleibt er »während der ganzen Zeit des Dritten Reiches ›völlig ungeschoren‹, kann auch publizieren und erhält sogar die Genehmigung, zu einem Kongreß nach Paris

zu fahren« (ebd., S. 232). Nach dem Zweiten Weltkrieg unterstützte er seinen Schüler Dolf Sternberger bei der Herausgabe der
Monatszeitschrift *Die Wandlung*, die auch zwei Beiträge von CZ
brachte (*Gedächtnisrede für Carlo Mierendorff; gehalten am
12. März 1944 in New York*, Jg. 1, 1946, H. 12, S. 1089-1105; *Persönliche Notizen zu meinem Stück ›Des Teufels General‹*, Jg. 3,
1948, H. 4, S. 331-333). Über persönliche Kontakte zwischen CZ
und Alfred Weber in der Zeit nach 1945 ist jedoch nichts bekannt.

entlassenen Freunden] Goverts hielt die Verbindung zu seinen
Freunden Carlo Mierendorff (1897-1943), der von 1933 bis 1938
in verschiedenen KZs interniert war, und Theodor Haubach
(1896-1945), der von 1934 bis 1936 im KZ Esterwegen gefangen
gehalten wurde. Beide gehörten seit 1939 dem Kreisauer Kreis an
(vgl. Finker 1993, S. 118, 123 und 127).

Claassen] Eugen Claassen (1895-1955), eigentl. Jewgenij Schmujlow,
war der in Deutschland aufgewachsene Sohn eines Russen und
nahm mit seiner deutschen Einbürgerung 1917 den Namen seiner
Mutter, Ria Claassen, an. Von 1925 an war er zunächst Lektor,
wenig später Leiter des in die *Frankfurter Zeitung* integrierten
Societäts-Verlages. 1934 gründete er mit Henry Goverts den
H. Goverts Verlag, in dem er als Geschäftsführer tätig war. »Die gut
überschaubare, aber vielfältige Produktion« des in Hamburg ansäs-
sigen Verlages »orientierte sich an zwei Polen: der zeitgenössischen
Literatur, nicht konform, mit oft ›düsteren Büchern‹, zumeist er-
zählenden und nur wenigen Gedichtbänden; ›wissenschaftlichen
Darstellungen, die nicht populär, aber in Nichtfachkreisen ver-
ständlich sein sollten‹, mit weitreichenden Themen aus dem Bereich
der Geistesgeschichte, Philosophie, Historie, Naturwissenschaft.
Aufgelockert wurde die Gruppierung durch einen verhältnismäßig
hohen Anteil an Übersetzungen, darunter recht erfolgreichen«
(Tgahrt 1981, S. 10). Den größten Erfolg und damit die finanzielle
Basis des Verlags stellte Margaret Mitchells 1937 erschienener Roman
Vom Winde verweht dar. Zu den wichtigsten deutschen Autoren
gehörten Horst Lange, Joachim Maass, Ernst Schnabel und Emil
Barth. Nachdem Goverts 1945 endgültig nach Liechtenstein über-
gesiedelt war, führte Claassen den Verlag zunächst als Claassen &
Goverts Verlag weiter. 1950 wurde er mit Goverts' Ausstieg zum
alleinigen Inhaber des Claassen Verlags (vgl. Claassen 1970, S. 672
sowie den biographischen Abriß, S. 667-669).

Antinazi-Autoren und Emigranten] »Claassen«, schrieb Hermann
Broch an Daniel Brody, »war die letzte arische Hand, die ich vor
meiner Abreise gedrückt habe. Er kam ohne geschäftlichen Neben-

zweck – den er damals wahrlich nicht mehr haben konnte – einfach zu mir, um seine Empörung auszudrücken. Daß einer der größten deutschen Schriftsteller (sic, das war ich) deutschen Boden verlassen müsse. Und das war eine schöne und noble Haltung von ihm, die ich ihm nicht vergesse« (Brief vom 31. Januar 1948, zit. nach Tgahrt 1981, S. 19). Diese Episode, die auch im Briefwechsel Claassen-Broch belegt ist (vgl. die Briefe vom 23. August 1947 bzw. 8. September 1947, abgedruckt in Claassen 1970, S. 103 f.), dokumentiert die Verbindung, die Claassen zu Emigranten bis zuletzt hielt. Bis ins Exil hinein bemühte er sich um seine Autoren, so um den 1939 in die USA emigrierten Joachim Maass, mit dem er bis 1941 Briefe wechselte (die Korrespondenz mit ihm ist abgedruckt in ebd., S. 339-360). Zwei Reisen nach Skandinavien zeugen ebenfalls von Claassens Kontakt zu seinen emigrierten Kollegen. So traf er im November 1938 zusammen mit Goverts Gottfried Bermann Fischer in Kopenhagen und unternahm im Januar/Februar 1940 eine Reise nach Stockholm und Oslo, wo er neben Bermann Fischer auch Max Tau aufsuchte (vgl. Bermann Fischer 1971, S. 148 und Tgahrt 1981, S. 20 sowie den Brief Claassens an Joachim Maass vom 5. Juni 1946, in Claassen 1970, S. 352).

Suhrkamp] Peter (eigentlich: Heinrich) Suhrkamp (1891-1959) war Bauernsohn aus Kirchhatten bei Oldenburg. Wie CZ meldete er sich 1914 als Kriegsfreiwilliger und wurde Soldat an der Westfront. Nach dem Ersten Weltkrieg, in dem er für besondere Tapferkeit hoch ausgezeichnet worden war, studierte er Germanistik in Heidelberg, Frankfurt am Main und München. Nebenbei arbeitete er als Lehrer an der Odenwaldschule und der Freien Schulgemeinde in Wickersdorf. Von 1921 bis 1925 war er als Dramaturg und Regisseur am Landestheater Darmstadt und lernte in dieser Zeit CZ kennen (vgl. Unseld/Ritzerfeld 1991, S. 95), von dem in diesen Jahren in Darmstadt allerdings keine Stücke inszeniert worden sind. Von 1925 bis 1929 unterrichtete Suhrkamp erneut als Lehrer an der Freien Schulgemeinde in Wickersdorf, gab den Lehrerberuf 1929 aber endgültig auf und übersiedelte nach Berlin, wo er als freier Mitarbeiter des *Berliner Tageblatts* und des bei Ullstein erscheinenden Monatsmagazins *Uhu* tätig war. Aus dieser Zeit rührt Suhrkamps Plan, »im ›Uhu‹ einmal etwas über die Kräfte der Provinz in Deutschland zu bringen« (DLA, Nachlaß Hannes Küpper, Brief an Küpper vom 4. März 1931). Küpper lieferte einen Beitrag, Suhrkamp wünschte sich aber, daß er sich »mit stärkerem persönlichen Einsatz« mit dem Thema auseinandersetze. »Ausserdem«, so Suhrkamp weiter, »wurde mit Zuckmayer eine Verteidigung

Berlins besprochen« (ebd., Brief an Küpper vom 23. März 1931).
CZ hat einen solchen Beitrag jedoch nie geschrieben. Suhrkamp
wurde 1932 Mitarbeiter des S. Fischer Verlags, zunächst als Herausgeber der Zeitschrift *Die Neue Rundschau*, von 1933 an als
Vorstandsmitglied. Daß er und CZ sich schon zu dieser Zeit relativ
gut kannten, läßt seine Rezension von CZs 1932 erschienener Er-
zählung *Die Affenhochzeit* vermuten, in der Suhrkamp, wohl zu-
treffend, »ein Stück Selbstironie« ausmachte (in: *Uhu*, Jg. 8, 1932,
H. 10, S. 109). 1935 heiratete Suhrkamp Annemarie Seidel, mit der
CZ von 1920 an eng befreundet war (vgl. die Edition des Briefwechsels zwischen CZ und Annemarie Seidel [Nickel 1999 a]).
Wenig später wechselte die Anrede in der Korrespondenz zwischen
CZ und Suhrkamp vom Sie zum Du. 1936 kaufte Suhrkamp den
Teil des S. Fischer Verlags, der nicht von Gottfried Bermann Fischer
nach Wien transferiert werden konnte, und leitete den Verlag, bis
er im April 1944 wegen angeblichen Hoch- und Landesverrats
verhaftet wurde. Nach der deutschen Kapitulation erhielt er die
erste Verlagslizenz von der britischen Militärregierung in Berlin
und begann mit dem Neuaufbau des Unternehmens. Er kooperierte
mit Gottfried Bermann Fischer, dessen Bücher er zum Teil in
deutschen Lizenzausgaben herausbrachte, darunter auch vier Titel
von CZ. Als es 1950 statt zur zunächst ins Auge gefaßten Fusion
zum Bruch zwischen Gottfried Bermann Fischer und Suhrkamp
und zur Gründung des Suhrkamp- sowie zur Neugründung des
S. Fischer Verlags in Frankfurt am Main kam, entschied CZ sich –
nicht ohne Zögern, aber wohl auch, weil er zu den Autoren gehörte,
denen von den beiden Verlegern keine Freiheit in Bezug auf die
Verlagswahl zugestanden wurde – für die Fortsetzung der Ver-
lagsbeziehung zu Bermann Fischer. Mit Peter Suhrkamp blieb CZ
weiterhin in freundschaftlicher Verbindung.

Hartung] Der Regisseur und Theaterleiter Gustav Hartung (1887-
1946) war von 1914 bis 1920 Regisseur und Dramaturg des Frankfurter Schauspielhauses und von 1920 bis 1924 Generalintendant
des Hessischen Landestheaters Darmstadt. Er sei, so CZ, »stets ein
Ekstatiker des revolutionären Theaters [ge]blieb[en]« (*Als wär's
ein Stück von mir*, S. 314). CZs Freund Albrecht Joseph wurde von
ihm und Richard Weichert als Regisseur ausgebildet (ebd., S. 424).
1926 gründete Hartung die Heidelberger Festspiele, die er bis 1930
leitete. Zusammen mit Max Mell und René Schickele wurde CZ 1929
mit dem (nur ein einziges Mal verliehenen) Preis dieser Festspiele
ausgezeichnet (ebd., S. 512). Von 1927 bis 1930 leitete Hartung das
Renaissance-Theater in Berlin. In dieser Zeit inszenierte er CZs

Kinderstück *Kakadu Kakada* (Premiere am 18. Januar 1930). Von
1930 bis 1933 war er zusammen mit Carl Ebert erneut Direktor des
Hessischen Landestheaters in Darmstadt, wo von April bis Juni
1931 CZs *Der Hauptmann von Köpenick* auf dem Spielplan stand.
1933 emigrierte Hartung in die Schweiz und führte bis 1935 am
Zürcher Schauspielhaus Regie. Hier inszenierte er u.a. CZs Drama
Der Schelm von Bergen (Premiere am 2. Februar 1935). Zahlreiche
Stellungnahmen gegen das NS-Regime in der Schweizer Öffentlichkeit führten dazu, daß die Nationalsozialisten über Interventionen
der deutschen Botschaft seine Arbeit zu behindern versuchten,
weshalb der 1934 zum Leiter des Berner Stadttheaters gewählte
Hartung seine Arbeit in Bern nie aufnehmen konnte (vgl. Trapp
1999, Bd. 2/1, S. 378-379). In CZs Nachlaß findet sich ein auf Juli
1934 datiertes Typoskript eines Protestbriefs an Goebbels, die
Präsidenten der Reichskultur-, Reichstheater- und Reichsschrifttumskammer, den Rektor der Universität und den Oberbürgermeister der Stadt Heidelberg und an »die ersten darstellenden
Kräfte der Festspiele«, in dem Hartung als Begründer der Spiele
dagegen protestierte, »dass der Heidelberger-Festspiel-Gedanke:
vor einer Darstellung deutschen Geistes im Heidelberger Schloss
und Schlosshof eine festliche Gemeinde zu versammeln, befleckt
wird durch den Versuch: Mördern [Hartung bezieht sich auf die
Ermordung des Schauspielers Hans Otto, vgl. S. 290 f., Anm. zu
Müthel] zur Betäubung ihres Gewissens und dazu zu dienen, die
deutsche Nation über die Schmach hinwegzutäuschen, in die sie
vor der Menschheit gebracht wurde« (DLA, Nachlaß CZ, Anlage
zu einem Brief Hartungs an CZ vom 17. August 1945). Von 1937
bis 1940 arbeitete Hartung als Oberspielleiter am Stadttheater Basel.
1938 wollte er dort CZs Bellman-Stück inszenieren, doch dieser
Plan konnte nicht verwirklicht werden. Bis 1944 war er in Bern
auch am Konservatorium als Schauspiellehrer tätig. Nach Kriegsende gründete und leitete er die Heidelberger Kammerspiele. Ob es
nach Hartungs Brief an CZ vom 17. August 1945 noch zu weiteren
Kontakten, gar zu einem Wiedersehen kam, konnte nicht ermittelt
werden.

›*Uhu*‹] Mit dem *Uhu* führte der Ullstein-Verlag im Oktober 1924
den neuen Zeitschriftentypus des Unterhaltungsmagazins in
Deutschland ein. CZ veröffentlichte 1926 mit dem Gedicht *Das
hohe Lied vom Wein* seinen ersten Beitrag im *Uhu* (Jg. 2, 1926,
H. 12, S. 10 f.). 1928 publizierte er dort *Die Geschichte vom wilden
Cunningham und seinem treuen Weib* (Jg. 5, 1928, H. 1, S. 81-90),
1930 beteiligte er sich an der Umfrage *Mein Bücherkoffer für eine*

Südseefahrt (Jg. 6, 1930, H. 6, S. 86-88). Mit dem Nachdruck seines Gedichts *Weihnachtslied* (Jg. 8, 1931, H. 3, S. 7) endete CZs sporadische Mitarbeit. 1934 mußte der *Uhu* sein Erscheinen einstellen. Zur Geschichte der Zeitschrift vgl. Mosse 1977.

S. Fischer] Als 1934 der Ullstein-Verlag, in dem von 1925 an alle Bücher von CZ erschienen waren, durch die Cautio GmbH des nationalsozialistischen Strohmanns Max Winkler übernommen wurde, wechselte CZ zum S. Fischer Verlag, den 1886 Samuel Fischer (1859-1934) gegründet hatte und den von 1932 an Brigitte (1905-1991) und Gottfried Bermann Fischer (1897-1995) leiteten. Als erstes Buch CZs bei S. Fischer kam Ende September 1934 seine Erzählung *Eine Liebesgeschichte* heraus. 1936 emigrierte Bermann Fischer mit einem Teil des Verlags nach Wien, nach der Annexion Österreichs 1938 nach Stockholm; den andern Teil des Verlags führte Peter Suhrkamp in Berlin weiter (vgl. dazu Pfäfflin/Kussmaul 1986, S. 437-464; Nawrocka 2000; Nickel 2000). Nachdem im Dezember 1935 die Veröffentlichung von CZs Roman *Salwàre oder Die Magdalena von Bozen* in Deutschland verboten worden war, erschienen alle weiteren Bücher von CZ zunächst in Bermann Fischers Exilverlag. Die nach der Emigration in die USA geschriebene Autobiographie *Second Wind* kam 1940 allerdings in New York im Verlag Doubleday & Doran und 1941 in London im Verlag George G. Harrap heraus. 1940 schloß CZ noch Verträge über zwei Bücher, die jedoch nie fertig wurden, mit dem Verleger Alfred Harcourt. Nach dem Zweiten Weltkrieg erschienen mit wenigen Ausnahmen alle Bücher von CZ wieder im Verlag von Bermann Fischer (in Deutschland bis 1950 als Lizenzausgaben bei Peter Suhrkamp).

Hesse] Hermann Hesse (1877-1962) lebte von 1919 an in der Schweiz, von 1923 an war er Schweizer Staatsbürger. Aus der Preußischen Dichterakademie, in die er 1926 aufgenommen wurde, trat er 1930 aus. »Als in Deutschland«, so Bernhard Zeller, »die Nationalsozialisten die Herrschaft übernommen hatten, suchte er solche Bücher, welche niemand sonst zu besprechen wagte, Bücher von Juden, Bücher von Katholiken, Bücher von Bekennern irgend eines Glaubens, der dem dort herrschenden entgegensteht. Zuletzt ist es nur noch die ›Neue Rundschau‹, die seine Berichte zu drucken wagt. Als sich jedoch die Angriffe gegen ihn häufen und er in Deutschland geschmäht wird, weil er Bücher von Juden und Schweizern empfiehlt, zugleich aber auch in der Presse der Emigranten, weil er noch in Deutschland erscheinende Literatur erwähnt, verzichtet er etwa ab Mitte der dreißiger Jahre auf öffentliche Buchbesprechungen«

(Zeller 1981, S. 111). Hesses Bücher blieben jedoch trotz scharfer Angriffe, etwa in Will Vespers *Neuer Literatur* (vgl. dazu Michels 1992, S. 94 f.), während der NS-Zeit in Deutschland lieferbar. Daß sich Peter Suhrkamp in dieser Zeit sehr für Hesse einsetzte, geht aus Hesses Briefwechsel mit Gottfried Bermann Fischer hervor (vgl. den Brief Bermann Fischers an Hesse vom 25. April 1936 sowie die Briefe Hesses an Bermann Fischer vom 14. Juni 1946 und 24. Juli 1946, abgedruckt in Stach 1990, S. 164 f., 201, 203 f.). Über Kontakte zu CZ ist nichts bekannt. In CZs Autobiographie wird Hesse nicht erwähnt.

Nachricht] Briefe von Suhrkamp an CZ aus dem Jahr 1940 sind nicht überliefert.

Asyl] Entsprechend ist die Darstellung in *Als wär's ein Stück von mir*, S. 99; vgl. auch Suhrkamps Brief an CZ vom 2. August 1945 (abgedruckt in Nickel 1999 a, S. 23 f.).

Wiechert] Ernst Wiechert (1887-1950) war Studienrat und Schriftsteller. 1933 schied er unter anderem aus gesundheitlichen Gründen aus dem Schuldienst aus. Seine Romane, mit denen er seit Ende der 1920er Jahre zunehmend Erfolg hatte, wurden in der NS-Zeit zunächst positiv aufgenommen. Dazu gaben sein antizivilisatorischer, aggressiv-völkischer Roman *Der Totenwolf* (Regensburg 1924), seine Kontakte zu völkisch-nationalen Kreisen, namentlich zur Fichte-Gesellschaft, sowie sein Wechsel zum Verlag Langen-Müller 1931 genügend Anlaß. 1934 distanzierte sich Wiechert allerdings vom *Totenwolf* (vgl. Reiner 1974, S. 14-18, 24 f.; Hattwig 1984, S. 28-32). Nach seiner öffentlichen Kritik an der NS-Kultur- und Erziehungspolitik in den Reden *Der Dichter und die Jugend* (1933) und *Der Dichter und die Zeit* (1935) ging die NS-Presse auf Distanz. Im *Völkischen Beobachter* hieß es etwa in der Münchener Ausgabe vom 18. April 1935 unter der Überschrift *Wo steht der Dichter Ernst Wiechert*: »Es muß Bitterkeit auslösen, wenn ein Dichter wie Ernst Wiechert, dem der nationalsozialistische Staat ein unbegrenztes Vertrauen entgegenbrachte, seinen Namen dazu mißbraucht, die Saat einer schwindenden Zuversicht auszustreuen. Heroismus besteht nicht in der Vorwegnahme des tragischen Endes, sondern in dem unbedingten Willen, alle verfügbare Kraft zum Einsatz zu bringen, um ein glückliches Ende zu gewährleisten.« Wiecherts Buch *Wälder und Menschen* (1936) kommentierte Hans Gstettner in der Münchener Ausgabe des *Völkischen Beobachters* vom 27. September 1936: »Ernst Wiecherts geistige Struktur ist nicht die eines gesunden deutschen Menschen. Das verkünden seine Jugenderinnerungen mit erschütternder Deutlichkeit. Im Blutstrom seiner Herkunft rauscht die Nacht slawischer Schwermut, über seiner Jugend liegen Schatten unglücklicher Familienverhältnisse, seine Schulzeit ist bis zu den oberen Gymnasialklassen die licht- und führerlose Qual eines empfindsamen Träumers inmitten einer robusten, ja gemeinen Welt. Die Sehnsucht nach den unendlichen Wäldern seiner Johannisburger Heide, die der erzwungene Verzicht auf den Försterberuf mit sich bringt, wird zur kranken Kraft seines Dichtertums. Von diesen Gegebenheiten der Wiechertschen Persönlichkeit möchten wir am liebsten ehrfürchtig schweigen, wenn sie nicht maßgebend wären für die Beurteilung einer Zeitkritik, die eine Jugend von gestern glücklich preist, weil sie noch ›kein Dogma‹ beschränkte, weil ihre Erziehung angeblich von den Sternen der ›Duldung‹ und ›Humanität‹ überstrahlt war. ›Wir hatten das Glück, keine Weltanschauung zu haben‹, schreibt Wiechert wörtlich, ›sondern nach einer solchen zu suchen, und es schadet nichts, daß viele von uns sehr spät und manche noch heute nicht (!) damit fertig geworden sind.‹ Schadet es wirklich nichts?« Nachdem Wiechert Kritik an der Verschleppung Martin Niemöllers ins KZ geäußert hatte, wurde er am 6. Mai 1938 verhaftet und zunächst im Münchner Polizeigefängnis, dann im Konzentrationslager Buchenwald interniert. Am 30. August 1938 ist er unter Androhung erneuter Internierung auf Weisung von Goebbels wieder entlassen worden (vgl. Ernst Wiechert, *Häftling Nr. 7188. Tagebuchnotizen und Briefe*, in Kamin 1966, S. 83 und 102 f. sowie Ernst Wiechert, *Der Totenwald*, in Wiechert 1957, S. 217-219 und 326 f.). Danach äußerte er keine öffentliche Kritik mehr. Wiechert gilt als einer der Hauptvertreter der literarischen Opposition im ›Dritten Reich‹. Er gehörte zu den »geduldeten« und zugleich auflagenstärksten Autoren dieser Zeit. Aus einem Gutachten des Propagandaministeriums vom 13. Januar 1940 geht hervor, daß das Ministerium Wiecherts Werk nach der Inhaftierung des Autors und seinem folgenden ›Rückzug‹ trotz der »Spuren eines bodenständigen und landschaftsgebundenen Lebens, das einen Könner hoher Grade offenbart«, wegen seiner »Grundhaltung zu einem müden und im letzten Sinne egoistischen Leben« und seiner Innerlichkeit mißtrauisch gegenüberstand und weiterhin unter Beobachtung stellte (abgedruckt in Reiner 1974, S. 46). Vgl. auch den biographischen Abriß mit weiterführenden Literaturhinweisen in Ehrke-Rotermund/Rotermund 1999, S. 124-131; Delabar 1996, S. 135-150; Scholdt 2000, S. 117-135. Über eine persönliche Bekanntschaft zwischen Wiechert und CZ ist nichts bekannt. In CZs Autobiographie wird Wiechert nicht erwähnt.

›*Dichter und seine Zeit*‹] Wiechert hielt seine Rede *Der Dichter und die Zeit* am 16. April 1935 im Audimax der Universität München. Sie kursierte anschließend als Druckschrift und wurde in Exilzeitschriften, so in *Das Wort* (Moskau, Jg. 2, 1937, H. 4/5, S. 5-10 [die Rede ist dort datiert auf 1936]) und in den *Deutschen Blättern* (Santiago de Chile, Jg. 1, 1943, H. 6, S. 4-8), mit der Vorbemerkung veröffentlicht, Wiechert sei aus diesem Anlaß ins Konzentrationslager gekommen. Die *Deutschen Blätter* würdigten den Text als ein »Dokument aus dem innerdeutschen Freiheitskampf«. »Die konstruierte Überzeitlichkeit der Dichtung«, so Ralf Schnell in einer Interpretation der Rede, »die Faschismuskritik und der Kulturidealismus Wiecherts lassen ›Dichtung‹ und ›Zeit‹ als Dualismus erscheinen, als zwei heteronome Prinzipien, deren eines, die ›Dichtung‹, zeitlose Gültigkeit im Sinne Wiecherts beanspruchen kann, während das andere, die ›Zeit‹, den Vergänglichkeitscharakter der Tagesaktualität trägt. In dieser Interpretation liegt die antifaschistisch gemeinte und von Wiecherts Auditorium richtig verstandene Absage an die Erscheinungsformen faschistischer Herrschaft ebenso beschlossen wie die konservative Hoffnung auf die dauerhaften Wirkungen bürgerlichen Kulturerbes« (Schnell 1976, S. 60). Schnell weist gleichwohl darauf hin, daß die von Wiechert geforderte Trennung von Kunst und Politik nicht isoliert als politisches Bekenntnis zu deuten, sondern als Teil einer »programmatischen Poetik aufzufassen« sei, »die das Selbstverständnis des Autors vor dem Hintergrund seiner Werke skizziert« (ebd.).

Carossa] Der Arzt Hans Carossa (1878-1956), der von 1929 an als freier Schriftsteller in Seestetten bei Passau lebte, war in keiner Beziehung ein Anhänger der NS-Bewegung. Daher lehnte er 1933 auch die Aufnahme in die Preußische Dichterakademie ab. Seine humanistisch-weltbürgerlich begründete Kriegsgegnerschaft, wie sie in seiner Rede *Wirkungen Goethes in der Gegenwart* (1938) zum Ausdruck kam, stieß in NS-Kreisen auf Widerspruch. Nationalsozialistische Zeitschriften wie *Die Neue Literatur* oder die *Nationalsozialistischen Monatshefte* vereinnahmten ihn dennoch als »volkhaften« Autor. Carossa zeigte sich nachgiebig und beteiligte sich am NS-Kulturbetrieb. Er rechtfertigte dies später in seinem Buch *Ungleiche Welten* (Carossa 1951, S. 103-105) mit der sich dadurch ergebenden Möglichkeit, Verfolgten zu helfen. Zu seinem Verhalten während der NS-Zeit heißt es dort: »Der deutsche Dichter im gleichgeschalteten Staate war eine fragwürdige Gestalt geworden. Er mußte verstummen oder doch über sehr wesentliche Erscheinungen der Gegenwart hinwegschweigen« (ebd., S. 79).

Seinen »ursprüngliche[n] Vorsatz«, sich »abseits zu halten«, habe er aufgegeben und trotz allem nicht bereut, weil er sich nicht gänzlich zurückziehen, sondern Zweifelnden und Kritischen, dem »edleren geheimen Deutschland«, zur Seite stehen wollte (ebd., S. 60). Vgl. den biographischen Abriß mit weiterführenden Literaturangaben in Ehrke-Rotermund/Rotermund 1999, S. 227-232. Über eine persönliche Bekanntschaft zwischen Carossa und CZ ist nichts bekannt. In CZs Autobiographie wird Carossa nicht erwähnt.

Barlach] Der Bildhauer und Schriftsteller Ernst Barlach (1870-1938) wurde nach der »Machtergreifung« Hitlers in Deutschland als »entartet« angegriffen, hatte jedoch auch Fürsprecher. Während der Kreis um Alfred Rosenberg ihn entschieden ablehnte, setzten sich andere NS-Anhänger (etwa Otto Andreas Schreiber, ein Redakteur der Zeitschrift *Kunst der Nation*) für Barlachs Integration in den neuen Staat ein (vgl. Piper 1983, S. 14-17). Weil er wegen des Vorwurfs jüdischer Abstammung immer weniger Aufträge erhielt, veröffentlichte Barlach im Januar 1934 seinen »arischen« Stammbaum in den *Mecklenburgischen Monatsheften* (vgl. S. 320, Anm. zu *Einsatz für Ernst Barlach*). Dem Vorwurf des Kulturbolschewismus trat er mit der Unterzeichnung des *Aufrufs der Kulturschaffenden* im *Völkischen Beobachter*, Norddeutsche Ausgabe vom 18. August 1934, entgegen, der für die Zusammenlegung der Ämter des Reichspräsidenten und des Reichskanzlers plädierte (vgl. den Brief an Karl Barlach vom 31. August 1934, in Dross 1969, S. 490). Diese Zugeständnisse hatten nicht die erhoffte Wirkung. Von 1934 an wurden Werke Barlachs wiederholt zerstört oder aus Ausstellungen entfernt. Allein 1937 hat man etwa 400 Arbeiten beschlagnahmt. Im selben Jahr sind Werke Barlachs auch in der Ausstellung *Entartete Kunst* gezeigt worden, und man legte ihm den Austritt aus der Preußischen Akademie der Künste nahe (vgl. Piper 1983, S. 188). 1937 erhielt er Ausstellungs-, nicht aber Berufsverbot. Ernst Piper spricht in diesem Zusammenhang von einer Politik der Duldung, die er auf eine Protektion Barlachs durch künstlerisch aufgeschlossene Nationalsozialisten im Umfeld von Goebbels (der Barlach-Plastiken besaß) zurückführt (vgl. ebd., S. 19-24). Mit Barlachs plastischem Werk war CZ seit 1920 durch Vorträge von Wilhelm Fraenger in Heidelberg vertraut, für Barlachs dramatisches Werk setzte er sich 1922/23 während seiner Kieler Dramaturgenzeit ein (*Als wär's ein Stück von mir*, S. 350, 423, 427). Über eine persönliche Bekanntschaft ist nichts bekannt.

Heuser] Der Schriftsteller Kurt Heuser (1903-1975) lebte von 1926 bis 1931 als Baumwollpflanzer in Mozambique. 1928 veröffentlichte er im S. Fischer Verlag den vielbeachteten Novellenband *Elfenbein für Felicitas*. Bis 1933 folgten, ebenfalls bei S. Fischer, drei weitere Romane. 1931 gewann CZ ihn als Autor für eine Jugendbuchreihe, die er für den S. Fischer Verlag konzipierte, dann aber nicht realisiert werden konnte (vgl. Nickel/Weiß 1996, S. 227). Nach 1933 arbeitete Heuser ausschließlich als Autor für die Filmindustrie (u.a. *Rembrandt* [1942] und *Paracelsus* [1943]). Nach dem Zweiten Weltkrieg schrieb er das Drehbuch zur Verfilmung von CZs Erzählung *Die Fastnachtsbeichte* (1959), die 1960 in die Kinos kam. Wie ein im Nachlaß CZs überlieferter Postkartengruß (»von Steinbock zu Steinbock«) aus dem Jahr 1973 beweist, bestanden Kontakte zwischen CZ und Heuser bis in die letzten Lebensjahre.

Hauser] Der Schriftsteller und Journalist Heinrich Hauser (1901-1955) verfaßte Romane, Reiseberichte und Industriereportagen. Von 1925 an war er Mitarbeiter, von 1926 an Redakteur der *Frankfurter Zeitung*. Mit seinem 1928 erschienenen Roman *Brackwasser* erzielte er den literarischen Durchbruch; 1929 erhielt er den Gerhart-Hauptmann-Preis. »Wie die Reportagen«, so Gregor Streim, »strukturiert auch die Erzähltexte Hausers eine grundlegende Ambivalenz gegenüber der Technik. Während jene aber in ihrer Forderung nach einer Humanisierung der technischen Zivilisation eine eher fortschrittsfreundliche Tendenz aufweisen, ist das Verhältnis von Technik und Natur in diesen zumeist als unüberbrückbarer Antagonismus gestaltet. [...] Im Unterschied zu anderen Vertretern der Neuen Sachlichkeit fehlt bei Hauser [...] der Glaube an die prinzipiell reinigende Kraft des technischen Fortschritts. Und, was noch wichtiger ist: seine Reflexionen der technischen Modernisierung orientieren sich stets an den Fixpunkten von Rasse, Volk und Nation. [...] Schon die Reportagen aus den späten zwanziger Jahren sind von einem prinzipiellen Antiliberalismus und Nationalismus geprägt, die den Autor zunächst zum nationalrevolutionären Tat-Kreis und später in die Nähe des Nationalsozialismus führten« (Streim 1999 a, S. 377-379). 1939 emigrierte Hauser in die USA, weil er – wie Streim vermutet – »sich mit Fortdauer der NS-Herrschaft [...] in Deutschland zunehmend unwohl fühlte bzw. erkennen mußte, daß sich die reaktionär-moderne Utopie eines ›nationalen Pioniertums‹ im Dritten Reich nicht realisieren würde. Von dieser Position aus übte er dann in seinen amerikanischen Publikationen scharfe Kritik am Nationalsozialismus« (ebd., S. 398 f.). In seiner Reportage *Battle against Time* (New York 1939), einem Buch über die Entwicklung des nationalsozialistischen Deutschlands, versuchte er aber auch, um Verständnis für das deutsche

Volk zu werben (vgl. auch auf dieser Seite die Anm. zu *Apologie ...
veröffentlicht*). In *The German Talks Back* (New York 1945) verteidigte Hauser einen für die Mentalität des deutschen Volkes
charakteristischen »preußischen Geist«. Zugleich wandte er sich
scharf gegen eine »Knechtschaft« Deutschlands und zog Parallelen
zwischen dem ›Dritten Reich‹ und den USA. Vermutlich im November 1948 kehrte er nach Deutschland zurück. Ausschlag-
gebend für diese Entscheidung war wahrscheinlich das Angebot
Henry Nannens, am *Stern* mitzuarbeiten. Hauser wurde dann für
kurze Zeit (Februar bis Ende Mai 1949) Chefredakteur dieser
Zeitschrift, überwarf sich aber schnell mit Nannen. Über Kontakte zu CZ ist nichts bekannt. In CZs Autobiographie wird er
nicht erwähnt. Vgl. zu Hausers Biographie auch den Artikel von
Helen Adolf in Spalek/Strelka 1989, S. 321-341, Streim 1999 b, das
leider einige Fehler enthaltende Nachwort Walter Delabars in der
Neuauflage von Hausers 1929 erstmals veröffentlichtem Roman
Donner überm Meer (Delabar 2001) sowie die Dissertation von
Grith Graebner (Graebner 2001).

›Ein Mann lernt fliegen‹] Das Buch erschien 1933 bei S. Fischer,
Berlin, mit der gedruckten Widmung »Hermann Göring, dem ersten deutschen Luftfahrtminister, Sieg Heil!«

Apologie ... veröffentlicht] CZ bezieht sich auf Hausers Buch *Battle
against Time*, New York 1939. Hauser stellte darin das in seiner
Sicht vom Versailler Vertrag, der politischen und wirtschaftlichen
Inkompetenz der Weimarer Republik und der Immigration ost-
europäischer Juden schwer »bedrängte« deutsche Volk als von
Hitler »verführt« dar. Er verurteilte die Politik Hitlers, der mit
seinem Machtstreben die ökonomische Verelendung des ganzen
deutschen Volkes verursache, und gab seiner Hoffnung Ausdruck,
das nationalsozialistische Regime könne durch einen Volksaufstand
beseitigt werden.

Hausmann] Der Schriftsteller Manfred Hausmann (1898-1986) lebte
seit 1927 als freier Schriftsteller in dem Künstlerdorf Worpswede.
Er hatte in Bremen eine Kaufmannslehre absolviert und arbeitete
1924/25 als Feuilletonredakteur bei der Bremer *Weserzeitung*. Nach
ersten Novellen und Gedichten stellten sich große Erfolge mit seinen Romanen *Lampioon küßt Mädchen und kleine Birken* (1928)
und *Abel mit der Mundharmonika* (1932) ein. Von 1930 an war
Hausmann Autor des S. Fischer Verlags. Er veröffentlichte ein
umfangreiches Werk und publizierte auch in den Jahren 1933 bis
1945 uneingeschränkt. Unter dem Eindruck der Lektüre von Karl
Barth und Sören Kierkegaard wandte sich Hausmann 1933 dem

christlichen Existentialismus zu. Von 1929 bis 1933 und von 1945 bis 1950 gehörte er der SPD an. Das seit der Nachkriegszeit vorherrschende Bild des integren, zurückgezogenen Schriftstellers (vgl. die Biographie von Karlheinz Schauder [Schauder 1979], bes. S. 145-149) wurde mit dem Vorwurf kritisiert, Hausmann habe sich im ›Dritten Reich‹ opportunistisch verhalten (vgl. Strohmeyer 1999). So habe der freie Mitarbeiter der Wochenzeitung *Das Reich* beispielsweise an den von der Schrifttumsabteilung des Propagandaministeriums veranstalteten Großdeutschen Dichtertreffen in Weimar teilgenommen, was mit der angeblichen »Inneren Emigration« Hausmanns während des ›Dritten Reichs‹ nicht zu vereinbaren sei (ebd., S. 43-47). Hausmann setzte sich 1947 scharf mit Thomas Mann auseinander, dem er als Emigranten die Berechtigung zur Kritik an Deutschland absprach (ebd., S. 69-79 und Schauder 1979, S. 150-152). Von 1945 bis 1952 war Hausmann Schriftleiter beim *Weser-Kurier* und lebte seither in Bremen. Bei welcher Gelegenheit CZ ihn kennengelernt hat, konnte nicht ermittelt werden. In CZs Autobiographie wird er nicht erwähnt.

Hilpert] Der Schauspieler, Regisseur, Intendant Heinz Hilpert (1890-1967) war von 1919 bis 1925 an der Berliner Volksbühne engagiert, wurde 1926 Oberspielleiter am Deutschen Theater Berlin und 1932 Leiter der Berliner Volksbühne. 1934 übernahm er die Direktion des Deutschen Theaters Berlin. »Das«, so Alexander Weigel, »verbindet, ob gewollt oder nicht, Hilperts guten Namen nach außen hin mit dem Nazisystem. Es scheint aber auch, daß er abwartet, schwankt und sich in dieser Zeit Illusionen wie viele macht. Jedenfalls sieht das Verhältnis zu seinen Oberen mindestens bis 1937/38 dankbar und fast freundschaftlich aus, wie etwa ein Glückwunsch zu Goebbels' vierzigstem Geburtstag im Oktober 1937 voll so gewiß nicht erzwungener Lobhudelei zeigt« (Weigel 1999, S. 182). Dieser Geburtstagsbrief war jedoch, so vermutete jedenfalls Michael Dillmann, »eine offensichtliche kulturpolitische Prävention« (Dillmann 1990, S. 139). 1938 übernahm Hilpert neben dem Deutschen Theater auch die Leitung des Theaters in der Josefstadt in Wien. Am 20. August 1944 verfügte Goebbels die Schließung aller Theater. Im November wurde Hilpert zur Arbeit beim Rundfunkgerätehersteller Telefunken dienstverpflichtet. Nach dem Zweiten Weltkrieg engagierte ihn u.a. das Schauspielhaus Zürich, wo er bei der Uraufführung von CZs *Des Teufels General* am 14. Dezember 1946 Regie führte. 1947 entlasteten ihn Aussagen u.a. von Ernst Wiechert und CZ beim Wiesbadener Spruchkammerverfahren. 1947/48 war er Chefintendant der Städtischen Bühnen

Frankfurt, wo er erneut CZs *Des Teufels General* inszenierte (Premiere am 25. November 1947). Nach einem kurzen Intermezzo in Nürnberg übernahm er 1948 die Leitung des Deutschen Theaters in Konstanz. Von 1950 bis 1966 war er Direktor des Deutschen Theaters in Göttingen. – CZ und Hilpert hatten sich im Januar 1924 bei der deutschen Erstaufführung von Eugène O'Neills Drama *Kaiser Jones* an dem von Berthold Viertel geleiteten Kollektivtheater ›Die Truppe‹ kennengelernt. 1925 führte Hilpert erstmals bei einem Stück von CZ Regie, als er *Pankraz erwacht oder die Hinterwäldler* an der Jungen Bühne des Deutschen Theaters Berlin inszenierte. Damit begann eine lebenslange Freundschaft. Beide bearbeiteten gemeinsam Ernest Hemingways Roman *A Farewell to Arms* (dt.: *In einem anderen Land*) unter dem Titel *Kat* für die Bühne. Hilpert inszenierte insgesamt neun Uraufführungen von Stücken CZs. Vgl. auch von CZ: *Festrede zu Heinz Hilperts siebzigstem Geburtstag* (in Zuckmayer, *Aufruf zum Leben*, S. 145-162), *Heinz Hilpert zum 75. Geburtstag* (in *Frankfurter Allgemeine Zeitung* vom 1. März 1965), *Heinz Hilpert* (in *Die Zeit* [Hamburg] vom 1. Dezember 1967).

Möller oder S. Graff] Von Eberhard Wolfgang Möller (vgl. S. 239, Anm. zu *Möller*) wurde 1935 das Drama *Panamaskandal* unter der Regie von Heinz Hilpert aufgeführt (Premiere am 17. September 1935), von Sigmund Graff (vgl. S. 249, Anm. zu *Graff*) 1938 *Die einsame Tat* (Premiere am 18. März 1938), ebenfalls unter der Regie von Hilpert.

›Kulturnummer‹ des »Reich« im Frühsommer] Auf dem Spielplan 1942/43 des Deutschen Theaters, der in der Wochenzeitung *Das Reich* nicht ermittelt werden konnte, standen folgende Stücke: *Der arme Heinrich* von Gerhart Hauptmann, *Maria Magdalena* von Friedrich Hebbel, *Die Jungfrau von Orleans* von Friedrich Schiller, *Der Graf von Bréchard* von Giovacchino Forzano, *Was kam denn da ins Haus …?* von Félix Lope de Vega, *Die Petersburger Krönung* von Friedrich Wilhelm Hymmen, *Antonius und Cleopatra* von William Shakespeare, *Prinz Friedrich von Homburg* von Heinrich von Kleist, *Gudruns Tod* von Gerhard Schumann (vgl. Weigel 1999, S. 371).

Shakespeare] Shakespeare war mit 15 Werken Hilperts meistgespielter Dramatiker und galt, so Alexander Weigel, »wegen der intensiven deutschen Rezeptionsgeschichte quasi als deutscher Autor, wenigstens aber als ›germanisch‹ nach der Rasse, dessen Tragödien und Elfenwelten aus ›nordischer‹ Mythologie schöpfen und dessen Königsgestalten ›Heroismus und politisches Führertum‹ verkörpern.

›Wenn Shakespeare‹, so Reichsdramaturg Schlösser 1938, ›mit so offenen Armen in Deutschland empfangen wurde, dann deshalb, weil gar nicht daran zu zweifeln ist, daß ihn *Blutsbande* mit uns verbinden. Mit anderen Worten: wir erkennen in dem universalen dramatischen Schaffen von Shakespeare das gleiche rassische Grundelement des Nordischen, auf welches wir die Höchstwerte auch unseres eigenen Volkes zurückzuführen gelernt haben‹ (*Der deutsche Shakespeare*, in *Shakespeare-Jahrbuch*, Jg. 74, 1938, S. 20-30, hier: S. 23). 1940, als anläßlich von Shakespeares ›Richard II.‹ Zweifel aufkommen, ›ob im Kriege die Königshistorien besonders opportun seien‹, berichtete Schlösser an Goebbels nach der Premiere: ›Das Problem [...] kam meinem Gefühl nach gar nicht auf, weil Hilpert künstlerisch vertretbare Lichter aufsetzte, die das Ganze zu einer Art Charakteristik der angelsächsisch-plutokratischen Führungsschicht machten.‹« (Weigel 1999, S. 183). Allerdings durfte Shakespeare nach mehreren Auseinandersetzungen zwischen Schlösser und Goebbels 1940 und 1941 zeitweise nicht aufgeführt werden (vgl. dazu Dillmann 1990, S. 161 f.).

Shaw] Shaw war während Hilperts Intendanz am Deutschen Theater mit sechs Inszenierungen vertreten. CZ scheint unbekannt gewesen zu sein, daß Shaw im NS-Staat als Gegner der »britischen Plutokratie« und Weltmachtpolitik, wegen seiner *Heiligen Johanna* als kirchenkritisch und wegen seines *Kaisers von Amerika* als Kritiker der westlichen Demokratie geschätzt wurde.

Verheiratet] Ende der 1920er Jahre lernten sich Hilpert und Annelies Heuser, geb. Strauß, genannt Nuschka (1902-1963), in Berlin kennen. Eine Heirat mit ihr war in der NS-Zeit wegen ihrer jüdischen Herkunft unmöglich. Freunde Hilperts versteckten sie zunächst und verhalfen ihr schließlich im Juli 1943 zur Flucht in die Schweiz. Im November 1947 heirateten Hilpert und Annelies Heuser.

Sohn] Sven Hilpert (1914-1945), Hilperts Sohn aus erster Ehe, war Cellist im Orchester Wilhelm Furtwänglers. Als Mitglied eines Fallschirmjägerregiments der Wehrmacht fiel er während der Ardennenoffensive im Januar 1945.

Ibach] Der – so CZ in *Als wär's ein Stück von mir* (S. 93) – »in unsren Herzen verankerte« Alfred Ibach (1902-1948) war von 1925 an als Dramaturg am Stadttheater Frankfurt tätig. 1927 wurde er von Max Reinhardt an das Deutsche Theater engagiert. Dort wirkte er 1931 in einer Nebenrolle an der Uraufführung von CZs Hemingway-Bearbeitung *Kat* mit. Von 1932 an arbeitete er an der Berliner Volksbühne, von 1934 an erneut am Deutschen Theater Berlin. Wie Christian Strasser anhand der Gästemeldungen der Gemeinde

Henndorf ermitteln konnte, verbrachte Ibach »beispielsweise die Zeit zwischen dem 31. März und dem 15. April 1937 bei Carl Zuckmayer in dessen Wiesmühl« (Strasser 1996, S. 117). Er war ebenfalls in den Tagen vor dem »Anschluß« Österreichs bei CZ und begleitete ihn zum Zug, mit dem er nach Zürich flüchtete (ebd.). Am 10. Oktober 1938 schrieb Ibach Alice Zuckmayer, an die weitere 13 Briefe aus dem Jahr 1938 überliefert sind: »Ich bin zwar absolut nicht in der Lage, mein ›Verhalten‹ zu motivieren, *erlaube* mir aber trotzdem, ›beste Grüße zu senden‹. Herzlichst Ihr Alfred Ibach« (DLA, Nachlaß Alice Zuckmayer). Von 1937 an besaß Ibach einen Anteil am Verlag E.P. Tal, der nach dem Tod des jüdischen Verlagsgründers Ernst Peter Tal 1936 von dessen Ehefrau geleitet wurde. Ibach hatte auch ein Optionskaufrecht erworben, das er nach dem »Anschluß« ausübte und den Verlag damit »arisierte«. Von 1939 an führte er ihn unter dem Namen »Alfred Ibach Verlag« weiter (zur Geschichte des E.P. Tal-Verlags und Ibachs Rolle bei der »Arisierung« vgl. Hall 1985, Bd. 1, S. 409-414; Bd. 2, S. 415-437). 1938 übernahm Ibach die künstlerische Leitung des Wiener Theaters in der Josefstadt unter der Intendanz von Heinz Hilpert. 1943 veröffentlichte er eine Biographie Paula Wesselys (vgl. dazu Steiner 1996, S. 165-169). Unter der Intendanz von Rudolf Steinböck, der Hilpert 1945 ablöste, wurde Ibach stellvertretender Direktor und Chefdramaturg. 1947 gründete er mit Steinböck das »Filmstudio des Theaters in der Josefstadt«, das mit Ibachs Tod 1948 seine Arbeit einstellte. Bereits 1945 nahm CZ mit Ibach wieder Kontakt auf und korrespondierte mit ihm bis zu seinem Tod.

Schauspielerin] Konnte nicht ermittelt werden.

Mayer] Gustl Adele Mayer (1898-1983) war langjährige künstlerische Mitarbeiterin und persönliche Referentin von Max Reinhardt, 1932-1937 künstlerisches Direktionsmitglied am Deutschen Theater Berlin unter der Intendanz von Heinz Hilpert, 1938-1945 persönliche Referentin von Gustaf Gründgens am Staatstheater Berlin, 1946-1954 Beraterin des Chefs der Theater- und Musikabteilung der amerikanischen Botschaft in Wien, 1954/55 persönliche Referentin von Gründgens und Mitglied des künstlerischen Beirats des Düsseldorfer Schauspielhauses, von 1955-1963 Schauspieldirektorin am Deutschen Schauspielhaus in Hamburg unter der Intendanz von Gründgens. In CZs Nachlaß sind einige freundschaftliche Briefe, Karten und Telegramme Gustl Adele Mayers aus den Jahren 1945-1966 überliefert. In CZs Autobiographie wird sie nicht erwähnt.

Reinhardts] Max Reinhardt (1873-1943) übernahm 1905 nach seinen
Erfolgen als Schauspieler am Deutschen Theater Berlin und als
Leiter des 1901 von ihm mitbegründeten Kabaretts ›Schall und
Rauch‹ (von 1902 an: »Kleines Theater«) von Otto Brahm die Di-
rektion des Deutschen Theaters Berlin. Mit seinen vielbeachteten
Inszenierungen hatte er bald internationalen Erfolg. Er war Mit-
begründer der Salzburger Festspiele. 1918 kaufte er sich das bei
Salzburg gelegene Schloß Leopoldskron. Sein beruflicher Mittel-
punkt blieb aber weiterhin Berlin, wo er 1919 den umgebauten
Zirkus Schumann (den späteren Friedrichsstadt-Palast) als »Großes Schauspielhaus« eröffnete. 1920 legte er die Direktion seiner
Berliner Theater nieder und orientierte sich zunehmend nach
Wien. Dort pachtete er 1923 das Theater in der Josefstadt und
gründete 1928 eine Schauspiel- und Regieschule (an der CZ 1935-
1938 Seminare über Dramaturgie und Theatergeschichte abhielt).
Von 1924 an leitete Reinhardt auch wieder seine Berliner Bühnen.
1930 schrieb CZ zum 25jährigen Jubiläum des Deutschen Theaters
eine Hommage, die unter dem Titel *Der Zauberer* in der Zeitschrift *Der Neue Weg* veröffentlicht wurde (Jg. 59, 1930, Nr. 11,
S. 218). Reinhardt war zunächst als Regisseur für die Uraufführung des *Hauptmanns von Köpenick* vorgesehen, doch dieser Plan
zerschlug sich aus unbekannten Gründen (vgl. Nickel/Weiß 1996,
S. 186 f., 190). 1932 gab er endgültig die Verwaltung seines Theater-
konzerns auf. 1933 verließ er Berlin und lebte in Salzburg, wo ihn
CZ gelegentlich besuchte (vgl. ebd., S. 235). 1937 emigrierte er in
die USA. Zur Feier von Reinhardts 70. Geburtstag in New York
hielt CZ die Tischrede (abgedruckt in Zuckmayer, *Aufruf zum
Leben*, S. 139-144).

Kardinal Pfiffl] Friedrich Gustav Pfiffl (1864-1932) war von 1913 bis
zu seinem Tode Erzbischof von Wien. Der im Stift Klosterneuen-
burg ausgebildete Geistliche hing der christlichsozialen Bewegung
an und sah seine Aufgabe in der Verbesserung der katholischen
Sozialpolitik. Er hatte großen Einfluß auf die österr. Christlich-
soziale Partei. Pfiffl nutzte nach dem Zusammenbruch Österreichs seine Position, um auf die junge Republik stabilisierend zu
wirken (vgl. den biographischen Abriß von Erika Weinzierl-Fischer
[Weinzierl-Fischer 1956]). Über persönliche Kontakte zu CZ
konnte nichts ermittelt werden. In CZs Autobiographie wird er
nicht erwähnt.

Spinster-Typus] Spinster: ältliches Fräulein, alte Jungfer.

Schütte] Der Bühnenbildner Ernst Schütte (1890-1951), dessen
Name CZ aus der Darmstädter Kunstszene bekannt war (vgl. *Als*

wär's ein Stück von mir, S. 319), arbeitete von 1919 an in Hannover und Weimar. 1925 wurde er von Max Reinhardt als Ausstattungs-chef an das Deutsche Theater Berlin engagiert. Für die Urauffüh-rung von CZs und Heinz Hilperts Hemingway-Bearbeitung *Kat* am 1. September 1931 und die Uraufführung des *Hauptmanns von Köpenick* am 5. März 1931 (beide am Deutschen Theater Berlin) gestaltete er das Bühnenbild. Seit 1928 war er am Theater in der Josefstadt in Wien und von 1930 an bei den Salzburger Festspielen tätig. 1935 wurde der von seiner jüdischen Ehefrau getrennt lebende Schütte nach einer »Überprüfung« nicht mehr behelligt und durfte zwischen 1937 und 1939 mit einer »Sondergenehmigung« am Deutschen Theater unter Heinz Hilpert weiterarbeiten. Auch in der nachfolgenden Zeit erhielt er kein Arbeitsverbot (vgl. Dillmann 1990, S. 117 f. und Trapp 1999, Bd. 2/2, S. 851). Über eine Emigra-tion Schüttes konnte nichts ermittelt werden. Von 1945 bis zu seinem Tod war er Professor und Leiter der Klasse für Bühnenbildner an der Staatlichen Hochschule für bildende Künste in Berlin.

Grossindustriellen Schütte-Lanz] 1909 wurde in Mannheim-Rheinau die Gesellschaft »Luftschiffbau Lanz und Schütte« mit den Gesell-schaftern Karl Lanz (1873-1921) und Johann Schütte (1873-1940) gegründet. Sie entwickelte das dritte serienreife deutsche Luft-schiffsystem nach Graf Zeppelin (1900) und August von Parseval (1906). Über verwandtschaftliche Beziehungen Ernst Schüttes zu Johann Schütte konnte nichts ermittelt werden.

Er ist ... durchgesetzt] Schütte ließ sich trotz Trennung nicht von seiner Frau Erna, geb. Jonas, scheiden. Obwohl er damit rechtskräf-tig mit einer »Volljüdin« verheiratet war, gelang es ihm, regelmäßig »Sondergenehmigungen« zu erhalten. Die »Arierbestimmung« vom Juni 1934, welche Juden oder Ehepartnern von Juden am Deutschen Theater zu arbeiten verbot, betraf Schütte nicht, da er als Frontkämpfer des Ersten Weltkriegs von ihr ausgenommen wurde. Außerdem war seine Ehe vor dem Inkrafttreten des Gesetzes zur Wiederherstellung des Berufsbeamtentums vom 7. April 1933 geschlossen worden, weshalb die »Arierbestimmung« auf ihn eben-falls nicht angewendet werden konnte (vgl. Dillmann 1990, S. 117 f.).

Neher] CZ lernte den Bühnenbildner Caspar Neher (1897-1962) während seiner Dramaturgenzeit 1923/24 in München kennen (vgl. *Als wär's ein Stück von mir*, S. 442). Dort nahm Neher nach seinem erfolgreichen Debüt am Staatstheater Berlin 1923 ebenfalls Aufträge an. In den kommenden Jahren arbeitete er eng mit seinem Jugendfreund Bertolt Brecht und mit Regisseuren wie Erich Engel, Fritz Kortner, Leopold Jessner und Heinz Hilpert zusammen.

Von 1927 bis 1929 war er Ausstattungsleiter in Essen. 1929 gestaltete er das Bühnenbild für die Uraufführung von CZs Bearbeitung des von Erwin Piscator inszenierten Stücks *Rivalen* am Berliner Theater in der Königgrätzer Straße. In den folgenden Jahren arbeitete er an verschiedenen Berliner Bühnen, der Krolloper, der Städtischen Oper und dem Volkstheater, wo er das Bühnenbild zu Hilperts Inszenierung des *Schinderhannes* entwarf (Premiere am 20. Januar 1933). Neher war den Nationalsozialisten wegen seiner engen Zusammenarbeit u.a. mit Brecht und Kurt Weill verdächtig und erhielt 1933 vorübergehend Arbeitsverbot (vgl. Drewniak 1983, S. 53). Im Sommer 1933 hielt er sich auf Einladung von Weill und Brecht in Paris auf, wo er das Bühnenbild von deren Ballett *Die sieben Todsünden der Kleinbürger* gestaltete (vgl. den Abriß über Nehers Werk in Tretow/Gier 1997, S. 13-17). Von 1934 bis 1941 konnte er jedoch in Frankfurt am Main und bald auch wieder in Berlin am Deutschen Theater und in Wien seinen Beruf ausüben. Von 1946 bis 1949 war er am Zürcher Schauspielhaus engagiert. Hier gestaltete er die Bühnenbilder zur Uraufführung von CZs *Des Teufels General* am 14. Dezember 1946 und für die Inszenierung des *Hauptmanns von Köpenick* (Premiere am 18. Oktober 1947; vier Bühnenbildentwürfe sind abgedruckt in Nickel/Weiß 1996, S. 201 f.). Danach war er an verschiedenen Theatern in Berlin, München und Wien tätig und wirkte intensiv bei den Salzburger Festspielen mit.

Nachtrag] Ein Nachtrag ist nicht überliefert.

Ziegel] Der Schauspieler, Regisseur und Theaterleiter Erich Ziegel (1876-1950) gründete 1918 mit seiner Frau, der Schauspielerin Mirjam Horwitz (1882-1967), die Hamburger Kammerspiele, wo er 1923 u.a. Gustaf Gründgens als Schauspieler engagierte. Von 1926 bis 1928 leitete er das Deutsche Schauspielhaus, von 1928 bis 1932 die Kammerspiele im Lustspielhaus und von 1932 an die Kammerspiele im Thalia-Theater in Hamburg. 1934 emigrierte er mit seiner jüdischen, mit Auftrittsverbot belegten Frau nach Wien. Nach einer kurzen Zeit als Direktor der dortigen Kammerspiele wurde er 1936 von Gründgens an das Staatstheater Berlin geholt, wo er mit »Sondergenehmigung« der Reichskulturkammer arbeitete (vgl. Trapp 1999, Bd. 1, S. 122 f.; Bd. 2/2, S. 1050 f.). Von 1944 an leitete das Ehepaar bis zu Ziegels Tod »Die Insel« in der Komödie in Wien.

Bassermann] Der Schauspieler Albert Bassermann (1867-1952) arbeitete von 1900 bis 1915 bei Otto Brahm bzw. Max Reinhardt am Deutschen Theater sowie am Lessingtheater in Berlin und wirkte seit 1913 in zahlreichen Filmen mit. Danach übernahm er ohne

Festanstellung Engagements an verschiedenen Bühnen. Am Lessingtheater spielte er bei der Uraufführung von CZs *Katharina Knie*
am 21. Dezember 1928 den Vater Knie. In dieser Rolle trat er auch
am 4. September 1934 in Zürich bei einer Inszenierung des Stücks
auf, die Ferdinand Rieser, der damalige Direktor und Besitzer des
Schauspielhauses im Viermastzelt des Zirkus Knie aufführen ließ
(vgl. *Als wär's ein Stück von mir*, S. 119). Bassermann, den man »mit
allen möglichen Versprechungen hatte in Berlin halten wollen«
(ebd., S. 119), lebte seit den 1920er Jahren in der Schweiz. Bei der
Aufführung von Hanns Johsts Drama *Schlageter* anläßlich von
Hitlers Geburtstag am 20. April 1933 trat er im Staatstheater Berlin
auf. Am 31. März 1934 erklärte er jedoch seinen Austritt aus der
›Genossenschaft deutscher Bühnenangehöriger‹, da ein geplantes
Gastspiel in Leipzig wegen der jüdischen Herkunft seiner Frau
untersagt worden war. Im April 1939 reiste er mit einer nur acht
Monate gültigen Aufenthaltserlaubnis in die USA. Nach seinem
ersten amerikanischen Film *Dr. Ehlichs Bullet* mußte er das Land
wieder verlassen, konnte dann aber nach einem Zwangsaufenthalt
in Mexiko mit Hilfe von Freunden in die USA zurückkehren (vgl.
dazu die Dokumente in Städt. Reiß-Museum 1987, S. 25 f.), wo
er, »von seiner Frau Else abgehört, wie ein fleißiger Schulknabe
Englisch lernte, das dann in seinem Mund genauso mannheime-
risch klang wie sein Deutsch« (*Als wär's ein Stück von mir*, S. 565).
Bassermann hatte in den USA als Filmschauspieler dennoch großen Erfolg. 1941 spielte er, der »größte[] Schauspieler der älteren
Generation« (ebd., S. 505), in Richard Oswalds amerikanischem
Remake des Films *Der Hauptmann von Köpenick* die Hauptrolle.
1946 übersiedelte er in die Schweiz.

Falckenberg's] Otto Falckenberg (1873–1947) versuchte sich zunächst als freier Schriftsteller und als Kabarettist bei den »Elf
Scharfrichtern« in München. 1914 wurde er von Erich Ziegel als
Dramaturg an die Münchener Kammerspiele engagiert und leitete
diese von 1917 bis 1944. Dort war CZ 1923/24 zusammen mit Bertolt Brecht als Dramaturg beschäftigt. 1926 inszenierte Falckenberg
die Münchener Erstaufführung von CZs *Fröhlichem Weinberg*, bei
der es zu lautstarken Protesten kam (vgl. *Als wär's ein Stück von
mir*, S. 484, sowie Glauert 1977, S. 47-59). 1933 wurde Falckenberg
irrtümlich der sowjetischen Spionage verdächtigt, verhaftet, zwei
Tage festgehalten, dann aber wieder freigelassen (vgl. Petzet 1973,
S. 253). Er leitete weiterhin die Münchener Kammerspiele, blieb
den Nationalsozialisten aber wegen seiner Zusammenarbeit mit
Juden und Autoren wie Brecht in den 1920er Jahren suspekt. 1937

wurde er als »kulturpolitisch unzuverlässig« eingestuft (vgl. Drewniak 1983, S. 147). Falckenberg verhielt sich dem Nationalsozialismus gegenüber indifferent und behauptete seine Eigenständigkeit
als Theaterleiter durch regelmäßige Gesten des Nachgebens, wie
beispielsweise im Mai 1936 durch die Aufführung von Eberhard
Wolfgang Möllers antisemitischem Stück *Rothschild siegt bei
Waterloo.* »Im Rahmen der bestehenden Möglichkeiten«, so Drewniak, »[...] machte Falckenberg in München ein gutes Theater«
(Drewniak 1983, S. 62). 1945 erhielt er von der amerikanischen
Besatzungsbehörde Inszenierungsverbot. 1947 wurde er rehabilitiert. Über Kontakte von CZ und Falckenberg nach dem Zweiten
Weltkrieg konnte nichts ermittelt werden.

›*Kultur*‹-*Organisationen*] Als »Annexion durch Anerkennung« bezeichnet Friederike Euler die öffentliche Auszeichnung Falcken-
bergs im ›Dritten Reich‹ (vgl. Euler 1979, S. 91-173). 1939 wurde
Falckenberg anläßlich seines 25jährigen Bühnenjubiläums mit einer
Festwoche geehrt und mit Glückwünschen von Goebbels, Reichsdramaturg Rainer Schlösser und anderen Nazi-Größen bedacht
(vgl. ebd., S. 156). Im selben Jahr erhielt er die Goethe-Medaille und
wurde mit dem Titel Staatsschauspieldirektor ausgezeichnet (ebd.,
S. 157). 1943 ist ihm im Rahmen einer Otto-Falckenberg-Woche
auf Vorschlag von Goebbels der Titel Professor verliehen worden.

den Sechzig nähern] 1943 feierte Falckenberg bereits seinen 70. Geburtstag.

Nüchtern] Der österr. Journalist und Schriftsteller Hans Nüchtern
(1896-1962) wurde 1924 Direktor der literarischen Abteilung der
österr. Rundfunkanstalt RAVAG und lehrte an der Akademie für
Kunst und darstellende Künste in Wien und am Max-Reinhardt-
Seminar Rundfunksprechen und Radioregie. Von 1930 bis 1938
war er Präsident der Deutsch-österreichischen Schriftstellergenossen-
schaft, in die nur »Arier« aufgenommen wurden; nach dem »Anschluß« Österreichs an das Deutsche Reich wurde sie aufgelöst.
Als einen vom Katholizismus geprägten »nationalen« Autor hat
man ihn bis 1938 zu Treffen nationalsozialistischer Autoren eingeladen, jedoch nicht für eine Mitarbeit gewinnen können (vgl. Renner 1986, S. 227). In einem Beitrag für die *Deutsch-österreichische
Literaturgeschichte* (Nagl/Zeidler/Castle 1937, Bd. 4, S. 2269)
rechnet ihn der nationalsozialistische Bibliothekar Karl Wache zu
einer Gruppe von Schriftstellern, von der »sich eine klare Wesen-
heit ihres Schaffens kaum erkennen läßt. Bald tritt die Landschaft,
bald die betonte Gläubigkeit, bald wieder Deutschheit oder be-
tontes Österreichertum, bald wieder Menschlichkeit oder reines

Artistentum, bald Naturalismus, bald Romantik, bald Klassizismus in ihren Werken zutage.« Für den NS-Parteigänger Max Stebich war Nüchtern eindeutig ein »Schriftsteller der Systemzeit« (vgl. Renner 1986, S. 283). Während der NS-Zeit schrieb Nüchtern u.a. unter Pseudonym Drehbücher für die Filmgesellschaft Tobis. 1945 berief man ihn zum stellvertretenden Abteilungsdirektor beim Berliner Rundfunk, 1946 übernahm er erneut die Leitung der RAVAG. Über Kontakte zu CZ konnte nichts ermittelt werden. In CZs Autobiographie wird er nicht erwähnt.

Dollfuss] Der österr. Politiker Engelbert Dollfuß (1892-1934) war von 1931 an Landwirtschaftsminister in verschiedenen Kabinetten und wurde 1932 Bundeskanzler. Unter seiner Regierung fand der Umbau Österreichs zum autoritär-restaurativen Ständestaat statt, der mit der Ausschaltung des Parlaments 1933 begann und mit der Verfassung vom Mai 1934 endete. Seine Politik während des Februaraufstand 1934 führte zu blutigen Kämpfen und zum Verbot der Sozialdemokratischen Partei. Am 25. Juli 1934 wurde Dollfuß bei einem Putschversuch der Nationalsozialisten erschossen. Seine austrofaschistische Politik beurteilte CZ in seiner Autobiographie relativ positiv: »Die staatsmännische Klugheit, mit welcher der an Gestalt kleine Kanzler Dollfuß, nach ›Wiederherstellung der Ordnung‹, ausländische Beziehungen pflegte und im Inland eine Befriedungspolitik versuchte, ließ das ›neue Regime‹ in einem freundlichen Licht erscheinen – wenn es auch eine, österreichisch gemilderte und keineswegs terroristische, Spielart des Faschismus bedeutete« (*Als wär's ein Stück von mir*, S. 28 f.). Zur unterschiedlichen Einschätzung von CZs Bewertung des von Dollfuß proklamierten Ständestaats vgl. Nickel 1998, Rotermund 1998 und Massoth 1999, S. 435 f., 441 f.

Schuschnigg] Der österr. Politiker Kurt von Schuschnigg (1897-1977) war von 1932 an im Kabinett Karl Buresch, dann im Kabinett Dollfuß Justizminister und später zusätzlich Unterrichtsminister. Unter Dollfuß' Regierung hatte Schuschnigg großen Anteil an der Ausschaltung des Parlaments und am Aufbau des Ständestaats. Nach der Ermordung von Dollfuß wurde Schuschnigg Kanzler, setzte den von Dollfuß eingeschlagenen politischen Weg fort und verfolgte mit Hilfe der ›Vaterländischen Front‹ einen autoritären Regierungskurs. Gleichzeitig führte die von Schuschnigg versuchte Verständigung mit Hitler gezwungenermaßen immer stärker zu einer Ausrichtung Österreichs am Deutschen Reich und zu einer internationalen Isolierung. Auf den zunehmenden Druck Hitlers hin setzte Schuschnigg für den 13. März 1938 eine Volksbefragung über die Unabhängigkeit Österreichs vom Deutschen Reich an. Durch den Einmarsch deutscher Truppen am 12. März 1938 wurde diese Befragung obsolet. In seiner Abschiedsrede im Rundfunk hatte Schuschnigg den Österreichern empfohlen, den Nationalsozialisten keinen Widerstand entgegenzusetzen. Danach wurde er unter bevorzugter Behandlung bis 1945 in verschiedenen Konzentrationslagern gefangengehalten. 1947 ging er in die USA und lehrte dort als Professor für Rechtswissenschaften. 1967 kehrte er nach Österreich zurück. Zur Biographie vgl. Hopfgartner 1989. In seiner Autobiographie schrieb CZ zur Politik Schuschniggs: »[...] für die Flüchtlinge aus Hitlerdeutschland schien dieses ›unabhängige Österreich‹ das kleinere Übel zu sein – und später, unter dem klugen und liberalen Kurt von Schuschnigg, der eine ›Öffnung nach links‹ anbahnte, sogar eine Möglichkeit, wieder zu demokratischen Verwaltungsformen überzugehen, die keineswegs völlig ausgeschaltet waren« (*Als wär's ein Stück von mir*, S. 29).

Buschbeck] Der Dramaturg und Schriftsteller Erhard Buschbeck (1889-1960) war vor dem Ersten Weltkrieg ein enger Freund des Lyrikers Georg Trakl, dessen Gedichte er später veröffentlichte (*Aus goldenem Kelch*, Salzburg 1939). 1912/13 war er Mitherausgeber der expressionistischen Zeitschrift *Der Ruf*. Von 1911 bis 1913 stand er dem Akademischen Verband für Literatur und Musik in Wien vor. 1918 wurde er von Hermann Bahr als Dramaturg ans Wiener Burgtheater engagiert. In verschiedenen Positionen, als artistischer Sekretär, Chefdramaturg und stellvertretender Direktor, blieb er dort bis zu seinem Tod. Von 1929 bis 1931 lehrte er als Professor am Reinhardt-Seminar. Von 1934 bis zur Auflösung 1939 war Buschbeck zweiter Vorsitzender des Schutzverbandes deutscher Schriftsteller in Österreich, in dessen Vorstand CZ 1936 mitarbeitete (vgl. Hall 1977, S. 213; E. Fischer 1980, S. 291). Nach dem »Anschluß« Österreichs blieb Buschbeck unter der Leitung der NSDAP-Mitglieder Mirko Jelusich (1938) und Lothar Müthel (1939-1945) in seiner Position. Von März bis Oktober 1948 und von Juni bis August 1954 leitete er das Theater als interimistischer Direktor. Unter seiner Direktion kam es am 12. September 1948 am Burgtheater zur Aufführung von CZs Stück *Des Teufels General* (Regie: Max Paulsen), von dessen Erfolg er CZ in einem Telegramm vom 14. September und einem Brief vom 18. September 1948 berichtete (DLA, Nachlaß CZ). CZ steuerte zu einem posthumen Gedenkbuch für Buschbeck ein Vorwort mit dem Titel *Bekränzter Hügel* bei (Tobisch 1962, S. 7-11). In CZs Autobiographie wird er nicht erwähnt.

Herterich] Vgl. S. 395 f., Anm. zu *Herterich*.

Wildgans] Der österr. Dramatiker und Jurist Anton Wildgans (1881-1932) wurde 1921 zum Direktor des Wiener Burgtheaters berufen, das er 1922 nach heftigen Auseinandersetzungen mit der Theaterverwaltung wieder verließ. Von 1930 bis Ende 1931 war er noch ein zweites Mal Burgtheater-Direktor (vgl. Hadriga 1989, S. 47-54 und 93-107). Über persönliche Kontakte zu CZ konnte nichts ermittelt werden. In CZs Autobiographie wird er nicht erwähnt.

Röbbeling] Vgl. S. 394 f., Anm. zu *Röbbeling*.

Dorsch] Die Schauspielerin Käthe Dorsch (1890-1957) begann ihre Karriere 1909 als Opernsoubrette am Stadttheater Mainz, wo CZ sie als Schüler bewunderte (vgl. *Als wär's ein Stück von mir*, S. 200). Von 1917 an war sie mit Hermann Göring eng befreundet, bis sie in Berlin ihren späteren Ehemann Harry Liedtke kennenlernte (vgl. Riess 1987, S. 172 f.). Göring blieb ihr jedoch zeit seines Lebens verbunden, was Käthe Dorsch – wie eine Reihe von Zeitzeugen bestätigt haben – während der NS-Zeit erfolgreich nutzte, um verfolgten Freunden und Kollegen zu helfen (vgl. ebd., S. 172-174; Melchinger 1966, S. 217; von Meyerinck 1967, S. 172). Nach 1919 war sie an verschiedenen Berliner Theatern engagiert. Bei der Uraufführung von CZs *Schinderhannes* am 14. Oktober 1927 am Berliner Lessingtheater spielte sie das Julchen. »Von ihr«, so charakterisierte CZ es in seiner Autobiographie, »ging all das aus und durch sie wurde alles erfüllt, was mir von einer Menschengestalt auf dem Theater vorgeschwebt hatte – ihr Spiel war Volkslied und Kunstmusik zugleich, unwiderstehlich in Einfalt und Virtuosität. Dazu kam ein fraulicher Liebreiz, der sich mit einem Pandämonium an Temperament und Theaterblut verband. Ich weiß keine heutige Schauspielerin, mit der man sie vergleichen könnte« (*Als wär's ein Stück von mir*, S. 494). Um 1928, so berichtet es Albrecht Joseph, hatte CZ wegen einer Liaison mit ihr für kurze Zeit seine Ehefrau verlassen und sich eine kleine Wohnung gepachtet (vgl. Joseph 1993, S. 101-104). Am 1. September 1931 spielte Käthe Dorsch die Hauptrolle bei der Uraufführung von CZs und Heinz Hilperts Hemingway-Bearbeitung *Kat* am Deutschen Theater Berlin, die hauptsächlich deshalb entstanden war, weil sie diese Rolle spielen wollte (vgl. *Als wär's ein Stück von mir*, S. 523). 1938 setzte sie sich vergeblich für CZ bei den nationalsozialistischen Machthabern ein (vgl. Nickel/Weiß 1996, S. 260 f.). In der NS-Zeit war sie die höchstbezahlte Schauspielerin. So betrug ihre Jahreseinnahme 1936 152.700 RM (vgl. Drewniak 1983, S. 48, 149, 152).

1939 wurde sie Kammerschauspielerin am Wiener Burgtheater, spielte daneben aber weiterhin in Berlin und wirkte an einer Reihe von Filmen mit. Über Kontakte zwischen CZ und Käthe Dorsch nach dem Zweiten Weltkrieg ist nichts bekannt.

Weinkrampf] Vgl. auch CZs Schilderung einer Begegnung mit Käthe Dorsch in Berlin 1935 oder 1936, bei der sie zu ihm gesagt haben soll: »Wenn sie dich hopp nehmen, dann lauf ich zu Göring [...] und heule so lang, bis sie dich wieder rauslassen.« »Aber«, so CZ weiter, »ich war mir der Wirksamkeit ihrer Tränen, obwohl sie oft Gefängnistüren aufgetaut hatten, nicht ganz sicher« (*Als wär's ein Stück von mir*, S. 56).

Wessely] Die Schauspielerin Paula Wessely (1907-2000) begann ihre Karriere am Deutschen Volkstheater in Wien und in Prag. Von 1929 an war sie am Theater in der Josefstadt in Wien und von 1932 an auch am Deutschen Theater Berlin engagiert. Sie wirkte bei der österr. Erstaufführung von CZs *Fröhlichem Weinberg* am 16. März 1926 am Raimundtheater mit und war 1938 für die weibliche Hauptrolle bei der nach dem »Anschluß« Österreichs vom Spielplan wieder abgesetzten Wiener Uraufführung von CZs *Bellman* vorgesehen (vgl. *Als wär's ein Stück von mir*, S. 83). Unter Max Reinhardt nahm sie mehrmals an den Salzburger Festspielen teil. Als populäre Schauspielerin, die auch in zahlreichen Filmen große Rollen spielte, wurde sie von den Nationalsozialisten erfolgreich umworben. So unterzeichnete sie 1938 den Aufruf *Künstler bekennen sich zur Heimkehr ins Reich*, der für die Vereinigung Deutschlands und Österreichs plädierte (veröffentlicht am 7. April 1938 im *Neuen Wiener Tagblatt*, vgl. Steiner 1996, S. 92 f.). Von 1939 bis 1944 beteiligte sie sich an mehreren Filmen, in denen Frauenliebe und Opferbereitschaft propagiert wurde und die als NS-ideologisch interpretiert werden können (vgl. ebd., S. 110-114). Sie wurden 1945 von der Alliierten Militärregierung verboten. Der Film *Heimkehr* etwa (1941, Regie: Gustav Ucicky) rechtfertigt den deutschen Angriff auf Polen von 1939 als Reaktion zum Schutz der deutschen Minderheiten in Folge polnischer Provokationen (vgl. ebd., S. 121-127; Rathkolb 1991, S. 242 und 263-265). Zugleich setzte Paula Wessely sich jedoch mit ihrem Ehemann Attila Hörbiger für verfolgte Kollegen und Freunde ein, so u.a. für Ernst Lothar (1890-1974), den Direktor des Theaters in der Josefstadt, für den Schauspieler Hans Jaray (1906-1990), der ebenfalls am Theater in der Josefstadt engagiert war, und für Paul Kalbeck (1884-1949), Regisseur am selben Theater (vgl. Steiner 1996, S. 84-92). Nach dem Zweiten Weltkrieg konnte Paula Wessely ihre Karriere ungebrochen fortsetzen. Mit CZ und seiner Frau Alice verband sie in dieser Zeit eine sehr enge Freundschaft (Auskunft von Maria Guttenbrunner). In der Spielzeit 1949/50 übernahm sie die Hauptrolle in der Aufführung von CZs *Barbara Blomberg* am Theater in der Josefstadt (Regie: Rudolf Steinböck). Von 1953 bis 2000 war sie am Wiener Burgtheater engagiert, wo sie 1961 unter der Regie von Heinz Hilpert die Rolle der Gudula Holtermann bei der Uraufführung von CZs *Die Uhr schlägt eins* übernahm. Ein Brief von Paula Wessely an CZ vom Dezember 1976 wurde in den *Blättern der Carl-Zuckmayer-Gesellschaft*, Jg. 4, H. 4, S. 127 f. veröffentlicht.

Hörbiger] Der Schauspieler Attila Hörbiger (1896-1987) war von 1928 bis 1950 am Theater in der Josefstadt in Wien und von 1933 bis 1944 zugleich am Deutschen Theater Berlin engagiert. 1934 behauptete Hörbiger in seinem Aufnahmeantrag in die Reichsfachschaft Film, von 1933 an illegales Parteimitglied der in Österreich verbotenen NSDAP gewesen zu sein. Offizielles Parteimitglied wurde er allerdings erst 1941 (vgl. Rathkolb 1991, S. 241). Wie seine Ehefrau Paula Wessely wirkte er zwischen 1939 und 1941 in mehreren Filmen mit, die die nationalsozialistische Ideologie propagierten (vgl. ebd., S. 242 f.). Er gehörte zu den Schauspielern, die in Gustav Ucickys Propagandafilm *Heimkehr* zu sehen waren. Von einer Reihe vom NS-Regime verfolgter Kollegen wurde Hörbiger jedoch Integrität und Solidarität mit jüdischen Künstlern bestätigt (vgl. Steiner 1996, S. 46 f.). Gemeinsam mit seiner Frau verhalf er Hans Jaray, Paul Kalbeck und Ernst Lothar zur Flucht (vgl. ebd., S. 84-92, und Lothar 1960, S. 110). – 1931 spielte Hörbiger bei der Uraufführung von CZs Hemingway-Bearbeitung *Kat* im Deutschen Theater Berlin die Rolle des Stabsarztes Rinaldi. Anfang 1933 übernahm er die Hauptrolle in einer Neuinszenierung des *Schinderhannes* unter der Regie von Heinz Hilpert an der Freien Volksbühne Berlin (Premiere am 23. Januar 1933; vgl. *Als wär's ein Stück von mir*, S. 83). 1938 sollte er auch eine Rolle bei der nach dem »Anschluß« Österreichs vom Spielplan wieder abgesetzten Wiener Uraufführung von CZs *Bellman* übernehmen (vgl. ebd.). Über weitere Kontakte Hörbigers zu CZ konnte nichts ermittelt werden.

Horney] Die Schauspielerin Brigitte Horney (1911-1988) wurde an der Schauspielschule des Deutschen Theaters Berlin ausgebildet, wo sie 1930 den Max-Reinhardt-Preis erhielt. Danach war sie kurze Zeit am Theater in Würzburg, dann wieder am Deutschen Theater Berlin engagiert, wo sie am 1. September 1931 die Rolle der Miß Ferguson bei der Uraufführung von CZs und Heinz Hilperts

Hemingway-Bearbeitung *Kat* spielte. Von 1932 bis 1934 gehörte sie zum Ensemble der Berliner Volksbühne. Von 1934 an widmete sie sich vorrangig der bereits 1930 aufgenommenen Filmarbeit. 1936/37 lebte sie in London, wo sie zwei Filme drehte. Sie sprach fließend Englisch, das sie durch ihre Gouvernante gelernt hatte (vgl. Horney 1992, S. 58). Zu ihrer Rückkehr nach Deutschland befragt, äußerte sie in ihren Erinnerungen: »Ich bekam in England kaum mehr Rollen, weil meine jüdischen Kollegen herüberkamen und natürlich zuerst beschäftigt werden mußten. Und schließlich war ja Deutschland meine Heimat! [...] Ich hatte das Theater, ich hatte Heinz Hilpert, und so einen Theatermann gab es doch nirgends in der Welt. Ich fand ihn – wenn möglich – genauso bedeutend wie Reinhardt. [...] Und dann hatte ich ja meine Freunde und die schönen Filme, die man mir in Deutschland angeboten hatte. Warum sollte ich also nicht zurück?« (ebd., S. 66 f.). Horney verkörperte in zahlreichen Filmrollen das Bild der charakterstarken, eigenständigen Frau. »Staatspolitisch wertvoll« wirkte sie 1940 in dem Film *Feinde* mit (Regie: Viktor Tourjanski), der die »Not der Volksdeutschen« in Polen vor dem deutschen Angriff darstellte (vgl. Drewniak 1987, S. 319 f.). Gleichzeitig scheute sie keine Parteinahme für verfolgte Kollegen. Am Begräbnis ihres Filmpartners, des Schauspielers Joachim Gottschalk, der sich 1941 wegen der Verfolgung seiner jüdischen Frau mit seiner Familie umgebracht hatte, nahm sie trotz Verbots des Propagandaministeriums teil (vgl. Wulf 1989, Bd. 4, S. 436). Von 1943 an hielt sich Horney krankheitshalber in der Schweiz auf. Von 1946 bis 1949 spielte sie am Schauspielhaus Zürich sowie am Stadttheater Chur und Basel. 1951 zog sie in die USA, trat jedoch noch in zahlreichen Theater- und Filmrollen in Deutschland auf, etwa in der Hauptrolle bei der Uraufführung von CZs *Ulla Winblad oder Musik und Leben des Carl Michael Bellman* am 17. Oktober 1953 am Deutschen Theater Göttingen. Mit CZ und seiner Frau verband sie nach dem Zweiten Weltkrieg eine sehr innige Freundschaft (Auskunft Maria Guttenbrunner). In CZs Autobiographie wird sie nicht erwähnt.

Mardayn] Die österr. Sängerin und Schauspielerin Christl Mardayn (1896-1971) begann ihre Karriere als Opernsoubrette an der Wiener Volksoper. Anschließend trat sie in verschiedenen Musikkomödien am Raimundtheater auf. Sie spielte bei Max Reinhardt in Berlin und Wien, nach dessen Emigration nur noch am Theater in der Josefstadt und am Wiener Volkstheater. In erster Ehe war sie mit Hans Thimig (vgl. S. 230, Anm. zu *Hans*) verheiratet. Seit 1930 wirkte sie in verschiedenen Unterhaltungsfilmen mit. Großen

Erfolg hatte sie in der Rolle der Wirtin in *Im weißen Rössl* (1935). Über einen Versuch Mardayns, in England Fuß zu fassen, konnte nichts ermittelt werden. Über Kontakte zu CZ ist nichts bekannt. In CZs Autobiographie wird sie nicht erwähnt.

Seidler] Die österr. Schauspielerin Alma Seidler (1899-1977) war von 1918 an am Burgtheater Wien engagiert und blieb dort zeitlebens. Sie war mit dem Burgtheaterschauspieler Karl Eidlitz (1894-1981) verheiratet, der 1938 wegen seiner jüdischen Herkunft in die Schweiz emigrierte. Seidler, die sich von Eidlitz nicht scheiden ließ, blieb mit einer »Sondergenehmigung« der Reichskulturkammer am Burgtheater beschäftigt (vgl. Rathkolb 1991, S. 154 f.). 1945 kehrte ihr Mann zu ihr ans Burgtheater zurück. Ihr damaliger Kollege, der 1939 emigrierte Schauspieler Ernst Haeusserman, beschreibt Alma Seidler in der Zeit des ›Dritten Reichs‹ als »ein Symbol leiser, lauterer österreichischer Gesinnung« (Haeusserman 1975, S. 90).

Kramer] Die Schauspielerin Maria Kramer (1906-1980) gehörte von 1928 bis 1958 dem Wiener Burgtheater als Kammerschauspielerin an. Über ihre Haltung während der Zeit des Nationalsozialismus konnte nichts ermittelt werden.

Wiesenthal] Die österr. Tänzerin, Choreographin und Schauspielerin Grete Wiesenthal (1886-1970) war mit Hofmannsthal befreundet, der für sie die Pantomimen *Amor und Psyche* und *Das fremde Mädchen* schrieb. Hofmannsthal war es auch, der Max Reinhardt auf Grete Wiesenthal aufmerksam machte und so dessen Zusammenarbeit mit der Tänzerin von 1909 an initiierte (vgl. Witzmann 1985). Von 1919 an leitete sie ihre eigene Tanzschule in Wien. Von 1930 bis 1952 was sie als Choreographin bei den Salzburger Festspielen beschäftigt. Von 1934 bis 1952 unterrichtete sie auch an der Wiener Akademie für Musik und darstellende Kunst, die sie von 1945 bis 1952 leitete. In der Zeit des Nationalsozialismus, so Milan Dubrovic (Dubrovic 1985 a), habe Wiesenthal einen Kreis von Kritikern am NS-Staat um sich geschart, unter ihnen bis 1938 auch CZ. Im Januar 1946 nahm CZ mit ihr brieflich Kontakt auf. Vermutlich sahen sich beide noch im selben Monat wieder, als CZ sich für die amerikanische Militärregierung einen Eindruck von der Lage der Theater in Wien verschaffte. Danach blieben sie in ständiger Verbindung, wodurch sich u.a. ergab, daß Grete Wiesenthal 1957/58 CZ und Reinhold Schneider miteinander bekannt machte. »Wie dankbar bin ich Dir«, schrieb CZ ihr am 9. November 1958, »dass Du diese Begegnung geschaffen hast – dass ich diesen einmaligen und einzigartigen Menschen noch kennen durfte« (Kopie im DLA, Nachlaß CZ; vgl. auch R. Schneider 1958, S. 78 f.). Zwei

Briefe CZs aus den Jahren 1939 und 1958 an Grete Wiesenthal wurden abgedruckt in Fiedler/Lang 1985, S. 164-169. CZs Nachlaß enthält Kopien seiner Briefe an Grete Wiesenthal aus den Jahren 1934-1939 und 1956-1970 sowie Briefe von ihr an CZ aus den Jahren 1938/39 und 1946-1969. Vgl. auch CZs Erwähnungen Grete Wiesenthals in *Als wär's ein Stück von mir*, S. 69 und 92.

Einzelschülerinnen] An den Gesellschaften in Wiesenthals Salon, der ein »Refugium für Verfolgte und Gefährdete« darstellte (vgl. Dubrovic 1985 a, S. 33), nahmen immer auch ihre Schülerinnen teil (vgl. Langer 1985, S. 28). Namen der Schülerinnen von Grete Wiesenthal konnten nicht ermittelt werden.

Müller] Die Schauspielerin Gerda Müller (1894-1951) wurde an der Max-Reinhardt-Schule des Deutschen Theaters in Berlin ausgebildet und war von 1917 bis 1922 am Schauspielhaus Frankfurt engagiert. Dort machte sie sich um den »Frankfurter Expressionismus« verdient und begeisterte auch CZ. 1922 sah er sie in der Inszenierung von Arnolt Bronnens Drama *Vatermord*, die er in der Zeitschrift *Die neue Schaubühne* besprochen hat (›*Vatermord*‹, *Schauspiel von Arnolt Bronnen*, in: *Die neue Schaubühne*, Jg. 4, 1922, S. 149-151; jetzt in Zuckmayer, *Aufruf zum Leben*, S. 103-106). Über Gerda Müller urteilte er, sie sei »ein Phänomen« (ebd., S. 106). Vermutlich gab es schon zu dieser Zeit persönliche Kontakte zwischen ihr und CZ (vgl. *Als wär's ein Stück von mir*, S. 314, 461). 1922 wechselte sie zu Leopold Jessner ans Staatstheater Berlin, trat aber ebenfalls am Deutschen Theater, am Lessing- und am Schiller-Theater unter der Regie von Erich Engel, Heinz Hilpert, Jürgen Fehling und Bertolt Brecht auf. 1925 wirkte sie in der Rolle der Judith bei der Uraufführung von CZs *Pankraz erwacht* am Deutschen Theater mit. Laut Albrecht Joseph hatte CZ mit ihr, bevor sie 1927 den Dirigenten Hermann Scherchen heiratete, »eine Affäre« (vgl. Joseph 1991, S. 43, sowie Joseph 1993, S. 93-96). Das deutete auch CZ in seiner Autobiographie an: Ihn habe, so heißt es dort, mit Gerda Müller »damals [1925] eine blühende Freundschaft« verbunden (*Als wär's ein Stück von mir*, S. 461). Nach 1933 verzichtete sie auf die Theaterarbeit und trat erst 1945 bei der Wiedereröffnung des Deutschen Theaters in Ostberlin auf, wo sie bis 1951 spielte und an der Schauspielschule lehrte. Ihr Rückzug von der Bühne mag politisch motiviert gewesen sein; möglicherweise war er auch Folge ihres schlechten Gesundheitszustands. Für ihre Darstellung von Brechts Mutter Courage wurde sie 1951 mit dem Nationalpreis der DDR ausgezeichnet. Über Kontakte zu CZ nach dem Zweiten Weltkrieg ist nichts bekannt.

Oberbürgermeister von Königsberg] Gerda Müller war in zweiter Ehe mit dem Politiker Hans Lohmeyer (1881-1968) verheiratet, der von 1919 an Oberbürgermeister von Königsberg war und 1933 seines Amtes enthoben wurde. Während der NS-Zeit lebten beide in Berlin, wo sich Hans Lohmeyer zeit- und kommunalwissenschaftlichen Studien widmete. Er war eng befreundet mit Carl Friedrich Goerdeler, der nach dem Attentat auf Hitler vom 20. Juli 1944 hingerichtet wurde.

Impekoven] Toni (Anton) Impekoven (1878/1881-1947) war Schauspieler, Intendant und Dramatiker. Nach mehreren Engagements als Schauspieler gelangte er 1914 ans Schauspielhaus Frankfurt am Main, wo er bis zu seinem Tod als Regisseur und Intendant tätig war. In dieser Zeit wurden dort von CZ *Der fröhliche Weinberg* (Premiere am 23. Dezember 1925), *Schinderhannes* (Premiere am 30. Dezember 1927), *Katharina Knie* (Premiere am 16. März 1929), allesamt unter der Regie von Richard Weichert, sowie das Kinderstück *Kakadu, Kakada* (Premiere am 6. Dezember 1930) und *Der Hauptmann von Köpenick* (Premiere am 2. Mai 1931), in dem Impekoven unter der Regie Alwin Kronachers die Titelrolle spielte, inszeniert. Impekoven verfaßte zahlreiche Schwänke und Lustspiele (u.a. *Das kleine Hofkonzert*, gemeinsam mit Paul Verhoeven, 1935), die er in Frankfurt mit großem Erfolg aufführte und die ihn zu einer lokalen Berühmtheit machten. Die Schwänke blieben gänzlich unpolitisch bis auf die Satire *Maccaroni* (1939), die eine Reihe politischer Anspielungen enthielt. In der zeitgenössischen Kritik war allerdings heftig umstritten, ob nationalsozialistische Ideen dort affirmativ präsentiert oder karikiert wurden (vgl. Schültke 1997, S. 262 f.). Über Kontakte zu CZ konnte nichts ermittelt werden. In CZs Autobiographie wird Impekoven nicht erwähnt.

Odemar] Der Schauspieler Fritz Odemar (1890-1955) lebte, nach einigen Engagements in Mannheim und Frankfurt, von 1928 an in Berlin, wo er bei Hilpert und Gründgens am Deutschen Theater und an der Berliner Komödie spielte. Er hatte an den Uraufführungen von CZs *Fröhlichem Weinberg* als Knuzius (1925) und von *Katharina Knie* als Ignaz Scheel (1928) mitgewirkt und Rollen in den Verfilmungen des *Fröhlichen Weinbergs* (1927) und des *Hauptmanns von Köpenick* (1931) übernommen. Bekannt wurde er vor allem durch Nebenrollen in zahlreichen Unterhaltungsfilmen. In seinen Erinnerungen berichtet der Schauspieler Hans Söhnker, wie Odemar für diskreditierte jüdische Künstler öffentlich Partei ergriff, was ihm tätliche Angriffe von Nationalsozialisten eintrug (vgl. Söhnker 1974, S. 156). Von 1945 an war Odemar an der Kleinen

Komödie in München engagiert. Im Februar 1948 bat er CZ schriftlich um einen dringenden Besuch bei ihm, zu dem CZ jedoch keine Zeit fand. Über weitere Kontakte nach dem Zweiten Weltkrieg konnte nichts ermittelt werden. In CZs Autobiographie wird Odemar nicht erwähnt.

Wernicke] Der Schauspieler Otto Wernicke (1893-1965) war von 1921 an am Staatstheater München engagiert. CZ lernte ihn 1923 während seiner Münchener Dramaturgenzeit kennen. »Hauptsächlich«, so berichtet er in seiner Autobiographie, »verkehrte ich in Schauspielerkreisen, mit Erwin Faber, Erich Riewe, Otto Wernicke, Oskar Homolka und anderen, bei denen man, wenn sie genügend Platz in ihrer Wohnung und etwas zu trinken hatten, oft nächtelang beieinandersaß« (vgl. *Als wär's ein Stück von mir*, S. 439). Anfang der 1930er Jahre wirkte Wernicke in mehreren Filmen mit, u.a. als Kriminalkommissar Lohmann in Fritz Langs *M* (1931) und *Das Testament des Dr. Mabuse* (1933). Von 1934 an trat er auch am Deutschen Theater Berlin auf, wohin er 1937 endgültig wechselte. Von 1941 bis 1944 spielte er bei Gründgens am Staatstheater Berlin, übernahm aber auch eine Rolle in dem Film *Ohm Krüger* (1941; Regie: Hans Steinhoff), der massiv anti-englische Propaganda betrieb (vgl. Drewniak 1987, S. 338). Wernicke, der mit einer Jüdin verheiratet war, wurde mit einer »Sondergenehmigung« der Reichskulturkammer weiterbeschäftigt (vgl. Rathkolb 1991, S. 36). 1939 ist er sogar entgegen den Theatergesetzen von 1934 als Mitglied der Reichskulturkammer anerkannt worden, was ihn von der regelmäßigen Erteilung einer »Sondergenehmigung« unabhängig machte (vgl. Drewniak 1983, S. 165). Nach 1945 war er wieder am Staatstheater München engagiert. Über Kontakte zu CZ nach dem Zweiten Weltkrieg ist nichts bekannt.

Rühmann] CZ lernte Heinz Rühmann (1902-1994) im Herbst 1923 während seiner Dramaturgenzeit am Münchener Schauspielhaus kennen. Beide verloren sich aber schon wenig später wieder aus den Augen. 1926 spielte Rühmann bei der Münchener Inszenierung des *Fröhlichen Weinbergs* die Rolle des Weinhändlers Stenz. Während der NS-Zeit avancierte er zu einem der erfolgreichsten Filmschauspieler des ›Dritten Reichs‹, besaß sogar eine eigene Produktionsgruppe innerhalb der Terra-Filmgesellschaft. Er war aber kein Anhänger des Regimes, versuchte sich vielmehr so gut es ging durchzulavieren und übernahm mit Ausnahme von *Quax, der Bruchpilot* (1941, Regie: Kurt Hoffmann) und *Fronttheater* (1942, Regie: Arthur Maria Rabenalt) nur Rollen in unpolitischen Unterhaltungsfilmen. Zu erneuten Kontakten zwischen Rühmann und CZ kam es 1947, als die von Rühmann und Alf Teichs gegründete Comedia Filmgesellschaft Interesse an der Verfilmung von CZs *Des Teufels General* zeigte, das am 7. März 1949 in den Abschluß eines Vorvertrages mündete (vgl. Nickel/Weiß 1996, S. 410 f.). Am 6. September 1949 schloß die Comedia mit Helmut Käutner, der schon im Mai mit der Ausarbeitung des Filmskripts begonnen hatte, einen Drehbuchvertrag ab. Doch der Drehbeginn mußte wegen finanzieller Schwierigkeiten immer wieder verschoben werden. Käutner war sich schon 1950 darüber im klaren, daß es zu einer Realisierung der Pläne wohl nicht kommen werde. Sollten darüber noch Zweifel bestanden haben, wurden sie am 1. April 1951 durch die Liquidation der Comedia endgültig ausgeräumt (vgl. Körner 2001, S. 288-290). Käutner verfilmte *Des Teufels General* erst 1954 für Walter Koppels Real Film. 1956 führte er auch bei einer Neuverfilmung des *Hauptmanns von Köpenick* Regie, bei der Rühmann die Titelrolle übernahm. In einem als Typoskript überlieferten Text mit dem Titel *Fundamentale Traurigkeit* schreibt CZ dazu: »Als Heinz Rühmann, in der dritten Verfilmung meines ›Hauptmann von Köpenick‹, die Rolle des Wilhelm Voigt übernahm, schüttelten einige Leute den Kopf: sie konnten sich den Sprung von ›Charleys Tante‹ zur tragischen Komödiengestalt nicht vorstellen. Ich war von vornherein von dieser Besetzung überzeugt. Ich kannte Rühmann von seinen Anfängen her, ich wusste um den Ernst seiner künstlerischen Arbeit und den weiten Radius seiner Begabung. Der unvergessliche Berliner Volksschauspieler Max Adalbert hatte, in der ersten Verfilmung von 1931, der Gestalt des umgetriebenen Schusters vielleicht die wärmsten, menschlichsten Züge verliehen. Der geniale Werner Krauss hatte, in einer seiner stärksten Leistungen auf der Bühne, die Gestalt ins Dämonische vorgetrieben. Der grosse Albert Bassermann hatte das Pech, die Rolle in einer verunglückten Hollywood-Produktion unter so misslichen Umständen spielen zu müssen, dass er seine herrlichen schauspielerischen Mittel nicht entfalten konnte. Rühmann, unter Käutners glänzender Regie, gab dem ›preussischen Eulenspiegel‹ im Wilhelm Voigt sein volles Recht und seine tiefere Bedeutung: Lachen und Weinen waren da immer ganz nahe beisammen. Wenn er, nach gelungener ›Köpenickiade‹, auf der Treppe des Rathauses die Soldaten entlässt: ›Für jeden Mann ein Bier und eine Bockwurst‹, – eine der komischsten Stellen der Handlung, – geht eine so fundamentale Traurigkeit von ihm aus, dass man sich der Vergeblichkeit aller Fluchtversuche des Menschen aus seinem Schicksal schauernd bewusst wird« (DLA, Nachlaß CZ). Rühmann zitiert diesen Text auch in seinen Lebenserinnerungen (vgl. Rühmann 1982, S. 184). In CZs Autobiographie wird Rühmann dagegen nicht erwähnt. Zur Biographie vgl. neben Körner auch Görtz/Sarkowicz 2001; zahlreiche Ungenauigkeiten dagegen bei Sellin 2001. Vgl. auch den Beitrag von Michaela Krützen im *Zuck-mayer-Jahrbuch*, Bd. 5.

Schwierigkeiten] »Doch nun«, schreibt Rühmann in seiner Auto-biographie, »zum Grund für meinen Wechsel von Hilpert zu Gründgens: Für meine jüdische Frau [Rühmann war seit 1924 mit der Schauspielerin Maria Bernheim (1897-1957) verheiratet] hatte ich an Hilperts ›Deutschem Theater‹ nicht mehr ausreichenden Schutz, da es Goebbels und seinem Propagandaministerium un-terstellt war, das immer rigoroser gegen Mischehen vorging. Das Staatstheater jedoch gehörte zu Görings Machtbereich, dessen Frau Emmy Sonnemann, eine Schauspielerin, zu Gründgens freundschaftlichen Kontakt hatte, den er geschickt für gefährdete Kollegen zu nutzen wußte. […] Die Entwicklung der Dinge sollte mir aber recht geben. Die Angriffe gegen meine Frau und mich wurden immer massiver. Waren es bisher Andeutungen gewesen, so wurde jetzt meine Ehe mit einer Jüdin zum Thema eines Leitar-tikels im ›Schwarzen Korps‹, der Wochenzeitschrift der SS [ein solcher Leitartikel ist allerdings nie erschienen, sondern – wie Tor-sten Körner ermittelt hat – lediglich eine kurze Meldung am 28. August 1933, die lautete: »Heinz Rühmann und Albert Lieven sind mit Jüdinnen verheiratet. Ist es nun ein Mangel an Taktgefühl oder Klugheit, wenn sich einer dieser Künstler bei nationalsozia-listischen Veranstaltungen ein bißchen gar zu auffällig in den Vor-dergrund drängt?« (zit. nach Körner 2001, S. 173)]. Der ›Berliner Aeroclub‹, ein Zusammenschluß von Fliegern, ließ mich wissen, daß ich in seinen Räumen unerwünscht sei. Alles wegen Maria« (Rühmann 1982, S. 130 f.). Ende 1936 wandte Rühmann sich an Goebbels, um eine Scheidung von seiner Frau herbeizuführen. Am 6. November 1936 notierte dieser in sein Tagebuch: »Heinz Rühmann klagt uns sein Eheleid mit einer Jüdin. Ich werde ihm helfen. Er verdient es, denn er ist ein ganz großer Schauspieler« (Fröhlich 1987, Bd. 2, S. 717). 1938 verschaffte Gründgens Rüh-mann über Emmy Sonnemann einen Termin bei Hermann Göring, der ihm riet, seine Frau solle einen neutralen Ausländer heiraten. Die Ehe wurde noch im selben Jahr geschieden. Maria Bernheim heiratete im Mai 1939 den schwedischen, an den Münchener Kam-merspielen engagierten Schauspieler Rolf von Nauckhoff (1909-1968), der dafür mit Geld und einem Sportwagen entlohnt wurde.

Erst 1943, ein Jahr nach ihrer Scheidung von Nauckhoff, emigrierte sie nach Stockholm. Rühmann überwies ihr dorthin regelmäßig Geld (vgl. Görtz/Sarkowicz 2001, S. 194 f.). Am 1. Juli 1939 heiratete er die österr. Schauspielerin Hertha Feiler (1916-1970).

Udet] Ernst Udet (1896-1941) war im Ersten Weltkrieg Jagdflieger. CZ lernte ihn 1917 an der Westfront kennen. »Wir«, so CZ in seiner Autobiographie, »mochten uns nach den ersten paar Worten, soffen unsere erste Flasche Kognak zusammen aus und verloren uns bis kurz vor dem Zweiten Weltkrieg nicht mehr aus den Augen« (*Als wär's ein Stück von mir*, S. 290). In der Zwischenkriegszeit erlangte Udet als Kunstflieger und Darsteller in einigen Berg- und Flieger-filmen große Popularität. Das letzte Mal sah CZ ihn 1935 oder 1936 in Berlin. Udet trat 1935 ins Reichsluftfahrtministerium ein und wurde 1940 zum Generaloberst ernannt. Im Dezember 1941 erreichte CZ die Nachricht, Udet sei beim Erproben einer neuen Waffe tödlich verunglückt. Ein Jahr später begann CZ mit der Niederschrift seines Dramas *Des Teufels General*, zu dem er durch Udets Schicksal angeregt wurde. – Udet und Rühmann lernten sich zu Beginn der 1930er Jahre auf einem Faschingsball im Regina-Hotel in München kennen. »Ich hörte«, heißt es in Rühmanns Autobiographie, »daß er im Saal sei, ging wie selbstverständlich in seine Loge und begrüßte ihn wie einen alten Freund. Ich, der ich mich sonst aus Hemmungen lieber absonderte! Aber so war das mit uns. Zwei, die sich gesucht und gefunden hatten« (Rühmann 1982, S. 96). – »Nach 1935«, so Rühmann weiter, »wurde Erni [Ernst Udet] von Herrschaften in Luftwaffenuniform sehr um-worben. Aber er wollte davon nicht viel wissen, erzählte mir, daß der ›Eiserne‹, so nannten sie Hermann Göring, von ihm eine Un-terschrift wollte, die bestätigte, daß Göring eine Zeitlang nach dem Tod von Richthofen im Ersten Weltkrieg Führer der Staffel gewesen sei. Lächelnd sagte er mir: ›Er war's, aber ich geb's ihm nicht!‹ […] Doch im Laufe der Monate änderte sich – anfangs fast unmerklich – Udets Meinung. Er ließ Bemerkungen fallen wie ›Du, so wie wir gedacht haben, sind die gar nicht‹ oder ›Man muß die erst mal ken-nenlernen‹ und Ähnliches. […] Dann ging es schnell; er führte mich vor seinen Kleiderschrank, öffnete die Türen, mein Blick fiel auf verschiedenste Uniformen, Fliegerkombinationen, Dinner-Jackett, leichter Mantel, pelzverbrämter Mantel, Offiziersmütze, Pelzmütze; darunter das entsprechende Schuhwerk. […] Ich war sprachlos. Konnte nichts sagen. Wollte nicht. […] Im Innern war er wohl Soldat geblieben; sein Gesicht vor dem Schrank zeigte es mir, das bunte Tuch gefiel ihm ja doch!« (ebd., S. 98-100).

bei Beginn des Kriegs ... in die Armee] Rühmann leistete nur vom 10. Februar 1941 an einen vierwöchigen Grundwehrdienst im mecklenburgischen Rechlin ab.

Winterstein] Der Schauspieler Eduard von Winterstein, eigentl. Eduard von Wangenheim (1871-1961), schloß sich 1903 in Berlin Max Reinhardt an und war von 1905 bis 1938 am Deutschen Theater, zeitweilig auch am Staatstheater engagiert. Bei der Uraufführung von CZs *Fröhlichem Weinberg* am 22. Dezember 1925 am Theater am Schiffbauerdamm spielte er den Gunderloch, 1930 den Schuldirektor im Film *Der blaue Engel*. Bei der Uraufführung des *Hauptmanns von Köpenick* am 5. März 1931 am Deutschen Theater Berlin übernahm er die Rolle des Friedrich Hoprecht und bei der Uraufführung von CZs und Heinz Hilperts Hemingway-Bearbeitung *Kat* am 1. September 1931 am Deutschen Theater Berlin die Rolle des Generalstabsarztes Dr. Allegri. Von 1938 bis 1944 gehörte er zum Ensemble des Schiller-Theaters unter der Direktion von Heinrich George, nach Kriegsende wieder zum Ensemble des Deutschen Theaters. Er wirkte in zahlreichen Filmen mit, so auch in dem nationalsozialistischen Propagandafilm *Ohm Krüger* (1941; Regie: Hans Steinhoff) und in Tendenzfilmen wie *Kopf hoch, Johannes*, der 1941 in die deutschen Kinos kam (vgl. Drewniak 1987, S. 102 und 588 f.). Winterstein war in zweiter Ehe mit der Schauspielerin Hedwig Pauly (geb. 1871) verheiratet. Pauly spielte an verschiedenen Berliner Bühnen. 1929 zog sie sich vom Theater zurück. Da sie jüdischer Herkunft war, benötigte Winterstein während des ›Dritten Reichs‹ eine »Sondergenehmigung« der Reichskulturkammer, die ihm als »unersetzlichem Künstler« durchgehend erteilt wurde (vgl. Rathkolb 1991, S. 36, 178). Über persönliche Kontakte zu CZ nach dem Zweiten Weltkrieg konnte nichts ermittelt werden. In CZs Autobiographie wird Winterstein nicht erwähnt.

Wegener] Paul Wegener (1874-1948) gehörte für CZ zur ersten Garde der Schauspieler in der Weimarer Republik (vgl. *Als wär's ein Stück von mir*, S. 50). Seit 1905 in Berlin wurde er zunächst als Schauspieler am Deutschen Theater, dann auch als Schauspieler und Regisseur von Stummfilmen (u.a. *Der Student von Prag* [1913], *Der Golem* [1920], *Die Weber* [1927]) bekannt. »Nach 1933«, so Boguslaw Drewniak, »war Paul Wegener, weniger mit Taten, mehr dagegen mit Worten – bei aller, was menschlich verständlich, Vorsicht – unter den Feinden Hitlers. Mit nicht wenigen Konzessionen. Mit eigenem Ensemble fuhr er durch Deutschland. Seine Gastspiele mit Strindbergs ›Totentanz‹ und Hauptmanns ›Kollege Crampton‹ fanden besonderen Anklang« (Drewniak 1987, S. 101). Von 1938 bis 1944 gehörte er zum Ensemble des von Heinrich George geleiteten Schiller-Theaters in Berlin. Er trat auch in Propagandafilmen auf, so in *Kolberg* (1945), erhielt aber nach dem Krieg sehr schnell wieder eine Spielerlaubnis. Wegener war seit Juni 1945 Präsident der unter sowjetischer Besatzung gegründeten Kammer der Kulturschaffenden. Mit Blick auf diese Stellung wirft ihm der Heinrich-George-Biograph Werner Maser vor, zusammen mit CZ und anderen gegen George eine Mauer »aus haltlosen Beschuldigungen und durchsichtigen Verdächtigungen« gebildet und ihn bewußt dem Sowjetischen Geheimdienst ausgeliefert zu haben (Maser 1998, S. 401-409). Masers Urteile sind jedoch zum Teil fragwürdig (vgl. dazu die Rezension von Katrin Hofmann [Hofmann 2000]). Über persönliche Kontakte zu CZ nach dem Zweiten Weltkrieg konnte nichts ermittelt werden.

Bassermann] Die Schauspielerin Else Bassermann (1878-1961) war von 1895 an in Berlin u.a. unter Reinhardt, Brahm und Saltenburg an verschiedenen Theatern engagiert. Bei der österr. Erstaufführung von CZs *Katharina Knie* am 25. Mai 1929 am Deutschen Volkstheater in Wien spielte sie – so Ernst Lothar in der *Neuen Freien Presse* vom 26. Mai 1929 – »halb drastisch, halb mütterlich« die Rolle der Zirkusmutter. 1933 erhielt sie wegen ihrer jüdischen Herkunft Auftrittsverbot und emigrierte mit ihrem Mann Albert Bassermann nach Wien, wo sie am Theater in der Josefstadt und bei Gastspielen in Prag und in der Schweiz auftrat. 1939 emigrierte das Ehepaar in die USA, wo Else Bassermann vor allem an zahlreichen Theateraufführungen mitwirkte, u.a. an der deutschen Emigrantenbühne »The Players from Abroad«. Nach Kriegsende trat sie mit ihrem Mann wieder in Europa auf. 1952 übersiedelte sie nach Deutschland. Zuletzt spielte sie 1952/53 am Deutschen Theater in Göttingen. In CZs Autobiographie wird sie nur einmal am Rande erwähnt (vgl. *Als wär's ein Stück von mir*, S. 565).

Laubinger] Der Schauspieler Otto Laubinger (1892-1935) war von 1920 bis 1933 am Staatstheater Berlin engagiert. 1920 wirkte er in der Uraufführung von CZs *Kreuzweg* am Staatlichen Schauspielhaus Berlin in der Rolle des Hilario mit. 1933 wurde er Präsident der Genossenschaft Deutscher Bühnenangehöriger, Ministerialrat und Leiter der Abteilung Theater im Reichsministerium für Volksaufklärung und Propaganda sowie Präsident der Reichstheaterkammer. Über weitere Kontakte zu CZ konnte nichts ermittelt werden. In CZs Autobiographie wird er nicht erwähnt.

Meyerink] Der Schauspieler Hubert von Meyerinck (1886-1971) war von 1920 an in Berlin u.a. am Deutschen Theater und am Lessingtheater unter Max Reinhardt engagiert. Er spielte auch in der NS-Zeit an allen großen Bühnen. Seit 1924 wirkte er in vielen Filmen mit, u.a. in dem antisemitischen und antienglischen Tendenzfilm *Die Rothschilds* (1940, Regie: Erich Waschneck; vgl. Drewniak 1987, S. 312). In seiner Autobiographie teilt CZ mit, er habe seine Ehefrau auf einem »Nachtfest« Meyerincks kennengelernt (*Als wär's ein Stück von mir*, S. 467). Eine Photographie CZs und Alice Zuckmayers mit der handschriftlichen Widmung CZs »Ein halbes Jahr, bevor dieses Bild gemacht wurde, haben wir uns bei Dir und Deiner Mutter kennengelernt. Hier (Januar 1926) sind wir schon Eheleute! Dein Carl Zuckmayer und Deine Liccie« ist reproduziert in Meyerincks Buch *Meine berühmten Freundinnen* (von Meyerinck 1967, unpaginierte Tafel nach S. 32). Dieses Buch, das Alice Zuckmayer lektoriert hat, eröffnet Meyerinck mit einem Vorwort *An Liccie Herdan Zuckmayer*. Nach Kriegsende spielte er in Göttingen und Wuppertal, von 1966 an in Hamburg und München. Zu CZ und seiner Familie bestand in dieser Zeit eine enge Freundschaft (Auskunft Maria Guttenbrunner).

Albers] Der Schauspieler Hans Albers (1891-1960) war von 1926 an am Deutschen Theater Berlin engagiert. 1929 spielte er bei der Uraufführung von CZs Bearbeitung des Theaterstücks *Rivalen* von Maxwell Anderson und Lawrence Stallings am Theater in der Königgrätzer Straße in Berlin (Regie: Erwin Piscator) und nochmals 1934 bei der Berliner Neuinszenierung des Stücks am Admiralspalast den Sergeanten Quirt. 1930 übernahm er die Rolle des Mazeppa im Film *Der Blaue Engel*, dessen Drehbuch von CZ mitverfaßt wurde (vgl. Dirscherl/Nickel 2000). Albers weigerte sich lange, der Reichsfachschaft Film beizutreten, bis er massive Mahnungen mit Androhung von Berufsverbot bekam. Im Juni 1934 wurde er aus der Reichsfilmkammer ausgeschlossen und sein Paß gesperrt. Im Dezember 1934 ist diese Sperre wieder aufgehoben worden (vgl. Krützen 1995, S. 151). Während der NS-Zeit hatte Albers noch eine Reihe großer Filmerfolge u.a. mit *Münchhausen* (1943) und *Große Freiheit Nr. 7* (1944). Nach dem Zweiten Weltkrieg spielte er zweimal die Rolle des Zirkusdirektors Knie in Mischa Spolianskys und Robert Gilberts Musical-Fassung von CZs *Katharina Knie*: 1957 bei einer Inszenierung am Theater am Gärtnerplatz in München und 1960 bei einer Inszenierung am Raimund-Theater in Wien. Zur Biographie vgl. auch Cadenbach 1977 sowie den Beitrag von Michaela Krützen im *Zuckmayer-Jahrbuch*, Bd. 5.

Frau] Hans Albers lernte die Schauspielerin Hansi Burg, Tochter des seit 1910 in Berlin etablierten Bühnen- und Filmschauspielers

Eugen Burg (1871-1944, Theresienstadt), spätestens 1921 kennen.
Um 1925 verlobten sie sich (Krützen 1995, S. 24). Der Versuch
von Albers, 1933 eine Genehmigung für eine Heirat zu erhalten,
ist nicht nachzuweisen. Von 1933 an gingen Anfragen über die Beziehung von Albers zu Hansi Burg bei der Reichsfachschaft Film ein.
1935 trennte sich Albers offiziell von Hansi Burg und teilte dies
am 15. Oktober 1935 Goebbels schriftlich mit (ebd., S. 156). Der
Brief von Albers an Goebbels läßt vermuten, daß Druck auf Albers
ausgeübt worden war: »Ich darf Sie, geehrter Herr Reichsminister,
nunmehr bitten, daß unter der veränderten Sachlage der nationalsozialistische Staat auch mir den Schutz angedeihen läßt, den er
seinen Künstlern gibt.« Die Antwort von Goebbels versprach Albers »nach der von Ihnen mir bekanntgegebenen, veränderten
Sachlage selbstverständlich [...] den Schutz des nationalsozialistischen Staates [...]« (Brief von Goebbels an Albers vom 16. Oktober
1935, zit. nach ebd., S. 156). Die Beziehung zu Hansi Burg bestand aber inoffiziell weiter. 1936 reiste Albers z.B. mit ihr nach
England. 1937 hatte er deshalb erneut Probleme mit den NS-Be-
hörden (vgl. ebd., S. 158). Hansi Burg heiratete daraufhin den
Norweger Erich Blydt. 1939 verließ sie Deutschland und floh
über die Schweiz nach Großbritannien. Nach dem Krieg kehrte sie
zu Hans Albers zurück. CZs Einschätzung scheint realistisch gewesen zu sein: »Eine durchaus mögliche gemeinsame Emigration«
mit Hansi Burg, so Krützen, »wäre für Albers dem beruflichen
Aus gleichgekommen. Er ist bereits über 45 Jahre alt und spricht
nur dürftig Englisch mit starkem deutschen Akzent. Sein Gesicht ist
in englischsprachigen Ländern unbekannt [...]« (ebd., S. 159 unter
Bezugnahme auf Blumenberg 1991, S. 66).

Stormtrooper] Angehöriger der SA.

Film] Gemeint ist wahrscheinlich der Zirkusfilm *Fahrendes Volk*
(1938, Regie: Jacques Feyder). Albers spielt hier einen älteren Ex-
Ganoven, der allerlei Verwicklungen verursacht und schließlich
durch einen tödlich endenden Einsatz das Liebesglück seines erwachsenen Sohnes (Hannes Stelzer) ermöglicht.

Edthofer] Der österr. Schauspieler Anton Edthofer (1883-1971) war
von 1908 bis 1920 am Deutschen Volkstheater Wien beschäftigt.
Von 1921 bis 1923 arbeitete er am Deutschen Theater Berlin, danach an verschiedenen Bühnen in Berlin und Wien. Seit 1929 war
er am Theater in der Josefstadt engagiert, wo er bis zu seinem Tod
blieb. Im März 1938 probte er dort unter Ernst Lothars Regie CZs
Bellman, dessen Uraufführung durch den »Anschluß« Österreichs
verhindert wurde. Edthofer wirkte in den darauffolgenden Jahren

nicht in politischen Stücken oder Tendenzfilmen mit. Der spätere Lebensgefährte der nach dem Zweiten Weltkrieg nach Österreich zurückgekehrten Helene Thimig erhielt 1949 gemeinsam mit Paula Wessely den Max-Reinhardt-Ring.

Helenen's] Die österr. Schauspielerin Helene Thimig (1889-1974) war von 1917 bis 1933 am Deutschen Theater Berlin und seit 1924 am Theater in der Josefstadt engagiert. Seit 1920 nahm sie regelmäßig an den Salzburger Festspielen teil. Thimig, die seit der »Machtergreifung« nur noch in Österreich auftrat, heiratete 1935 ihren langjährigen Lebensgefährten Max Reinhardt, mit dem sie 1937 in die USA emigrierte. Dort war sie Lehrerin am Max-Reinhardt-Workshop und übernahm kleinere Filmrollen. Im Exil begegnete sie CZ wieder, den sie aus der Salzburger Zeit kannte (vgl. *Als wär's ein Stück von mir*, S. 514 und 564). »Die allersympathischste Erscheinung unter den Emigranten, denen wir in Kalifornien begegneten«, schreibt sie in ihren Lebenserinnerungen, »war für Reinhardt und mich der Dichter Carl Zuckmayer. Weil er keine Kompromisse machen wollte in seinem Beruf als Dichter. Er hat gesagt: gut, ich bin nicht in dieser Sprache zu Hause, ich kann meine Sache nicht weitermachen, ich will damit kein falsches Geld verdienen, so gehe ich eben in die Landwirtschaft und arbeite mit meinen Händen« (Thimig-Reinhardt 1973, S. 350). 1946 kehrte sie nach Wien zurück, wo sie bis 1968 zum Ensemble des Burgtheaters gehörte und dort im Februar 1951 in CZs Stück *Der Gesang im Feuerofen* in der Rolle der Soularde zu sehen war. Sie spielte auch am Theater in der Josefstadt, leitete von 1948 bis 1959 das Max-Reinhardt-Seminar und war bis 1954 Professorin an der Wiener Akademie.

Hans] Der österr. Schauspieler Hans Thimig (1900-1991) spielte von 1918 bis 1924 und von 1949 bis 1966 am Wiener Burgtheater sowie von 1924 bis 1933 und von 1935 bis 1943 am Theater in der Josefstadt. Dort führte er seit 1928 auch Regie. Nach dem »Anschluß« leitete er das Theater bis 1942 (vgl. Thimig 1983, S. 186-199). Von 1942 bis 1949 war er freischaffender Schauspieler und Regisseur. In Josef Gielens Inszenierung von CZs Stück *Der Gesang im Feuerofen* (Premiere am 16. Februar 1951) trat er als Ortsgendarm auf. Bei der Uraufführung von CZs Hauptmann-Bearbeitung *Herbert Engelmann* am 8. März 1952 am Akademietheater Wien übernahm er die Rolle des Raumer. Über persönliche Kontakte zu CZ konnte nichts ermittelt werden. In CZs Autobiographie wird er nicht erwähnt.

Hermann] Der österr. Schauspieler Hermann Thimig (1890-1982) war von 1934 bis 1968 am Wiener Burgtheater engagiert und spielte zwischen 1924 und 1932 auch am Theater in der Josefstadt. Von 1919 an arbeitete er darüber hinaus für den Film. Großen Erfolg hatte er in der Rolle des Oberkellners im Operettenfilm *Im weißen Rößl* (1935, Regie: Ralph Benatzky). 1950 spielte er am Burgtheater im *Hauptmann von Köpenick* die Rolle des Hoprecht. Ebenfalls am Burgtheater trat er 1951 zusammen mit seinen Geschwistern als Gastwirt Castonnier in CZs *Der Gesang im Feuerofen* auf. Bei der Uraufführung von CZs Gerhart-Hauptmann-Bearbeitung *Herbert Engelmann* am 8. März 1952 am Akademietheater Wien spielte er die Rolle des Weißflock. Über persönliche Kontakte zu CZ konnte nichts ermittelt werden. In CZs Autobiographie wird Hermann Thimig nicht erwähnt.

Forster] Der Schauspieler Rudolf Forster (1884-1968) gelangte nach verschiedenen Engagements in Wien und Bukarest 1920 nach Berlin ans Staatstheater. Bis 1933 trat er dort sowie an den Reinhardtbühnen und anderen Berliner Theatern auf. 1925 spielte er in der Uraufführung von CZs Drama *Pankraz erwacht* die Rolle des Grafen mit, so CZ in seiner Autobiographie, »einer solchen Vollendung, mit solch depraviertem Charme und einem so eigenen, ganz persönlichen Tonfall […], daß er nach dieser Aufführung zu den begehrtesten, berühmtesten Darstellern im deutschen Sprachgebiet gehörte« (*Als wär's ein Stück von mir*, S. 463). Von 1934 an arbeitete Forster vornehmlich in Österreich, vor allem am Theater in der Josefstadt. Für den 1937 geplanten Korda-Film *Ein Sommer in Österreich* hatte CZ Forster als männlichen Hauptdarsteller vorgesehen (vgl. Joseph 1993, S. 206), doch dieses Filmprojekt konnte nicht realisiert werden. 1937 emigrierte Forster in die USA, wo er die Schauspielerin Eleonora von Mendelssohn (1900-1951) heiratete. Er wurde für mehrere Broadway-Stücke (u.a. Ben Hecht / Charles MacArthur, *The Front Page*; O'Neill, *Strange Interlude*; George Bernard Shaw, *St. Joan*) und in Sidney Kingsleys Drama *The World We Make* (Guild Theater New York, 1939) engagiert und trat in Nebenrollen in den Filmen *Island of Lost Men* und *North of Shanghai* (beide 1939) auf. 1940 kehrte er via Tokio, Sibirien und Moskau nach Deutschland zurück, wofür er Goebbels um Unterstützung bat. In seinem Tagebuch vermerkte der Propagandaminister am 7. Mai 1940: »Rudolf Forster, der in New York sein Heil versuchte, bittet in einem flehentlichen Brief um Rückkehrmöglichkeit nach Deutschland. Ich helfe ihm etwas« (Fröhlich 1987, Bd. 4, S. 147). Am 10. September 1940 notierte Goebbels: »Der Schauspieler Rudolf Forster kommt aus Amerika zurück. […] Ich weise Forster aufs Neue in die deutsche Filmarbeit ein. Er ist sehr begierig auf seine Arbeit. Wir besprechen einen Film mit ihm über Schlieffen. Das wäre schon ein großes Thema« (ebd., S. 317). Auf Goebbels' Initiative hin wurde Forster nach seiner Ankunft sofort von Heinz Hilpert für das Deutsche Theater engagiert, wo er bei der Premiere von Shakespeares *Richard II.* in der Titelrolle auftrat (Premiere 30. November 1940; vgl. Rathkolb 1991, S. 240). Sein erster Film nach der Rückkehr war der Tendenzfilm *Wien 1910* (1943), eine antisemitische Hommage an den Wiener Bürgermeister Karl Lueger (vgl. Drewniak 1987, S. 302). Forster spielte darin die Hauptrolle. Nach Kriegsende war er weiterhin am Deutschen Theater und von 1947 bis 1950 am Wiener Burgtheater beschäftigt. Später trat er vor allem bei Gastspielen auf.

verzweifeltsten Anstrengungen] In seiner Autobiographie *Das Spiel, mein Leben* (Forster 1967, S. 287 f.) berichtet Forster von erfolglosen Probeaufnahmen bei den amerikanischen Filmunternehmen Metro Goldwyn Mayer und Warner Bros. Vor 1935 hatte er begonnen, Englischunterricht zu nehmen (ebd., S. 271).

Interview] Konnte nicht ermittelt werden.

Fink] Der Schauspieler Werner Finck (1902-1978) war in den 1920er Jahren Mitglied verschiedener Theatergruppen. 1929 gründete er gemeinsam mit Hans Deppe das Kabarett »Die Katakombe«, das er bis zum Verbot durch die Nationalsozialisten 1935 leitete. Von Mai 1935 an war er im KZ Esterwegen interniert. Auf Betreiben Käthe Dorschs wurde er am 1. Juli 1935 wieder entlassen, erhielt aber ein einjähriges Aufführungsverbot (vgl. seine Autobiographie *Alter Narr – was nun?* [Finck 1972], S. 68-70, hier: S. 73). 1936 schrieb er Glossen für das *Berliner Tageblatt.* Von 1937 an trat er wieder im »Kabarett der Komiker« auf. 1939 erhielt er ein erneutes Aufführungsverbot und wurde aus der Reichskulturkammer ausgeschlossen (vgl. Wulf 1989, Bd. 4, S. 102 f.). Finck meldete sich freiwillig zum Kriegsdienst, um einer nochmaligen Verhaftung zu entgehen. Nach Kriegsende trat er u.a. in der »Mausefalle« in Stuttgart auf und unternahm Solotourneen. Über Kontakte zu CZ konnte nichts ermittelt werden. In CZs Autobiographie wird er nicht erwähnt. Vgl. auch den Beitrag von Hans-Ulrich Wagner im *Zuckmayer-Jahrbuch*, Bd. 5.

Valentin] Der Münchener Komiker Karl Valentin (1882-1948) trat seit 1911 mit seiner Bühnen- und Filmpartnerin Liesl Karlstadt in allen bekannten Münchener Kabaretts auf und spielte in zahlreichen Filmen mit. 1922/23 drehte er mit Liesl Karlstadt unter der Regie von Erich Engel und Bertolt Brecht den Film *Mysterien eines Friseursalons* (vgl. Schulte 1998, S. 106 f.). Die Arbeit für den Film setzte er auch in den folgenden Jahren und während der NS-Zeit fort. Schulte bewertet Valentins Verhalten im ›Dritten Reich‹ als ein »konsequentes Nein zu den Annäherungsversuchen der Nazis« (ebd., S. 170 f.). Lion Feuchtwanger verlieh in seinem Roman *Erfolg* der Figur des Komikers Balthasar Hierl Züge von Valentin (Feuchtwanger 1930, Kap. 15). In einem Abdruck dieses Abschnitts in der *Demokratischen Post* (Mexiko) vom 1. Juli 1944 geht dem Text Feuchtwangers folgende Bemerkung voraus: »Dieses Buch, in dem die wahre Geschichte der Hitler-Bewegung in Bayern dargestellt wird, hat Lion Feuchtwanger den besonderen Hass der Nazis zugezogen. In der Figur des Balth[asar] Hierl erkennt der Leser unschwer den Münchener Komiker Karl Valentin, der später mit seinen populären Witzen die Nazi-Diktatur oft lächerlich gemacht hat und dafür ins Konzentrationslager Dachau kam« (die Behauptung einer KZ-Haft Valentins beruht allerdings auf einem Irrtum). 1941 zog sich Valentin, von dessen Stolz über eine Glückwunschkarte Hitlers zu seinem 60. Geburtstag Schulte berichtet, in sein Haus nach Planegg zurück. Bis Kriegsende schrieb er aus finanziellen Gründen unpolitische Artikel für das nationalsozialistische Propagandablatt *Münchener Feldpost* (Schulte 1998, S. 185, 195). Nach 1945 trat er noch wenige Male zusammen mit Liesl Karlstadt, von der er sich 1940 getrennt hatte, auf. Über Kontakte zu CZ konnte nichts ermittelt werden. In CZs Autobiographie wird Valentin nur einmal beiläufig erwähnt (vgl. *Als wär's ein Stück von mir*, S. 447). Vgl. auch den Beitrag von Hans-Ulrich Wagner im *Zuckmayer-Jahrbuch*, Bd. 5.

Weiss Ferdl] Der Humorist Weiß Ferdl, eigentl. Ferdinand Weißheitinger (1883-1949), trat von 1907 an im Münchener Vergnügungslokal »Platzl« auf. Am 12. Dezember 1921 engagierte er sich erstmals öffentlich bei einer Veranstaltung der NSDAP (vgl. Sünwoldt 1983, S. 81). 1923 übernahm er die Direktion des »Platzl«. 1933 begrüßte er die »Machtergreifung«. 1937 trat er der NSDAP bei (vgl. ebd., S. 83 und 87). Weiß Ferdl war während des ›Dritten Reichs‹ ungebrochen erfolgreich, da ihn, so Sünwoldt, seine »versöhnende Satire« in ihrer Mehrdeutigkeit für alle politischen Richtungen akzeptabel machte (ebd., S. 89). In seiner Spruchkammerverhandlung vom 25. Oktober 1946 wurde er als »Mitläufer« eingestuft (vgl. ebd., S. 97-99). Über Kontakte zu CZ konnte nichts ermittelt werden. In CZs Autobiographie wird Weiß Ferdl nicht erwähnt. Vgl. auch den Beitrag von Hans-Ulrich Wagner im *Zuckmayer-Jahrbuch*, Bd. 5.

schweren Bombardements] Im März 1942 wurde der von den Alliierten geführte Bombenkrieg gegen Deutschland mit Angriffen auf das Ruhrgebiet intensiviert. Eine weitere deutliche Steigerung leitete die Bombardierung Hamburgs vom 24. bis 30. Juli 1943 ein, die eine Großoffensive gegen fast alle größeren deutschen Städte nach sich zog und Ende November 1943 in heftige Angriffe auf Berlin mündete.

Karlstadt] Liesl Karlstadt (1892-1960) war Komikerin und Schauspielerin. 1911 lernte die damalige Soubrette Karl Valentin kennen, der ihr langjähriger Bühnen- und Filmpartner wurde, mit dem sie aber nie verheiratet war. 1930 wurde Karlstadt erstmals als »seriöse Schauspielerin« in der Rolle der Frau Vogl in Bruno Franks *Sturm im Wasserglas* an die Münchener Kammerspiele engagiert (vgl. Dimpfl 1996, S. 77). Von 1941 bis 1943 war Karlstadt Mulitreiberin bei einer Gebirgsjägereinheit in den Tiroler Alpen, wo sie zuletzt zum Oberstabsgefreiten befördert wurde (vgl. Wendt 1998, S. 230-239). Nach Kriegsende trat sie in den Jahren 1947/48 noch einige wenige Male mit Valentin auf. Nach dessen Tod spielte sie an verschiedenen Münchener Theatern und arbeitete häufig für den Bayerischen Rundfunk. Über Kontakte zu CZ konnte nichts ermittelt werden. In CZs Autobiographie wird sie nicht erwähnt.

angeblich Jüdin] Karlstadt war nicht jüdischer Herkunft.

Faulhaber] Der katholische Theologe Michael von Faulhaber (1869-1952) war Kardinal und Erzbischof von München und Freising. Der überzeugte Monarchist trat entschieden gegen die Trennung von Kirche und Staat und für die Unterordnung der Kirche unter die Nationalsozialisten als Staatsmacht ein. Er sprach sich für das Reichskonkordat von 1933 aus, votierte allerdings gegen den Antisemitismus und den nationalsozialistischen Chauvinismus. Er befürwortete bis 1938 die nationalsozialistische Außenpolitik. Von 1942 an sprach er sich gegen den Staatsterror und gegen die Verletzung der Menschenrechte aus. Nach dem Krieg war er Gegner der amerikanischen Entnazifizierungspolitik. Über Kontakte zu CZ konnte nichts ermittelt werden. In CZs Autobiographie wird Faulhaber nicht erwähnt.

›*Maxl‹ in Yorkville*] Vermutlich ein Lokal im New Yorker Stadtteil Yorkville, der mit seiner von deutschen Bars gesäumten East 86th Street als das Viertel der deutschen Einwanderer galt.

Johst] Der Schriftsteller Hanns Johst (1890-1978) veröffentlichte wie CZ seine ersten Beiträge in Franz Pfemferts *Aktion*. Sein expressionistisches Stück *Der Einsame* (1917) über den Dramatiker Christian Dietrich Grabbe brachte ihm den angestrebten Durchbruch als Theaterschriftsteller. Es diente Bertolt Brecht 1918 als Vorlage zu seinem dramatischen Gegenentwurf *Baal*. Johst, der seit 1919 auch mit Lyrikbänden und Romanen erfolgreich war, orientierte sich schon gegen Ende des Ersten Weltkriegs an völkischen und antidemokratischen Positionen und entwickelte sich rasch zu »ein[em] markante[n] Schriftsteller der politischen Rechten« in der Weimarer Zeit (Ketelsen 1994, S. 231). Schon seit 1927/28 aktives Mitglied des nationalsozialistischen ›Kampfbundes für deutsche Kultur‹ (KfdK), trat Johst im November 1932 der NSDAP bei. Nach einer kurzen Zeit als Erster Dramaturg am Berliner Schauspielhaus am Gendarmenmarkt (1933/34) wurde er 1934 Präsident der ›Union Nationaler Schriftsteller‹, 1935 Präsident der ›Deutschen Akademie der Dichtung‹ und Präsident der Reichsschrifttumskammer – ein Amt, das er bis Kriegsende bekleidete. Berühmtheit erlangte Johsts NS-Kultdrama *Schlageter*, das er in den Jahren 1929 bis 1932 geschrieben hatte. Es wurde am 20. April 1933 aus Anlaß von Hitlers Geburtstag und in dessen Gegenwart uraufgeführt (abgedruckt in Rühle 1972, Bd. 5, S. 77-139). »›Schlageter‹«, heißt es in Rühles Kommentar (ebd., Bd. 6, S. 729-741, hier: S. 729), »war das erste Schauspiel, in dem das ›Dritte Reich‹ sich feierte. Das Stück ist die deutlichste Ausprägung von Johsts über viele Zwischenstufen entwickelter ›heroischer Dramaturgie‹. [...] In ›Schlageter‹ fand Johst den ersten zeitgenössischen Helden, an dem er seine eigene Leidenschaft zum Vaterland darstellen, aber auch den Typus des aus dem Volk aufsteigenden und sich für das Volk opfernden Helden verklären konnte.« Mit dem Stoff griff Johst die Biographie von Albert Leo Schlageter (1894-1923) auf, der als Freikorpskämpfer 1919 im Baltikum, 1920 im Ruhrgebiet und 1921 in Oberschlesien (Erstürmung des Annabergs) aktiv gewesen war. 1923 hatte Schlageter an einer Reihe von Sabotageakten im französisch besetzten Ruhrgebiet mitgewirkt, wurde gefaßt, zum Tode verurteilt und am 26. Mai 1923 in der Golzheimer Heide (in der Nähe Düsseldorfs) erschossen. Nach *Schlageter* schrieb Johst keine weiteren Dramen mehr, widmete sich vielmehr seinen Aufgaben als nationalsozialistischer Kulturfunktionär und verfaßte zahlreiche kulturpropagandistische Texte, darunter die Bücher *Maske und Gesicht. Reise eines Nationalsozialisten von Deutschland nach Deutschland* (1935), *Ruf des Reiches – Echo des Volkes! Eine Ostfahrt* (1940) und *Fritz Todt. Requiem* (1943). Mit Himmler verband Johst von den frühen 1930er Jahren an eine enge Freundschaft. Er wurde Ende 1935 in die Allgemeine SS aufgenommen und schon zwei Jahre später in die Generalität befördert. Schon kurz nach dem »Polenfeldzug« und dann während des gesamten Kriegsverlaufs war Johst immer wieder Dauergast in der Feldkommandostelle Himmlers, zu dessen Vertrauten er nun zählte. »Johst [...] war«, so Rolf Düsterberg, »über den Völkermord vollständig informiert, er hatte seinen Auftakt in Polen ja selbst erlebt und wurde auch frühzeitig von Himmler ins Vertrauen gezogen« (Düsterberg 1999, S. 123). Im Mai 1945 wurde Johst von den Amerikanern verhaftet und bis Oktober 1948 interniert. Im Verlaufe seines zehn Jahre währenden Entnazifizierungsprozesses (1947-1957) ist Johst viermal unterschiedlich eingestuft (»Mitläufer«, »Hauptschuldiger«, »Belasteter«, »Minderbelasteter«) und das Verfahren schließlich eingestellt worden. Dadurch war er praktisch rehabilitiert. Das gegen ihn 1949 verhängte Publikationsverbot wurde schon 1952 im Zuge eines Gnadenerweises aufgehoben. Obwohl er sich lange und intensiv darum bemühte, blieb ihm ein literarisches Comeback verwehrt. Als seine letzte Buchpublikation erschien 1955 der Roman *Gesegnete Vergänglichkeit*, der schon 1943 fertiggestellt war, jedoch bis Kriegsende nicht mehr publiziert werden konnte. Dieser ursprünglich den Aufstieg des Nationalsozialismus verherrlichende Text wurde von Johst später lediglich um einige längere, vor allem extrem antisemitische Passagen gekürzt und soweit modifiziert, daß ein NS-Bezug nicht mehr explizit, jedoch immer noch erkennbar ist. Die wenigen Rezensionen waren vernichtend. Unbeirrt weiter schreibend und von der Öffentlichkeit nicht mehr zur Kenntnis genommen, lebte Johst bis zu seinem Tode in seinem schon 1918 erworbenen Haus in Oberallmannshausen (Gemeinde Berg) am Starnberger See. Über Kontakte zu CZ konnte nichts ermittelt werden. In CZs Autobiographie wird Johst nur einmal erwähnt: »Von Hanns Johst, der wie ich bei Pfemferts linksradikaler ›Aktion‹ angefangen hatte, wußte man längst, daß er – aus Talentmangel – Nazi geworden war. Jetzt [1933] wurde sein ungutes ›Schlageter‹-Drama vom Staatstheater gespielt, in dem er der Welt den Satz hinterließ: ›Wenn ich das Wort Kultur höre, entsichere ich meinen Revolver‹« [korrekt: »Wenn ich Kultur höre ... entsichere ich meinen Browning!«] (*Als wär's ein Stück von mir*, S. 534). Weitere Literatur: Pfanner 1970; Pache 1991; Düsterberg 2001. Vgl. auch den Beitrag von Rolf Düsterberg im *Zuckmayer-Jahrbuch*, Bd. 5.

Jessner's] Der Theater- und Filmregisseur Leopold Jessner (1878-1945) war von 1918 an Intendant des Staatlichen Schauspielhauses Berlin, das er, so CZ in seiner Autobiographie, »innerhalb eines Jahres durch seine starken Inszenierungen in einem neuen, monumentalen Stil, durch ein Ensemble junger, begabter Schauspieler, durch kühne dramaturgische Planung zur bedeutendsten Bühne im deutschen Sprachbereich« machte (vgl. *Als wär's ein Stück von mir*, S. 372). 1920 nahm er auf Empfehlung des Regisseurs Ludwig Berger CZs Stück *Kreuzweg* zur Uraufführung an. Jessner wurde 1928 Generalintendant der Staatlichen Schauspiele Berlin. Nach seinem Ausscheiden aus diesem Amt 1930 arbeitete er am Berliner Staatstheater als Regisseur. 1933 emigrierte er nach England, 1935 nach Palästina, 1937 in die USA. CZ war 1934 im Besitz von Jessners Londoner Telephonnummer (vgl. Nickel 1999 a, S. 73). Über Kontakte zu CZ in den Emigrationsjahren ist darüber hinaus nichts bekannt.

Kortner] CZ lernte den Schauspieler und Regisseur Fritz Kortner (1892-1970) 1920 bei den Proben zu Leopold Jessners Inszenierung von Shakespeares *Richard III.* am Staatlichen Schauspielhaus Berlin kennen und schloß bald mit ihm Freundschaft. 1929 übernahm Kortner eine der beiden Hauptrollen in Erwin Piscators Inszenierung von CZs *Rivalen*. 1930 gab er die stoffliche Anregung zu CZs Erfolgsstück *Der Hauptmann von Köpenick* und wurde dafür zeitweilig an den Tantiemen beteiligt. Im amerikanischen Exil schrieben beide gemeinsam nach der Vorlage von Anzengrubers *Viertem Gebot* das Zeitstück *Somewhere in France*, das am 28. April 1941 in Washington D.C. aufgeführt, sich aber gerade eine Woche auf dem Spielplan halten konnte (vgl. Mews 1981 a, S. 78, vgl. auch Mews 1981 b, S. 11 f.). 1946 half Kortner CZ bei der Umarbeitung der 1938 entstandenen Erzählung *Herr über Leben und Tod* für die mexikanische Filmindustrie. Nach dem Zweiten Weltkrieg kam es zu Differenzen, weil Kortner erneut an den Tantiemen des *Hauptmanns von Köpenick* beteiligt werden wollte, was zu einem Schlagabtausch in den Autobiographien von Kortner und CZ führte (vgl. Kortner 1959, S. 463 f.; *Als wär's ein Stück von mir*, S. 513; zusammenfassend Nickel/Weiß 1996, S. 186-188). Zum Verhältnis zwischen Kortner und CZ zu Beginn der 1920er Jahre vgl. CZ, *Persönliche Notizen über Fritz Kortner*, in Ludwigg 1928, S. 42-44.

Zernatto] Der österr. Politiker und Schriftsteller Guido Zernatto (1903-1943) gab 1925/26 die *Kärntner Monatshefte*, eine konservativ-zivilisationskritische Zeitschrift, heraus. 1926 kam er nach Wien, wo er von 1928 bis 1931 – ohne Abschluß – Rechtswissenschaften studierte. Für seinen Gedichtband *Gelobt sei alle Kreatur* (Dresden 1930) erhielt er 1930 den Literaturpreis der Dresdener Zeitschrift *Die Kolonne*. Von 1929 bis 1931 war Zernatto zuerst im

Verband des »Österreichischen Heimatschutzes«, dann in der
Bundesführung des »Heimatblocks« tätig, der politischen Organisation der paramilitärischen Heimwehren. Am 19. November 1933
rief er nach Angriffen von Alfred Kerr gegen Gerhart Hauptmanns Duldung einer Vereinnahmung durch den NS-Staat u.a. mit
Bruno Brehm, Mirko Jelusich, Max Mell, Hermann Heinz Ortner,
Friedrich Schreyvogl und Karl Heinrich Waggerl in den *Wiener
Neuesten Nachrichten* zu »nachdrücklichster Abwehr derartiger
schmutziger Herabsetzungen und Verdächtigungen deutschen Be-
kenntnisses und deutschen Wesens« auf (Amann 1988, S. 36). Von
den Nationalsozialisten ist er »trotz bester und engster Beziehungen«
(ebd.) zur illegalen NSDAP zum österreichisch-vaterländischen
Lager gerechnet worden. 1934 wurde er zum Bundeskulturrat
berufen. Von Mai 1936 an war er Staatssekretär für besondere Ver-
wendung, von November 1936 an Generalsekretär für die Angelegenheiten der Vaterländischen Front. Im selben Jahr wurde Zernatto auch zum Präsidenten des österr. PEN-Clubs gewählt. Der
Versuch von Hermann Heinz Ortner, ihn für den ›Bund der deutschen Schriftsteller Österreichs‹ zu gewinnen, scheiterte dagegen.
»Guido Zernatto«, so Klaus Amann, »lavierte: er trat zwar dem Bund
nicht bei, machte aber Max Mell gegenüber die Bemerkung: ›Ich
gehöre ja zu Euch‹« (ebd., S. 161). Im Februar und März 1938 war
Zernatto Minister ohne Geschäftsbereich im letzten Kabinett des
österr. Bundeskanzlers Kurt von Schuschnigg. Nach dem »Anschluß« floh er nach Paris, 1940 emigrierte er in die USA. In seinem
in Paris verfaßten Buch *Die Wahrheit über Österreich* (1938) »ent-
schärfte«, so Friedbert Aspetsberger, Zernatto »die Opposition der
Neuösterreicher gegenüber Wien im Vergleich zu den Aussagen
aus der Zeit vor dem ›Anschluß‹. An Perkonig schrieb er am 8.4.
1924 ganz dezidiert: ›Es gibt eine Geisteskultur in Kärnten […] im
Gegensatz zur impotenten, balkanmäßigen ›Zivilisation‹ (im Sinne
Spenglers) Wiens‹« (Aspetsberger 1980, S. 90). Auch in seinem
anti-urbanen Roman *Sinnlose Stadt* (Leipzig 1934) stellte Zernatto
die Überlegenheit der organischen Provinz vor der seelenlosen
Stadt dar. Im Exil engagierte er sich in ständestaatlich-konservativen
und legitimistischen Kreisen, war 1942 Mitbegründer des »Austrian
National Committee« und Mitglied des »Military Committee for
the Liberation of Austria« unter Otto Habsburg. In seiner Autobiographie bezeichnet ihn CZ als »unser[en] liebe[n] Freund« und
als einen »in die Politik verschlagene[n] Lyriker, der dann viel zu
früh in New York – man kann hier fast sagen: an gebrochenem
Herzen – gestorben ist« (*Als wär's ein Stück von mir*, S. 79), womit

CZ vornehm umschreibt, daß Zernatto Selbstmord beging. Vgl. zur Biographie auch Drekonja 1981 sowie Drekonjas Artikel über Zernatto in Spalek/Strelka 1989, S. 997-1009.

Schlösser] Rainer Schlösser (1899-vermißt seit 1945) wurde 1931 kulturpolitischer Schriftleiter des *Völkischen Beobachters*. Der promovierte Germanist hatte sich ursprünglich eng an Alfred Rosenbergs ›Kampfbund für deutsche Kultur‹ angeschlossen, wandte sich 1933 aber Rosenbergs kulturpolitischem Konkurrenten Joseph Goebbels zu. Von 1933 an war Schlösser »Reichsdramaturg« im Propagandaministerium, wo er von 1935 bis 1944 die Leitung der Abteilung Theater und 1944/45 die Leitung der Abteilung Kultur innehatte. Schlössers Aufgaben bestanden in der Gleichschaltung und ideologischen Anpassung des Theaterbetriebs sowie in der Aussonderung jüdischer und politisch nicht opportuner Autoren und Schauspieler, die das Reichskammergesetz vom 22. September 1933 und das Theatergesetz vom 15. Mai 1934 regelte. Diese Ziele konnte er nahezu vollständig realisieren (vgl. Klausnitzer 1999 a). Bei seinen Angriffen auf regimekritische Autoren hatte Schlösser schon in der Weimarer Republik in einem antisemitischen Hetzartikel gegen CZ polemisiert, als auf dessen Vorschlag hin 1931 der Kleistpreis an Ödön von Horváth und Erik Reger verliehen worden war. In seinem Artikel *Der Kleistpreisrummel* im *Völkischen Beobachter*, Norddeutsche Ausgabe vom 19. November 1931, hieß es u.a.: »Der diesjährige Vertrauensmann der Kleiststiftung war der *Halbjude Karl Zuckmayer*, sattsam bekannt durch seine üblen Machwerke ›*Der fröhliche Weinberg*‹ und ›*Der Hauptmann von Köpenick*‹. Er sprach den Preis den ›Dichtern‹ Ödön von Horvath und Eric Reger zu. Was Zuckmayers Stücke schon bewiesen, jetzt bestätigt es auch seine Preisrichtertätigkeit: daß er allen Geschmacks und Urteilsvermögens bar ist. Dergleichen Eigenschaften bedarf man ja freilich heute auch gar nicht mehr, um zu literarischem Ruf zu gelangen. *Ästhetische Ahnungslosigkeit empfiehlt* vielmehr geradezu – ist sie nur mit der nötigen *Linkseinstellung* verbunden. Und die besitzt Zuckmayer fraglos, sonst würde er nicht *wertloseste, dürftigste und plattteste Tendenzliteratur* wie die von Reger und Horvath prämiiert haben.« Über persönliche Kontakte zu CZ konnte nichts ermittelt werden. In CZs Autobiographie wird Schlösser nicht erwähnt.

Möller] Eberhard Wolfgang Möller (1906-1972) war Sohn eines Bildhauers und arbeitete nach einem geisteswissenschaftlichen Studium 1926 am Berliner Staatstheater. Großen Erfolg bei der konservativen Kritik hatte er mit dem 1929 uraufgeführten Stück

Douaumont oder die Heimkehr des Soldaten Odysseus, das von Kritikern der Linken, namentlich von Herbert Ihering, scharf kritisiert wurde (vgl. Rühle 1972, Bd. 6, S. 778). Möller verstand sich in dieser Zeit als ein nationaler Dramatiker, der dem linken Zeitstück ein rechtes Pendant gegenüberstellen wollte. Er wurde Mitglied der SA, enger Vertrauter Rainer Schlössers, interessierte sich aber auch für den Anarchismus von Bakunin. Angeblich bestanden auch Kontakte zu Bertolt Brecht. »Ich habe mich«, so Möller 1972 bei einem Interview mit Glan Gadberry, »selbst mehrere Male mit Bert Brecht unterhalten über seine Lehrstücke, den ›Ja-Sager und den Neinsager‹, in denen ja auch nicht mehr individuelle Charaktere geschildert werden, sondern ein Thema dialektisch abgehandelt wird. Es war immer eine Gemeinschaft und der einzelne in der Gemeinschaft das Thema. Das Verhalten des einzelnen in der Gemeinschaft und zur Gemeinschaft sollte nicht nur dargestellt, sondern richtig geübt werden. Das waren Exerzitien …« (zit. nach ebd., Bd. 6, S. 779). Ein entsprechendes Interesse auf Seiten Brechts ist nicht belegt. 1933 wurde Möller Chefdramaturg am Königsberger Theater. 1934 berief man ihn zum Theaterreferenten im NS-Propagandaministerium, wo er sich u.a. für das Thingspiel stark machte. Im Auftrag von Goebbels schrieb er das *Frankenburger Würfelspiel*, das bei den Olympischen Spielen 1936 unter der Regie von Mathias Wiemann uraufgeführt wurde (abgedruckt in ebd., Bd. 5, S. 335-378; Kommentar in ebd., Bd. 6, S. 777-793). Das Stück wurde in der NS-Presse weitgehend begeistert aufgenommen, stieß aber im Umfeld von Rosenberg wegen eines angeblich verkappten Katholizismus auf Ablehnung. Ausgehend von seinem Stück *Der Untergang Carthagos*, in dem die Zeit der Weimarer Republik als tributfreudig karikiert wird, das von einigen aber auch als Warnung verstanden wurde, bekam Möller 1938/39 von offizieller Seite, vor allem von Rosenberg, zunehmend Kritik zu spüren (vgl. Baird 1994). Diese Ablehnung Möllers sieht Stefan Busch darin begründet, daß er, »gemessen am Geschmack der NS-Kulturpolitiker und Würdenträger, die sich persönlich angegriffen fühlten, allzu sehr auf einer von der Politik unabhängigen Kunst insistierte. Nicht daß dies als Widerspruch gegen den NS-Staat gemeint gewesen wäre; Möllers Verhalten erklärt sich aus der Tradition bürgerlichen Kunstverständnisses, aus dem er auch das Selbstbewußtsein bezog, auf der Bühne und mit seinen weiteren Schriften als Erzieher wirken zu können – und das tat er ganz im Sinne der nationalsozialistischen ›Idee‹, bis ihn die Realität dieses Staates einholte« (Busch 1998, S. 144). Möller gehörte zu den

Autoren der ersten, später von Veit Harlan veränderten Dreh-
buchversion des antisemitischen Propagandafilms *Jud Süß* (1940).
1940 ging er als Kriegsberichterstatter der Waffen-SS an die Front.
1945 wurde er von den Alliierten interniert. Nach der Entlassung
1948 veröffentlichte er bis 1966 noch vier relativ erfolglose Romane.
Über Kontakte zu CZ konnte nichts ermittelt werden. In CZs Autobiographie wird er nicht erwähnt.

Blunck] Der Schriftsteller Hans Friedrich Blunck (1888-1961) gelangte nach der »Machtergreifung« der Nationalsozialisten, die er
in den Gedichten *30.1.1933* und *Die Gassen hallen* begrüßt hatte
(Blunck 1935, S. 63), an die Spitze des deutschen Literaturbetriebs.
Der promovierte Jurist wurde mit seinen mythisierenden Balladen-
und Märchensammlungen bereits in der Weimarer Republik zu
einem wichtigen Repräsentanten der völkisch-nationalen Literatur.
Von 1933 bis 1935 war er Präsident der Reichsschrifttumskammer
(RSK). 1935 ist er von Goebbels mit der Führung der auswärtigen
Angelegenheiten der RSK betraut worden. Von 1936 an war er
Mitglied des Reichskultursenats. 1937 trat er der NSDAP bei, 1938
wurde er mit der Goethemedaille ausgezeichnet. Zu seiner kulturpolitischen Rolle vgl. den biographischen Abriß in Maue 1990 sowie Wagner 1996. 1941 zog sich Blunck von seinen öffentlichen
Ämtern auf seinen Bauernhof Mölenhoff bei Grebin/Holstein
zurück. Im Mai 1945 wurde er verhaftet und bis Januar 1946 im
Lager Gadeland bei Neumünster interniert. Im März 1949 stufte
ihn der Entnazifizierungsausschuß in Kiel als Mitläufer ein (vgl.
Loewy 1983, S. 307) und erlegte ihm ein Bußgeld von 10.000 Mark
auf. Vergeblich versuchte Blunck, Thomas Mann für seine Entlastung zu gewinnen, um die sich seit seinem Tod die ›Gesellschaft
zur Förderung des Werkes von Hans Friedrich Blunck‹ bemüht
(vgl. dazu Alnor 1963, zur Haltung Bluncks im Nationalsozialismus bes. S. 43-59; Schäfer 1998, S. 45-64). Über Kontakte zu CZ
konnte nichts ermittelt werden. In CZs Autobiographie wird
Blunck nicht erwähnt.

»Erschlagt ihn wegen seiner schlechten Verse] Das Zitat stammt aus
Shakespeares *Julius Cäsar*, 3. Akt, 3. Szene.

Reimann] Hans Reimann (1889-1969) war Schriftsteller, Herausgeber satirischer Zeitschriften (u.a. *Der Drache, Das Stachel-
schwein*) und Kabarettist. Er wurde vor allem durch Satiren und
humoristische Erzählungen bekannt (hier vor allem seine in den
Jahren 1921 bis 1931 veröffentlichten fünf Bände *Sächsische Minia-
turen*). In der Weimarer Republik profilierte er sich u.a. durch seine
Parodie auf den Roman *Die Sünde wider das Blut* von Artur Din-
ter (*Die Dinte wider das Blut. Ein Zeitroman von Artur Sünder*

[Reimann 1921]), seine Mitarbeit an der Wochenzeitschrift *Die Weltbühne* und den 1931 publik gewordenen, dann aber nicht ausgeführten Plan zu einer Hitler-Persiflage unter dem Titel *Mein Krampf* eindeutig als linksintellektueller Publizist. Nach Hitlers »Machtergreifung« vollzog er eine politische Kehrtwende und denunzierte seinen ehemaligen Verleger Paul Steegemann bei Will Vesper, dem gefürchtetsten literarischen NS-Apologeten dieser Zeit. Das ergibt sich aus einem Brief Vespers an Reimann vom 4. September 1953, in dem es heißt: »Ich kann nur aus meiner damaligen Zeitschrift und meiner Erinnerung feststellen, daß bereits 1933 Herr Steegemann ›Die Erhebung. Dokumente zur Zeitgeschichte.‹ herausgab, je Pappe 1.00 M und zwar besorgt von Peter Hagen. [...] Meine Zeitschrift bemerkte dazu im Jan.heft 1934: ›Der Verlag P St, der noch vor einem Jahr übelstes Literatenzeug und schlimmste Bordellliteratur verlegte, hat sich, wie so mancher andere, wie durch ein Wunder gewandelt. Wieviel lieber sähe man neue ordentliche Bauten auch an sauberen unbeschmutzten Stellen errichtet! Ein Verlag ist doch die Flagge unter der man segelt. Ist die Flagge verdreckt, so schändet sie das sauberste Schiff.‹ Sie sandten mir dann noch einiges Material über Ihren Prozeß mit St. im Jahre 32, wobei Sie verurteilt wurden, weil sie ›Mein Kampf‹ nicht rechtzeitig persifliert hatten. Darüber erschien eine kurze Glosse im Aprilheft, mit dem Schlußsatz: ›Herr St. fühlt sich daher vielleicht sogar moralisch berechtigt, sich jetzt durch die Herausgabe nationals. Schriften schadlos zu halten dafür, daß er nicht ein halbes Jahr vorher mit der Bedreckung und Verhöhnung des Führers und seines Lebenswerkes ein Bombengeschäft machen konnte‹« (DLA, Nachlaß Hans Reimann). 1957 machte Reimann nochmals einen Vorstoß, um von Vesper Unterstützung bei seinen Rehabilitierungsversuchen zu bekommen. Doch Vesper antwortete am 2. Mai 1957 nur: »Über Herrn weiland Steegemann kann ich Ihnen leider nichts sagen, was Sie nicht besser wissen. Ich habe den Herrn weder vor noch nach seinem ›Damaskus‹ je gesehen, weiß nur, von Ihnen, daß er Sie einmal verklagte, weil Sie ein Buch gegen ›Mein Kampf‹ angeblich nicht für ihn geschrieben, worauf Sie noch im Nov. 32 zu Schadenersatz verurteilt wurden« (ebd.). Vesper erklärte den Lesern seiner Zeitschrift *Die Neue Literatur* den Kurswechsel Reimanns 1934 damit, daß dieser die Arbeit an der projektierten Hitler-Parodie damit begonnen habe, *Mein Kampf* zu lesen, und dabei »von der Gewalt des Kampfbuches ergriffen« worden sei (*Die Neue Literatur*, Jg. 35, 1934, S. 245). Wie dem auch gewesen sein mag: Reimann schrieb nun für NS-Zeitschriften wie *Die Brennessel* und *Kladderadatsch*, was er in seiner 1959 veröffentlichten Autobiographie *Mein blaues Wunder* genauso als Schutzmaßnahme gegen die Gefährdung seiner Person rechtfertigte wie seinen antisemitischen Beitrag *Jüdischer Witz unter der Lupe* für *Velhagen & Klasings Monatshefte* (Jg. 58, 1944, S. 255-257), in dem es u.a. heißt: »Die Neigung zum Übersteigern wuchert dermaßen im jüdischen Hirn, daß es oft schwer fällt, zwischen Ausgeburten morscher Intellektualität und plattfüßiger Blödelei zu unterscheiden. [...] Weit davon entfernt, geradeaus zu denken und normal zu handeln, stürzen sich die Kinder Israels in Spitzfindigkeiten. Sie spiegeln sich im rassischen Ebenbild und schleichen den vertrauten Pfad kurvenreicher Mentalität« (ebd., S. 255). Eine Mitarbeit an der SS-Zeitschrift *Das Schwarze Korps* hat Reimann mit Hilfe einer eidesstattlichen Versicherung von Gunter d'Alquen, dem Hauptschriftleiter des *Schwarzen Korps*, zu entkräften versucht. Dem steht jedoch entgegen, daß Reimann in einer Erklärung gegenüber der Reichsschrifttumskammer selbst angegeben hat, »seit 1935 etwa ein Dutzend Beiträge im *Schwarzen Korps* gehabt zu haben« (DLA, Nachlaß Reimann, Standortkonvolut Entnazifizierung, Mappe 3, Auszug aus der Akte, Blatt 55 f., Aktenvermerk). Den Vorwurf einer Anbiederung an die NSDAP, den Paul Steegemann nach dem Zweiten Weltkrieg erhob (Steegemann 1950, S. 21 f.; vgl. auch Meyer 1994, S. 88-90), hat Reimann in seiner Autobiographie *Mein blaues Wunder* zurückgewiesen (Reimann 1959, S. 440-445, 489). Über persönliche Kontakte von CZ und Reimann nach dem Zweiten Weltkrieg ist nichts bekannt. In CZs Autobiographie wird Reimann genausowenig erwähnt wie CZ in der Reimanns.

sächsischen Königs] Friedrich August III. (1865-1932).

›Zum Blauen Affen‹] Gemeint ist das Kabarett ›Retorte‹ in Leipzig, das Anfang 1921 von Reimann, Walter Franke, Hans Peter Schmiedel und Hans Zeise-Gött gegründet wurde. Dort traten als prominente Gäste u.a. Walter Mehring, Max Herrmann-Neiße, Kurt Schwitters und Joachim Ringelnatz auf; als »Hausdichter« fungierte der kommunistische Satiriker Erich Weinert, der spätere Präsident des ›Nationalkomitees Freies Deutschland‹ (vgl. das Nachwort zu dieser Edition, S. 214 ff.). Im Frühjahr 1923 schloß die ›Retorte‹ wieder.

Mehring] Der Schriftsteller Walter Mehring (1896-1981) gehörte Anfang der 1920er Jahre zum Kreis um die Schauspielerin Annemarie Seidel, mit der CZ bis 1922 liiert war (vgl. *Als wär's ein Stück von mir*, S. 385). Er war ihm »der liebste von den gleichaltrigen Freunden« (ebd., S. 387). »Seine Chansons«, so CZ, »mit denen er die Kabarett-Besucher teils schockierte, teils begeisterte [...] waren der Inbegriff des Berlinischen« (ebd.). 1933 emigrierte Mehring zuerst nach Österreich, dann nach Frankreich. CZ und Mehring waren neben Franz Werfel Grabredner bei der Beerdigung Ödön von Horváths am 7. Juni 1938 in Paris (vgl. ebd., S. 131 f.). 1941 emigrierte Mehring in die USA. Über Kontakte zu CZ in den amerikanischen Emigrationsjahren ist nichts bekannt. Als CZ 1972 der Heinrich-Heine-Preis zugesprochen wurde, schickte er Erich Kästner einen Sonderdruck mit der Widmung »Ich hätte ihn Dir und Walter Mehring verliehen, – aber ich war nicht in der Jury« (vgl. Nickel/Weiß 1996, S. 462).

Tucholski] Der Schriftsteller und Publizist Kurt Tucholsky (1890-1935) arbeitete vor allem für die von Siegfried Jacobsohn herausgegebene Zeitschrift *Die Weltbühne*, in der er 1929 eine scharfe Kritik an Brechts »Laxheit in Fragen des geistigen Eigentums« übte und dabei en passant über CZs Bearbeitung *Rivalen* bemerkte: »Zuckmayer ist eine echte Kraft – wenn aber ein amerikanischer Film, der bereits nach einem Drama gearbeitet ist, Erfolg hat, so hängt er sich hinten an« (Jg. 25, 1929, Nr. 21, S. 783 f.). CZ wandte sich daraufhin mit einem Brief an Tucholsky, in dem er die Bearbeitung eines fremden Stücks als ästhetisch legitime Praxis verteidigte (vgl. Nickel/Weiß 1996, S. 154-156). Tucholsky hat daraufhin den Seitenhieb bei der Überarbeitung seines Textes für den Sammelband *Lerne lachen ohne zu weinen* gestrichen. Seitdem fehlt er in allen Wiederabdrucken. Als CZ 1931 ein Drama *Eduard VII.* projektierte, bei dessen Uraufführung Emil Jannings die Titelrolle übernehmen sollte, bat Jannings seinen langjährigen Freund Tucholsky, in England über Eduard VII. zu recherchieren (vgl. Gerold-Tucholsky/Raddatz 1962, S. 216 und 534). Die Arbeit an diesem Stück hat CZ im Spätsommer 1932 abgebrochen (vgl. Nickel 1998, S. 217 f., Anm. 8). Über weitere Kontakte zwischen CZ und Tucholsky ist nichts bekannt. In CZs Autobiographie wird Tucholsky nicht erwähnt.

Waldoff] Die Schauspielerin und Kabarettistin Claire Waldoff (1884-1957) kam 1906 nach Berlin, wo sie an verschiedenen Bühnen auftrat und als Kabarettsängerin außerordentlich populär wurde. Nach der »Machtergreifung« Hitlers war die »unerwünschte« Waldoff deutlich weniger gefragt, wurde als ordentliches Mitglied der Reichstheaterkammer jedoch nie verboten oder verfolgt (vgl. Bemmann 1994, S. 187-190). Ihr bekanntester Schlager *Hermann heest er* war schon vor dem Ersten Weltkrieg in ihrem Repertoire und durfte auch nach der »Machtergreifung« der Nationalsozialisten mit persönlicher Erlaubnis Hermann Görings weiter dargeboten werden (ebd., S. 196). Während des Zweiten Weltkriegs zog sie sich immer häufiger nach Bayrisch-Gmain zurück (ebd., S. 197, 201). Nach 1945 trat sie noch einige Male in München und Berlin auf. Über Kontakte zu CZ konnte nichts ermittelt werden. In CZs Autobiographie wird sie nicht erwähnt.

›*Schwarzen Korps*‹] Die Wochenzeitschrift *Das Schwarze Korps*, die im Untertitel die Bezeichnung *Zeitung der Schutzstaffeln der NSDAP* und *Organ der Reichsführung SS* trug, erschien seit Februar 1935 im Münchner Eher-Verlag. Sie war auf Anregung des Reichsführers SS, Heinrich Himmler, nach dem Machtverlust der SA infolge des sogenannten Röhm-Putschs vom 30. Juni 1934 als Ausdruck eines neugewonnenen Selbstbewußtseins der SS gegründet worden. Aufgebaut und herausgegeben wurde sie von Gunter d'Alquen, der vorher Schriftleiter der Abteilung Innenpolitik beim *Völkischen Beobachter* war. Das *Schwarze Korps* verstand sich als Verbandszeitung, die im Sinne der Interessenvertretung ein Forum für Kritik der SS an staatlichen Stellen bieten sollte. Gleichwohl griff die Zeitung allgemeine Themen des nationalsozialistischen Lebens, häufig in charakteristischem, scharf antikatholischen Ton, auf (vgl. Heiber/von Kotze 1968, S. 5-23, hier: S. 6, 10-12).

Morgan] Der österr. Kabarettist und Schriftsteller Paul Morgan, bis 1911 Georg Paul Morgenstern (1886-1938), kam 1917 nach Berlin und gründete 1924 zusammen mit Kurt Robitschek und Max Hansen das »Kabarett der Komiker«, das 1933 von den Nationalsozialisten verboten wurde. Bis dahin war Morgan auch ein gefragter Schauspieler, wirkte etwa in der Verfilmung von CZs *Fröhlichem Weinberg* (1927) durch Jacob und Luise Fleck mit. Er emigrierte nach der »Machtergreifung« Hitlers nach Wien, wo ihn die Gestapo 1938 verhaftete und zunächst nach Dachau, anschließend nach Buchenwald deportierte. Dort starb er an den Folgen einer Lungenentzündung (zur Biographie vgl. Liebe 1995, S. 125-163). Über Kontakte zu CZ konnte nichts ermittelt werden. In CZs Autobiographie wird er nicht erwähnt.

Artikel] In der Ausgabe des *Schwarzen Korps* vom 12. Mai 1938 findet sich auf S. 10 unter der Überschrift *Die Pest von Wien*, unter der schon in vorhergehenden Ausgaben österreichische Juden beschimpft wurden, ein Hetzartikel gegen den festgenommenen Paul Morgan und den Schauspieler und Sänger Fritz Schulz (1896/ 1898-1972). Morgan wird darin antinazistisches Kabarett und seine Freundschaft zum deutschen Außenminister Gustav Stresemann vorgeworfen. Zwei Portraitphotos zeigen die beiden Schauspieler unrasiert und ohne Kragen. Außerdem ist den Photos ein Bild mit zwei uniformierten Männern unterlegt, von denen einer von Schulz dargestellt wird. Dabei könnte es sich um den im Artikel zitierten antifranzösischen Film *Die schwarze Schmach* (1921, Regie: Carl Boese) handeln, der Schulz (in der Rolle eines »deutschen Jünglings«) als »Assimilationsversuch« angelastet wurde. SA-Männer des Jahres 1938 sind dagegen nicht abgebildet. Der Artikel ist – wie meist im *Schwarzen Korps* – nicht namentlich gezeichnet.

Schauspieler] Um wen es sich gehandelt hat, konnte nicht ermittelt werden.

Binding] Der Schriftsteller Rudolf G. Binding (1867-1938) war zunächst Pferdezüchter. Von 1910 an lebte er als Schriftsteller in Buchschlag in Hessen, wo er nach dem Ersten Weltkrieg, an dem er als Ordonnanzoffizier teilnahm, Bürgermeister war. Mit der Novelle *Der Opfergang* (1912) begründete er seinen schriftstellerischen Erfolg. Wann sich erste Kontakte zu CZ ergaben, läßt sich nicht mehr feststellen. Im Nachlaß von CZ ergibt ein Brief von Binding an CZ vom 22. Juni 1932 den terminus ante quem. Darin heißt es:»Sehr verehrter, lieber Herr Zuckmayer, herzlichen Dank für die ›Affenhochzeit‹ die ich mir sozusagen durch die Moselfahrt aus Liebeskummer verdient habe. Das will sagen daß ich mich Ihrer freundlichen Zuschriftworte besonders freue. Aber darüber ist Ihr Buch nicht zu kurz gekommen und hat einen sehr bereitwilligen und mithochzeitenden Leser gefunden. Ein Affe hat doch ein unverdientes Glück wenn Sie sich seiner annehmen – wie übrigens auch andere Gegenstände: Uniformröcke u. dergl. mehr. Es ist wirklich Ihr Geheimnis! Ich habe es sehr genossen und mit Vergnügen verschluckt. Ich grüße Sie herzlich und dankend als Ihr Rudolf G. Binding« (DLA, Nachlaß CZ). Im Juli 1932 veröffentlichte die Zeitschrift *Querschnitt* (Jg. 12, H. 7, S. 532) CZs Rezension von Bindings 1932 im Verlag Rütten & Loening erschienener Novelle *Moselfahrt aus Liebeskummer*, die er als »die schönste, reifste und reinste Erzählung [...], die es seit Thomas Manns Novelle ›Unordnung und frühes Leid‹ in deutscher Sprache gab«, lobte. Von 1935 an lebte Binding in Starnberg. Im September 1930 unterzeichnete er gemeinsam mit CZ den *Aufruf an die Partei der Nichtwähler*, der angesichts der bevorstehenden Reichstagswahlen vom 14. September 1930 überparteilich zur Stimmenabgabe aufrief (vgl. Nickel/Weiß 1996, S. 218). In einer Antwort auf Romain Rollands Anklagebrief gegen das nationalsozialistische Deutschland in der *Kölnischen Zeitung* vom 9. Mai 1933 (abgedruckt in Wulf 1989, Bd. 2, S. 102 f.) bekannte Binding sich im Mai/Juni 1933 zu den neuen Machthabern:»Wir leugnen nicht ›die eigenen Erklärungen,

die Aufreizungen zu Gewalt‹ (wie Sie es verstehen), ›die Verkün-
dungen des Rassismus‹ (racisme), der andere Rassen, wie die Juden,
verletzen muß; die Autodafés der Gedanken, die kindlichen
Scheiterhaufen von Büchern, die Eindrängung‹ (wie Sie meinen)
›der Politik in die Akademien und Universitäten‹ – wir leugnen
nicht Auswanderungen und Verfemungen. Aber alles das, so
furchtbar es aussehn und so entscheidend es den Einzelnen oder
viele treffen mag, sind *Randerscheinungen*, die die eigentliche Sou-
veränität, den Kern, die *Wahrheit* des Geschehens gar nicht mehr
anrühren« (*Sechs Bekenntnisse zum neuen Deutschland. R. G. Binding, E. G. Kolbenheyer, die Kölnische Zeitung, W. v. Scholz,
O. Wirz, R. Fabre-Luce antworten Romain Rolland*, Hamburg
1933, S. 18). Im Oktober desselben Jahres protestierte er gegen das
Erscheinen seiner Unterschrift auf einem Treuegelöbnis für Hitler
(vgl. den Brief vom 30. Oktober 1933 an den Reichsverband deutscher Schriftsteller, in Barthel 1957, S. 216). Von 1934 an war Binding stellvertretender Präsident der Deutschen Akademie der Dichtung. 1935 schlug er CZ vergeblich für den Schillerpreis des preußischen Staates vor (vgl. ebd., S. 281-286). Am 18. September 1936
schrieb er nach der Lektüre von CZs Roman *Salwàre oder die
Magdalena von Bozen* anerkennend an CZ: »In den letzten Wochen habe ich, auf einem ganz anderen Schauplatz als es hier mein
Haus und sein Ausblick ist, oft lebhaft an Sie gedacht. Ich war nämlich in Berlin und habe den Olympischen Spielen als Ehrengast beiwohnen dürfen. Und dabei wurde denn auch das ›Frankenburger
Würfelspiel‹ auf der wunderbaren Dietrich-Eckart-Bühne Gegenstand meines Besuchs. Lieber Zuckmayer! da dachte ich an Sie. Diese Bühne hätte ich Ihnen gegönnt – und dieser Bühne hätte ich ein
ebenbürtiges Stück gegönnt. Die Langeweile aber, diese furchtbare
Einfalllosigkeit des Spiels das man dort vorgesetzt bekam, waren
so gross dass jeder ehrliche Volksgenosse sich etwas anderes für
diese Stätte der Kunst wünschte als man ihm da zumutete. Eine der-
artige Äusserung sende ich Ihnen nicht damit andere draussen damit Unfug und Propaganda treiben. Ich sende sie um der Wahrheit
meines Bedauerns willen. Das deutsche Volk darf höhere Ansprüche machen und darf erwarten dass die höheren Ansprüche erfüllt
werden« (Barthel 1957, S. 339). Nachdem Binding am 4. August
1938 in Starnberg, wo er seit 1935 lebte, gestorben war, schrieb CZ
einen Nachruf, der unter dem Titel *Abschied von Rudolf G. Bindung* in der *Neuen Zürcher Zeitung* vom 9. August 1938 veröffentlicht worden ist. Er hat folgenden Wortlaut: »Wenn ein Dichter
stirbt, wird die Welt ärmer. Rudolf G. Bindings Tod reißt für jeden,

der die reine und edle Sprache seiner Werke liebte – mehr noch: der den Mann und Menschen kannte und verehrte –, eine unersetzliche Lücke. Unersetzlich umsomehr, als er im heutigen Deutschland zu den letzten Bewahrern großer, würdiger und nobler Tradition gehörte. Bindings nationales Bekenntnis muß vor jedem Mißverständnis bewahrt bleiben: es war niemals marktschreierisch, nie überheblich, nie gehässig, und entsprang keinen anderen Quellen als denen der Liebe und der vornehmen Gesinnung. Sein politisches Ideal war jene Verbindung von starkem Nationalbewußtsein mit Welterschlossenheit und kulturellem Anstand, wie sie am ehesten in der Haltung der Engländer Form und Beispiel wurde. Gewiß: ein Herren-Ideal, – ein Ideal, das Ritterlichkeit und Selbstachtung als anerkannte Werte voraussetzt. Herr zu sein, bedeutete für ihn den höchsten Einsatz an Charakter, Verantwortung, Treue. Und Rudolf G. Binding war ein Herr, im besten und menschlichsten Begriff. Einer, der den Gegner achtet, und den Freund nicht verläßt. Unverrückbar hielt er seinen Freunden und seiner Überzeugung die Treue, ganz gleich, was um ihn her an Trennung und Zerfall geschah. Er litt unter den Fehlern und Schwächen seines Volkes umso schmerzlicher, als er es niemals hätte verlassen können, und er glaubte bis zuletzt an ihre künftige Überwindung von innen her. Er lebt im Herzen Aller, ob innerhalb oder ausserhalb des Reichs, die an den unvergänglichen Wert des Geistes und der Menschenwürde glauben.« In CZs Autobiographie wird Binding nicht erwähnt. Vgl. zu Biographie und Werk Bindings auch Martin 1986.

Skandal-Affaire] Gemeint ist der sogenannte Sklarek-Skandal. Die Brüder Leo (geb. 1885), Max (1882-1934) und Willy Sklarek (1885-1938), gemeinsame Inhaber einer Berliner Kleiderverwertungsgesellschaft, hatten zum Schaden der Stadtbank betrügerische Kreditgeschäfte durchgeführt, die im Sommer 1929 auflogen. Der damals amtierende Berliner Oberbürgermeister Gustav Böß (1873-1946) wurde in diese Affäre hineingezogen, weil seine Frau Anna einen Pelzmantel zu einem offensichtlich viel zu niedrigen Preis bei den Sklareks gekauft hatte. Von Böß war zwar wiederholt, aber vergeblich um eine Rechnung mit einem angemessenen Preis gebeten worden, so daß er sich schließlich zu einer Spende für wohltätige Einrichtungen in Höhe von 1000 RM entschloß. Ein von Böß selbst eingeleitetes Disziplinarverfahren endete zu seinen Gunsten. Gleichwohl sah er sich gezwungen, am 7. November 1929, in der letzten Sitzung der Stadtverordnetenversammlung vor deren Neuwahl, sein Amt niederzulegen.

Graff] Der Schriftsteller Sigmund Graff (1898-1979) nahm am Ersten
Weltkrieg teil, arbeitete anschließend als Journalist und schrieb
von 1924 bis 1926 für die Wochenzeitung *Stahlhelm* (Magdeburg).
Mit dem gemeinsam mit Carl Ernst Hintze geschriebenen Stück
Die endlose Straße (1926) begründete er seinen Erfolg als Bühnenautor, der in der NS-Zeit anhielt (der Text dieses Dramas ist abgedruckt in Rühle 1972, Bd. 4, S. 699-767; ein Graffs politische Haltung nicht thematisierender Kommentar findet sich ebd., S. 832-
834). 1933 wurde Graff Mitarbeiter in der Theaterabteilung des
Propagandaministeriums und ein enger Vertrauter des Reichsdramaturgen Rainer Schlösser (vgl. Drewniak 1983, S. 18). 1936
veröffentlichte er im Verlag Breitkopf & Härtel (Leipzig) das
Buch *Unvergeßlicher Krieg*, das – wie er in einer in den 1960er
Jahren von ihm selbst zusammengestellten und hektographierten
Bibliographie seiner Werke vermerkte – »wenige Wochen nach
dem Erscheinen[] vom NS-Regime unterdrückt« worden sei (DLA).
In den Jahren 1937 bis 1939 wurden sechs Komödien Graffs an
deutschen Theatern uraufgeführt. 1939 ist er zum Regierungsrat
ernannt und mit dem Friedrich-Rückert-Preis ausgezeichnet worden. Zu Kriegsbeginn wurde er einberufen und in der Presseabteilung beim Oberkommando der Wehrmacht eingesetzt. In dessen
Auftrag gab er in den Jahren 1941 bis 1943 drei Anthologien heraus.
1943 veröffentlichte er im Nibelungen-Verlag (Berlin, Leipzig)
»Aphoristische Betrachtungen« unter dem Titel *Über das Solda-
tische*, zu denen er in seiner Bibliographie vermerkt: »Die mit Vertretern des Widerstandes (Dr. Max Simoneit u. Dr. Günther
Spannaus) abgestimmte kl. Schrift (131 Seiten) dient, nur durch
wenige ›positiv‹ erscheinende Stellen getarnt, der geistigen Vorbereitung der Aktion des spät. 20. Juli 1944.« Nach dem Zweiten
Weltkrieg wurde Graff wegen seiner Unterstützung des NS-Re-
gimes angeklagt, im Hauptspruchkammerverfahren jedoch freigesprochen. Darüber berichteten die *Nürnberger Nachrichten* am
30. Oktober 1948: »Dem Verfahren gegen Sigmund Graff lagen
folgende Anklagepunkte zugrunde: Der Betroffene habe durch
seine Tätigkeit beim Reichsdramaturgen im Reichspropagandami-
sterium sowie später in der Presseabteilung beim Oberkommando
der Wehrmacht die Gewaltherrschaft des Nationalsozialismus wesentlich gefördert. Er habe ferner seine Stellung dazu mißbraucht,
Theaterleiter unter Drohungen zur Aufführung seiner Stücke zu
nötigen, und habe sich das Werk eines jüdischen Autors wider-
rechtlich angeeignet, um es unter eigenem Namen herauszubringen.
Außerdem lag eine formale Belastung wegen Parteimitgliedschaft

ab 1937 vor. Nachdem der Betroffene Gelegenheit hatte, zu allen Anklagepunkten eingehend Stellung zu nehmen, ergab die umfangreiche Beweisaufnahme die völlige Haltlosigkeit aller Beschuldigungen. Eine Fülle von mündlichen und schriftlichen Zeugnissen erhärtete die Tatsache, daß Sigmund Graff nicht nur ein offener Gegner des Nazismus, sondern darüber hinaus ein wichtiger Verbindungsmann zwischen drei bedeutenden Widerstandsgruppen war. Es handelt sich hierbei um den Kreis um Dr. Goerdeler, von Witzleben und Graf Moltke und die Widerstandsgruppe von Dr. Stürmer, dem Präsidenten der ›Union der Aktivkräfte gegen den Nazismus‹, sowie um den kirchlich orientierten sogenannten ›Kreisauer Kreis‹. Seine Stellung im Propagandaministerium und im OKW benützte Graff dazu, den genannten Gruppen wertvolles Material zukommen zu lassen sowie unermüdlich in Wort und Schrift auf Soldaten und junge Offiziere der Truppe einzuwirken im Sinne der Förderung einer soldatischen Auffassung der Anständigkeit und der Ritterlichkeit als Gegengewicht gegen die brutalen Terrormethoden der SS. Sein Parteieintritt 1937 erfolgte aus Tarnungsgründen auf Anraten seiner Widerstandsfreunde. Es erwies sich, daß Graff niemals die Aufführung seiner Stücke forciert hatte und die Theaterleiter stets beriet, wie sie Beanstandungen wegen ›unerwünschter‹ Dialogstellen entkräften konnten. Der einzige Belastungszeuge, Dr. Petzet, früherer Dramaturg der Münchener Kammerspiele unter Falckenberg, sagte zur allgemeinen Überraschung, in diesem Sinne zu Gunsten Graffs aus. Seine Benennung als Zeuge der Anklage sei ihm unerklärlich.« In einem Brief vom 31. August 1953 erläuterte Graff Paul Fechter seine Situation in den ersten Jahren nach dem Zweiten Weltkrieg: »Beruflich hatte ich zunächst einen Augiasstall gegen mich zusammengetragener Verleumdungen auszumisten, aber ich habe die Wucht und Zähigkeit des Dramatikers dagegen aufgeboten – unter Verzicht auf eigene Stücke natürlich – und bis heute in 6 Prozessen folgendes erreicht: 1 Verurteilung weg. übler Nachrede in Tateinheit mit Beleidigung (gegen den Chefredakteur einer gr. deutschen Wochenzeitung) – 2 Zurücknahmen (Ehrenerklärungen) durch gerichtlichen Vergleich – 1 freiwillige Zurücknahme (als Irrtum) durch Herrn Paul E. Lüth, Literatur als Geschichte, [Wiesbaden 1947] Band II, Seite 556 (die Erklärung wird, wie in allen Fällen, in sämtl. Exemplare bei den Bibliotheken eingeklebt) – das Angebot einer Berichtigung (durch eine Filmkorrespondenz) – ein Teilurteil des LG München I vom 21.8.52 zu meinen Gunsten. Es wird nun sehr still bei diesen Leuten, die meistens überall nur nicht in Berlin saßen bzw. keine

Sachkenntnis davon hatten, daß ich zu den frühesten aktiven Mitarbeitern des Grafen Moltke usw. gehörte [...]« (DLA, Nachlaß
Paul Fechter). Über Verbindungen Graffs zu den von ihm genannten
Widerstandsgruppen konnte nichts ermittelt werden. – In seiner
Autobiographie *Von SM zum NS* schreibt Graff, er habe CZ bereits
in seiner Magdeburger Zeit kennengelernt und sein »Theaterblut«
bewundert (Graff 1963, S. 129). Am 18. September 1948 wandte
sich Graff, der sich im Briefkopf als »Rechts-Mitglied Nr. 283 der
Union d. Aktiv-Kräfte gegen den Nazismus« bezeichnete, erneut an
Fechter und berichtete über die bevorstehende »Klärung meiner
Angelegenheit«. U.a. weist er auf »die klare Friedenstendenz meines
Schauspiels ›Die Prüfung des Meister Tilmann‹ (Volksbühne, April
1939)« hin und erklärt, daß er von Helmut Kindler, Leopold
Lindtberg, Herbert Ihering, Heinz Hilpert, Gustaf Gründgens
und CZ entlastende Bestätigungen erhalten habe (DLA, Nachlaß
Paul Fechter). Anfang 1964 nahm er mit CZ Kontakt auf und bat ihn
in insgesamt vier Briefen (DLA, Nachlaß CZ) um Unterstützung,
weil er – wie auch Max Barthel, Karl Bröger und Paul Fechter –
durch Gero von Wilpert in dem im Kröner Verlag erschienenen
Lexikon der Weltliteratur politisch verunglimpft worden sei. Auch
gerichtlich, so informierte er CZ, fordere er die Hinzufügung des
Satzes »1948 weg. aktiv. Widerstands entlastet.« Graff wies CZ
dabei auch auf die Dissertation von Elisabeth Frenzel hin [*Juden-
gestalten auf der deutschen Bühne*, München 1940], »die m. Hilfe
d. Herrn v. W. 1962 Kröner-Autorin« geworden sei. Dieses Buch
enthalte CZ beleidigende Passagen (»Die Sinnlichkeit in Zuckmayers ›Fröhlichem Weinberg‹«, befand Frenzel etwa, »ist nicht
germanisch urwüchsig« [S. 224]). Ob CZ Graff geantwortet hat, ließ
sich nicht ermitteln. Der Nachlaß Graffs, der sich in der Universität
Erlangen-Nürnberg befindet, enthält keine Briefe CZs. 1972 schickte er ihm jedoch seine Rede zur Verleihung des Heinrich-Heine-
Preises der Stadt Düsseldorf, für die sich Graff am 3. Januar 1973
bedankte: »Verehrter Meister, lieber Carl Zuckm⟨a⟩yer, wie sehr
mich Ihre lieben Wünsche erfreut haben, ist schwer auszudrücken.
Denn wir sind ja schließlich alte Kampfgenossen *des* Theaters, das
unser Ideal war, und von dem nur eine aus den Seelenfugen geratene
Zeit in komischen Sprüngen abirren konnte. [...] Ihre Heine-Rede
ist ein Wurf aus dem Ganzen. Nur wer dem Schöpferischen nahe-
steht, konnte das so sagen. Aus dem alten Schwung Ihrer Wid-
mungszeilen sah ich, daß es Ihnen gesundheitlich nicht schlecht
gehen kann, wie einige Pressemeldungen andeuteten. Die Rede
mit Ihrer Handschrift wird am 7.1. (zu meinem 75sten) den eh-

renvollsten Platz auf meinem Gabentisch erhalten. Ich melde mich wahrscheinlich bald noch einmal« (DLA, Nachlaß CZ, Standortkonvolut Heinrich-Heine-Preis). Weitere Korrespondenz ist nicht überliefert. In CZs Autobiographie wird Graff nicht erwähnt.

›*Die endlose Strasse*‹] Das Stück mit dem Untertitel *Ein Frontstück in 4 Bildern* hat Graff zusammen mit Carl Ernst Hintze (1899-1931) verfaßt und 1926 veröffentlicht. Nach seiner Uraufführung am 19. November 1930 am Stadttheater Aachen unter der Regie von Hermann Albert Schröder wurde es – so Graff in seiner Bibliographie (vgl. S. 249, Anm. zu *Graff*) – von verschiedenen deutschen Bühnen mehr als 5.000 Mal gespielt. In der Kritik einer Aufführung am Schiller-Theater lobte Alfred Kerr das Werk nachdrücklich, und zwar nicht etwa »die Tendenz des Stücks: die Erbärmlichkeit des Krieges. Mit dieser Tendenz könnte das Stück spottschlecht, die Darstellung hundeschlecht sein. Das Stück ist jedoch ernsthaft gut in einer großartigen Sachlichkeit; in einer schweigenden Sachlichkeit; in seiner Nichtsalssachlichkeit« (*Berliner Tageblatt* vom 24. Februar 1932, zit. nach Fetting 1981, S. 560-563, hier S. 560 f.). 1933 erhielt Graff für dieses Drama den Dietrich-Eckart-Preis.

Rehberg] Der Schriftsteller Hans Rehberg (1901-1963) trat im November 1930 der NSDAP bei. In der NS-Zeit war er vor allem mit seinen Preußendramen (vgl. S. 253, Anm. zu *Preussendramen*) erfolgreich. Seine Werke erschienen von 1934 an im S. Fischer Verlag. Karl Korn, von 1938 bis 1940 Lektor in dem von Peter Suhrkamp seit 1936 alleinverantwortlich geleiteten Unternehmen, schildert in seiner Autobiographie wie Rehbergs Gedicht auf den »Führer« entstanden ist: »Ich hatte die ›Anregung‹ des Zeitschriftendienstes, Hitlers 50. Geburtstag ›groß herauszustellen‹, wie solches formuliert zu werden pflegte, glatt übersehen. Ob Suhrkamp den Dienst auch regelmäßig las, weiß ich mich nicht mehr zu erinnern. Bade [Wilfried Bade (1906-nach 1945 vermißt] war Ministerialrat im Propagandaministerium und von 1933 an für die Abteilung »Zeitschriftenpresse« zuständig] rief Suhrkamp sofort nach Erscheinen des Aprilheftes 1939 an und verfügte telefonisch die Einstellung der ›Neuen Rundschau‹. [...] Man hat wohl richtig vermutet, daß Suhrkamp als hoch ausgezeichneter Frontoffizier des Ersten Weltkriegs einen gewissen Schutz genoß. Tatsächlich gelang es den Verhandlungstaktiken des Verlegers, die Zeitschrift gegen das Versprechen zu retten, daß die ›Geburtstagsehrung des Führers‹ nachgeholt würde. [...] Um im Mai die zugesagte Genugtuung zu liefern, zögerte der Boß nicht lange. Hans Rehberg, der auf seine Weise ein Nazi war oder in den ersten Jahren, als er zur SA gehörte, gewesen war, wurde in den Verlag beordert. Suhr-

kamp, der sich auf den rauhen Frontschweinton verstand, wenn es
nötig war, sperrte Rehberg in das Wartezimmer des Verlags regel-
recht ein, nicht ohne dem Dichter eine Flasche Asbach Uralt auf
den Tisch gestellt zu haben. Nach Stunden klopfte der Eingesperr-
te energisch und wies zwei Blatt Huldigungspoem und die mehr
als halb leere Flasche vor. [...] Das ›Gedicht‹ erschien in der Mai-
nummer des 50. Jahrgangs der ›Neuen Rundschau‹ ...« (Korn
1975, S. 287 f.). Nicht nur die Tatsache, daß Rehberg 1939 nur
alkoholisiert ein Geburtstagsgedicht auf den »Führer« schreiben
konnte, zeugt von seiner zunehmenden Distanzierung vom NS-
Staat nach dem sogeanntem Röhm-Putsch 1934. Er galt auch in
der Dienststelle Rosenberg politisch als unzuverlässig: »›Trotz der
zweifellos anerkennungswerten Haltung Rehbergs in der Kampfzeit‹, schrieb 1943 Walter Stang (Leiter des Hauptamtes Kunst-
pflege in der Dienststelle Rosenberg) an den Reichsdramaturgen
Rainer Schlösser, ›zeigt sich sein Schaffen bis heute kaum irgendwo von der nationalsozialistischen Gedankenwelt berührt, dagegen noch durchaus verhaftet dem Geiste der Systemzeit, gegen
die er politisch einmal im Kampf gestanden hat‹« (Drewniak 1983,
S. 232). Nach Kriegsende verfaßte Rehberg noch einige Stücke, die
aber relativ erfolglos waren. Persönliche Kontakte zu CZ gab es
keine. In CZs Autobiographie wird Rehberg nicht erwähnt.

Cecil Rhodes-Drama] Rehbergs fünfaktiges Schauspiel *Cecil Rhodes*
wurde am 8. März 1930 unter der Regie Saladin Schmidts in Bo-
chum uraufgeführt.

SA-Gruppenführer] Rehberg war Mitglied, aber nicht Gruppenfüh-
rer der SA.

Hymnen] Außer dem Geburtstagsgedicht, das Peter Suhrkamp im
April 1939 erbeten hat, sind von Rehberg keine weiteren Gedichte
auf den »Führer« verfaßt worden.

Preussendramen] Es handelt sich um einen Zyklus von fünf Stücken:
Der große Kurfürst (Uraufführung am 20. November 1934, Regie:
Jürgen Fehling, Staatstheater Berlin), *Friedrich I.* (Uraufführung
am 10. April 1935, Regie: Detlef Sierck, Altes Theater Leipzig),
Friedrich Wilhelm I. (Uraufführung am 19. April 1936, Regie: Jürgen Fehling, Staatstheater Berlin) *Kaiser und König* (Uraufführung am 27. Oktober 1937, Regie: Günther Haenel, Schauspielhaus Hamburg) und *Der siebenjährige Krieg* (Uraufführung am
6. April 1938 Regie: Gustaf Gründgens, Staatstheater Berlin).

Schubiak] Lump, niederträchtiger Mensch.

Bronnen] Der österr. Schriftsteller Arnolt Bronnen, eigtl. Arnold
Bronner (1895-1959), studierte Jura und Philosophie. Er nahm als
Soldat am Ersten Weltkrieg teil. Nach Kriegsende lebte er in Berlin

und erregte großes Aufsehen mit seinem Drama *Vatermord* (1915, Neufassung 1922), das am 22. April 1922 in Frankfurt am Main uraufgeführt und von CZ rezensiert wurde (CZ, ›Vatermord‹, *Schauspiel von Arnold Bronnen*, in: *Die neue Schaubühne*, Jg. 4, 1922, S. 149-151; jetzt in Zuckmayer, *Aufruf zum Leben*, S. 103-106). War die Frankfurter Inszenierung nur ein Mißerfolg, so endete die Berliner Erstaufführung am 14. Mai 1922 unter der Regie von Berthold Viertel mit einem Theaterskandal. Nach einer Freundschaft mit Bertolt Brecht zu Beginn der 1920er Jahre (vgl. Bronnen 1960) wechselte Bronnen ins nationalrevolutionäre Lager. Er wurde von Alfred Rosenberg bekämpft, von Joseph Goebbels dagegen zunächst unterstützt, bis er auch mit ihm in Konflikt geriet. 1937 erhielt Bronnen Berufsverbot. 1943 schloß er sich dem Widerstand in Österreich an und wurde 1944 wegen Wehrkraftzersetzung verhaftet. 1945 trat er der KPÖ bei. Von 1945 bis 1950 arbeitete er als Kulturredakteur der KPÖ-Zeitung *Die Neue Zeit* in Linz. 1951 berief man ihn zum Direktor des Neuen Theaters in der Wiener Scala. 1955 übersiedelte Bronnen nach Ost-Berlin, wo er als Theaterkritiker der *Berliner Zeitung* arbeitete. Zur Biographie vgl. Aspetsberger 1995; Schneider-Nehls 1997, S. 115-206; Scheit 1998; Aspetsberger 1998. Vgl. auch den Beitrag von Friedbert Aspetsberger im *Zuckmayer-Jahrbuch*, Bd. 5.

›*Exzesse*‹] Bronnens Stück *Die Exzesse* (Berlin: Ernst Rowohlt 1923) wurde am 7. Juni 1925 unter der Regie von Heinz Hilpert am Berliner Lessingtheater uraufgeführt.

›*Anarchie in Sillian*‹] Bronnens Drama *Anarchie in Sillian* (Berlin: Rowohlt 1924) wurde am 6. April 1924 unter der Regie von Heinz Hilpert an der Jungen Bühne des Deutschen Theaters Berlin uraufgeführt.

›*Rheinische Rebellen*‹] Die Uraufführung fand unter der Regie von Leopold Jessner am 16. Mai 1925 am Staatlichen Schauspielhaus Berlin statt. Die Buchausgabe erschien im selben Jahr bei Rowohlt.

baltischen Dame] Die Schauspielerin Olga Bronnen (1909-1935). Vgl. das Portrait von Ernst Jüngers erster Ehefrau Gretha von Jeinsen in ihrem Buch *Silhouetten. Eigenwillige Betrachtungen* (von Jeinsen 1955, S. 122-143).

Rosenbergkreis] Alfred Rosenberg (1893-1946) hatte seit 1919 Kontakt zur NSDAP (damals noch DAP). Er beteiligte sich am Hitler-Putsch 1923 und wurde im selben Jahr Hauptschriftleiter des *Völkischen Beobachters*. 1929 gründete er den ›Kampfbund für deutsche Kultur‹. Von 1934 an war er Beauftragter des »Führers« für die Überwachung der gesamten geistigen und weltanschaulichen Schulung und Erziehung der NSDAP, von 1941 bis 1945 Reichsminister für die besetzten Ostgebiete. Er war einer der schärfsten Widersacher von Joseph Goebbels und lehnte jede Förderung Bronnens aufgrund seiner jüdischen Herkunft sowie der sexuellen Prägung seines Werks ab (vgl. Aspetsberger 1995, S. 595-600). Rosenberg wurde 1946 in Nürnberg zum Tode verurteilt und hingerichtet.

Mrs. Goebbels] Joseph Goebbels heiratete Magda Quandt (1901-1945) erst im Dezember 1931.

Remarque-Film] CZ und Erich Maria Remarque, eigentl. Erich Paul Remark (1898-1970), lernten sich vermutlich 1927 persönlich kennen. Zwei Jahre später hat CZ Remarques Roman *Im Westen nichts Neues* enthusiastisch rezensiert (CZ, *Erich Maria Remarque: »Im Westen nichts Neues«*, in: *Berliner Illustrirte Zeitung* vom 31. Januar 1929, jetzt in Zuckmayer, *Aufruf zum Leben*, S. 97-99). Als die Verfilmung dieses Buchs im Dezember 1930 verboten wurde, ergriff er nochmals entschieden für Remarque Partei (CZ, *Front der Unzerstörten*, in: *Vossische Zeitung* vom 21. Dezember 1930, Nachdruck in: *Blätter der Carl-Zuckmayer-Gesellschaft*, Jg. 10, 1984, H. 2, S. 87-90). Die Auseinandersetzung um Buch und Film ist dokumentiert in Schrader 1992. Zum Verhältnis CZ/Remarque in dieser Zeit vgl. auch R. Albrecht 1984; dazu kritisch Fröschle 1999. Zum Rezeptionskontext von Roman und Verfilmung vgl. auch Th. Schneider 1995. CZ und Remarque hielten im Exil Kontakt, der auch nach dem Zweiten Weltkrieg fortbestand (vgl. *Als wär's ein Stück von mir*, S. 72, 564 und 620). Die Freundschaft schlug sich in einer Remarque-Reminiszenz in CZs Exildrama *Des Teufels General* nieder (Zuckmayer, *Des Teufels General*, S. 56 f.). Eine kleine Auswahl aus den überlieferten Briefen von Remarque an CZ und seine Frau Alice ist abgedruckt in Th. Schneider / Westphalen 1998, S. 112 f., 234 f. Zur Biographie Remarques vgl. die populärwissenschaftliche Lebensdarstellung von Wilhelm von Sternburg (von Sternburg 1998).

Dr. Bronner] Ferdinand Bronner (1867-1948) war nach einem Studium in Berlin und Wien Realschullehrer in Schlesien, dann Gymnasialprofessor in Wien und Schriftsteller. Von seinem Dramenzyklus *Jahrhundertwende* wurde *Familie Wawroch. Ein österreichisches Drama* mit Skandal und *Schmelz, der Nibelunge* mit Erfolg aufgeführt.

›*Enthüllungsroman*‹] A. H. Schelle-Noetzel (d.i. Arnolt Bronnen), *Kampf im Äther oder die Unsichtbaren*, Berlin: Rowohlt 1935.

Flesch] Der promovierte Röntgenarzt Hans Flesch (1896-seit März 1945 verschollen) war von 1924 bis 1929 Intendant des Südwestdeutschen Rundfunks in Frankfurt am Main und von 1929 bis 1933 Intendant der Berliner Funkstunde. 1933 wurde er von den Nationalsozialisten aus seinem Amt entlassen und für kurze Zeit im KZ Oranienburg interniert. 1935 ist er zusammen mit weiteren Rundfunkangestellten zu einem Jahr Gefängnis und 10.000 RM Geldstrafe verurteilt worden. 1938 wurde er rehabilitiert und arbeitete als Buchhalter, bis er 1942 als Mediziner für die Wehrmacht zwangsverpflichtet wurde.

Dramatisierung des Michael Kohlhaas] Von Oktober 1928 an arbeitete Bronnen als festangestellter Dramaturg der Berliner Funkstunde. Seine Hörspielbearbeitung von Kleists Novelle *Michael Kohlhaas* wurde am 5. Oktober 1928 gesendet und am 5. Oktober 1929 am Stadttheater von Frankfurt an der Oder als Schauspiel uraufgeführt. 1929 ist der Text auch publiziert worden (*Michael Kohlhaas von Heinrich von Kleist. Für Funk und Bühne bearbeitet*, Berlin: Rowohlt 1929).

Pamphlet gegen Max Reinhardt] Arnolt Bronnen, *Die dreiunddreißig Jahre*, in: *Berliner Lokal-Anzeiger* vom 9. April 1933.

Billinger] Der österr. Schriftsteller Richard Billinger (1890-1965) lebte nach einem Studium in Kiel, Innsbruck und Wien als freier Schriftsteller in Berlin, München und am Starnberger See. Er war in der Zeit der Weimarer Republik als Dramatiker sehr erfolgreich. Die Uraufführung seines ersten Stückes *Das Perchtenspiel* wurde 1928 von Max Reinhardt an den Salzburger Festspielen inszeniert und von CZ in einer Rezension, beginnend mit den Worten »Hier spricht nicht der Kritiker, sondern der Freund«, begeistert gelobt (Zuckmayer, *Aufruf zum Leben*, S. 107-111, hier: S. 107). CZ war mit ihm in den 1920er Jahren befreundet. 1926, nach seinem Erfolg mit dem *Fröhlichen Weinberg*, hat CZ ihn zu einem Urlaub auf der Ostsee-Insel Hiddensee eingeladen, bei dem Billinger ihn auf ein Haus in Henndorf, die »Wiesmühl«, aufmerksam macht, das CZ schließlich erwarb (vgl. *Als wär's ein Stück von mir*, S. 12). 1932 erhielt Billinger für sein Drama *Rauhnacht* (Uraufführung an den Münchener Kammerspielen am 10. Oktober 1931, Regie: Otto Falckenberg) den Kleist-Preis. In einem Brief an Gustav Hartung vom 30. September 1929 schreibt CZ über dieses Stück, an dem Billinger zeitweise unter dem Arbeitstitel *Verfluchtes Dorf* geschrieben hat: »Gestern las mir Billinger die neue, dreiaktige Fassung seines Stückes ›Verfluchtes Dorf‹ vor. Dieses Stück ist so ausserordentlich geworden und nun auch als Theaterstück so einwandfrei gelungen, dass ich Ihnen sofort ein paar Worte drüber schreiben muss. Rudi Joseph kannte eine andere, sechsaktige Fassung unter dem Titel ›Rauhnacht‹. Schon dafür interessierten er und andere sich lebhaft. Aber diese ältere Fassung dürfen Sie garnicht lesen, sie verhält sich zur neuen wie ›November in Österreich‹ [1928] zu den ›Stempelbrüdern‹ [1929; beides Dramen von Richard Duschinsky]. Auch der Titel ›Verfluchtes Dorf‹ ist viel besser, trifft vor allem das Wesentliche, das Ungewöhnliche des Vorwurfs. Die ganze Unheimlichkeit, das Grauen, die Last, der heimliche Knochen- und Seelenfrass des Landlebens, des Daseins im Dorf steckt drin. Wie von einem Dorfkramerladen aus, in dem die Türklingel nicht ruht, das ganze Leben eines Dorfes gestaltet ist, und zwar eines heutigen, gegenwärtigen Dorfes mitsamt all dem ewig Gleichbleibenden, das finde ich nirgends sonst in der Literatur. Das Stück hat eine reale Gespenstischkeit, ein Zwielicht der fassbaren, wirklichen Dinge, wie ich es nur bei Strindberg kenne. Das Doppelspiel der Masken, der Vermummung, und der realen Geschehnisse, der Larven und der Menschengesichter, ist einfach grossartig. Der zweite Akt, dramatisch problematischer als die andren, hat als ungeheuren Gewinn, gleichsam als Spiel-Einlage, den Aufzug der ›Rauhnächtler‹, nach uraltem Volksbrauch geformt, archaisch steif und monoton und voll plärrender Lebendigkeit. Das Ganze ist sowohl in der Form, in der es geschrieben ist, als im Stil, in dem es gespielt werden muss, das absolute Gegenteil von dem, was man sich unter einem ›Bauernstück‹ vorstellt. Charakteristisch dafür, dass Alfred Kubin, ein Freund und Landsmann Billingers, die Szenenentwürfe und Figurinen zu dem Stück gemacht hat, an die man sich genau halten müsste. Ich glaube, dass dieses Stück bei Ihnen gespielt, – denn nur Sie können es richtig herausbringen und besetzen, – mit den Kubinschen Entwürfen, gerade für Berlin sensationell werden kann. Ich bin der Ansicht, dass man es in dieser neuen Fassung ohne weiteres im Abendspielplan bringen kann. Deshalb schreibe ich Ihnen selbst, denn Mövchen [d.i. Rudolph Joseph] hatte nur die alte Fassung und dachte an eine Matinée. Lassen Sie sich von Wreede [gemeint ist der Schauspieler und Regisseur Paul Wrede] die dreiaktige Fassung ›Verfluchtes Dorf‹ geben, Sie werden merken was los ist. Es sind ein paar dramaturgische Einzelheiten zu verbessern, nur Kleinigkeiten, denen man erst bei praktischer Arbeit auf den Leib zu rücken braucht, – und den Schluss, die letzten Sätze Alexanders, bevor er sich mit der Maske vorm Gesicht erschiesst, schreibt Billinger momentan noch einmal: hier wird ein dichterischer Höhepunkt entstehen, er hat sich zu diesem Schluss erst ganz neu entschlossen und traute sich noch nicht recht mit der Sprache heraus. – Es ist alles Atmosphäre: ich würde mich gern zur Mitarbeit an der Inszenierung zur Verfügung stellen, ich meine für all die atmosphärischen Einzelheiten, die man genau aus Billingers Welt heraus kennen muss. Sie hätten einige fabelhafte Besetzungen: George für den Simon Kreuzhalter, bei dem alles auf die Darstellung ankommt, die Körber für die Kreszenz, die Kinz für die Dorflehrerin, vielleicht die Richard für die Mutter, – über alles Andere müsste man sprechen. Dass ich mir mitten in meiner Roman-Arbeit, die eines neuen Stückes wegen eilt, die Zeit zu diesem Brief nehme, mag Ihnen beweisen, wie ernst ich es meine. In Ihrer Hand könnte das Stück ein grosser Erfolg werden: es ist neu und stark und in keine gegenwärtige Konvention oder Konjunktur einzuschachteln« (Original in der Österreichischen Nationalbibliothek, 1. Beilage zu 983/8). CZ beobachtete Billingers schriftstellerische Entwicklung schon bald mit zunehmender Skepsis. So schrieb er in einem Brief vom 11. Oktober 1932 an Albrecht Joseph über Billingers Drama *Das Verlöbnis*: »Ich habe alle wichtigen Kritiken des ›Verlöbnisses‹ gelesen. Merde du roi. Wie Du immer sagst: das dem Billinger im Vorjahr zu reichlich Gegebene [gemeint ist die Auszeichnung Billingers mit dem Kleist-Preis im Januar 1932 auf Vorschlag des Intendanten Erich Ziegel; vgl. Sembdner 1968, S. 126-129], das Über-Lob, wird ihm hier in übertriebener Weise rasch wieder abgenommen. Oder aber, – unter uns, – sollte der Schwindel schon auffliegen? Sollte man schon *merken*, dass man genasführt wird? Ich habe dem Billinger-Rausch noch 2-3 Jahre gegeben! Und er hat, bei all seiner Unfähigkeit, ein Stück zu machen, mehr *Dichterisches* [*von Alice Zuckmayer gestrichen*: als Horváth, der auch kein Stück machen kann] – wem sage ich das?!« (DLA, Nachlaß CZ). 1976 bekundete er allerdings, Billinger gehöre seiner Ansicht nach als Schriftsteller »zu Unrecht zu den Vergessenen« (vgl. Zuckmayer, *Aufruf zum Leben*, S. 107). Auch nach 1933 blieb Billinger mit seinen Dramen erfolgreich. Sie wurden häufig verfilmt; u.a. drehte Veit Harlan den »rassenpolitischen« Film *Die goldene Stadt* (1943) nach Billingers Stück *Der Gigant* (1937). Nach der ersten Begeisterung, so urteilt Oliver Rathkolb, war der ›Hoffnungsträger‹ »bei den Nationalsozialisten umstritten«, doch »letztlich überdeckte seine Nähe zur Blut-und-Boden-Ideologie der Nationalsozialisten mögliche Differenzen« (vgl. Rathkolb 1991, S. 148). Von Januar bis März 1935 saß Billinger wegen des Vorwurfs »widernatürlicher Unzucht« in München in Untersuchungshaft (vgl. K. Müller 1998, S. 246-

273). Baldur von Schirach berichtet, daß sich Käthe Dorsch bei Göring für den inhaftierten Billinger eingesetzt habe (von Schirach 1967, S. 201). 1938 war er im *Bekenntnisbuch österreichischer Dichter* des ›Bundes deutscher Schriftsteller Österreichs‹, das den »Anschluß« begeistert begrüßte, mit einem Gedicht von 1932 vertreten. 1941 erhielt er den Preis des Gaus Oberdonau, 1942 den Literaturpreis der Stadt München und 1943 den Raimundpreis der Stadt Wien. Zur Rezeption Billingers im Nationalsozialismus vgl. auch Strasser 1996, S. 285-287. Nach 1945 verfaßte Billinger noch einige Stücke. 1960 wurde er in die Bayerische Akademie der Wissenschaften aufgenommen und 1962 zum Professor ernannt. Vgl. auch den Beitrag von Arnold Klaffenböck im *Zuckmayer-Jahrbuch*, Bd. 5.

Untersuchung] Eine solche Studie von CZ ist nicht überliefert.

Kubin] Alfred Kubin (1877-1959) war Sohn eines Offiziers und Geometers. Er besuchte nach einer Photographenlehre die Kunstakademie München. Seit 1906 lebte er in Zwickledt bei Schärding am Inn. Er wurde ein gefragter Illustrator und Zeichner, war aber auch Schriftsteller. Sein literarisches Hauptwerk, der phantastische Roman *Die andere Seite* (1909), zeigt mit einer Fülle von mythologischen, philosophischen und literarischen Bezügen den Verfall einer Zivilisation und wurde in den 1920er Jahren als parabelhafte Darstellung des Untergangs der europäischen Kultur begeistert aufgenommen. Seit 1927 beschäftigte sich Kubin, der eine »Vorliebe für das Ländliche und [eine] Abneigung gegen die ›westliche‹, technisch betonte Zivilisation« hegte (Bisanz 1977, S. 120), intensiv mit der Landschaft des Böhmerwalds, dessen Sagenwelt er atmosphärisch dicht zeichnete (*Phantasien im Böhmerwald*, 1935 vollendet, Wien 1951). 1925 hatte Kubin unter dem Titel *Rauhnacht* Zeichnungen veröffentlicht. Er illustrierte neben unzähligen anderen vor allem Bücher von Edgar Allan Poe, E.T.A. Hoffmann und Wilhelm Hauff. Auch in seiner Autobiographie betont CZ den »hintergründigen Charakters dieser besonderen Landschaft« am Inn und des »unheimlichen« Werks von Kubin (vgl. *Als wär's ein Stück von mir*, S. 68). Über Kontakte zu CZ konnte nichts ermittelt werden.

›*Schneider-Büben*‹] Gemeint sind Willi (1903-1971) und Rudi Schneider (1908-1957), die zu Beginn der 1920er Jahre durch in Trance erzeugte psychokinetische Effekte Aufsehen erregten. 1921/22 fanden Sitzungen in München statt, bei denen etwa 100 Personen als Zeugen teilnahmen, unter ihnen auch Ludwig Klages und Thomas Mann. Mann berichtet von einer Séance bei Albert

Freiherr von Schrenck-Notzing mit dem Medium »Willi S.« in dem Aufsatz *Okkulte Erlebnisse* (de Mendelssohn 1983, S. 218-255).

Schrenck-Notzing] Der Mediziner Albert Freiherr von Schrenck-Notzing (1862-1929) war praktischer Arzt in München. Als erster Psychotherapeut Süddeutschlands beschäftigte er sich mit medizinischer Psychologie, Psychotherapie und Kriminalpsychologie. Er wurde vor allem durch seine Beschäftigung mit Hypnotismus und Parapsychologie bekannt. Zu Beginn der 1920er Jahre untersuchte er die medialen Fähigkeiten von Willi und Rudi Schneider. Seine Ergebnisse hat er in dem Buch *Experimente der Fernbewegung* (1924) veröffentlicht. Vgl. dazu auch: Albert von Schrenck-Notzing, *Die Phänomene des Mediums Rudi Schneider*, aus dem Nachlaß herausgegeben von Gabriele Freifrau von Schrenck-Notzing, Berlin 1933. Auf die Beschäftigung von Schrenck-Notzing mit den »Schneider-Bub'n« kommt CZ auch in seiner Autobiographie zu sprechen (*Als wär's ein Stück von mir*, S. 68).

Interview] Ein Interview mit Billinger konnte im *Völkischen Beobachter* nicht ermittelt werden.

›*Die Rosse*‹] Am 19. April 1931 wurde das Stück am Residenztheater in München erstmals vorgestellt, wobei es sich hier vermutlich lediglich um eine Lesung handelte. Wahrscheinlich ist dieses Drama erst am 1. März 1933 am Staatstheater Berlin regulär unter der Regie von Leopold Jessner uraufgeführt worden.

Schön is ... Traum sprechend] Diese Passage stammt nicht aus dem Drama *Die Rosse*, sondern aus Billingers Stück *Rauhnacht*, das CZ vermutlich in einer früheren Fassung kannte als die, die in Billingers Werkausgabe abgedruckt ist (vgl. Billinger 1960, S. 61-152, hier: S. 126).

Schaffner] Der Schweizer Schriftsteller Jakob Schaffner (1875-1944) war Sohn einer deutschen Magd und eines Schweizer Gärtners. Er wuchs in einer pietistischen Erziehungsanstalt auf, wurde Schuster, bildete sich autodidaktisch weiter und veröffentlichte 1905 mit *Irrfahrten* bei S. Fischer seinen ersten Roman. Von 1911 an lebte er in Deutschland. Im Ersten Weltkrieg spöttelte er über die Schweizer Neutralität. Zu Beginn der 1930er Jahre bekannte er sich offen zum Nationalsozialismus, wurde aber nicht Mitglied der NSDAP. Auch antisemitische Äußerungen sind von Schaffner nicht bekannt. Er war, so Hans Bänziger, »überzeugt, die Ideale der Eidgenossenschaft stimmten prinzipiell mit denen des Dritten Reiches überein« (Bänziger 1975/76, S. 631). Schaffners Verhältnis zum Nationalsozialismus sei, so Bänziger, gleichwohl »zwiespältig« (Bänziger 1978, S. 114); zum Beleg weist er auf eine Passage in

Schaffners Buch *Volk zu Schiff* (Hamburg: Hanseatische Verlagsanstalt 1936, S. 166 f.) hin: »Wenn ein militärischer Angriff des
Dritten Reiches auf die Schweiz – nicht herausgefordert – Wirklichkeit würde, also als reiner Willkürakt der Deutschen, so würde
ich mir, wenn ich dazu irgend noch imstande wäre, das beste Ge-
wehr verschaffen, das zu bekommen wäre, und würde damit so
gut und so schnell auf diese Deutschen schießen, wie ich könnte.
Im übrigen würde ich Nationalsozialist bleiben. Aber diese Gefahr habe ich nicht zu befürchten, da die Achtung vor der freien
Selbstbestimmung anderer Völker geradezu ein Grundpfeiler des
nationalsozialistischen Weltbildes ist.« Gegen den Anschluß der
Schweiz an das Deutsche Reich sprach er sich in mehreren Beiträgen
der Wochenzeitung *Das Reich* aus (*Die Schweiz im neuen Europa*,
Nr. 12 vom 11. August 1940; *Der Prozeß um mein Land*, Nr. 18
vom 22. September 1940; *Über die Zukunft der Schweiz*, Nr. 1
vom 5. Januar 1941). Sein Argument in *Über die Zukunft der
Schweiz*: »Die Neueinstellung und Neuausrichtung [der Schweizer
Politik] fordert aber eine Umkehr von innen heraus, eine Bekehrung vom Geld zur Leistung, vom Besitz zur Arbeit im Gemein-
schaftssinn: eine sittliche Tat, die allen abverlangt wird – nicht von
Deutschland, sondern von der europäischen Notwendigkeit
selbst. [...] Einige Menschen in Deutschland sollten sich mehr auf
ihre Geschichte besinnen, um gerechter und gelassener urteilen zu
können. Was hat denn das Erste Reich geschaffen zur Zeit Karls?
Das Schwert? Nein, der neue Glaube.« In CZs Autobiographie
wird Schaffner nicht erwähnt. Vgl. auch Fringeli 1974; Kieser
1979; Bänziger 1995; Siegrist 1995 sowie den Beitrag von Hans
Bänziger im *Zuckmayer-Jahrbuch*, Bd. 5.

Benn] Der Facharzt für Haut- und Geschlechtskrankheiten und
Schriftsteller Gottfried Benn (1886-1956) veröffentlichte von 1910
an Gedichte, Essays, Dramen und Kurzgeschichten und avancierte
zu einem der bedeutendsten Autoren des Expressionismus. 1932
wurde er auf den Vorschlag von Thomas und Heinrich Mann sowie von Oskar Loerke hin in die Preußische Akademie der Künste
gewählt. Nach der »Machtergreifung« sprach er sich wiederholt und
eindeutig für die Politik Hitlers aus, etwa in dem Artikel *Der neue
Staat und die Intellektuellen*, der in der *Berliner Börsen-Zeitung*
vom 24. April 1933 erschienen ist. Die Emigration großer Teile der
deutschen Intelligenz mißbilligte er in seiner *Antwort an die literarischen Emigranten* in der *Deutschen Allgemeinen Zeitung* vom
25. Mai 1933. Nach seiner Berufung zum Vizepräsidenten der
›Union Nationaler Schriftsteller‹ am 8. Januar 1934 veröffentlichte

er gemeinsam mit Hanns Johst im *Völkischen Beobachter*, Norddeutsche Ausgabe vom 1. März 1934 den Aufruf *An die Schriftsteller aller Länder*. Nach dem sogenannten Röhm-Putsch 1934 wandte
er sich nicht minder entschieden vom Nationalsozialismus ab, als
er sich ihm zuvor zugewandt hatte. 1935 ließ er sich als Sanitäts-
offizier der Wehrmacht reaktivieren. 1938 erhielt Benn Publikationsverbot; seine letzte Veröffentlichung in der NS-Zeit erschien
unter der Überschrift *Sechs Gedichte*, in: *Die Literatur*, Jg. 39, 1937,
H. 4, S. 203 f. CZ zitiert bzw. erwähnt Benn in seiner Autobiographie dreimal (vgl. *Als wär's ein Stück von mir*, S. 283, 555, 667).
Über persönliche Kontakte zwischen Benn und CZ konnte nichts
ermittelt werden. Vgl. auch den biographischen Überblick in
Ehrke-Rotermund/Rotermund 1999, S. 564-567, sowie Schröder
1978, S. 138-177; B. Fischer 1987, S. 190-212; Fröschle 1994;
Schröder 1997. Vgl. auch den Beitrag von Heidrun Ehrke-Rotermund im *Zuckmayer-Jahrbuch*, Bd. 5.

›*Fleisch*‹] Gottfried Benn, *Fleisch*, Berlin-Wilmersdorf: Die Aktion
1917.

erschütternden Aufsatz] Gemeint ist der Artikel *Die neue literarische
Saison*, in: *Die Weltbühne*, Jg. 27, 1931, Nr. 37, S. 402-408.

Gedicht] Gemeint ist das Gedicht *Dennoch die Schwerter halten*,
dessen erste Strophe korrekt lautet: »Der soziologische Nenner, /
der hinter Jahrtausenden schlief, / heißt: ein paar große Männer / und
die litten tief« (zit. nach Hillebrand 1982, S. 245). Es erschien erstmals in der *Deutschen Allgemeinen Zeitung* vom 27. August 1933.

in einem Naziblatt ... bezeichnet wurde] Gemeint ist Börries Freiherr von Münchhausens Beitrag *Die neue Dichtung*, in: *Deutscher
Almanach für das Jahr 1934*, Leipzig 1933, S. 28-36.

peinliche Apologese] Gottfried Benn, *Ahnenschwierigkeiten*, in:
Deutsche Zukunft, Jg. 2, 1934, Nr. 26, S. 1, 2 und 6.

Glaeser] Der Schriftsteller Ernst Glaeser (1902-1963) war von 1926 an
Mitarbeiter der *Frankfurter Zeitung* und von 1928 bis 1930 Leiter
der literarischen Abteilung des Südwestdeutschen Rundfunks. 1928
veröffentlichte er den Roman *Jahrgang 1902* über seine orientie-
rungslose und durch eine Jugend im Ersten Weltkrieg geprägte
Generation, der ein internationaler Erfolg war und auch von CZ
lobend registriert wurde (CZ, *Erich Maria Remarque*, »*Im Westen
nichts Neues*«, in Zuckmayer, *Aufruf zum Leben*, S. 99). Glaeser
war vermutlich Mitglied, zumindest aber Mitwirkender an einer
Reihe von Aktivitäten des ›Bundes proletarisch-revolutionärer
Schriftsteller‹ (BPRS). 1930 unterzeichnete er zum Beispiel einen
Aufruf des BPRS, der sich für die Wahl der KPD aussprach

(vgl. F. Albrecht 1970, S. 599). 1933 ging er ins tschechoslowakische, 1934 ins Schweizer Exil, kehrte 1939 aber zurück und wurde 1941 Redakteur der Luftwaffen-Frontzeitungen *Adler im Osten* und *Adler im Süden*. Nach dem Zweiten Weltkrieg beobachteten eine Reihe von Emigranten Glaesers erneute rege publizistische Tätigkeit mit Befremden. Bertolt Brecht notierte etwa in seinem *Journal*: »Typen wie *Glaeser* müssen wohl als Volksfeinde behandelt werden; er hatte marxistische Unterweisung bekommen, die Bourgeoisie betreffend; nicht, wie er behauptet, an der Niederlage Deutschlands teilzunehmen, sondern am Sieg teilzunehmen, ging er zurück« (Hecht u.a. 1988-2000, Bd. 27, S. 265). In CZs Autobiographie wird Glaeser nicht erwähnt. Zur Biographie Glaesers vgl. Rotermund 1980. Zu weiteren Details und den Kontakten zu CZ vgl. auch den Beitrag von Erwin Rotermund im *Zuckmayer-Jahrbuch*, Bd. 5.

›*Jahrgang 1902*‹] Ernst Glaeser, *Jahrgang 1902*, Potsdam: Gustav Kiepenheuer 1928.

Mann-Family] Thomas Mann verzeichnet in seinen Tagebüchern einige Kontakte zu Glaeser (vgl. de Mendelssohn 1978, S. 305; de Mendelssohn 1980, S. 6, 57, 102, 105). 1937 kam es jedoch zu Konflikten zwischen den beiden Schriftstellern. Aus einem Brief Manns an Bernard von Brentano vom 10. September 1937 geht hervor, daß Glaeser seine Mitarbeit an der Zeitschrift *Mass und Wert* verweigert hat, weil er mit Manns politischer Entwicklung nicht einverstanden war (Bürgin/Mayer 1980, S. 174).

Brentano] Bernard von Brentano (1901-1964) veröffentlichte 1923 einen Band *Gedichte*, 1924 die Komödie *Geld*. Von 1924 bis 1927 war er eng mit Joseph Roth befreundet, der ihm 1925 den Posten des Berliner Korrespondenten der *Frankfurter Zeitung* verschaffte. 1930 verließ er die Redaktion und begab sich auf Reisen, u.a. in die Sowjetunion (vgl. dazu seine euphorische Reportage *Die Stadt ohne Arbeitslose*, in: *Frankfurter Zeitung* vom 20. Juli 1930, 2. Morgenblatt). Seine Beiträge veröffentlichte er nun nicht nur in bürgerlichen Zeitungen wie dem *Berliner Tageblatt*, sondern auch in radikaldemokratischen Zeitschriften wie der *Weltbühne* sowie in kommunistischen Organen. Eine von Bernd Goldmann erarbeitete Bibliographie verzeichnet diese Artikel leider nur äußerst lückenhaft (Goldmann 1992, S. 99-186; vgl. dazu die Rezension von Gerhard Müller [G. Müller 1992]). In den Essaybänden *Kapitalismus und schöne Literatur* (1930) und *Der Beginn der Barbarei in Deutschland* (1932) vertrat er die Positionen der radikalen Linken in der Weimarer Republik. Für eine KPD-Mitgliedschaft Brentanos, die er nach dem Zweiten Weltkrieg bestritten hat (vgl. von Brentano 1952, S. 9 f.) spricht sein Engagement im ›Bund proletarisch-revolutionärer Schriftsteller‹ und seine Mitarbeit bei der Zeitschrift *Die Linkskurve*. Auch Formulierungen in der Korrespondenz mit Brecht, mit dem Brentano von 1928 an in engem Kontakt stand, legen die Annahme von Brentanos KPD-Mitgliedschaft nahe. Eine Quelle, die als zweifelsfreier Beleg dienen könnte, ist bislang jedoch nicht bekannt geworden. Einen angeblichen Brief Brentanos an Kurt Kläber vom 23. Februar 1934 aus dem Auktionskatalog 164 (Mai 1969, S. 105) von Hauswedell & Nolte, den Hans-Christian Oeser in seiner sonst bemerkenswerten Studie »*Die Dunkelkammer der Despotie*« (Oeser 1989) anführt, scheidet als Beweis aus, weil dieser Brief nicht von Brentano, sondern von Brecht stammt (er fehlt in Hecht u.a. 1988-2000, Bd. 28). Brentano verlegte seinen Wohnsitz 1933 nach Zürich, 1934 nach Küssnacht. Die Politik der KP beobachtete er mit zunehmender Skepsis, beurteilte sie als reformistisch und bezeichnete sie gegenüber Brecht im Herbst 1933 sogar als »töricht« (vgl. Hecht u.a. 1988-2000, Bd. 28, S. 706). Er schrieb nun regelmäßig für die *Weltwoche*, die *Neue Zürcher Zeitung*, die *Neue Schweizer Rundschau*, die *Tat* und die Basler *Nationalzeitung*, womit er seinen Lebensunterhalt verdiente. 1936 veröffentlichte er seinen Roman *Theodor Chindler*, der unter Emigranten viel Beachtung fand. »Haben Sie«, schrieb etwa Brecht im April 1936 an Walter Benjamin, »Brentanos Buch gelesen? Ich denke, es ist besser geschrieben als die Romane der Glaeser, Reger, Roth, Kesten und Konsorten, aber es ist auch nicht viel mehr als der alte Klagegesang, daß mit der Demokratie in Form von Parteiherrschaft die bürgerliche Revolution nicht durchgeführt werden kann. Nun, Hitler arbeitet ohne Parteien ...« (ebd., S. 551). Ahnte Brecht schon den politischen Frontenwechsel, den Brentano bald vollzog, vielleicht sogar schon vollzogen hatte? Am 30. Juli 1936 hielt Thomas Mann jedenfalls fest: »Brentanos Wut auf Moskau einseitig und zu krankhafter Hochachtung vorm Nazitum führend« (de Mendelssohn 1978, S. 341). Im August 1940 schickte Brentano folgendes Gesuch an die Reichsschrifttumskammer: »Es hätte keinen Zweck, zu verbergen, dass ich in den Jahren 1930 bis 33 ziemlich weit links stand, (obgleich ich nie einer Partei angehört habe). Aber diese Zeiten liegen für mich weit zurück. Neben der aufmerksamen Betrachtung der vom Führer eingeleiteten und vollbrachten Politik, und zwar sowohl der Inneren wie der Auswärtigen, haben gerade die Erfahrungen, die ich als Deutscher im Ausland, in der Schweiz und auf Reisen in Frankreich, machte, meine früheren innenpolitischen Ansichten völlig umgestossen. Ich glaube sagen zu dürfen, dass ich immer ein Patriot war; hier draussen bin ich zu einem leidenschaftlichen Deutschen geworden. So meldete ich mich kurz nach Kriegsausbruch auf dem Deutschen Generalkonsulat in Zürich, und zwar anfangs September 1939. Seit 1940 bin ich Mitglied der Deutschen Kolonie, Zürich. Ich bitte darum, wieder in meinem Vaterland arbeiten, schreiben und veröffentlichen zu dürfen« (Politisches Archiv des Auswärtigen Amts Bonn, Referat Deutschland, Inland II A/B 118/4, 83-75). Dem Gesuch wurde stattgegeben, doch sollte über eine schriftstellerische Betätigung Brentanos erst nach seiner Rückkehr entschieden werden. Er entschloß sich daher, in der Schweiz zu bleiben. 1943 veröffentlichte er in der J.G. Cotta'schen Buchhandlung Nachfolger in Stuttgart seine Biographie *August Wilhelm Schlegel. Geschichte eines romantischen Geistes*, die allerdings nur in der Schweiz ausgeliefert werden konnte, in Deutschland dagegen konfisziert wurde. Am 14. September 1945 veröffentlichte der Schweizer Publizist Manuel Gasser, mit dem Brentano 1938 im Zürcher Manuel-Verlag den Band *Die schönsten Gedichte von Gottfried Keller* herausgegeben hatte, unter der Überschrift *B. v. Brentano als Antinazi, oder: Was zuviel ist, ist zuviel!* in der Zürcher Wochenzeitung *Die Weltwoche* die folgende Polemik: »In der ›Nation‹ vom 12. September 1945 erschien eine mit K.W. gezeichnete Besprechung des Romans ›Franziska Scheler‹ von Bernard von Brentano. Brentano wird dort in einem Atemzug mit Thomas Mann genannt und ist, nach K.W., ›ein europäischer Dichter vom Rang eines Maupassant, eines Balzac‹. Nun, über den Geschmack lässt sich nicht streiten und es wäre uns gewiss nicht eingefallen, uns mit den seltsamen Ansichten dieses Rezensenten auseinanderzusetzen, wenn er, im letzten Abschnitt seiner Kritik, nicht den Boden der Literatur verliesse und auf jenen der Politik hinüberwechselte. Diese Schlusszeilen aber lauten: ›Der Dichter, Spross eines alten, edlen Geschlechts, verliess ganz still Berlin und Deutschland, als die Hitlerei begann. In seiner freiwilligen Emigration in der Schweiz hat er sich in jedem seiner Werke laut für eine echte Demokratie, gegen Nazismus und Faschismus bekannt. Er war seinen Leidensgefährten ein treuer Berater und tatkräftiger Helfer, ein echter Kamerad nicht mit schwülstigen Worten, sondern durch brüderliches Tun.‹ In Tat und Wahrheit verhält es sich nun so, dass Brentano allerdings Deutschland Anno 33 ›ganz still‹ verliess und sich als Emigrant in der Schweiz niederliess. Er tat sich vorerst auch als Antinazi hervor und war als solcher Mitarbeiter der Verlage Querido in Amsterdam und Oprecht in

Zürich. Auch war er, wie sich unsere Leser erinnern werden, einer der eifrigsten Mitarbeiter des literarischen Teiles der ›Weltwoche‹. Dieser ›Kampf gegen Nazismus und Faschismus‹ dauerte bis 1939/40, das heisst bis zu Hitlers Siegen im Osten und Westen. Damals wurde aus dem ›Demokraten‹ Brentano ein begeisterter Anwalt des Nationalsozialismus und, was noch widerlicher ist, ein rabiater Antisemit. Er reiste unverzüglich nach Deutschland, um sich bei den dortigen Machthabern und Verlegern anzubiedern, er wurde der grosse Mann in der Nazi-Kolonie Zürichs, er zeigte sich öffentlich in Gesellschaft der berüchtigtsten Mitglieder der ›Fünften Kolonne‹. Kurz und gut, er trieb es so schamlos, dass einem anständigen Menschen nichts anderes übrig blieb, als jede Beziehung zu ihm abzubrechen. Was wir denn auch unverzüglich und unmissverständlich taten. Und dieser Konjunkturritter wird nun von der ›Nation‹ als Antinazi und selbstloser Helfer und Berater der Verfolgten hingestellt! Von derselben ›Nation‹, der schon die Tatsache, dass jemand ein Inserat in der ›Deutschen Zeitung‹ erscheinen liess, als Grund zu ›Säuberung‹ und Ausweisung genügt! Wir zweifeln nicht daran, dass die ›Nation‹ mit dieser aussichtslosen Ehrenrettung und Mohrenwäsche einer bewussten Irreführung zum Opfer gefallen ist und dass sie sich aufs entschiedenste von Brentano distanzieren wird, sobald ihr der wahre Sachverhalt bekannt wird; dass sie dies tun wird, selbst wenn sich Brentano heute – nach Hitlers Niederlagen im Osten und Westen – wieder als Antinazi und Demokrat gebärden sollte. Was nach den Erfahrungen des Sommers 1940 ja keineswegs verwunderlich wäre!« Erwin Jaeckle, von 1943 bis 1971 Chefredakteur der von ihm mitbegründeten Tageszeitung *Die Tat* und wie Brentano Mitglied einer von 1942 an bestehenden »Zürcher Freitagsrunde«, wies diese Vorwürfe später entschieden zurück: »Nie hatte sich Brentano verfänglich geäussert. Hätten wir es denn zugelassen? Wir kannten seine Gesinnungen aus zahlreichen Bedenken und Erwägungen« (Jaeckle 1975, S. 55). Brentano erklärte und verteidigte seine Kontakte zu Nationalsozialisten in einem Brief an den Schweizer Publizisten Max Rychner vom 24. Mai 1945: »Lieber Rychner, unser gestriges Gespräch hat mich noch lange beschäftigt und mich zu mancherlei Gedanken angeregt. Es gilt momentan – natürlich nicht für Köpfe und Charaktere von Ihren Qualitäten, sondern im Kreise der nun nach der andern Seite gleichgeschalteten – für ehrenhaft, klug, schlau und vorausschauend, überhaupt keine Nazis gekannt zu haben, aber ich kann in einer solchen Keuschheit kein Verdienst erblicken. Eher das Gegenteil. In meiner Eigenschaft als

Deutscher interessieren mich alle Deutschen, in meiner Eigenschaft als Poet alle Menschen und vorzüglich endlich als Romancier diejenigen, die etwas tun, die Handelnden, und hier vor allem die Politiker. Ich war auch einmal so keusch, Herrn Goebbels nicht kennen lernen zu wollen, und ich werde diese Unterlassung – für die mir übrigens weder im Himmel noch auf Erden jemals jemand etwas bezahlen wird – immer bereuen. Sogar in den letzten Berliner Jahren machte ich noch solche Dummheiten, und ich erinnere mich mit leiser Scham daran, dass ich einmal längere Zeit aus dem Salon Andreae-Rathenau [gemeint ist der Salon von Edith Andreae, der Schwester des 1922 ermordeten Industriellen und Politikers Walther Rathenau und Ehefrau des Bankiers Franz Friedrich Andreae] wegblieb, weil man dort zuvielen Deutschnationalen und Nazis begegnete. Welche Torheit! Statt meine Menschenkenntnis zu vergrössern, meinen allzu leidenschaftlichen Charakter in der Kunst der Selbstbeherrschung zu üben, und mir ruhig Ansichten anzuhören, die zu billigen oder gar zu unterstützen ja garnicht von mir verlangt wurde, blieb ich einfach weg. Die Einsamkeit, in welche mich das Exil stürzte, hat mich wenigstens in diesem Punkt klüger gemacht, und ich erfülle nun die solide und bisweilen sehr kurzweilige Pflicht des Dichters, alles zu studieren, was mir an Zeitgenossen in den Weg kommt. Leider waren unter meinen Objekten – was die Nazis angeht, denen ich begegnet bin – nur kleine Leute, in jeder Hinsicht kleine, aber ich habe wenigstens diese gesehen. Der Untergang Hitlers bedeutet keineswegs den Aufgang der Freiheit, und ich glaube, wir werden uns alle noch sehr anstrengen müssen, wenn wir wenigstens ein paar Strahlen dieser für uns unentbehrlichen Sonne erhalten wollen, und das heisst ein gewisses Wolkengezücht verhindern, sich schwarz und fett zwischen uns und alles zu legen, was das Leben erträglich macht. Und so lautet zum Beispiel eine meiner Regeln, dass man sogar Talleyrand bleibt, wenn man einem Napoleon gedient hat, und ich weigere mich, den roten Inquisitionsbeamten zuzustimmen, die Chateaubriand einen Nazi nennen würden, weil er sich von der Liste der Emigrierten streichen liess und nach Frankreich zurückkehrte. Nicht der Ort, wo einer lebt, zeigt die Gesinnung eines Menschen an, und viele Beispiele lehren, dass man in Paris 1804 und in Berlin 1940 ein anständiger und freiheitsliebender Mensch bleiben und in Zürich ein – GPUmann werden konnte. Ich danke Gott dafür, dass ich klug und mutig genug war, ein paar einfältige Nazis zu überlisten und zweimal nach Deutschland zu reisen. So habe ich Berlin und Darmstadt wenigstens noch einmal gesehen, als diese von mir über alles geliebten Städte noch standen, und wenn ich manchmal so niedergeschlagen bin, dass ich kaum noch weiter kann, zehre ich von diesen Erinnerungen, die mich ein wenig aufrichten. Was nun Herrn L. angeht, von dem ich Ihnen gestern erzählte, so war er nicht sehr klug, aber ich sah doch in seiner Brust Kämpfe sich abspielen, die mir sehr wertvolle Einsichten in den Charakter meiner Landsleute, in den Charakter eines Nazis und endlich denjenigen eines kleinen, aber mit Ehrgeiz behafteten und einer gewissen Macht ausgestatteten Parteibeamten gegeben haben. O, man sieht es täglich, aus der Tatsache, dass ein Mensch seit 1933 ausserhalb Deutschlands lebte, folgt noch lange nicht, dass er nun auch ein anständiger Mensch ist, ganz abgesehen davon, dass ja nur sehr wenige von denen die sich endlich in der ersehnten Rolle der Verfolger erblicken und nun Richter und Denunziant zu spielen versuchen, freiwillig weggingen. Es war keineswegs nur die besondere Eigenschaft der Bourbonen, nichts gelernt und nichts vergessen zu haben. Auch kleinere Leute besitzen diesen Fehler ›derjenigen Sorte von Ausländern, die man Emigranten nennt‹. Finden Sie diese Überlegungen richtig? Ihre Zustimmung würde mich sehr erfreuen, aber andererseits eine Berichtigung gern gelesen werden und sicherlich sehr fördern Ihren an Sie sehr anhänglichen Brentano« (Nachlaß Max Rychner, Privatbesitz). Brentano reichte gegen Manuel Gasser Klage ein und gewann 1947 den Prozeß, über den zahlreiche Zeitungen berichteten, unter ihnen am 4. April 1947 die deutschsprachige Emigrantenzeitung *Aufbau* (New York). Gasser wurde zu einer Geldbuße von 3.000 SFr., der Zahlung einer Gerichtsgebühr von 1.000 SFr., der Gerichtskosten, einer »Genugtuungssumme« von 500 SFr. und einer Prozeßentschädigung für den Ankläger von 8.000 SFr. verurteilt (vgl. Curt Riess, *Als Manuel Gasser Herrn von Brentano vorwarf, ein Nazi gewesen zu sein, erlitt er vor Gericht eine Schlappe*, in: *Die Weltwoche* [Zürich] vom 27. April 1989). »Aber weder Sie«, kommentierte Alfred Döblin am 8. September 1947 in einem Brief an Hermann Kesten das Gerichtsurteil, »noch ich planen daraufhin, ihm einen Glückwunsch zu senden und ihm die Hand zu schütteln« (zit. nach Kesten 1973, S. 261). 1949 übersiedelte Brentano von Küsnacht nach Wiesbaden. Kontakte zu CZ ergaben sich vermutlich erst wieder zu Beginn der 1950er Jahre. CZ schickte Brentano am 10. September 1952 folgende Karte: »[gedruckt:] Vor meiner Abreise aufrichtigen Dank und herzliche Grüsse [handschriftlich:] Leider konnte ich in den wenigen und überlasteten Frankfurter Tagen doch nicht nach Wiesbaden kommen, – hoffe aber, Sie im nächsten Jahr zu sehen! Inzwischen sehr gute Wünsche! Ihr Carl Zuckmayer«. Am 6. Januar 1954 schrieb CZ Brentano aus Woodstock folgenden Brief: »Lieber Herr von Brentano, um diese Zeit des Jahres pflege ich ›Ordnung zu machen‹ und zu erforschen, was ich im letzten Jahr versäumt habe, und ich finde, es war eines meiner grössten Versäumnisse des vergangenen, dass ich Ihnen nicht früher für Ihre so besonders freundlichen Zeilen und Ihre schöne, ehrende Besprechung meiner ›Langen Wege‹ gedankt habe [Veröffentlichungsort und -datum dieser Rezension konnten nicht ermittelt werden]. Ich habe mich von Herzen darüber gefreut, – zumal ich grade die Lektüre Ihres Buchs ›Du Land der Liebe‹ [von Brentano 1952] vollendet hatte, das mich in jeder Weise gepackt und beschäftigt hat. Auch dafür habe ich Ihnen noch zu danken. Es ist merkwürdig, – so verschieden unsere äusseren Emigrationsschicksale waren, – so ähnlich, ja manchmal gradezu gleichartig und durchaus verwandt war und ist unsere innere Haltung, unser persönliches und gedankliches Verhalten dazu. Fast beunruhigend, andererseits wieder bestärkend, wirkte auf mich Ihr Untertitel: Bericht von Abschied und Heimkehr, – denn ich bin seit zwei Jahren mit der Zusammenfassung meiner eignen, noch nicht abgeschlossenen, Aufzeichnungen aus dieser Zeit beschäftigt und habe dafür den Titel: ›Abschied und Wiederkehr‹ vorgesehen, nach einem Gedicht, das ich im Jahr 1939 hier in Amerika schrieb und das in meinem Gedichtbuch erschienen ist [*Elegie von Abschied und Wiederkehr*, in: Zuckmayer, *Gedichte 1916-1948*, Amsterdam 1948, S. 137; jetzt in Zuckmayer, *Abschied und Wiederkehr*, S. 201]. Erlauben Sie mir trotzdem, als Ausdruck der Verbundenheit, es Ihnen abzuschreiben. Ich hoffe sehr, dass wir uns treffen und sprechen können, wenn ich das nächste Mal, wohl im Frühsommer dieses Jahres, nach Deutschland komme. Bei mir ist dieser Turnus von ›Abschied und Wiederkehr‹ gewissermassen zum Lebensrhythmus geworden, er vollzieht sich immer wieder aufs neue, und ich darf nie ganz von ›Heimkehr‹ sprechen, – da ich mich nun einmal auf zwei Seiten der Welt beheimatet fühle und keine davon aufgeben kann. Die wahre, die Sprach- und Seelenheimat, glaube ich allerdings nie verloren zu haben. All meine guten Wünsche für das Neue Jahr. Ich grüße Sie herzlich! Ihr Carl Zuckmayer« (DLA, Nachlaß Brentano). Ob sich CZ und Brentano jemals wiederbegegnet sind, ist nicht bekannt. In CZs Autobiographie wird Brentano nicht erwähnt. Vgl. zur Biographie auch Hessler 1984 und Hessler 2000.

Gerüchte ... während des Krieges] Behauptungen dieser Art verbreitete Wieland Herzfelde noch 1972 beim »Zweiten internationalen

Symposium zur Erforschung des deutschsprachigen Exils nach 1933« (vgl. Kantorowicz 1978, S. 38).

Glaeser] Wann genau die Freundschaft zwischen Brentano und Glaeser begann, konnte nicht ermittelt werden. Vermutlich hatten sie sich 1928 bei der *Frankfurter Zeitung* kennengelernt, für die Glaeser gelegentlich Beiträge schrieb. 1929 führten sie ein Gespräch über *Neue Formen der Publizistik*, das vom Frankfurter Rundfunk gesendet und danach in der Wochenzeitschrift *Die Weltbühne* abgedruckt wurde (Jg. 25, 1929, Nr. 28, S. 54-56).

Brecht] Bertolt Brecht (1896-1956) und Brentano kannten sich seit spätestens 1928. Gemeinsam mit Walter Benjamin und Herbert Ihering planten sie 1929/30 die Gründung einer Zeitschrift mit dem Titel *Krisis und Kritik* im Rowohlt Verlag. Aus dem Projekt wurde jedoch nichts, weil Brecht sich mit Benjamin nicht einigen konnte. 1931 nahm Brentano an einer von Erich Mühsam geleiteten und in Brechts Wohnung stattfindenden Diskussionsrunde über dialektischen Materialismus teil. In einem Brief vom 18. Juli 1933 schlug er Brecht die Gründung einer Künstlerkolonie im Tessin vor (vgl. Hecht u.a. 1988-2000, Bd. 28, S. 703), was diesem aber als »reiner Wahnsinn« erschien (»alles dreimal so teuer und dreimal so schlecht« [ebd., S. 380]). Beide blieben aber in regelmäßiger brieflicher Verbindung, bis es zu einer Meinungsverschiedenheit über den Wert der Demokratie kam (den Brecht als relativ gering einschätzte). 1937 riß der Kontakt endgültig ab (vgl. G. Müller 1989/1990). – Zum Verhältnis von CZ und Brecht: CZ wollte – das jedenfalls behauptet er in seiner Autobiographie (vgl. *Als wär's ein Stück von mir*, S. 428 f.) – während seiner Zeit als Dramaturg an den Städtischen Theatern Kiel 1922/23 *Baal* von Bertolt Brecht uraufführen, ein Plan, der gescheitert ist. Nach seinem Wechsel nach München lernten CZ und Brecht sich im Herbst 1923 persönlich kennen und schlossen Freundschaft. Erich Engel verschaffte beiden 1924 ein Engagement als Dramaturg am Deutschen Theater Berlin. Zu den weiteren Kontakten sowie den ästhetischen Parallelen und Differenzen vgl. Nickel 1997 b.

Strindberg] Max Friedrich (Friedl) Strindberg wurde 1897 als Kind der zweiten Frau August Strindbergs, Frida Uhl (1872-1943), geboren. Dabei war anscheinend »für alle Welt« offensichtlich, daß es sich bei dem Vater Friedrichs um Frank Wedekind handelte (vgl. Gerstinger 1987, S. 213, 215). Friedrich Strindberg, der sich auch selbst als Sohn Wedekinds betrachtete, lebte als Journalist und Photograph in Wien und Berlin (vgl. Dubrovic 1985 b, S. 117). 1934 bereiste er Afrika, 1936 hielt er sich in Spanien auf und ging danach

nach Norwegen. Er veröffentlichte den Roman *Abessinien im Sturm*.
Kleines Tagebuch aus dem ostafrikanischen Krieg (Berlin 1936) und
zeichnete 1937 als Schriftleiter verantwortlich für das Buch *Die Ar-
beitsmaid*, das von der Reichsleitung des Reichsarbeitsdienstes herausgegeben wurde. 1949 kehrte er nach Deutschland zurück und
wurde Redakteur der Zeitschrift *Quick*. Über Strindbergs sonstige
journalistische Tätigkeiten sowie über Kontakte zu CZ konnte nichts
ermittelt werden. In CZs Autobiographie wird er nicht erwähnt.

Wedekinds] Frank Wedekind (1864-1918) hatte sich mit der Uraufführung seines frühen Dramas *Frühlings Erwachen* (1891) durch
Max Reinhardt an den Berliner Kammerspielen 1906 endgültig als
Dramatiker etablieren können. 1906 heiratete er die Schauspielerin
Tilly Newes (vgl. S. 332, Anm. zu *Wedekind*). Im selben Jahr
wurde die Tochter Pamela (vgl. S. 332, Anm. zu *Pamela*) geboren.
Von 1908 an lebte er in München. Wedekind gehörte zu den meist-
gespielten Dramatikern der Vorkriegszeit, dessen Stücke auch CZ
wohlvertraut waren; während seiner Zeit als Dramaturg am Kieler
Stadttheater (1922/23) inszenierte er Wedekinds *Marquis von Keith*
(1901; vgl. *Als wär's ein Stück von mir*, S. 431 und Nickel 1997 a).
Über Kontakte zu CZ konnte nichts ermittelt werden.

dänischen Schriftstellerin] Die österr. Schriftstellerin Maria Lazar
(1895-1948) war von 1923 bis 1927 mit Max Friedrich Strindberg
verheiratet. Sie war mit der dänischen Autorin Karin Michaelis befreundet. 1938 emigrierte sie nach Dänemark, 1939 nach Schweden.

Tochter] Stefanie Ullstein (1897-1939) war die Tochter aus Louis
Ullsteins erster Ehe mit Else Landsberger (1873-1919). Über eine
psychische Krankheit konnte nichts ermittelt werden.

Ullstein] Louis Ullstein (1863-1933), Sohn des Verlagsgründers
Leopold Ullstein (1826-1899), war wie seine Brüder Hans (1859-
1935), Franz (1868-1945), Rudolf (1874-1969) und Hermann
(1875-1943) Mitinhaber und seit 1921 stellvertretender Aufsichtsrats-
vorsitzender der Ullstein A.G. Von 1886 an war er im Verlag tätig,
organisierte den Vertrieb und hatte die kaufmännische Leitung
inne. Er rief 1904 die *B.Z. am Mittag* ins Leben. Seit August 1925
war CZ bei Ullstein unter Vertrag und traf die Brüder Louis,
Franz und Hermann im Dezember 1925 auf der Premierenfeier
des *Fröhlichen Weinbergs* (*Als wär's ein Stück von mir*, S. 481).
Nach dem politischen Rechtsruck des Verlags 1930 erwog CZ die
Trennung und verhandelte darüber mit Louis Ullstein, worüber
Einzelheiten jedoch nicht bekannt sind (vgl. Nickel 2000, S. 367).
Im August 1934 verließ CZ den inzwischen von der regierungs-
nahen Cautio GmbH übernommenen Verlag.

Grafen] Theodor Wilhelm Karl Leander Freiherr Tucher von Simmelsdorf (1888-1967), Mitarbeiter im Auswärtigen Amt, war von 1915 bis zur Scheidung 1922 mit Stefanie Ullstein verheiratet. Aus dieser Ehe gingen zwei Kinder hervor.

Balbo] Der italienische Jagdflieger Italo Balbo (1896-1940) war militärischer Organisator von Mussolinis Marsch auf Rom am 28. Oktober 1922 und von 1926 bis 1935 Luftfahrtminister. 1939 wurde er Generalgouverneur von Libyen und befehligte seit dem Kriegseintritt Italiens die italienischen Truppen in Nordafrika.

Sieburg] Friedrich Sieburg (1893-1964) begann 1912 ein Studium der Literaturgeschichte, Philosophie und Nationalökonomie in Heidelberg, wo er u.a. Vorlesungen bei Max Weber und Friedrich Gundolf besuchte. Von 1914 bis 1918 war er Soldat, von 1916 an als Fliegeroffizier in Frankreich. 1919 schloß er sein Studium in Münster mit einer Dissertation zum Thema *Grade der Formung der Lyrik* ab und zog nach Berlin, wo er als freier Schriftsteller lebte. 1920 erschien als seine erste Veröffentlichung das Gedicht *Aufruf an Berlin* in Franz Pfemferts Zeitschrift *Die Aktion* (Jg. 10, 1920, H. 21/22, Sp. 305), im selben Jahr sein Gedichtband *Die Erlösung der Straße*. Von 1921 bis 1925 publizierte er u.a. Beiträge in den Zeitschriften *Das Kunstblatt*, *Der neue Merkur*, *Die neue Rundschau*, *Die neue Schaubühne*, *Menschen. Zeitschrift neuer Kunst* und *Die Weltbühne*. Von 1924 an war er als Auslandskorrespondent für die *Frankfurter Zeitung* zunächst in Kopenhagen, von 1926 an hauptsächlich in Paris, von 1930 bis 1932 in London und danach wieder in Paris tätig. 1929 erschien sein Buch *Gott in Frankreich?*, durch das er sich auch in Frankreich einen Namen machte. Von 1931 bis 1939 veröffentlichte er weitere neun Bücher, darunter *Es werde Deutschland* (1933), das 1936 wegen kritischer Passagen über den Antisemitismus der Nationalsozialisten verboten wurde, sowie die Biographie *Robespierre* (1935). 1939/40 arbeitete er für das Auswärtige Amt an der deutschen Botschaft in Brüssel, von 1940 bis 1942 an der deutschen Botschaft in Paris. Am 9. April 1942 stellte er einen Antrag auf Aufnahme in die NSDAP, der am 28. November 1942 abgelehnt wurde. Von 1942 an schrieb er wieder für die *Frankfurter Zeitung*, bis sie im September 1943 ihr Erscheinen einstellen mußte. Von 1943 bis 1945 war Sieburg erneut in den Diensten des Auswärtigen Amts. 1945 erhielt er Schreibverbot und war vorübergehend interniert. Von 1948 an gehörte Sieburg zu den Mitarbeitern der Halbmonatszeitschrift *Die Gegenwart*, die seit 1945 von Ernst Benkard, Bernhard Guttmann, Robert Haerdter, Albert Oeser und Benno Reifenberg herausgegeben wurde. Von Juli 1949 an war er in einem erweiterten Kreis auch Mitherausgeber dieser Zeitschrift, bis er 1956 zur *Frankfurter Allgemeinen Zeitung* wechselte, deren Literaturblatt er bis 1963 leitete. In der Zeit nach dem Zweiten Weltkrieg veröffentlichte er neben seinen Feuilletons und Rezensionen dreizehn Bücher, darunter die Biographien *Napoleon* (1956) und *Chateaubriand* (1959). Zur Biographie Sieburgs vgl. Taureck 1987; Krause 1993; Die Schwalben ... 1994 (mit Beiträgen von Heinrich Senfft und Klaus Harpprecht); von Buddenbrock 1999. Zur Freundschaft zwischen Sieburg und CZ sowie ihrer Haltung zum Nationalsozialismus vgl. auch den Beitrag von Gunther Nickel im *Zuckmayer-Jahrbuch*, Bd. 5.

Jacobsohn] Der Theaterkritiker Siegfried Jacobsohn (1881-1926) gründete 1905 die Wochenzeitschrift *Die Schaubühne*, die er 1918 in *Die Weltbühne* umbenannte. Neben Herbert Ihering hat Jacobsohn, wie CZ in seiner Autobiographie hervorhebt (vgl. *Als wär's ein Stück von mir*, S. 380), sein Drama *Kreuzweg* nach der Uraufführung am 10. Dezember 1920 am Staatlichen Schauspielhaus Berlin positiv besprochen (*Orska und Zuckmayer*, in: *Die Weltbühne*, Jg. 16, 1920, Nr. 53, S. 763-765). Jacobsohn veröffentlichte von 1923 bis 1925 sieben Beiträge CZs, von Sieburg im Zeitraum von 1921 bis 1925 insgesamt 17 (vgl. Bergmann 1991, S. 224 und 271 f.).

George-Kreis] Vor dem Ersten Weltkrieg studierte Sieburg in Heidelberg, wo ihn Norbert von Hellingrath in den George-Kreis einführte. Wie nah Sieburg dem »Meister« kam, ist nicht mehr festzustellen. Vgl. Krause 1993, S. 21-24.

›*Gott in Frankreich*‹] Friedrich Sieburg, *Gott in Frankreich? Ein Versuch*, Frankfurt am Main: Frankfurter Societäts-Druckerei 1929.

›*Die rote Arktis*‹] Friedrich Sieburg, *Die rote Arktis. »Malygins« empfindsame Reise*, Frankfurt am Main: Societäts-Verlag 1932. An diesem Buch wurde während der NS-Zeit Anstoß genommen. In einem Brief des Reichsverbands der deutschen Presse vom 11. Dezember 1936 warf man Sieburg vor, er habe »nicht dafür Sorge getragen, dass [...] ›Die rote Arktis‹ aus dem Verkehr gezogen wird. In diesem Buch wird bei aller Kritik am Bolschewismus in einer Weise zu Sowjet-Russland Stellung genommen, die nur als Propaganda für den Bolschewismus angesehen werden kann. Zum Beweise wird verwiesen auf Seite 134/35 dieses Buches, wo es von der ›bolschewistischen Jugend‹ heisst: ›Trotzdem muss ich sagen, dass ich seit dem Kriege kaum einer Jugend begegnet bin, mit der ich so gern zusammen leben und zusammenkämpfen möchte wie mit dieser. Ich glaube es liegt daran, dass sie Nationalsozialisten

sind, ohne jene Eigenschaften zu haben, deretwegen unsere Nationalsozialisten der Reaktion und dem Alte-Herrentum so nahestehen.
Sie sprechen mit Menschenstimmen, in Deutschland wird vorerst
nur getrommelt‹« (zit. nach Taureck 1987, S. 107 f.).

›*Es werde Deutschland*‹] Friedrich Sieburg, *Es werde Deutschland*,
Frankfurt am Main: Societäts-Verlag 1933.

Simon] Der Journalist und Verleger Heinrich Simon (1880-1941)
war von 1906 an bei der *Frankfurter Zeitung* tätig, von 1910 an als
Prokurist. 1914 übernahm er den Vorsitz der Redaktionskonferenz,
den er bis zu seinem durch das Schriftleitergesetz erzwungenen
Rücktritt im Januar 1934 innehatte. Damit führte Simon, Enkel des
Zeitungsgründers Leopold Sonnemann und Mitglied der liberalen
Deutschen Demokratischen Partei, das Blatt durch die gesamte
Zeit der Weimarer Republik. 1934 emigrierte er nach Palästina,
1939 in die USA. 1941 wurde er in Washington Opfer eines unge-
klärten Mordes (vgl. hierzu Gillessen 1986, S. 173). Über Kontakte
zu CZ konnte nichts ermittelt werden. In CZs Autobiographie
wird Simon nicht erwähnt. Sieburgs Buch *Es werde Deutschland*
ist die Widmung *An Heinrich Simon* vorangestellt, in der es u.a.
heißt:»Ihnen als dem bewährtesten Geiste unseres Arbeitskreises
mute ich dies Buch zu, das auf den ersten Blick an die Grenzen
dieses Kreises zu stoßen scheint, in Wirklichkeit aber die Frucht
gemeinsamen Suchens und Wirkens ist und der leidenschaftlichen
Sorge um Deutschland Ausdruck verleihen möchte, die seit je unser
tiefstes Gefühl ist und all unseren Bemühungen um die Gestaltung
des öffentlichen Lebens zugrunde liegt. Wir haben gemeinsam die
bitteren Zweifel daran erlebt, ob das Vaterland sich von den Be-
fleckungen der rohen Gewalt und des Eigennutzes je wieder reinigen
lasse. Sie haben mir als Freund und Erster unseres Kameradenkreises
die wieder erwachende Hoffnung auf eine reine und menschliche
Zukunft gestärkt. [...] Möge unser gemeinsamer, von Ihnen immer
wieder gefestigter Kreis bei der Gestaltung seiner politischen For-
meln, beim Aufbau der Neuen Linken das nicht verschmähen, was
ich hier rauh und ruhelos, aber nimmermüde bekenne.«

dem Aussenministerium attachiert] Über die Modalitäten sind Einzelheiten nicht bekannt. Es kursierten allerdings, durch Sieburg
offenbar befördert, schon 1933 entsprechende Gerüchte, weshalb
Heinrich Simon Sieburg in einem Brief vom 1. Dezember 1933 zur
Räson zu rufen versuchte: »[...] so schön Ihr erster Artikel über
Warschau war und die folgenden wohl noch sein werden, ich bin
nicht sehr entzückt gewesen von der Interpretation, die diese Reise
erfahren hat. Gewiss, ich bin überzeugt, dass Sie an diesen Ge-

rüchten unschuldig waren und dass Sie auf der anderen Seite, wie ich Ihnen schon am Telefon sagte, nur Ihre Pflicht taten, wenn Sie vor Ihrer Hinreise mit amtlichen Stellen in Fühlung traten. Der Korrespondent einer grossen Zeitung ist niemals eine rein private Persönlichkeit, und daher verpflichtet, sich über die zwischen dem betr. Land und seinem Vaterland schwebenden Fragen zu orientieren. Aber Sie legen – und das werfe ich Ihnen vor – zu wenig Wert darauf, dass die Tatsache der Unabhängigkeit eines Korrespondenten der Frankfurter Zeitung sich auch in seinem Rufe ausdrückt. Sie sind beinahe lüstern danach, in allen möglichen Kombinationen genannt zu werden, und Sie schaden damit nicht nur sich selbst, sondern auch der Zeitung, der Sie dienen« (Societäts-Verlag, Frankfurt am Main, Nachlaß Heinrich Simon). Margot Taureck (Taureck 1987, S. 163) hat auch für Sieburgs Reisen nach Portugal 1937, Afrika 1938 (ebd., S. 191) und Japan (ebd., S. 195) eine amtliche Mission angenommen, liefert indes keine Belege, die ihre Vermutung untermauern.

Polen] Ende 1933 bereiste Sieburg Polen und schrieb darüber Reportagen, die die *Frankfurter Zeitung* in der Zeit vom 26. November bis 31. Dezember 1933 veröffentlichte. Sie erschienen 1934 unter dem Titel *Polen. Legende und Wirklichkeit* als Buchausgabe im Frankfurter Societäts-Verlag.

Japan] Von März bis August 1939 fuhr Sieburg nach Japan, worüber er in der *Frankfurter Zeitung* im selben Zeitraum berichtete. Die Buchausgabe der gesammelten Beiträge kam unter dem Titel *Die stählerne Blume. Eine Reise nach Japan* noch im selben Jahr im Frankfurter Societäts-Verlag heraus.

Portugal] Von März bis Mai 1937 unternahm Sieburg eine Reise nach Portugal, über die er ebenfalls für die *Frankfurter Zeitung* berichtete. Zusammengefaßt erschienen seine Beiträge im selben Jahr als Buch unter dem Titel *Neues Portugal. Bildnis eines alten Landes* im Frankfurter Societäts-Verlag.

seiner Frau] Ellinor Kielgast (1887-1959), die zweite Ehefrau Sieburgs.

Ribbentrop] Der Diplomat und Politiker Joachim von Ribbentrop (1883-1946) trat 1932 der NSDAP bei, 1933 der SS. Er war außenpolitischer Berater Hitlers, 1936-1938 Botschafter in Großbritannien, 1938-1945 Reichsaußenminister. Am 6. Dezember 1938 unterzeichnete er bei einem Besuch in Paris mit seinem französischen Kollegen Georges Bonnet die deutsch-französische Nichtangriffserklärung, in der der Grenzverlauf beider Länder feierlich anerkannt wurde. 1946 wurde Ribbentrop in Nürnberg zum Tode verurteilt und hingerichtet.

›*C'est la guerre*‹] Das ist der Krieg.

Congé pour cette vie] Abschied für dieses Leben.

Leitartikel] Gemeint ist Friedrich Sieburgs Leitartikel *Das Pariser Gespräch* in der *Frankfurter Zeitung* vom 8. Dezember 1938 (gezeichnet: Sbg Paris, 7. Dezember), der folgenden Wortlaut hat: »Die Aussprache zwischen Reichsaußenminister von Ribbentrop und seinem französischen Kollegen, die unmittelbar auf die feierliche Unterzeichnung der deutsch-französischen Erklärung folgte und volle drei Stunden in Anspruch nahm, hat zunächst einmal das Ergebnis einer fühlbaren Erwärmung der Stimmung gezeigt. Aus der Höflichkeit, mit der man dem deutschen Gast begegnete, hat sich eine herzliche Atmosphäre entwickelt, die für die deutsch-französischen Beziehungen Gutes verspricht und der feierlichen Erklärung den wünschenswerten Hintergrund von gegenseitigem Vertrauen und persönlicher Sympathie verleiht. Das gegenseitige Verständnis ist, so fühlt man, merklich gestiegen, und man kann über den Besuch des Reichsaußenministers in Paris nichts Besseres sagen, als daß die Erwärmung nicht aus den Zeremonien und gesellschaftlichen Höflichkeiten, sondern aus der sachlichen Aussprache über die außenpolitischen Beziehungen der beiden Länder hervorgegangen ist. Dem Ausgleich der Empfindungen, ohne den es keine Harmonie gibt, muß ein Ausgleich der Interessen entsprechen, ohne den es keinen Frieden gibt. Es ist möglich, daß die gestrige Aussprache, die den eigentlichen politischen Kern des Pariser Besuches bildet, heute in zwangloser Form fortgesetzt wird. Eigentliche Verhandlungen sind weder eingeleitet worden, noch beabsichtigt. Es handelt sich lediglich darum, daß die Leiter der deutschen und der französischen Außenpolitik sich gegenseitig auf ihren Arbeitsgebieten kennenlernen und ihre Meinungen austauschen. Insofern kann die Aussprache als die erste Handlung in Erfüllung des Absatzes 3 der deutsch-französischen Erklärung gelten, in dem es heißt, daß die beiden Mächte vorbehaltlich ihrer besonderen Beziehungen zu dritten Mächten in eine Beratung eintreten, wenn die Entwicklung der internationalen Lage dies erfordert. Diese Konsultation gilt allerdings nur für den Fall, daß diese Entwicklung zu internationalen Schwierigkeiten zu führen droht, was in diesem Augenblick nicht der Fall ist. Trotzdem ist es für die Franzosen nicht bedeutungslos, gerade in diesem Augenblick wieder einmal auf die natürlichen Grundbedingungen des außenpolitischen Handelns Deutschlands hingewiesen worden zu sein. Die wichtigste dieser Grundbedingungen ist das deutsch-italienische Einvernehmen, das, wie Außenminister von Ribbentrop sagte,

›die feste Grundlage‹ seiner Außenpolitik ist, wobei wohlverstan-
den bleibt, daß dies mit dem Geist und den Möglichkeiten der
deutsch-französischen Erklärung ebenso vereinbar ist wie die
französisch-englische Zusammenarbeit, die von uns ja weder bestritten noch beschränkt wird. Wir denken, daß über diesen Punkt
völlige Klarheit geschaffen worden ist und daß keine weitere
Kundgebung der deutsch-italienischen Solidarität dritte Mächte
noch überraschen kann. In diesem Zusammenhang ist es selbstverständlich, daß der hiesige italienische Botschafter Guariglia gestern
abend dem Reichsaußenminister von Ribbentrop seine Aufwartung
machte und dabei Gelegenheit hatte, geraume Zeit mit ihm über
den Verlauf des Tages zu sprechen. Der Besuch des Reichsaußenministers in Paris ist ein Ereignis, das weit über die Politik hinaus-
geht und die Franzosen in der Seele bewegt. In die Hoffnung auf
günstige Möglichkeiten, die sich aus der deutsch-französischen Erklärung ergeben, mischt sich der Rückblick auf vergangene Irrtümer
und auf Einbußen, die dadurch unvermeidlich geworden sind. Die
Anwesenheit des Leiters der deutschen Außenpolitik in Paris bezeichnet einen Umschwung in der französischen Weltbetrachtung.
Viele Fehler sind begangen, viele unhaltbare Stellungen unnütz
und zum Schaden Dritter verteidigt worden. Aber die Aussprache
zwischen Ribbentrop und Bonnet hat gezeigt, daß es keineswegs
zu spät ist und daß bei einigem guten Willen eine Ära begonnen
werden kann, die dem auf sein Maß so ängstlich bedachten Frankreich Gelegenheit gibt, eine gleichsam natürliche Außenpolitik zu
betreiben. Wir haben den Ausdruck Harmonie erwähnt. Wenn
Frankreich will, kann es von heute an die Harmonie zwischen seinen großen Kräften, glanzvollen Möglichkeiten und menschlichen
Charaktergrößen einerseits und der Außenwelt andererseits be-
gründen. Was die Franzosen vor allem interessiert, ist in diesem
Augenblick die Lage im Mittelmeer und den angrenzenden Gebie-
ten. Deutschland ist an dieser Frage in erster Linie auf dem Umwege
über seine Freundschaft zu Italien beteiligt. Infolgedessen bringt
es auch dem Problem des spanischen Bürgerkrieges weniger Passion
entgegen, als dies auf französischer Seite der Fall ist. Deutschland
ist von dem Erfolge General Francos um so mehr überzeugt, als
dessen Sieg praktisch ja schon feststeht. Ein Interesse an der Ver-
längerung des Bürgerkrieges hat es schon aus diesem Grunde
nicht. Unsere wirtschaftlichen Interessen in Spanien waren von
jeher bedeutsam und sind es heute, wo sie sich einheitlich haben
organisieren können, mehr denn je. Die Verhandlungen über den
Abzug der ausländischen Freiwilligen, die mit den verschiedenen

Mächten, besonders mit Italien, geführt worden sind, haben ja bereits ein gewisses Ergebnis gezeitigt, was den guten Willen Italiens erweisen sollte. Es wäre der französischen Regierung, so kann man hier öfter hören, angenehm, wenn Deutschland seinen italienischen Freund auf diesem Weg ermutigte. Deutschland mischt sich jedoch selbstverständlich nicht in die italienischen Entscheidungen, vor allem nicht in ihre Einzelheiten. Die Kolonialfrage ist, wie der Quai d'Orsay sagt, nicht zur Sprache gekommen. Wir wollen dies gern glauben, denn wie die Dinge heute stehen, ging jeder französische Vorschlag auf diesem Gebiet in der bisherigen Erörterung nur dahin, die deutschen Ansichten und Ansprüche einzuengen und in eine bestimmte Richtung zu drängen. Dagegen sind die wirtschaftlichen Dinge, die in die Kolonialfrage selbstverständlich hineinspielen, zweifellos zwischen den beiden Staatsmännern erörtert worden. Die befugten Sprecher des Reiches benutzen jede Gelegenheit, ihren ausländischen Verhandlungspartnern klar zu machen, daß Deutschland die Wirtschaftsautarkie nicht zu seinem Vergnügen betreibe und daß es an einem Abbau der Handelshemmnisse lebhaft interessiert sei. Es ist auch falsch, zu behaupten, daß Deutschland sich eine Art von Wirtschaftsmonopol in Südosteuropa erraffen wolle, und man darf vermuten, daß der Reichsaußenminister sein französisches Gegenüber darüber beruhigt hat, daß der französischen Wirtschaft in diesem Teil Europas ihre Chancen nicht genommen werden sollen, ja daß ein Ausgleich der deutschen und der französischen Interessen auch auf diesem Gebiet im Bereich der Möglichkeit liege. Wie von französischer Seite gesagt wird, sind auch die Grenzen der Tschecho-Slowakei im Gespräch berührt worden. Die Franzosen beschäftigen sich seit einiger Zeit mit dem, was sie die internationale Garantie für die Grenzen der Tschecho-Slowakei nennen, ja man spürt ein gewisses Drängen auf ihrer Seite. Der deutsche Standpunkt in dieser Frage ist bekannt. Auch Deutschland hat seine klare Ansicht über die Nützlichkeit einer Garantie für die neue Gestalt, welche die Tschecho-Slowakei erhalten hat. Aber diese Frage kann nicht zwischen Deutschland und Frankreich allein geregelt werden, sondern bedarf einer Verständigung mit allen die Tschecho-Slowakei umgebenden Ländern. Es gibt selbstverständlich zwischen Frankreich und Deutschland eine Fülle zweitklassiger Fragen, die der Erledigung durch den üblichen Geschäftsgang unterliegen und für die Kompetenz des Reichsaußenministers nicht bedeutsam genug sind. Seine Anwesenheit allein mag aber einen Antrieb dafür bilden, daß diese verschiedenen Punkte, über die zum Teil seit Jahren verhandelt wird, über kurz oder lang ihre freundschaftliche Erledigung auf dem normalen diplomatischen Wege finden. Immer noch bestehen gewisse Benachteiligungen oder Zurücksetzungen Deutschlands in Frankreich oder seinen überseeischen Besitzungen. Wir nennen nur Marokko, aus dem Deutschland im Gegensatz zu allen anderen Mächten immer noch ferngehalten wird, ebenso wie aus der internationalen Tangerzone. Das Reich ist durch den Friedensvertrag gezwungen worden, auf seine Rechte aus der Akte von Algeciras zu verzichten, und hat infolgedessen im scherifischen Reiche keine Konsuln und kann handelsmäßig mit den anderen Ländern auf dem dortigen Markte nicht ausreichend in Wettbewerb treten. Auch ist die Vereinbarung aus dem Jahre 1929 über die Einstellung der Liquidation und über die Freigabe der während des Krieges beschlagnahmten Vermögen immer noch nicht ausgeführt worden. Ebenso ist das vor vier Jahren abgeschlossene Abkommen über Doppelbesteuerung bisher auf dem Papier geblieben. Schließlich muß man hoffen, daß die deutschen Bemühungen um eine freundlichere Handhabung der fremdenpolizeilichen Bestimmungen gegenüber Deutschland, vor allem gegenüber deutschen Geschäftsleuten und Pressevertretern, auf ein bereitwilligeres Entgegenkommen treffen mögen. Auch wäre es schön, wenn Frankreich sich entschließen könnte, auf gewisse Inschriften und Darstellungen auf öffentlichen Gebäuden und Denkmälern, die das deutsche Ehrgefühl verletzen, zu verzichten. Niemand verlangt von Frankreich, daß es den Ruhm seiner Waffen verleugnet, aber gerade dem Waffenruhm ist besser gedient, wenn die peinlichen Erinnerungen aus der Zeit des Hasses und der verletzenden Absichtlichkeiten in den Schatten treten. Diese Dinge sind gewiß nicht Teile der Weltpolitik, aber sie werden eine ausgezeichnete Gelegenheit bilden, an der sich die deutschfranzösische Erklärung ohne Verlust an Prestige und Interessen bewähren kann.«

Holland zugeteilt war] Diese Auskunft ist nicht richtig. Sieburg war als Diplomat zunächst in Brüssel, dann in Paris tätig.

Brehm] Der österr. Schriftsteller Bruno Brehm (1892-1974) war Teilnehmer am Ersten Weltkrieg, studierte anschließend Kunstgeschichte und war von 1923 bis 1925 Teilhaber des Wiener Burg-Verlags. Seit 1927 lebte er als freier Schriftsteller in Wien. 1931 veröffentlichte er mit dem Roman *Apis und Este* über Franz Ferdinand und den Untergang der Donaumonarchie den ersten Teil seiner erfolgreichen dreibändigen Trilogie über den Ersten Weltkrieg, für die er 1939 den vom Propagandaministerium gestifteten Nationalen Buchpreis erhielt (fortgesetzt mit: *Das war das Ende*, 1932; *Weder*

Kaiser noch König, 1933). Brehm gehörte schon in den frühen 1930er Jahren zum völkisch-nationalen Lager und war von 1933 an Mitglied des Kulturbundes. Sein Austritt aus dem österr. PEN gemeinsam mit anderen prominenten Schriftstellern im Juni 1933 markierte den Beginn der »politischen Fraktionierung der österreichischen Literatur« (vgl. Amann 1988, S. 36, und Renner 1986, S. 211). Um 1934 wurde Brehm Mitglied im Reichsverband Deutscher Schriftsteller (vgl. Renner 1986, S. 293). Den »Anschluß« begrüßte er in einem Beitrag im *Bekenntnisbuch österreichischer Dichter*, hrsg. vom Bund deutscher Schriftsteller Österreichs (Wien 1938, S. 16 f.). Im selben Jahr wurde er Herausgeber der »Monatsschrift der Ostmark« *Der getreue Eckart*. Brehm, Mitglied des Wiener Dichterkreises, wurde 1945 als Nationalsozialist verhaftet und kam im Februar 1946, angeblich aufgrund der Fürsprache von Leo Perutz, aus dem Internierungslager Glasenbach frei (vgl. Schattner 1996, S. 307-310). Von 1953 an lebte er in Altaussee. 1960/61 veröffentlichte er mit der Romantrilogie *Das zwölfjährige Reich* eine verharmlosende Darstellung der NS-Zeit. Über Kontakte zu CZ konnte nichts ermittelt werden. In CZs Autobiographie wird er nicht erwähnt. Zu Biographie und Werk Brehms vgl. auch Petzel 1985; Orlowski 1985; Decloedt 1996; Schattner 1996.

Schreyvogel] Der österr. Schriftsteller Friedrich Schreyvogl (1899-1976) veröffentlichte 1917 seinen ersten Gedichtband. 1922, nach einem Studium u.a. bei Othmar Spann und im Jahr seiner Promotion zum Dr. rer. pol., war er einer von etwa 50 Mitbegründern des Österreichischen Kulturbundes. Im selben Jahr wurde er Privatsekretär des Prälaten und christlichsozialen Politikers Ignaz Seipel. 1927 berief man Schreyvogl als Dozenten an die Wiener Akademie der Musik und darstellenden Kunst. Von 1931 an lehrte er auch am Wiener Reinhardt-Seminar. Von 1932 an war er Konsulent der österr. Staatstheater und Mitglied des Wiener PEN-Clubs. Nachdem auf einer PEN-Konferenz vom 25. bis 28. Mai 1933 in Ragusa (heute Dubrovnik) eine Resolution gegen die Unterdrückung der Meinungsfreiheit im NS-Deutschland verabschiedet worden war, trat Schreyvogl im September 1933 aus dem PEN mit folgender Begründung aus: »Mein Austritt ist keineswegs als ein politisches Bekenntnis aufzufassen. Eben um meine unpolitische Einstellung zu dokumentieren, habe ich mich zu dem Austritt entschlossen. Ich wollte verhindern, daß mein weiterer Verbleib beim österr. Penklub politisch gedeutet werden und zur Folge haben könnte, daß die Verbreitung meiner Werke in Deutschland auf Schwierigkeiten stoßen könnte. Ich kümmere mich um Nationalsozialismus ebenso wenig wie um sonst eine politische Partei« (zit. nach Niesner 1959, S. 9 f.). Im Mai 1934 trat Schreyvogl der in Österreich verbotenen NSDAP bei. Seine frühen Bühnenwerke waren im NS-Staat aber »wenig erwünscht« (Drewniak 1983, S. 188), denn Autoren wie er und Ortner galten unter Nationalsozialisten als Lavierer, als »unsichere Kantonisten, als Juden- und Katholikenfreunde, ja als Verräter« (Amann 1988, S. 36). So berichtete der österr. Schriftsteller Robert Hohlbaum, der enge Kontakte zu NS-Kulturfunktionären hatte und in den 1930er Jahren regelmäßig Beiträge im *Völkischen Beobachter* veröffentlichte, am 1. April 1933 seinem österreichischen Schriftstellerkollegen Karl Hans Strobl (1877-1946): »Daß sich hier der Nationalverband bildet, weißt du ja schon. Jetzt dreht es sich nur noch um das Thema Schreyvogl, daß er nicht Führer sein kann, ist ja in Folge seiner früheren anationalen Stellung begreiflich, aber Greinz, Jelusich und Rainalter lehnen ihn auch als einfaches Mitglied ab, was denn doch nicht angeht und böses Blut machen würde« (zit. nach Renner 1986, S. 204). Schreyvogl war seit seiner Mitarbeit an den 1925/26 erschienenen *Kärntner Monatsheften* mit Guido Zernatto bekannt (Aspetsberger 1980, S. 100 f.). 1936 versprach er in der »Rolle des Informanten«, die er für die nationalsozialistischen Literaturmachthaber« übernommen hatte, Hans Friedrich Blunck Listen mit »Einwandfreien«, »Nichtariern« und Anhängern des italienischen Faschismus anzufertigen (vgl. Renner 1986, S. 242 f.; Amann 1988, S. 80 f.). Im selben Jahr wurde Schreyvogl Schatzmeister des ›Bundes der deutschen Schriftsteller Österreichs‹ sowie der Literarischen Verwertungsgesellschaft. 1938 begrüßte er öffentlich den »Anschluß« Österreichs an Deutschland (vgl. Renner 1986, S. 291). Im selben Jahr wurde er Dramaturg und Drehbuchautor der ›Wien-Film‹. Neben zahlreichen Filmmanuskripten verfaßte er bis 1945 mehrere umfangreiche Romane, darunter *Heerfahrt nach Osten* (1938), *Eine Schicksalssymphonie* (1941) und *Der Friedländer* (1943). Nach dem Zweiten Weltkrieg bezeichnete er sich als Widerstandskämpfer, machte aber einige nachweislich falsche Angaben. Sein Name wurde daher 1946 in die »Liste der gesperrten Autoren und Bücher« aufgenommen. 1947 war aber bereits wieder erste Titel von ihm lieferbar. Als Schreyvogl 1949 von Karl Ehrlich als zweiter Co-Autor für das Drehbuch zur Verfilmung von CZs Erzählung *Der Seelenbräu* herangezogen wurde, schrieb CZ an den Schauspieler Heinrich Gretler: »Schreyvogl war einer der wenigen Kollegen, die in der Zeit vor der Besetzung Österreichs gegen mich persönlich dort ungeheuer gehetzt haben. Ich möchte daraus zwar heute keine Folgerungen ziehen, aber er ist ausserdem ein sehr mässiger Schriftsteller« (DLA, Nachlaß CZ, Brief vom 20. Juli 1949). Schreyvogl war dagegen umgekehrt von CZs literarischer Bedeutung vollkommen überzeugt. »Zuckmayer«, schrieb er angesichts der Inszenierung des *Gesangs im Feuerofen* am Wiener Burgtheater in der *Neuen Wiener Tageszeitung* vom 18. Februar 1951, »löst die Theaterkrise mit der ganzen unbedenklichen zugreifenden Gewalt einer Theaterkraft, die nicht ihresgleichen hat. Er ist kein Spezialist, sondern ein Doctor universae medicinae, ein Beherrscher aller Heilmittel für das kranke Theater. Er hat das Wunderkraut: Anschaulichkeit und Atmosphäre. Andere Theaterdichter denken zu Beginn ein Problem, sie konstruieren eine Idee, dann erst geben sie ihr Körper und Kostüm. Zuckmayer bringt seine Einfälle gleich körperhaft und angezogen auf die Bühne, jeder weiß sogleich, was sie bedeuten sollen. Oft nur mit zwei oder drei Sätzen stellt er seine Menschen zum Greifen deutlich vor und zugleich genau an den Platz im Drama, an dem er gesehen werden muß. Was steckt nicht alles in diesem Stück! Alle Wirkungen von Euripides bis Thornton Wilder, von Shakespeare bis Gerhart Hauptmann, aber nichts verschwimmt, alles hat Gewicht, alles ist voll Farbe. Ja, manchmal fließt die Farbe über, und dort steht Dichtung allzunahe neben der Reportage. Ach, mögen sich andere damit auseinandersetzen, ob man die nachtwandlerische Sicherheit, mit der Zuckmayer jeden Augenblick weiß, was er dem Zuschauer gerade noch gegen seinen Willen sagen darf und ihm zuliebe sagen muß, Raffinement oder Routine nennen soll, er kann im kleinen Finger mehr, als die übrigen deutschen Theaterdichter in ihren experimentierenden Händen zusammen. Sie sollten sich, ehe sie weiterschreiben, in dieses Stück in die erste Reihe setzen und sehr gut aufpassen. So macht man's eben, wenn das Theater leben soll! Eine Generalcharge für Zuckmayer: er ist ein General der Bühne und er hat gesiegt.« Von 1953 an war Schreyvogl Chefdramaturg am Theater in der Josefstadt und von 1954 an einer der Direktoren des Burgtheaters. Er sei, so charakterisierte ihn zusammenfassend Karl Müller, »ein katholisch-nationaler Autor, dessen literarisches und literaturpolitisches Wirken [...] breite Übergänge zwischen österreichisch-abendländischer Reichsgläubigkeit katholischen Zuschnitts und deutschbewußter, in den Nationalsozialismus mündender Reichsverherrlichung« darstelle (vgl. K. Müller 1990, S. 200). Über Kontakte zu CZ konnte nichts ermittelt werden. In CZs Autobiographie wird Schreyvogl nicht erwähnt.

Ortner] Hermann Heinz Ortner (1895-1956) gehörte zwischen 1929 und 1955 zu den meistgespielten österr. Dramatikern. Er wurde 1933 Mitglied der NSDAP und der SA. Nachdem auf einer PEN-Konferenz vom 25. bis 28. Mai 1933 in Ragusa (heute Dubrovnik) eine Resolution gegen die Unterdrückung der Meinungsfreiheit im NS-Deutschland verabschiedet worden war, erklärte Ortner am 3. August seinen Austritt aus dem PEN. Er galt – wie Schreyvogl – unter überzeugten Nationalsozialisten als Lavierer, als »unsicherer Kantonist, als Juden- und Katholikenfreund, ja als Verräter« (Amann 1988, S. 36). Seine Aufnahme in die NSDAP erfolgte nach eigenen Angaben 1933, nach anderen Quellen 1934. 1936 beteiligte sich Ortner an der Gründung des ›Bundes der deutschen Schriftsteller Österreichs‹ und wurde einer von drei stellvertretenden Vorsitzenden. Er betätigte sich im Dienste der NS-Kulturpolitik, als er im November 1937 an Hans Hinkel, den Geschäftsführer der Reichskulturkammer, einen Bericht sandte, in dem er den damaligen Literaturbetrieb beurteilte und in dem es u.a. heißt: »Ich glaube kaum, dass man sich über die kulturpolitischen Vorgänge in Österreich ein rechtes Bild macht. Der hier seit Kriegsende losgelassene und von den jüdischen Kreisen mit allen Mitteln geförderte Höllentanz nimmt kein Ende. Unter den verschiedensten Decknamen wird hier gewühlt und Wien als internationales Bollwerk, als Grossfestung ausgebaut. Emigranten-Verlage, internationale Wettbewerbe, Kulturbünde und ähnliche Organisationen reichen sich die Hände. Wir wissen dabei wie sehr das Reich bedacht ist besonders den unterirdischen Gegnern an den Leib zu rücken, ihr nächtliches Handwerk zu zerstören. Ich will Ihnen deshalb für diesen Feldzug gerne einige kongrete [!] Daten an die Hand geben. Wenn Sie die Vorfälle, von denen ich Ihnen nachfolgend berichte, aneinanderreihen, dann werden Sie unschwer den roten Faden finden, der alles miteinander verbindet« (zit. nach ebd., S. 213). 1938 begrüßte er öffentlich den »Anschluß« Österreichs an das Deutsche Reich (vgl. Renner 1986, S. 291). Ebenfalls 1938 erzielte er mit dem Stück *Isabella von Spanien* seinen größten Publikumserfolg. 1940 urteilte Reichsdramaturg Rainer Schlösser über ihn in einem Schreiben vom 11. Mai: »Ortner hat zwar inzwischen mit Geschick eine Art inneren Anschlusses fertigbekommen. Dennoch halte ich es für angezeigt, ihn nicht als eine Art Prototyp nationalsozialistischer Dramatiker herauszustellen und muß anraten, daß gerade die Partei ihm gegenüber die nötige Reserviertheit zunächst beibehält« (zit. nach Drewniak 1983, S. 224). 1943 wurde Ortner aus der Partei und der SA ausgeschlossen, weil

er die jüdische Herkunft seiner ersten und zweiten Ehefrau ver-
schwiegen habe und seine politische Haltung bis 1938 »nicht einwandfrei« gewesen sei (Amann 1988, S. 184). Im Februar 1945
wurde er jedoch rehabilitiert und wieder in die NSDAP aufgenommen. Nach Kriegsende stellte sich Ortner als Mitglied der Wider-
standsbewegung dar und amtierte als Vizebürgermeister in seinem
Geburtsort Bad Kreuzen. Über Kontakte zu CZ konnte nichts ermittelt werden. In CZs Autobiographie wird Ortner nicht erwähnt.

Waggerl] Der österr. Schriftsteller Karl Heinrich Waggerl (1897-
1973) wuchs in ärmlichen Verhältnissen auf. Er wurde Lehrer, gab
diesen Beruf aber 1922 aus Krankheitsgründen wieder auf und
schlug sich als Buchbinder, Versicherungsagent, Plakatzeichner und
Werbetexter durch. Ist sein Werk der 1920er Jahre von einem – so
Waggerl später – »kaltherzigen Realismus« geprägt, der seiner
biographischen Situation geschuldet ist, entschloß er sich unter
dem Eindruck der Lektüre Hamsuns zu Beginn der 1930er Jahre,
Literatur zu schreiben, die Trost spendet. Erstes Resultat dieser
Neuorientierung war sein Roman *Brot*, der 1930 im Insel-Verlag
erschienen ist. Im folgenden entwickelte sich Waggerl mit seinen
Bauernromanen (z.B. *Schweres Blut* [1932]) zu einem der erfolgreichsten Autoren der Ständestaatzeit. Zu seiner scharfen Zivilisa-
tionskritik gesellen sich antisemitische Affekte und Sympathien
zunächst für den Austrofaschismus, dann für den Nationalsozialismus. 1936 wurde er Mitglied des ›Bundes der deutschen Schriftsteller Österreichs‹, 1938 beteiligte er sich mit einem Beitrag an
dessen *Bekenntnisbuch* und verfaßte Werbesprüche für die dem
»Anschluß« folgende »Volksabstimmung« (vgl. ebd., S. 220). Im
selben Jahr trat er der NSDAP bei. Von 1940 bis 1942 war er Bürgermeister seiner Heimatgemeinde Wagrein. Noch 1944 bekannte
er sich in einer Rede im Salzburger Festspielhaus öffentlich zu
Hitler. Nach Kriegsende stritt er eine Mitgliedschaft in der
NSDAP dennoch entschieden ab (vgl. ebd., S. 220). Trotz einer
Reihe öffentlicher Vorwürfe, konnte Waggerl nach dem Zweiten
Weltkrieg nahtlos an die Erfolge der vorangegangenen Jahre an-
knüpfen. Von 1953 an gehörte er mit CZ zur Jury des Charles-
Veillon-Preises. Gegenüber Carl Jacob Burckhardt äußerte CZ am
10. Februar 1969, nachdem sein Schwiegersohn Michael Gutten-
brunner ihn auf problematische Äußerungen Waggerls aus der NS-
Zeit hingewiesen hatte: »Für Verbrechen und Morde sollte es ge-
wiss keine Verjährung geben. Aber die Fehlhaltung eines Literaten,
die über 20 Jahre zurückliegt und in einer Zeit vielfacher politischer
Kurzschlüsse geschah, sollte man vielleicht doch als ›verjährt‹ be-

trachten. Wenn man es weiss, wirft es einen Schatten auf seinen Charakter, – wenn man es nicht weiss, bleibt er halt ein ›treuer Österreicher‹, – der er ja heute auch ist, – und für das Verlegen seiner heutigen Produktion hat es wohl keine Bedeutung. Vielleicht hat er sich wegen dieser damaligen Äusserungen einmal vor sich selbst geschämt, – und damit sollte mans genug sein lassen« (zit. nach Mertz-Rychner/Nickel 2000, S. 112 f.). In CZs Autobiographie wird Waggerl nicht erwähnt. Zur Biographie vgl. K. Müller 1997, S. 156-180.

Jelusich] Der Schriftsteller und Theaterkritiker Mirko Jelusich (1886-1969) stammte aus Nordböhmen und wuchs in Wien auf. 1923 wurde er Kulturredakteur der rechtsradikalen *Deutsch-österreichischen Tageszeitung*, die von 1926 an den Untertitel *Hauptblatt der NSDAP-Hitlerbewegung* führte. Früh vertrat er völkische Ideen, einen ausgeprägten Antisemitismus und unterstützte die großdeutsche Bewegung, die er 1920 in seinem *Anschlußlied* besang (vgl. Sachslehner 1985, S. 30-33; zur Biographie vgl. ebd., S. 19-85). In den folgenden Jahren entwickelte sich Jelusich zu einem der aktivsten Protagonisten der nationalsozialistischen Kulturpolitik in Österreich. 1932 wurde er, zuvor in der Funktion des Stellvertreters tätig, Vorsitzender der Gruppe Wien des ›Kampfbundes für deutsche Kultur‹ und blieb dies auch nach dem offiziellen Verbot des Bundes im November 1933. Am 27. Juni 1933 trat er als einer der ersten gemeinsam mit Egon Caesar Conte Corti, Wladimir von Hartlieb, Franz Spunda und Robert Hohlbaum aus dem österreichischen PEN-Club aus, nachdem auf einer PEN-Konferenz vom 25. bis 28. Mai 1933 in Ragusa (heute Dubrovnik) eine Resolution gegen die Unterdrückung der Meinungsfreiheit im NS-Deutschland verabschiedet worden war (vgl. Renner 1986, S. 210). 1933 unterzeichnete er auch einen Aufruf zur Gründung eines »Rings nationaler Schriftsteller« in Reaktion auf die »Machtergreifung«, in dem es hieß: »[...] der Durchbruch der nationalen Revolution in Deutschland wird es unseres Erachtens bald nötig machen, daß sich auch in Österreich die geistigen Kräfte, namentlich die national gesinnten Schriftsteller für die kommenden Dinge bereitstellen. Es ist daher in Kreisen der nationalen Schriftsteller der Plan aufgetaucht, sie in vorläufig noch loser Form zusammenzufassen, um ihnen im gegebenen Augenblick die Möglichkeit des Mitsprechens und Mitentscheidens in der nationalen Bewegung zu schaffen« (zit. nach ebd., S. 203). Eine führende Rolle nahm Jelusich 1936 als Mitbegründer des ›Bundes deutscher Schriftsteller Österreichs‹ ein, in dessen Vorstand er Mitglied war und in dessen

Bekenntnisbuch (1938) er den »Anschluß« begrüßte. Zum Präsidenten hatte man ihn, so der österr. Schriftsteller Rudolf Henz später, jedoch nicht wählen wollen, um bei der Gründung zu vermeiden, daß »ein prominenter Nazi wie Jelusich usw. an die Spitze des Bundes käme« (zit. nach Renner 1986, S. 257). Der Bund war nach Einschätzung Hans Friedrich Bluncks, der dessen Vertreter Anfang März 1938 getroffen hatte, eine »getarnte nationalsozialistische Organisation« (zit. nach ebd., S. 276), deren führende Mitglieder für die zukünftige kulturpolitische Arbeit zuverlässig herangezogen werden konnten. Unklar bleibt, wann genau Jelusich in die NSDAP eingetreten ist. In einschlägigen Fragebögen findet sich als Eintrittsdatum wiederholt der 20. April 1931. Auf einem Fragebogen der Partei vom 29. Mai 1938 gab Jelusich dagegen an, von 1935 an als Schrifttums-Referent des illegalen Landeskulturamtes der NSDAP Österreichs tätig gewesen zu sein. Er erklärte jedoch, unterstützt von Zeugenaussagen, diesen Bogen habe Josef Weinheber nach eigenem Gutdünken für ihn ausgefüllt. Er beharrte – bereits 1938 – darauf, erst im März 1938 in die Partei eingetreten zu sein und nach dem »Anschluß« fälschlicherweise mit dem Verbot der NSDAP in Österreich 1934 zum »Illegalen« (d.h. zum Angehörigen der 1934 in Österreich verbotenen NSDAP) gestempelt worden zu sein. Sachslehner sieht in Jelusichs Beharren den Versuch, seine Position gegen Neider zu festigen und »ein für alle Mal klar [zu stellen], daß es zwar seine Verdienste um die ›Bewegung‹ – die er ja nie leugnete – und um das Theater, nicht aber die bloße Vorspiegelung seiner Parteizughörigkeit waren, die für seine Ernennung zum kommissarischen Leiter des Burgtheaters den Ausschlag gaben« (Sachslehner 1985, S. 67; zur Frage der »Illegalität« Jelusichs vgl. außerdem S. 37-39, 64-68, 77 f. sowie Amann 1988, S. 48, 183). Hermann Stuppäck, der Leiter des Landeskulturamtes, beauftragte am 12. März 1938 Jelusich mit der kommissarischen Leitung des Burgtheaters. Trotz eines recht erfolgreichen Einstands mit einem an NS-Tendenzstücken orientierten Spielplan konnte er sich dort nicht lange halten. »Sicherlich war es aber nicht seine mögliche Unfähigkeit, die ihm diesen Posten kostete«, urteilt Sachslehner. »Die Ursache dafür wird man in der Tatsache sehen müssen, daß Stuppäck es versäumt hatte, vor der Ernennung Jelusichs von Goebbels dessen Zustimmung zu einem derartigen Schritt einzuholen. Man ließ Jelusich zunächst gewähren, plante aber im Stillen bereits seine Ablöse« (Sachslehner 1985, S. 62). Als Nachfolger wurde Goebbels' Wunschkandidat Lothar Müthel berufen (vgl. S. 290-292, Anm. zu *Müthel*). Jelusich gehörte im

›Dritten Reich‹ zu den erfolgreichsten und auflagenstärksten Schriftstellern überhaupt (vgl. Amann 1988, S. 65, 167). Seine historischen Romane wie *Caesar* (1929) und *Cromwell* (1933), eine nach Jelusichs eigenen Angaben »kaum noch getarnte Hitler-Biographie« (zit. nach ebd., S. 76), oder auch *Der Traum vom Reich* (1940), eine Biographie Eugen von Savoyens, verherrlichten im Sinne der NS-Ideologie geschichtsmächtige Heldengestalten und die Schaffung eines Führerstaats. 1945 wurde Jelusich wegen Hochverrats angeklagt, 1946 freigesprochen, wegen heftiger Proteste 1947 aber erneut verhaftet. 1949 ist das Verfahren gegen ihn eingestellt worden. Von 1946 an konnte er wieder als Schriftsteller arbeiten und veröffentlichte noch mehrere Romane. Über Kontakte zu CZ ist nichts bekannt. In CZs Autobiographie wird Jelusich nicht erwähnt.

Bahner] Gemeint ist der Bühnenbildner Willi Bahner, der von 1932 bis 1936 am Wiener Burgtheater tätig war und dort die Bühne für CZs *Schelm von Bergen* (Premiere am 6. November 1934, Regie: Hermann Röbbeling) gestaltete. Anschließend war er am Theater in der Josefstadt beschäftigt. Nach Kriegsende arbeitete er bis 1950 an der ›Insel‹ und am Renaissance-Theater in Wien, anschließend wieder am Theater in der Josefstadt und am Volkstheater. Weitere biogr. Informationen über Bahner konnten nicht ermittelt werden.

Krünes] Erik Krünes (geb. 1890), den das *Lexikon sudentendeutscher Schriftsteller und ihrer Werke für die Jahre 1900-1929* von Friedrich Jaksch (Reichenberg 1929) als »Reiseschriftsteller« bezeichnet, hatte CZs Vergabe des Kleist-Preises an Ödön von Horváth (vgl. Sembdner 1968, S. 121-125) scharf kritisiert (vgl. Nickel/Weiß 1996, S. 214). Kontakte zu CZ sowie weitere biographische Informationen konnten nicht ermittelt werden. In CZs Autobiographie wird Krünes nicht erwähnt.

Martin] Karl Heinz Martin (1886-1948) war von 1912 bis 1917 Spielleiter in Frankfurt, danach in Hamburg. 1919 kam er nach Berlin, wo er von 1920 bis 1922 als Regisseur an den Reinhardt-Bühnen arbeitete. Von 1923 bis 1929 führte er Regie an verschiedenen Bühnen in Berlin (u.a. am Staatstheater und am Lessingtheater) und in Wien (u.a. am Raimundtheater und am Deutschen Volkstheater). 1928 inszenierte er am Lessingtheater die Uraufführung von CZs *Katharina Knie* (vgl. auch *Als wär's ein Stück von mir*, S. 505, 507 f.). 1929 wurde er Direktor der Berliner Volksbühne. 1932/33 war er Mitdirektor des Deutschen Theaters. Im April 1933 wechselte Martin ans Volkstheater nach Wien, von wo aus er sich erfolglos um ein Engagement als Filmregisseur in

den USA bemüht haben soll (vgl. Schorlies 1971, S. 275 f.). Von
1934 an drehte er ausschließlich Filme und arbeitete erstmals 1940
wieder beim Theater. Für ein Berufsverbot als Theaterregisseur
bis 1940, von dem einige Theaterlexika berichten, gibt es nach
Schorlies keine Hinweise (vgl. ebd., S. 278 f.; Sucher 1999, S. 463).
Bis 1943 war er an der Berliner Volksbühne und dem Schiller-
Theater beschäftigt. 1945 eröffnete er als Direktor das Hebbel-
Theater in Berlin mit Brechts *Dreigroschenoper.*

Tairoff's] Alexander Tairow (1885-1950) war sowjet. Schauspieler,
Regisseur und Theaterleiter. Er gründete 1914 das Moskauer Kam-
mertheater, das sich in Opposition zum konventionell-klassischen
Stil befand und das er bis zu seiner Schließung 1949 leitete. Sein
programmatisches Buch *Das entfesselte Theater* erschien 1923 bei
Gustav Kiepenheuer in Potsdam. Darin plädierte er für ein auto-
nomes Schauspiel als »auf sich selbst gestellte Kunst«, das alle Aus-
drucksmöglichkeiten seiner Darsteller, u.a. Tanz und Pantomime,
nutzt. Seinen Stil machte Tairow durch zahlreiche Auslandstour-
neen mit seinem Ensemble bekannt.

jüdischen Frau] Martin war in erster Ehe mit der Schauspielerin
Traute Carlsen (1887-1968), in zweiter Ehe mit der Schauspielerin
Roma Bahn (1896-1975) verheiratet. 1935 heiratete er die am
Deutschen Volkstheater Wien engagierte österreichische Schauspielerin Rose Stradner (1913-1958), die – nach einigen Quellen
1937, nach anderen im März 1938 – nach Hollywood emigrierte
(vgl. Trapp 1999, Bd. 2/2, S. 916; Schorlies 1971, S. 278). Schorlies
berichtet, Martin habe sich vergeblich um ein Einreisevisum in die
USA bemüht, um seiner Frau nachkommen zu können. Bereits
1934 erwähnt Franz Theodor Csokor in einem Brief an Ferdinand
Bruckner, Martin bemühe »sich um ein Filmengagement nach
Hollywood, wohin auch die von ihm vergötterte Rose Stradner
strebt« (Brief vom 13. April 1934, abgedruckt in Csokor 1964,
S. 58-60, hier: S. 59).

Holl] Gemeint ist hier nicht der Musikwissenschaftler und -kritiker
Karl Holl (1892-1975), sondern der Schauspieler und Regisseur Fritz
Holl (1883-1942). Er war von 1923 bis 1928 Direktor der Berliner
Volksbühne, wo er eng mit Erwin Piscator zusammenarbeitete
und sich an der modernen zeitkritischen Dramatik orientierte (vgl.
Freydank 1990, S. 33-86, hier: S. 56). Von 1930 bis 1933 war er
Schauspielintendant, kam dann nach Berlin, wo er an verschiedenen
Bühnen gastweise inszenierte und in der Reichstheaterkammer
beschäftigt war (siehe die folgende Anm. zu *Leiter einer vom
(Nazi-)Staat subventionierten Theaterschule*). Trotz seines kultur-

politischen Engagements galt Holl dem Amt Rosenberg in einem
Schreiben vom 27. März 1936 als ein »ausgesprochener Repräsentant der Verfallszeit« (zit. nach Rischbieter 2000, S. 113). Von 1939
an war Holl Spielleiter am Wiener Volkstheater. – Der Musikwissenschaftler Karl Holl war von 1918 an Musikreferent und von
1922 bis 1943 Musikschriftleiter der *Frankfurter Zeitung*. 1945/46
leitete er die Frankfurter Oper und von 1946 bis 1958 das Referat
Theater, Musik und Film im hessischen Kultusministerium. Über
Kontakte von Fritz und Karl Holl mit CZ konnte nichts ermittelt
werden. In CZs Autobiographie werden beide nicht erwähnt.

Leiter einer vom (Nazi-)Staat subventionierten Theaterschule] Das
Deutsche Bühnen-Jahrbuch führt Fritz Holl 1934 bis 1936 als Leiter
der Berufsberatungsstelle der Reichstheaterkammer und anschließend als »Dozent der Reichsfilmkammer«. Die Berufsberatungsstelle war für »Angelegenheiten der Bühnenlehrer« und für – die
künstlerische Ausbildung betreffende – Leistungsnachweise zuständig. Über einen Lehrauftrag in der Reichsfilmkammer und über eine
von Holl geleitete Theaterschule konnte nichts ermittelt werden.

Arent] Der Bühnenbildner Benno von Arent (1898-1956) war einer
der erfolgreichsten Künstler des ›Dritten Reichs‹. Nach seiner Teilnahme am Ersten Weltkrieg kämpfte er zunächst in Freikorps in
Ostpreußen und ließ sich 1920 in Berlin als Kostümzeichner nieder.
Seit 1923 arbeitete er als Bühnenausstatter an verschiedenen Berliner
Theatern, zunächst an den Meinhard-Bernauer-Bühnen und dann
beim Saltenburg-Konzern. Für die Uraufführung von CZs *Fröhlichem Weinberg* am Theater am Schiffbauerdamm vom 22. Dezember 1925 gestaltete er das Bühnenbild. Von 1933 an erweiterte sich
sein Tätigkeitsbereich. Nachdem er 1932 den ›Bund nationalsozialistischer Bühnen- und Filmkünstler‹ (von 1933 an ›Kameradschaft
der deutschen Künstler‹) gegründet hatte, wurde er 1933 in den
Vorstand der Reichstheaterkammer gewählt. Als Filmarchitekt
und Ausstatter der Ufa wirkte er u.a. an dem NS-Propagandafilm
Hitlerjunge Quex (1933, Regie: Hans Steinhoff) mit. 1936 wurde er
zum Reichsbühnenbildner ernannt. Mit Albert Speer war Arent für
die künstlerische Ausgestaltung der NSDAP-Parteitage verantwortlich. Nach eigenen Angaben trat er 1931 in die SS und im folgenden Jahr in die NSDAP ein. Er habe persönliche Aufträge Adolf
Hitlers bearbeitet und sich 1944 freiwillig zur Waffen-SS gemeldet
(Benno von Arent, *Lebenslauf vom Juli 1944*, zit. nach Wulf 1989,
Bd. 4, S. 119 f.). Von 1945 bis 1953 befand er sich in sowjetischer
Kriegsgefangenschaft. Über Kontakte zu CZ konnte nichts ermittelt
werden. In CZs Autobiographie wird er nicht erwähnt.

Saltenburg] Der Theaterleiter und Regisseur Heinz Saltenburg (1882-1948) leitete von 1918 an in Berlin das Wallnertheater und von 1921 an zusätzlich das Lustspielhaus. Diese Theater bildeten den Grundstock für die seit 1924 bestehenden Saltenburg-Bühnen. Zu ihnen gehörten später noch das Deutsche Künstlertheater, das Lessingtheater und die Theater am Schiffbauerdamm und am Kurfürstendamm. Unter Saltenburgs Generaldirektion erreichte CZ seinen Durchbruch in Berlin mit der Uraufführung des *Fröhlichen Weinbergs* am Theater am Schiffbauerdamm am 22. Dezember 1925 (Regie: Reinhard Bruck). Nach der erfolgreichen Premiere »stelzte« Direktor Saltenburg »umher wie ein Hahn, der nicht nur die Henne besprungen, sondern auch das Ei selbst gelegt und ausgebrütet hat. Jetzt war er fest überzeugt, daß er es ›immer gewußt‹ und mich ›entdeckt‹ hätte« (*Als wär's ein Stück von mir*, S. 482 f.). Am Lessingtheater wurde am 14. Oktober 1927 *Schinderhannes* uraufgeführt (Regie: Reinhard Bruck). Nach dem Konkurs seiner Bühnen 1931 ging Saltenburg nach Wien. Vermutlich emigrierte er 1934 von dort aus nach Großbritannien. 1939 inszenierte er in Glasgow und London englischsprachige Stücke. Nach Kriegsausbruch war er 1940 in Camp Huyton bei Liverpool interniert. Von 1943 bis 1948 arbeitete er als Verwaltungsleiter und Regisseur an Peter Herz' Emigrantenkabarett »Blue Danube« (vgl. Trapp 1999, Bd. 2/2, S. 817 f.).

Rotters] Alfred (1887-1933) und Fritz Rotter (geb. 1888) waren Theaterleiter, Alfred Rotter führte gelegentlich auch Regie. Von 1920 an bauten beide in Berlin den Theaterkonzern der Rotter-Bühnen auf, der schließlich aus dem Theater des Westens, dem Metropol-Theater, dem Lessingtheater, dem Plaza, dem Theater im Admiralspalast und dem Theater in der Stresemannstraße bestand. Nachdem die Brüder 1932 in Konkurs gegangen waren, emigrierten sie 1933 nach Liechtenstein. Im selben Jahr kam Alfred Rotter in Vaduz zu Tode, wobei er möglicherweise – einer von mehreren Versionen zufolge – von einem deutschen Agenten erschossen wurde (vgl. Trapp 1999, Bd. 2/2, 807 f.). Fritz Rotter floh daraufhin in die Schweiz und später nach Paris. Angeblich emigrierte er anschließend nach Hollywood bzw. New York, wobei hier jedoch möglicherweise eine Verwechslung mit dem Schlagerkomponisten Fritz Rotter (1900-1984) vorliegt (ebd.). 1948 kehrte er nach Deutschland zurück. Über Kontakte zu CZ konnte nichts ermittelt werden.

Müthel] Lothar Müthel (1896-1964) war Schauspieler, Regisseur und Theaterleiter und gehörte von 1920 an zum Ensemble des

Staatstheaters Berlin. Dort trat er in der Uraufführung von CZs
Kreuzweg am 10. Dezember 1920 in der Rolle des Martin Gerung
auf. 1924 wollte er sich auch an der Uraufführung von CZs *Kik-*
thahan oder Die Hinterwäldler beteiligen, aber dieser Plan zerschlug sich. Von 1931 an war Müthel am Berliner Staatstheater
nicht nur als Schauspieler, sondern auch als Regisseur engagiert.
Dort wirkte er an der Uraufführung von Hanns Johsts *Schlageter*
(20. April 1933, Regie: Franz Ulbrich) in der Titelrolle mit. Über
seine politischen Überzeugungen in dieser Zeit äußerte er sich am
6. Juni 1932 ausführlich in einem Artikel, der unter der Überschrift *Der Schauspieler und der Nationalsozialismus. Ein Ge-*
spräch mit Lothar Müthel in der Berliner Wochenzeitung *Montag*
Morgen erschienen ist. Darin heißt es: »Die wenigen Schauspieler,
die politisch denken, sind entweder Kommunisten oder hängen,
wie ich selbst, Gedankengängen an, die dem theoretischen nationalen Sozialismus nahestehen, wie er innerhalb der praktischen
Politik noch am ehesten durch Otto Strasser, aber keineswegs
durch die offizielle nationalsozialistische Partei vertreten wird.
Vielleicht ist zwischen diesen beiden Gruppen geistiger Politik gar
keine so große Kluft. Ich jedenfalls glaube, daß sich der Nationalsozialismus, wie ich ihn meine, von dem nationalen Sozialismus
eines Stalin nicht so wesentlich unterscheidet, ganz abgesehen von
der weitgehenden Übereinstimmung, die zwischen den beiden ex-
tremen Richtungen in allen Fragen sozialer Natur herrscht. Niemand ist vielleicht berufener als ich, eine solche Behauptung aufzustellen, da ich im Staatlichen Schauspielhaus als stellvertretender
Leiter der Personalvertretung im Rahmen der gewerkschaftlichen
Organisation neben meinem kommunistischen Kollegen Otto [der
von der Gestapo ermordete Schauspieler Hans Otto (1900-1933),
u.a. Leiter der Revolutionären Gewerkschafts-Opposition Sektion
Bühne, war seit Oktober 1931 Obmann des Lokalverbandes der
preußischen Staatstheater der Genossenschaft deutscher Bühnen-
angehöriger] tätig bin […], und ich darf wohl behaupten, daß eine
schönere, friedlichere und einmütigere Zusammenarbeit als mit
diesem roten Kollegen für mich überhaupt undenkbar ist. Ich
kann mir auch nicht vorstellen, daß in den Kreisen selbständiger
denkender Menschen ein fremdenfeindlicher oder antisemitischer
Gedanke aufkommen könnte. Wir dienen alle der deutschen
Kunst, und wer ihr aufrichtig dient, ob germanischen Stammes
oder fremdrassig (soweit er nur die deutsche Sprache genügend
beherrscht), ob Jude oder Christ, ist uns vollkommen gleichgültig.
Ich persönlich habe übrigens nirgends so viel Verständnis für das

Wesen des nationalen Sozialismus gefunden, wie bei jüdischen Freunden. Aber für die meisten meiner Berufskollegen ist Politik keine tatsächliche Überzeugungssache, sondern Konjunktur. Das bringt der Beruf des Schauspielers mit sich, der an und für sich etwas Amoralisches in sich trägt oder, wenn wir das nicht so scharf ausdrücken wollen, die Einfühlung in fremde Anschauungen, die schließlich zu den eigenen werden, geradezu als Berufsziel verlangt. Den meisten Schauspielern, im Grunde Kindern, ist die Sache innerlich auch nicht wichtig. Sie wollen Theater spielen und singen des Lied, der ihnen dazu die Möglichkeit gibt oder von dem sie sich zum mindesten erhoffen. Daß bei dem kometenhaften Aufstieg der nationalsozialistischen Bewegung die Zahl der nationalsozialistischen Anhänger unter den Schauspielern, insbesondere unter den stellungslosen, stark angeschwollen ist, scheint mir selbstverständlich. Wenngleich die in den Betrieben vorhandenen Nazi-Zellen nicht sehr bedeutungsvoll sein dürften und die Zahl der eingeschriebenen P.-G.'s geringfügig ist, so glaube ich, daß im Ernstfall gut die Hälfte aller Schauspieler sich an Heil Hitler-Rufen beteiligen würde. Der große Rest läuft wieder dem Kommunismus nach, während die Zahl derer, die der rein sozialdemokratisch organisierten Gewerkschaft politisch nahestehen, heute schon äußerst gering sein dürfte.« Am 1. Mai 1933 trat Müthel der NSDAP bei. Von 1939 bis 1945 leitete er das Burgtheater in Wien, wo er hauptsächlich Klassiker inszenierte. »Er war«, so Drewniak, »nach außen hin ein linientreuer Nationalsozialist, verwandte aber auch Sorgfalt auf die Pflege des klassischen Spielplans« (Drewniak 1983, S. 74). Diese Einschätzung wird kontrastiert durch Oliver Rathkolb, der Müthel als einen der wenigen prominenten Künstler bezeichnet, die sich schon vor 1933 zum Nationalsozialismus bekannten (Rathkolb 1991, S. 159-162). Seine Spielplangestaltung beurteilt Rathkolb im Gegensatz zu Drewniak als politisch tendenziös und begreift sie als »Mittel der psychologischen Kriegsführung« im Dienst der nationalsozialistischen Mobilisierung (ebd.). Von 1941 bis 1945 war Müthel außerdem Generalintendant der Wiener Staatsoper. Zwischen 1947 und 1950 arbeitete er als Schauspieler und Regisseur in Weimar und von September 1951 an bis zum Ende der Saison 1955/56 als Direktor des Frankfurter Schauspielhauses, an dem während dieser Zeit keine Stücke von CZ inszeniert wurden. In seiner Autobiographie erwähnt CZ nur Müthels Beteiligung an der Uraufführung von *Kreuzweg* (vgl. *Als wär's ein Stück von mir*, S. 379). Über persönliche Kontakte nach dem Zweiten Weltkrieg konnte nichts ermittelt werden.

Zeitungsartikel] Konnte nicht ermittelt werden.

Rex] Der Schauspieler Eugen Rex (1884-1943) war seit 1918 an verschiedenen Bühnen in Berlin engagiert und verfaßte auch selbst Volksstücke und Libretti. In den 1930er Jahren wirkte er in zahlreichen Filmen mit, darunter in der Nebenrolle des zweiten Bahnbeamten in Richard Oswalds Verfilmung des *Hauptmanns von Köpenick*. 1933/34 war er Mitglied des Verwaltungsbeirats der Genossenschaft deutscher Bühnenangehöriger, von 1933 bis 1936 Mitglied des Aufsichtsrates der Pensionsanstalt der Genossenschaft, die 1935 als »Fachschaft Bühne« geführt wurde. 1935 gehörte er der Leitung der Heidelberger Festspiele an. 1940 war er Mitglied des Ensembles, das den antisemitischen Propagandafilm *Die Rothschilds* drehte (Regie: Erich Waschneck). Drewniak spricht von Rex' »zweideutige[r] Haltung im NS-Staat«; gleichwohl stellt er fest, der Schauspieler sei »selbstverständlich ›auf dem Boden des neuen Staates‹« gestanden (Drewniak 1987, S. 107). Über Kontakte zu CZ konnte nichts ermittelt werden. In CZs Autobiographie wird Rex nicht erwähnt.

Paulsen] Der Schauspieler und Regisseur Harald Paulsen (1895-1954) kam 1919 unter Max Reinhardt an das Deutsche Theater Berlin und spielte seither auch erfolgreich in Filmen, besonders in Lust- und Singspielen (z.B. in *Die Fledermaus*, Regie: Paul Verhoeven und Max W. Kimmich, 1937). Anfang der 1930er Jahre konzipierte CZ einen Film, der den Titel *Das Silberschiff* tragen und in dem Paulsen die männliche Hauptrolle spielen sollte (vgl. das Exposé im DLA, Nachlaß CZ). Am 17. September 1932 teilte CZ seinem Freund Hans Schiebelhuth mit, er habe *Das Silberschiff* zurückgestellt (DLA, Nachlaß CZ), womit das Projekt ad acta gelegt war. Paulsen wurde 1937 zum Staatsschauspieler ernannt. Von 1938 bis 1945 war er Leiter des Theaters am Nollendorfplatz in Berlin. Über Kontakte zu CZ konnte nichts ermittelt werden. In CZs Autobiographie wird er nicht erwähnt.

Hennings] Der österr. Schauspieler Fred Hennings, eigentl. Franz R. von Pawlowski (1895-1981), war von 1923 bis 1971 Mitglied des Wiener Burgtheaters. Über diese Zeit berichtet er in seinem Buch *Heimat Burgtheater*. Bei der österr. Erstaufführung von CZs *Hauptmann von Köpenick* am 25. April 1931 (Regie: Richard Weichert) spielte er den Hauptmann von Schlettow. Bei der Uraufführung von CZs Drama *Der Schelm von Bergen* am 6. November 1934 am Burgtheater war er in der Rolle des Scharfrichtersohns Vincent zu sehen und bei der Uraufführung von CZs Hauptmann-Bearbeitung *Herbert Engelmann* am 8. März 1952 am Akademietheater

Wien als Kohlrausch. Über eine Zugehörigkeit zur NSDAP konnte nichts ermittelt werden. Ernst Haeusserman, der Schauspieler am Burgtheater war und nach dem »Anschluß« Österreichs emigrierte, spricht mit Hochachtung von Hennings: »In den verhängnisvollen Jahren der Nazizeit, deren Anfang ich in Österreich miterlebte, hat er geschützt und geholfen, wo er nur konnte. Es ist nicht übertrieben, wenn ich glaube, daß er mir das Leben gerettet hat« (Haeusserman 1975, S. 103). Über Kontakte zu CZ konnte nichts ermittelt werden. In CZs Autobiographie wird Hennings nicht erwähnt.

Sima] Der österr. Schauspieler Oskar Sima (1896/1900-1969) war von 1924 an am Theater in der Josefstadt in Wien engagiert. Bei der österr. Erstaufführung von CZs *Der fröhliche Weinberg* am 16. März 1926 am Wiener Raimundtheater spielte er die Rolle des Studienassessors Bruchmüller. 1927 wechselte er nach Berlin und erhielt zunächst ein Engagement am Theater am Nollendorfplatz. 1932 wechselte er ans Deutsche Theater. Sima war auch ein gefragter Filmschauspieler, der u.a. in Werner Klinglers »groß-deutschem« Propagandafilm *Wetterleuchten um Barbara* (1940, vgl. Drewniak 1987, S. 554) mitwirkte. Über Kontakte zu CZ konnte nichts ermittelt werden. In CZs Autobiographie wird er nicht erwähnt.

Paudler] Die österr. Schauspielerin Maria Paudler (1903/1905-1990) debütierte am Stadttheater Aussig und wurde dann von Leopold Jessner ans Staatstheater Berlin geholt, wo sie bis 1930 engagiert war. Danach trat sie an verschiedenen Berliner Bühnen unter Jürgen Fehling, Gustaf Gründgens und Erich Engel auf. Sie gastierte auch am Theater in der Josefstadt in Wien. Paudler arbeitete schon früh für den Film, u.a. mit Alexander Korda (*Madame wünscht keine Kinder*, 1926). In ihrer Autobiographie berichtet sie von Annäherungsversuchen Goebbels', denen sie sich zu entziehen versuchte, was allerdings weniger auf politischen Gründen beruht zu haben scheint (Paudler 1977, S. 126 f., 131-133). Sie gehörte der von Benno von Arent geleiteten ›Kameradschaft der deutschen Künstler‹ an. Nach eigenen Angaben wurde sie durch Einschränkung ihres Berufsausübungsrechts seitens des Propagandaministeriums 1943 zur Truppenbetreuung in Polen herangezogen (ebd., S. 183-187). Nach dem Krieg ließ sie sich in Hamburg nieder und gründete dort ein eigenes Ensemble. Über Kontakte zu CZ konnte nichts ermittelt werden. In CZs Autobiographie wird sie nicht erwähnt.

Schmitz] Die Schauspielerin Sybille Schmitz (1909-1955) kam 1927 ans Deutsche Theater nach Berlin. Ihre erste Filmrolle hatte sie 1928 in dem SPD-Parteifilm *Freie Fahrt* (Regie: Ernö Metzner). Großen Erfolg erzielte sie mit dem Film *F.P. 1 antwortet nicht* (1932, Regie: Karl

Hartl). In den nächsten Jahren wurde Schmitz mit einigen Ufa-Filmen sehr bekannt. 1937 erlebte sie einen bleibenden Karriere-Einbruch, der aus Meinungsverschiedenheiten mit Goebbels resultiert haben soll. Bei ihm beklagte sie sich 1937 über die ihr auferlegte Steuerbelastung. Goebbels notierte nach ihrem Besuch: »Sibille Schmitz kommt mit Steuersorgen. Ich geige ihr die Meinung. Sie hat keine Disziplin, weder im Leben noch im Arbeiten« (Eintrag vom 29. Oktober 1937, zit. nach Fröhlich 1987, Bd. 3, S. 318). Weiterhin kursierte das Gerücht, Schmitz habe Goebbels' Avancen brüsk zurückgewiesen (vgl. von Cziffra 1985, S. 88 f.). Mit Gustaf Gründgens spielte Schmitz in dem Film *Tanz auf dem Vulkan* (1938, Regie: Hans Steinhoff), der »in seiner Aussage gegen die Verfolgung und Unterdrückung, gegen die Polizeimethoden des Staates« gerichtet war und dennoch, obwohl er Hitler – Drewniak zufolge der schlechten Darstellung Gründgens' und der schlechten Regie Steinhoffs wegen – mißfiel, als »künstlerisch wertvoll« ausgezeichnet wurde (Drewniak 1987, S. 201, 634). Während des Krieges zog Sybille Schmitz sich nach Österreich zurück und drehte deutlich weniger, beteiligte sich aber an dem propagandistischen Film *Wetterleuchten um Barbara* (1941, Regie: Werner Klingler). Nach 1945 lebte sie in Hamburg und München, konnte im Filmgeschäft nicht mehr Fuß fassen und stand nur noch selten vor der Kamera. 1955 beging sie Selbstmord. Über Kontakte zu CZ konnte nichts ermittelt werden. In CZs Autobiographie wird Sybille Schmitz nicht erwähnt.

Riefenstahl] Die Schauspielerin, Regisseurin und Photographin Leni Riefenstahl (geb. 1902) begann ihre Karriere 1923 als Tänzerin. 1926 wirkte sie unter der Regie Arnold Fancks in ihrem ersten Film *Der heilige Berg* mit. Mit Fanck drehte sie in den nächsten Jahren noch einige Bergfilme, von denen *Die weiße Hölle vom Piz Palü* (1929) und *S.O.S. Eisberg* (1933) die erfolgreichsten waren. In beiden wirkte Ernst Udet als Darsteller mit und machte als Flieger spektakuläre Luftaufnahmen. Als Schauspielerin verkörperte Riefenstahl den neuen Typ der sportlichen, eigenständigen Frau (vgl. Rother 2000, S. 32, 203). 1932 führte sie in dem von ihr gemeinsam mit Henry R. Sokal produzierten Film *Das Blaue Licht* erstmals selbst Regie. Paul Kohner produzierte 1933 *S.O.S. Eisberg*, die Musik ihrer Filme seit 1931 stammte von Paul Dessau, das Drehbuch zum *Blauen Licht* schrieb Riefenstahl u.a. mit Béla Balázs – sie alle, jüdisch oder von jüdischer Herkunft, verließen nach der »Machtergreifung« Deutschland (vgl. Rother 2000, S. 52; Filmmuseum Potsdam 1999, S. 46; Riefenstahl 1987, S. 195 und 416). Zwischen 1933 und 1935 drehte sie die Dokumentarfilme über die jeweiligen Reichsparteitage der NSDAP in Nürnberg (*Sieg des Glaubens* [1933], *Triumph des Willens* [1935], *Tag der Freiheit – Unsere Wehrmacht* [1935]). Nach der Premiere von *Triumph des Willens* am 28. März 1935 im Berliner Ufa-Palast habe sie, so berichtet Riefenstahl selbst, einen Ohnmachtsanfall erlitten, als Hitler ihr dankend einen Strauß überreichte (Riefenstahl 1987, S. 232). Für diesen Film erhielt sie am 1. Mai 1935 den Nationalen Filmpreis. Nach ihrem berühmten, ebenfalls 1938 mit dem Nationalen Filmpreis ausgezeichneten Dokumentarfilm *Olympia* (1938) über die Olympischen Spiele 1936 wandte sich Riefenstahl nach einer kurzen Episode als Kriegsberichterstatterin in Polen dem Filmprojekt *Tiefland* (1940/54) zu, das sie bis zum Kriegsende beschäftigte. In ihren Spruchkammerverhandlungen 1948/49 wurde sie als »nicht betroffen«, im dritten Prozeß 1950 dagegen als »Mitläuferin« eingestuft. Ihre, so Rother, »impertinente Weigerung, ihre Rolle während des Nationalsozialismus auch nur im Geringsten in Frage zu stellen« (Rother 2000, S. 136), führte im Nachkriegsdeutschland zu einer großen Auseinandersetzung um Riefenstahls Person. In den 1960er und 1970er Jahren widmete sie sich vor allem der photographischen Arbeit in Afrika. Über Kontakte zu CZ konnte nichts ermittelt werden. In CZs Autobiographie wird sie nicht erwähnt. Vgl. auch das Nachwort zu dieser Edition, S. 475 f.

Newsreels] Wochenschauen. Über den von CZ erwähnten Wochenschau-Film konnte nichts ermittelt werden.

jüdischer Abstammung] Das Gerücht einer jüdischen Abstammung Riefenstahls tauchte bereits 1933 auf, wurde aber rasch widerlegt (vgl. Rother 2000, S. 57).

mit Hitler geschlafen] Ernst Jaeger hat in der zehnteiligen Serie *How Leni Riefenstahl Became Hitler's Girlfriend* (in *Hollywood Tribune* vom 28. April bis 17. Juni 1939) über ein Verhältnis zwischen Hitler und Riefenstahl spekuliert, ebenso Catherine Radziwill (*Is Hitler in Love with a Jewess?*, in: *Liberty* vom 16. Juli 1938); vgl. Rother 2000, S. 133 und 236 f.

Eyck] Die Schauspielerin Tony van Eyck (geb. 1910) wurde im Max-Reinhardt-Seminar in Berlin ausgebildet und war von 1925 bis 1931 am Deutschen Theater engagiert. Von 1932 bis 1934 trat sie am Staatstheater und von 1935 bis 1938 an der Volksbühne auf. Von 1939 bis 1942 spielte sie am Wiener Burgtheater. Nach dem Krieg war sie am Landestheater Salzburg und mit Film- und Hörfunkarbeiten beschäftigt. Von 1952 an arbeitete sie als freie Autorin. Über Kontakte zu CZ konnte nichts ermittelt werden. In CZs Autobiographie wird sie nicht erwähnt.

Hollaender] Felix Hollaender (1867-1931) war Schriftsteller, Theaterkritiker und Dramaturg. Von 1902 an arbeitetet er mit Max Reinhardt zusammen, der ihn nach der Übernahme des Deutschen Theaters Berlin 1905 zu seinem Stellvertreter, Dramaturgen und Pressechef machte. Von 1920 bis 1924 leitete Hollaender, der auch Regie führte, die Berliner Reinhardtbühnen. Anschließend wechselte er als Theaterkritiker zum Berliner *8 Uhr-Abendblatt*. Als Schriftsteller wurde er durch die Tragikomödie *Ackermann* (1903) und seinen Roman *Unser Haus* (1911) bekannt. Über Kontakte zu CZ konnte nichts ermittelt werden. In CZs Autobiographie wird Hollaender nicht erwähnt.

Schroth] Heinrich Schroth (1871-1945) war Schauspieler und Spielleiter. 1905 verließ er das Deutsche Schauspielhaus in Hamburg und war danach an verschiedenen Berliner Bühnen engagiert, u.a. von 1913 bis 1921 am Lessing-Theater. Zusammen mit seiner Frau Käte Haack wirkte er in zahlreichen Filmen mit, so 1931 in Richard Oswalds Verfilmung des *Hauptmanns von Köpenick* in der Rolle des Polizeipräsidenten von Berlin. Schroth spielte auch in den nationalsozialistischen Propagandafilmen *Jud Süß* (1940, Regie: Veit Harlan) und *Ohm Krüger* (1941, Regie: Hans Steinhoff) mit. Über Kontakte zu CZ konnte nichts ermittelt werden. In CZs Autobiographie wird er nicht erwähnt.

Haack] Die Schauspielerin Käte Haack (1897-1986) war von 1915 an bei verschiedenen Berliner Bühnen beschäftigt und drehte seitdem auch zahlreiche Filme. 1925 spielte sie bei der Uraufführung von CZs *Fröhlichem Weinberg* das Klärchen (Theater am Schiffbauerdamm am 22. Dezember 1925, Regie: Reinhard Bruck). In ihrer Autobiographie erinnert sich Haack: »Zuckmayer war von der ersten Probe an dabei. War das eine Zeit! Wir waren von Anfang bis Ende trunken von diesem Stück. Wir waren eine verschworene Gemeinde, alle für Zuck!« (Haack 1971, S. 37). In der Theaterpremiere des *Hauptmanns von Köpenick* (Deutsches Theater am 5. März 1931, Regie: Heinz Hilpert) sowie in Richard Oswalds Verfilmung des Stückes (1931) spielte sie die Rolle der Frau Obermüller. Von 1934 bis 1944 war sie am Staatstheater unter der Intendanz von Gustaf Gründgens engagiert. 1939 wurde sie zur Staatsschauspielerin ernannt. Nach Kriegsende spielte sie an verschiedenen Bühnen in München und Berlin. CZ erwähnt Haack in seinen Memoiren nur beiläufig als »die süße Käthe Haack« (*Als wär's ein Stück von mir*, S. 476). In CZs Nachlaß sind aus den Jahren 1958-1967 drei nicht sehr ergiebige Briefe Haacks an CZ überliefert. Über weitere Kontakte konnte nichts ermittelt werden.

Schöbinger] Der österr. Schauspieler, Theaterleiter und Regisseur Hanns Schott-Schöbinger (geb. 1905) hatte Engagements in Wien am Renaissance-Theater und am Theater in der Josefstadt und arbeitete auch für den Film. Von 1939 bis 1945 leitete er die Wiener Kammerspiele. Nach Kriegsende war er als Kulturfilmregisseur und Produktionsleiter beim Film tätig und schrieb daneben Drehbücher. Über Kontakte zu CZ konnte nichts ermittelt werden. In CZs Autobiographie wird Schott-Schöbinger, der in zweiter Ehe mit der Schauspielerin Friedl Czepa verheiratet war, nicht erwähnt.

Czepa] Die österr. Schauspielerin Friedl Czepa (1898/1905-1973) war an der Wiener Komödie und vorwiegend am Theater in der Josefstadt engagiert. Als Filmschauspielerin hatte sie u.a. in *Unsterblicher Walzer* (1939, Regie: E.W. Emo) großen Erfolg. Von 1939 bis 1945 leitete sie das Wiener Stadttheater. Nach Kriegsende spielte sie in München, Hamburg und Berlin. Nach dem Tod ihres ersten Ehemanns, des Röntgenologen Alois Czepa, heiratete sie den österr. Schauspieler, Theaterleiter und Regisseur Hanns Schott-Schöbinger, 1942 den Schauspieler Rolf Wanka. Über Kontakte zu CZ konnte nichts ermittelt werden. In CZs Autobiographie wird Czepa nicht erwähnt.

Westermeier] Paul Westermeier (1892-1972) war von 1913 an als Schauspieler an verschiedenen Berliner Bühnen – darunter das Metropoltheater und das Theater im Admiralspalast – engagiert. Er profilierte sich besonders in komischen Rollen und wirkte auch in zahlreichen Operetten mit. Bereits zur Zeit des Stummfilms wandte er sich der Filmarbeit zu, die er neben Tätigkeiten für den Rundfunk bis zuletzt intensiv betrieb. Zwischen 1933 und 1945 war er in über 80 Rollen in überwiegend leichten Unterhaltungsfilmen zu sehen, aber auch in Veit Harlans *Die Reise nach Tilsit* (1939) und *Der große König* (1942). Über Kontakte zu CZ konnte nichts ermittelt werden. In CZs Autobiographie wird Westermeier nicht erwähnt.

Riemann] Johannes Riemann (1888-1959) begann als Theaterschauspieler. Bis 1912 war er am Hebbel-Theater in Berlin engagiert, spielte anschließend am Hoftheater in Weimar und war von 1916 an wieder in Berlin an verschiedenen Bühnen zu sehen, darunter bis 1919 am Deutschen Theater. Seit 1923 lebte Riemann als freischaffender Künstler, gab häufig Vortragsabende und arbeitete für den Film, durch den er seine größte Popularität erzielte. 1930 ging er nach Hollywood und führte dort erstmals Regie (*Liebe auf Befehl*, 1930). Im deutschen Film spielte er in zahlreichen Lustspielen und Liebesfilmen mit. Bis 1937 führte er in acht Filmen Regie und verfaßte mehrere Drehbücher. 1939 wurde er zum Staatsschauspieler ernannt. Für die Bühne war er 1946/47 am Stadttheater Konstanz tätig. Daneben arbeitete er weiterhin für Film, Rundfunk und Fernsehen. Über Kontakte zu CZ konnte nichts ermittelt werden. In CZs Autobiographie wird Riemann nicht erwähnt.

George] Heinrich George (1893-1946) war seit 1918 am Schauspielhaus Frankfurt am Main engagiert, wo ihn CZ nach dem Ersten Weltkrieg spielen sah: »Die genialste Persönlichkeit, das spürte auch der Theaterneuling sofort, war der junge Heinrich George. Er gehörte zu den Darstellern, die – nur durch die Kraft ihrer Phantasie – den eigenen Körper überspielen, in der Gestalt ihrer Rolle auflösen können. Er war schon damals, kaum über zwanzig, ein machtvoller, stark bebauchter Mann, stiernackig, mit geschwellten Backen in einem breiten, norddeutschen Schiffergesicht, das einer Fauns- oder Zeusmaske gleichen konnte, und in dem es gewalttätige ebenso wie kindlich-zarte und musische Hintergründe gab« (*Als wär's ein Stück von mir*, S. 314 f.). Die erste persönliche Begegnung, so berichtet CZ, habe am Vorabend einer Kokoschka-Matinee (11. April 1920 im Neuen Theater Frankfurt am Main) auf Georges Einladung in dessen Wohnung stattgefunden, wo sich »ein erstaunlicher Anblick« geboten habe: »Inmitten von halbgeleerten Gläsern und Flaschen stand George in seiner barocken Körperfülle völlig nackt auf dem Tisch und spielte, in alkoholisch-musischer Verzückung, auf einer Geige, die in seinen mächtigen Händen und an seinem bullenhaften Hals wie ein winziges Kinderspielzeug wirkte. Nur der nackte Mensch, röhrte er uns entgegen – nur der nackte Mensch dürfe sich künstlerisch produzieren, Ekstase sei das, alles andere nichts als verlogener bürgerlicher Muff. Reißt den Künstlern die Kleider vom Leib! damit man sieht, ob sie echt sind. Er schwitzte wie ein Gaul. Es war ein erschreckender Gedanke, daß seine Devise auf die Konzertsäle übergreifen könnte« (ebd., S. 351 f.). 1922 ging George nach Berlin ans Deutsche Theater und gründete gemeinsam mit Elisabeth Bergner und Alexander Granach 1923 das Schauspielertheater. 1925 wurde er von Erwin Piscator an die Volksbühne geholt. Seit seinem Engagement beim Schauspielerstreik 1922, der als Lohnstreik begann, aber zunehmend künstlerische Dimension gewann, galt er als politisch »links« stehend. George arbeitete nicht nur am Theater, sondern auch für die Filmindustrie. So spielte er etwa den Arbeiterführer Groth in *Metropolis* (1927, Regie: Fritz Lang) und den Franz Biberkopf in *Berlin Alexanderplatz* (1931, Regie: Phil

Jutzi). Von 1930 an war er am Berliner Staatstheater engagiert. Auch in dieser Zeit waren CZ und George, wie zwei Briefe CZs zeigen, eng befreundet. Der erste Brief lautet:»Kurhaus Semmering | 5. Mai 1931 | Lieber George! Verzeih, dass ich neulich auf Deinen Anruf nicht erwidern und nicht zu Dir kommen konnte, aber der böse Feind und Widersacher der Trunkliebenden hatte meine Gurgel mit Brand und meine Kehle mit Sprachlosigkeit geschlagen, ich wurde ernstlich krank und musste in einer Art Bagno, wo es keinen Schnaps, kein Bier, keine Zigarren und nur schlechten wässrigen Österreicherwein gibt, interniert werden. Sobald ich entflohen bin, (ich nehme an, dass der mit Nägeln gegrabne unterirdische Gang nächste Woche auf der andren Seite der Donau angekommen ist), werde ich Dich aufsuchen und mich vor den Häschern der Sanitätsräte in Deinem Keller versteckt halten. Mit herzlichen Grüßen Dein Zuckmayer«. Der zweite Brief lautet:»Bln-Schöneberg, d. 18.II.1933 | Mein nicht hoch genug zu Verehrender! Ich sende Dir hier Deine Hausschlüssel zurück, welche Du vermutlich bereits vermisst hast. Ich habe sie nicht gleich zurückgeschickt, weil ich hoffte, sie Dir noch selbst überreichen zu können, reise nun aber rascher, als ich ursprünglich vorhatte, und komme erst Anfang März wieder zurück. Ich hoffe Dich dann bald wiederzusehen. Mit herzlichem Gruss auch an Berta Drews Dein Zuck« (Nachlaß Heinrich George, Privatbesitz). – Georges Polemik *Not der Zeit – Not der Schaubühne* (veröffentlicht in der *Welt am Abend* vom 28. Juni 1932) und die darin enthaltene Absage an die Idee des Theaterkollektivs, die er selbst in seinem Schauspielertheater zu verwirklichen versucht hatte, wurde als Bruch mit der politischen Linken gewertet. George arrangierte sich nach Hitlers »Machtergreifung« und war in ausgewiesenen Propagandafilmen, etwa in *Hitlerjunge Quex* (1933, Regie: Hans Steinhoff), *Jud Süß* (1940, Regie: Veit Harlan) und *Kolberg* (1945, Regie: Veit Harlan) erfolgreich. 1937 ist er zum Staatsschauspieler ernannt worden, 1938 zum Intendanten des Schiller-Theaters, 1943 zum Generalintendanten der Berliner Bühnen. George galt daher nach dem Krieg den Sowjetischen Behörden als einer der Repräsentanten des NS-Regimes, wurde interniert und starb 1946 im Lager Sachsenhausen. Am 14. Mai 1998 hat die Generalstaatsanwaltschaft der Russischen Föderation Georges Rehabilitierung verfügt. Einer Meldung der *Frankfurter Allgemeinen Zeitung* vom 19. Mai 1998 zufolge begründete sie »ihre Entscheidung damit, daß George [...] ohne Gerichtsverfahren« in ein Lager eingewiesen worden sei. »Die Strafakte Georges«, so heißt es dort weiter, »enthält Schreiben ehemaliger Kollegen an die sowjetische Besatzungsmacht, die George als ›einen der größten Nazischauspieler‹ bezeichnen und etwa darüber berichten, daß George demonstrativ geklatscht habe, als Goebbels im Sportpalast den totalen Krieg proklamiert habe. Zudem enthält die Akte auch Kopien offizieller Schreiben, mit denen der Generalintendant den nationalsozialistischen Führern Hitler, Goebbels und Göring zu Geburtstagen und Jubiläen ›im Namen der Gefolgschaft‹ gratulierte. Die zuständige Abteilung der Hauptmilitärstaatsanwaltschaft befand nun dazu, daß weder Klatschen noch Geburtstagsglückwünsche strafbar seien. ›George war nicht Mitglied der NSDAP und bewegte sich außerhalb der Politik. Kraft seiner Position und Popularität war er mit den höchsten Führern Deutschlands bekannt.‹ Georges Kollegen haben nach seiner Verhaftung nicht nur Anschuldigungen gegen ihn vorgebracht. Im Mai 1946 machten der Kunsthistoriker Wilhelm Fraenger, ehemaliger Dramaturg des Schiller-Theaters, und Kurt Raeck, geschäftsführender Direktor des Schiller-Theaters, eine von Robert Müller, Eduard von Winterstein, Wolfgang Lukschy, Hubert von Meyerinck, Lu Säuberlich, Wolfgang Staudte, Ernst Schröder, Horst Caspar, Lissi Steinrück und Walter Felsenstein unterzeichnete Eingabe an die sowjetische Militärkommandantur in Berlin, in der sie darauf hinwiesen, daß George in seiner Amtszeit als Intendant ›zehn Schauspieler jüdischer Nationalität‹ in seinem Theater beschäftigt habe. Er habe seine Popularität genutzt, sie vor der Vernichtung zu bewahren. Bei einem Gastspiel in Paris im Jahre 1941 soll George französische Schauspieler vor einer drohenden Verhaftung gewarnt haben. Georges Einweisung in das NKWD-Speziallager wurde seinerzeit mit angeblich antisowjetischen Äußerungen Georges begründet, eine Anklage aber nicht erhoben. Selbst wenn dies geschehen wäre, so urteilte die Generalstaatsanwaltschaft, müßte George rehabilitiert werden, da er der Sowjetunion und ihren Bürgern keinen Schaden zugefügt habe.«

als Götz von Berlichingen] George spielte die Rolle des ›Urgötz‹ in Goethes *Geschichte Gottfriedens von Berlichingen mit der eisernen Hand* erstmals 1930 in der Inszenierung von Ernst Legal am Berliner Staatstheater (Premiere am 17. Oktober 1930). In den folgenden zehn Jahren war er über 100 Mal in dieser Rolle zu sehen. Vor allem seine jährliche Götz-Darstellung an den Heidelberger Festspielen zwischen 1934 und 1938 war sehr populär. Über den von CZ zitierten Auftritt mit Hitlergruß konnte nichts ermittelt werden.

niedergebombt] Das Schiller-Theater ist am 23. November 1943 durch Bomben weitgehend zerstört worden. Nach dem Zweiten Weltkrieg wurde es wieder aufgebaut und am 6. Dezember 1951 neu eröffnet.

Klöpfer] Der Schauspieler Eugen Klöpfer (1886-1950) war seit 1918 an verschiedenen Berliner Bühnen tätig, u.a. am Deutschen Theater, am Staatstheater und am Lessingtheater. Am Lessingtheater spielte er 1927 »auf der Höhe seiner männlichen und künstlerischen Vollnatur« (*Als wär's ein Stück von mir*, S. 494) die Hauptrolle bei der Uraufführung von CZs *Schinderhannes* (14. Oktober 1927, Regie: Reinhard Bruck). 1929 wirkte er in Karl Grunes Verfilmung von CZs *Katharina Knie* als Karl Knie mit. 1934 wurde er zum Staatsschauspieler, 1935 zum stellvertretenden Vorsitzenden der Reichstheaterkammer und 1936 zum Reichskultursenator ernannt. Von 1936 bis 1944 war er Generalintendant der Berliner Volksbühne, des Theaters am Nollendorfplatz und des Theaters in der Saarlandstraße. Er spielte u.a. in Veit Harlans antisemitischem Film *Jud Süß* (1940) mit, wurde deshalb 1945 zeitweise inhaftiert und anschließend bis 1948 mit Auftrittsverbot belegt. Über Kontakte Klöpfers zu CZ nach dem Zweiten Weltkrieg ist nichts bekannt.

Genschow] Der Schauspieler Fritz Genschow (1905-1977) spielte 1928 bei der Uraufführung von CZs Seiltänzerstück *Katharina Knie* die Rolle des Lorenz Knie. Der Leiter des 1928 gegründeten sozialkritischen Berliner Theaterkollektivs ›Gruppe junger Schauspieler‹ wurde 1929 an das Staatstheater Berlin engagiert, 1933 entlassen und von der Gestapo überwacht. 1938 kam die Dienststelle Rosenberg jedoch zu dem Ergebnis: »In Übereinstimmung mit dem Geheimen Staatspolizeiamt sind wir zu der Auffassung gelangt, daß an der Ehrlichkeit seines Willens, sich an dem Aufbau des Theaters im nationalsozialistischen Sinne zu betätigen, nicht gezweifelt werden kann« (zit. nach Drewniak 1983, S. 147). Von 1933 bis 1943 war Genschow vor allem in Filmen zu sehen, u.a. in Gustav Ucickys *Flüchtlinge* (1933) und Franz Wenzlers *Hundert Tage* (1935) nach dem gleichnamigen Bühnenstück Benito Mussolinis und Giovacchino Forzanos. Er führte auch selbst bei einigen Kinder- und Jugendfilmen Regie, so bei *General Stift und seine Bande* (1937; vgl. Drewniak 1987, S. 588). Über eine NSDAP-Mitgliedschaft oder SA-Angehörigkeit Genschows konnte nichts ermittelt werden. Nach Kriegsende gründete er zusammen mit seiner Frau Renée Stobrawa das erste Kindertheater, leitete bis 1951 die Freilichtbühne am Waldsee und bis 1953 die Freilichtbühne Rehberge bei Berlin. Anschließend produzierte er Jugendfilme und

wurde vor allem als ›Onkel Tobias vom RIAS‹ bekannt. Über
Kontakte zu CZ nach dem Zweiten Weltkrieg ist nichts bekannt.
In CZs Autobiographie wird Genschow nicht erwähnt.

Stobrawa] Die Schauspielerin und Regisseurin Renée Stobrawa,
eigentl. Renate Marie Stobrawa (1897-1971), war 1924/25 am
Frankfurter Schauspielhaus und von 1928 bis 1930 am Staatlichen
Schauspielhaus Berlin engagiert. Von 1928 bis 1933 gehörte sie der
›Gruppe junger Schauspieler‹ an, einem Berliner Theaterkollektiv
mit radikal-sozialkritischer Tendenz, das 1928 aus Teilen des Ensembles Erwin Piscators vom bankrotten Theater am Nollendorfplatz
hervorgegangen war. 1934 wurde sie an die Volksbühne verpflichtet. Stobrawa hatte sich seit 1928 dem Kindertheater und -film ver-
schrieben und wirkte 1941 an dem propagandistischen Jugendfilm
Kopf hoch, Johannes mit (Regie: Victor de Kowa). 1947 eröffnete sie
mit ihrem Mann Fritz Genschow die Kinder- und Märchenbühne
Genschow-Stobrawa-Theater, die sie bis 1969 leitete. Daneben
war sie beim Rundfunksender RIAS tätig. Über Kontakte zu CZ
konnte nichts ermittelt werden. In CZs Autobiographie wird sie
nicht erwähnt.

Lampl] Gemeint ist Peter Martin Lampel (1894-1965). Im Ersten
Weltkrieg war er Fliegeroffizier. Von 1917 an veröffentlichte er Reportagen und Romane mit radikaler Tendenz wie *Heereszeppeline
im Angriff* (1918), *Bombenflieger* (1918), *Wie Leutnant Jürgens
Stellung suchte* (1919). Politisch »steuerte er«, so Ulrich Baron,
»einen Kurs […] der eher verworren als wendig erschien. […] Ein
bißchen Freikorps in Oberschlesien, ein bißchen SPD in Thüringen, mal bei der Orgesch in München, dann bei der Schwarzen
Reichswehr und der NSDAP und SA von 1922« (Baron 1990,
S. 280 und 288). Bis 1927 war Lampel Zivilangestellter der Reichswehr, studierte dann Malerei und Volkswirtschaft in München
und Berlin. 1928 veröffentlichte er im Berliner Spaeth-Verlag das
Buch *Jungen in Not*, für das er sieben Wochen lang in der preußischen Fürsorgeanstalt Struveshof bei Berlin als Hospitant gearbeitet
hat, um das Vertrauen der Zöglinge zu gewinnen. Die Berichte, die
er sammelte, ergaben das Bild hoffnungslos veralteter, von längst
überholten pädagogischen Vorstellungen bestimmter Erziehungs-
methoden in den Fürsorgeanstalten. Auf Drängen der ›Gruppe
junger Schauspieler‹ um Fritz Genschow und Hans Deppe arbeitete er das Material zu dem Stück *Revolte im Erziehungshaus* um,
das am 2. Dezember 1928 durch die ›Gruppe junger Schauspieler‹
am Berliner Thalia-Theater uraufgeführt wurde. Der Text ist abgedruckt in Rühle 1972, Bd. 3, S. 327-385, ein in seiner politischen

Bewertung sehr zurückhaltender Kommentar findet sich ebd., Bd. 4, S. 798-802. CZ erklärte nach der Premiere: »[...] ich möchte behaupten, dass dieses Stück und diese Aufführung das ernst zu nehmendste Theaterereignis darstellte, das wir seit Jahren in Berlin erlebten« (*Berliner Tageblatt* vom 3. Dezember 1928, Abendausgabe). Das Drama hatte großen Erfolg beim Publikum, wurde verfilmt und führte zu heftigen Debatten im Berliner Stadtparlament und im Reichstag. 1929 erregte Lampel mit seinem von Bertolt Brecht inszenierten Stück *Giftgas über Berlin*, dessen öffentliche Aufführung nach einer geschlossenen Vorführung verboten wurde, erneut großes Aufsehen. Im gleichen Jahr veröffentlichte er das – so Carl von Ossietzky in der *Weltbühne* (Jg. 25, Nr. 46, S. 747-749, hier: S. 747) – »homosexuell ornamentierte« Schauspiel *Pennäler* (1929) und den Femeroman *Verratene Jungen*. Während der Wirtschaftskrise publizierte er sein Reportagebuch *Packt an, Kameraden* (1932) über den freiwilligen Arbeitsdienst des Jungdeutschen Ordens und anderer Organisationen. 1933 sind Lampels Werke verboten worden. Er engagierte sich nach der »Machtergreifung« Hitlers dennoch in der SA, bekam aber Probleme aufgrund seiner Homosexualität, wegen der er 1935 zu einem Monat Haft verurteilt wurde. 1936 emigrierte er über die Schweiz, Jugoslawien, Griechenland, Ägypten, Java, Bali und Australien nach New York. 1949 kehrte er nach Deutschland zurück und ließ sich in Hamburg nieder. Über Kontakte zu CZ konnte nichts ermittelt werden. In CZs Autobiographie wird Lampel nicht erwähnt.

Moskauer Nationalkomitee] Vgl. dazu das Nachwort zu dieser Edition, S. 414 ff.

Wolf] Der kommunistische Arzt und Schriftsteller Friedrich Wolf (1888-1953) nahm anfangs am Ersten Weltkrieg teil, verweigerte jedoch dann den Kriegsdienst. 1918 wurde er in den Zentralrat der sächsischen Arbeiter- und Soldatenräte gewählt. 1920 beteiligte er sich aktiv an der Niederschlagung des Kapp-Putsches im Ruhrgebiet. 1927 eröffnete er in Stuttgart eine Naturheilpraxis. 1932 gründete er die Agit-Prop-Gruppe ›Spieltrupp Südwest‹. Wolf verfaßte vor allem Dramen mit zeitkritisch-sozialistischer Tendenz. Einen Skandal-Erfolg verursachte sein 1929 von der ›Gruppe junger Schauspieler‹ in Berlin aufgeführtes Stück *Cyankali*, das die Problematik des Abtreibungsparagraphen 218 thematisierte. Sein Stück *Professor Mamlock* (1933), das vom Antisemitismus im Deutschen Reich handelte, wurde eines der meistgespielten politischen Exildramen. 1933 emigrierte Wolf über Österreich, die Schweiz und Frankreich in die Sowjetunion, wo er 1943 als Mitbegründer und Frontbeauftragter dem ›Nationalkomitee Freies Deutschland‹ angehörte. 1945 kehre er nach Ost-Berlin zurück und war maßgeblich am Wiederaufbau des Film- und Funkwesens in der sowjet. Besatzungszone beteiligt. 1950/51 war Wolf Botschafter der DDR in Polen. Danach lebte er als freier Schriftsteller in Lehnitz bei Oranienburg.

Busch] CZ lernte den kommunistischen Schauspieler und Sänger Ernst Busch (1900-1980) 1922 während seiner Dramaturgenzeit in Kiel kennen. Busch gehört zum Ensemble, das CZs Terenz-Bearbeitung *Der Eunuch* in Kiel uraufführen sollte, die jedoch verboten wurde (vgl. Nickel 1997 a, S. 101-122 sowie den Abdruck des Stücks ebd., S. 47-99). 1924 wechselte er an das Stadttheater in Frankfurt an der Oder, 1926 an die Pommersche Landesbühne, 1927 an die Piscator-Bühne im Theater am Nollendorfplatz in Berlin. Bei der Uraufführung von CZs Seiltänzerstück *Katharina Knie* am 21. Dezember 1928 am Berliner Lessingtheater übernahm Busch die Rolle des Akrobaten Fritz Knie, die er auch in Karl Grunes Verfilmung 1929 spielte. Bei der Uraufführung von CZs Bearbeitung des Stücks *Rivalen* am 20. März 1929 am Berliner Theater in der Königgrätzer Straße war er in der Rolle des Leutnant Moore zu sehen. Busch emigrierte 1933 in die Niederlande, 1934 nach Belgien, 1935 in die UdSSR. 1937/38 nahm er auf Seiten der KP am Spanischen Bürgerkrieg teil, ging von dort über Belgien nach Frankreich, wo er 1940 verhaftet und interniert wurde. 1943 lieferte man ihn an die Gestapo aus, die ihn bis Kriegsende im Zuchthaus Brandenburg gefangen hielt. Von 1945 an arbeitete er wieder in Berlin und wurde ein erfolgreicher Schauspieler in der DDR. 1972, im Jahr der Aufnahme Buschs in die Akademie der Künste Ostberlins, wechselten er und CZ noch einmal Briefe: Busch übersandte eine Schallplatte, CZ eine Abschrift des Prologs seines *Eunuchen*, dessen Original später von Alice Zuckmayer vernichtet worden ist. Zur Biographie vgl. Hoffmann/Siebig 1987.

›Barrikaden-Tauber‹] In Anlehnung an den Tenor Richard Tauber (1892-1948). Diese Formulierung für Busch findet sich auch in *Als wär's ein Stück von mir*, S. 426.

Stehr] Der Name Hermann Stehrs ist auf der ersten Namenliste zum *Geheimreport* noch unter den vermutlich Negativen geführt, dort aber masch. gestrichen. Vgl. S. 191, Anm. zu *Stehr*.

Heynicke] Kurt Heynicke (1891-1985), ein aus Schlesien stammender Arbeitersohn, arbeitete vor dem Ersten Weltkrieg als Büro- und Bankangestellter und war von 1914 bis 1918 Soldat. Von 1914 an veröffentlichte er Beiträge in der expressionistischen Zeitschrift

Der Sturm, 1917 seinen ersten Gedichtband *Rings fallen Sterne*. 1919 erhielt er auf Vorschlag von Franz Servaes zusammen mit Dietzenschmidt den Kleist-Preis (vgl. Sembdner 1968, S. 69-72). Von 1923 an war er Dramaturg am Düsseldorfer Schauspielhaus, von 1926 bis 1928 Dramaturg und Spielleiter am Stadttheater Düsseldorf. Anschließend ging er nach Berlin, wo er anfangs mit der völkischen Idee des Thingspiels sympathisierte. Nach dem Ende der Thingspielbewegung 1935 beschränkte er sich auf unpolitische Arbeiten als Drehbuchautor und Dialogbearbeiter für die Ufa und hatte mit heiteren Romanen Erfolg. 1943 zog er sich nach Merzhausen bei Freiburg zurück. Nach Kriegsende verfaßte er Hörspiele, Romane und Mundartstücke und wurde mit zahlreichen Preisen geehrt, so mit dem Reinhold-Schneider-Preis (1968), dem Andreas-Gryphius-Preis (1970) und dem Eichendorff-Preis (1972). Über Kontakte zu CZ konnte nichts ermittelt werden. In CZs Autobiographie wird er nicht erwähnt. Zur Biographie vgl. Menzel 1992, S. 98-109.

Erstes Wesen. Zweites Wesen] CZ bezieht sich auf keine tatsächlichen Rollennamen in einem Stück Heynickes (die etwa heißen »Der Dunkle« oder »Die Schwebenden«).

Thing-Spiele] 1935 veröffentlichte Heynicke den Band *Neurode. Der Weg ins Reich. 2 Thingspiele*, Berlin: Volkschaft-Verlag für Buch, Bühne und Film. *Neurode*, ein Tendenzstück über deutsche Arbeitersolidarität im Sinne des »neuen Reiches«, wurde anläßlich der Einweihung der ersten Thingstätte in Brandberge bei Halle am 5. Juni 1934 uraufgeführt (vgl. Reichl 1988, S. 79). *Der Weg ins Reich* wurde im Juli 1935 im Rahmen der Heidelberger Festspiele von Lothar Müthel inszeniert.

Sassmann] Der österr. Schriftsteller Hanns Sassmann (auch Saßmann) (1882-1944) war von 1915 an Kulturreferent des *Neuen Wiener Journals* und hatte große Bühnenerfolge mit *Drei Retter* (1916) und *Feuer in der Stadt* (1921). Alfred Polgar bezeichnete ihn anläßlich der Uraufführung seines Dramas *Metternich* als »äußerst bühnensicheren« Autor, »der das Theater im Gefühl hat wie im Griff und, wenn er zugreift, von Hemmungen nicht irritiert wird«; mit *Metternich* huldige er einem »für jede Groß- und Schandtat brauchbaren, weil in biegsamen Paradoxen hängenden, ›Österreich‹-Begriff« (Alfred Polgar, *Schauspieler*, in: *Die Weltbühne*, Jg. 25, 1929, Nr. 46, S. 744-746, hier: S. 744). Sassmann schrieb von 1933 an hauptsächlich Drehbücher, u.a. für Luis Trenker (*Der Berg ruft* [1937, zusammen mit Richard Billinger], *Liebesbriefe aus dem Engadin* [1938] und *Der Feuerteufel* [1940]). Gemeinsam mit

Harald G. Petersson verfaßte er das Drehbuch des den »Anschluß« feiernden Propagandafilms *Wetterleuchten um Barbara* (1940, Regie: Werner Klingler) nach dem gleichnamigen Roman von Ingeborg Wurmbrand (1940). Über Kontakte zu CZ konnte nichts ermittelt werden. In CZs Autobiographie wird er nicht erwähnt.

Schwarten] Am Burgtheater wurden fünf historische Schauspiele von Sassmann unter der Regie von Franz Herterich aufgeführt: *Metternich* (1. Oktober 1929), *Haus Rothschild* (10. Januar 1931), *1848* (7. Dezember 1932, Uraufführung), *Prinz Eugen von Savoyen* (10. Juni 1933, Uraufführung) und *Maria Theresia und Friedrich II.* (10. März 1934).

Freundschaft zu Egon Friedell] Egon Friedell (1878-1938) lebte nach einem Studium in Heidelberg und Wien als freier Schriftsteller in Wien. Er veröffentlichte Satiren in der *Fackel*, der *Schaubühne* und dem *Neuen Wiener Journal*. Von 1908 bis 1910 leitete er das Wiener Kabarett »Die Fledermaus« und wurde 1913 Schauspieler bei Max Reinhardt in Berlin und Wien. Von 1919 bis 1922 war er Theaterkritiker des Wiener Boulevardblatts *Die Stunde*. Von 1924 bis 1927 war er am Theater in der Josefstadt engagiert. Gemeinsam mit Alfred Polgar verfaßte er zahlreiche Parodien und Sketche. Sein Hauptwerk ist seine dreibändige *Kulturgeschichte der Neuzeit* (1927-1931). CZ kannte Friedell seit seiner Zeit als Dramaturg am Deutschen Theater Berlin. In seiner Autobiographie berichtete er, was ihm von Friedell kurz vor Hitlers Einmarsch in Österreich anvertraut wurde: »Man hatte ihm, dem Juden, dessen Werke aber in Deutschland als antimaterialistisch, also auch antimarxistisch, aufgefaßt wurden und daher nicht verboten waren, von dort aus für den Fall der kommenden Gleichschaltung eine ›Sonderbehandlung‹ angeboten und zugesagt – er hatte drüben hohe Gönner und Verehrer, die bei den führenden Gewalthabern gehört wurden. ›Ich könnte‹, sagte er mehrere Male, ›ich könnte zurückgezogen und unbehelligt leben und arbeiten, hat man mich wissen lassen. Allerdings nicht mehr in Wien. – Aber ob ich das kann‹ – auch das wiederholte er einige Male –, ›ob ich das kann, das weiß ich nicht‹« (*Als wär's ein Stück von mir*, S. 80, 82).

Böotier] Denkfauler, Unkultivierter.

Selbstmord] Egon Friedell beging nach dem Einmarsch Hitlers in Österreich durch einen Sprung aus dem Fenster seiner Wohnung Selbstmord, weil er glaubte, von SA-Leuten, die an seiner Tür klingelten, abgeholt zu werden (*Als wär's ein Stück von mir*, S. 79-82). Vgl. auch die Schilderung in Mahler-Werfel 1960, S. 272 f.

Mell] Der Schriftsteller Max Mell (1882-1971) war Autor volksnaher, heimatverbundener, christlicher Dramen und Legendenspiele. Zusammen mit CZ und René Schickele wurde er 1929 mit dem (nur ein einziges Mal verliehenen) Preis der Heidelberger Festspiele ausgezeichnet (vgl. *Als wär's ein Stück von mir*, S. 512). Über weitere Kontakte zu CZ konnte nichts ermittelt werden. In CZs Autobiographie wird er darüber hinaus nicht erwähnt. Mell wurde am 29. Januar 1932 zum Mitglied der Deutschen Akademie der Dichtung gewählt und unterzeichnete 1933 eine Unterstützungserklärung der Akademie für Hitler und Deutschlands Austritt aus dem Völkerbund (vgl. Jens 1971, S. 217 f.). 1935 veröffentlichte er den programmatischen Aufsatz *Dichtkunst unserer Zeit* (in: *die pause*, Jg. 1, 1935, S. 20), in dem es u.a. heißt: Die »sinn- und seelenhaften Gestaltungen der Dichtung müssen kraftsammelnde und kraftspendende Behälter sein, deren Inhalt der Nachwelt unser Menschenbild überliefert. Was solche Beschaffenheit ist, das konnten wir in bedürftigen Tagen und können wir immer an dem messen, was wir als Erbe der Zeit Goethes und der Romantik in Händen hatten, und von all dem, was wir heute unter der Bezeichnung ›deutsche Bewegung‹ zusammenfassen«. 1936 wurde er der erste Präsident des ›Bundes der deutschen Schriftsteller Österreichs‹. Der nationale Schriftsteller Wladimir von Hartlieb (1887-1951), Gründungsmitglied und Vizepräsident des Bundes, beurteilte diese Wahl als geschickten Schachzug, weil man mit Mell eine wirksame Integrationsfigur gefunden habe: Mell verdanke seine Stellung dem »vorwiegend jüdischen Hofmannsthal-Kreis [...] und laviert seit der Machtergreifung des Nationalsozialismus zwischen dem katholischen und dem nationalen Lager. [...] Jetzt ist er Präsident unseres antisemitischen Verbandes – trotz seiner mit dem Judentum verquickten Vergangenheit« (zit. nach Amann 1988, S. 157; vgl. auch Renner 1986, S. 252 und 257). Obwohl Mell kurz zuvor das Angebot, Präsident einer Vereinigung österr. Schriftstellervereine zu werden, mit dem Hinweis ausschlug, er habe als Dichter mit Politik nichts zu tun, begrüßte er 1938 öffentlich den »Anschluß« Österreichs an das Deutsche Reich (Aspetsberger 1980, S. 103). Nach dem »Anschluß« urteilte 1938 Hans Friedrich Blunck, daß »die Gruppe des ›Bundes deutscher Schriftsteller‹, die Mell und Jelusich führen, eine getarnte nationalsozialistische Organisation war« (zit. nach Renner 1986, S. 276). Am 20. Februar 1940 stellte Mell einen Antrag auf Aufnahme in die NSDAP, zog ihn dann aber 1942 vor Aushändigung der Mitgliedskarte wieder zurück. Im Entnazifizierungsverfahren erläuterte er, von ihm sei die Parteimitgliedschaft nur zum Schutz »gegen die Behelligungen und Anstänkerungen, denen ich durch Personen, die

mich für einen Juden hielten«, angestrebt worden. Er habe, »als die
Entwicklung der Dinge keine Illusion mehr erlaubte, die erste Gelegenheit ergriffen, die Anwärterschaft zurückzulegen« (zit. nach
K. Müller 1990, S. 287-314, hier: S. 289). Diesen Anlaß gab 1942 die
Streichung seines Dramas *Das Spiel von den deutschen Ahnen*
(1935) vom Spielplan des Staatlichen Schauspielhauses Berlin, die
»aus politischen Gründen« (ebd.) erfolgt sei. Goebbels notierte
dazu in seinem Tagebuch: »Ich setze ein allzukatholisches Bühnenstück von Max Mell ›Spiel der deutschen Ahnen‹ vom Spielplan ab.
Das können wir jetzt nicht gebrauchen« (zit. nach Fröhlich 1987,
Bd. 8, S. 145). »Im Rahmen der NS-Literaturpolitik in Wien«, so
Karl Müller, »hatte Mell seinen festen Platz als Verkörperung katholisch-nationaler Einheit, auch wenn sich seine eigene innere
Distanzierung, sein eigener ›Aufruhr‹ gegen den Nationalsozialismus entwickelte. […] Anlaß für Mells beginnende Distanzierung
vom Nationalsozialismus von Mitte 1940 an war die unmittelbar
persönliche Betroffenheit durch Angriffe prononciert nationalsozialistischer Kreise. Mells breite Präsenz in den NS-Medien wurde
davon hingegen nicht betroffen« (K. Müller 1990, S. 297 f.). Mell ist
vielfach geehrt worden. So erhielt er 1941 für sein Gesamtwerk zum
zweiten Mal den Grillparzer-Preis (erstmals 1929).

zuverlässig berichtet] Von wem CZ informiert wurde, konnte nicht
ermittelt werden.

Hitler-Hymne] Mell war im *Bekenntnisbuch österreichischer Dichter*,
das 1938 aus Anlaß des »Anschlusses« Österreichs an das Deutsche
Reich vom ›Bund deutscher Schriftsteller Österreichs‹ herausgegeben wurde, mit dem Gedicht *Am Tage der Abstimmung. 10. April
1938* vertreten. Ein Vers des Gedichts lautet: »Gewaltiger Mann,
wie können wir dir danken? Wenn wir von nun an eins sind ohne
Wanken« (S. 68).

eine Reihe von Dichtungen im Sinn des ›nationalen Mythus‹] Außer
den christlichen Fest- und Legendenspielen der 1920er Jahre schrieb
Mell das bereits erwähnte völkische Sozialdrama *Spiel von den
deutschen Ahnen* (Uraufführung am 23. März 1935 in Dresden).
Germanischen Heldenstoff bearbeitete er mit *Der Nibelungen
Not* (Uraufführung am 23. Januar 1944 am Burgtheater Wien),
dessen zweiter Teil *Kriemhilds Rache* erst am 8. Januar 1951 (ebd.)
uraufgeführt wurde.

Ernst Jünger] Ernst Jünger (1895-1998) meldete sich im August
1914 als Kriegsfreiwilliger. Er wurde im Ersten Weltkrieg mehrfach verwundet und u.a. mit dem Orden Pour le mérite ausgezeichnet. Bis 1923 blieb er Soldat und studierte danach bis 1926

Zoologie und Philosophie in Leipzig und Neapel. Seinem Kriegs-
tagebuch *In Stahlgewittern* (1920), mit dem er sich einen Namen
als Schriftsteller machte, folgten bald weitere Buch- und Zeit-
schriftenpublikationen. Von 1926 bis 1933 lebte er als freier
Schriftsteller in Berlin und vertrat nationalrevolutionäre Positionen. Mitte der 1920er Jahre sympathisierte er mit der Politik der
Nationalsozialisten. 1929 distanzierte er sich aber öffentlich von
Hitlers Legalitätskurs. Für Jünger war nur ein radikaler Antiparla-
mentarismus akzeptabel, einer, der auf jede taktische Konzession
verzichtete. Ohnehin hat er den rassistischen Antisemitismus und
damit einen zentralen Bestandteil der NS-Ideologie nie für eine
»Fragestellung wesentlicher Art« gehalten (»*Nationalismus*« *und
Nationalismus*, in Berggötz 2001, S. 504) und ihn einmal ausdrücklich als »Unfug« bezeichnet (*Das Blut*, in ebd., S. 193). Jünger ließ
sich nach der »Machtergreifung« Hitlers nicht von den Nationalsozialisten vereinnahmen. Während des Zweiten Weltkriegs geriet
er u.a. über Hans Speidel, den Chef des Stabes des Militärbefehls-
habers in Frankreich, in Kontakt mit Kreisen des militärischen
Widerstands, lehnte ein Attentat auf Hitler aber ab. Nach dem
Zweiten Weltkrieg haben Jünger und CZ miteinander korrespon-
diert. Der Plan eines Treffens konnte jedoch nicht realisiert werden.
1970 hat CZ Jünger vergeblich für den Goethepreis der Stadt
Frankfurt vorgeschlagen. Zu Einzelheiten vgl. Nickel 1999 sowie
Fröschle 1999.

Friedrich Wilhelm Jünger] Gemeint ist Friedrich Georg Jünger
(1898-1977), der von 1926 an – nach Teilnahme am Ersten Weltkrieg und einem Jurastudium – als freier Schriftsteller in Leipzig,
Berlin, später in Überlingen am Bodensee lebte. Neben seinem
nationalistischen Manifest *Aufmarsch des Nationalismus* (Leipzig
1926) publizierte er in nationalrevolutionären Zeitschriften. Jünger sympathisierte mit dem nationalbolschewistischen Kreis um
Ernst Niekisch, in dessen Zeitschrift *Widerstand* er von 1929 an
mit Beiträgen vertreten war. Seine Elegie *Der Mohn*, die 1934 in
seinem Band *Gedichte* (Berlin: Widerstands-Verlag) erstmals
erschienen ist, wurde als eine eindeutige Absage an den Nationalsozialismus verstanden. So notierte Thomas Mann am 30. November 1934 in sein Tagebuch: »Las in klassizistischen Gedichten
eines F.G. Jünger […], erschienen im ›Widerstandsverlag‹ (!) Berlin,
darin ein Stück ›Der Mohn‹, von fabelhafter Aggressivität gegen
die Machthaber, das ich, als die Meinen vom Theater zurückgekehrt waren, ihnen beim Abendessen zu allgemeinem Erstaunen
vorlas« (zit. nach de Mendelssohn 1977, S. 578). Vgl. auch die

Interpretation von Speier 1983, S. 323-335. Auch CZ kannte dieses Gedicht und nahm am 24. März 1947 in einem Schreiben an F.G. Jünger darauf Bezug (vgl. Nickel 1999 b, S. 526). 1946 veröffentlichte Jünger seine technikkritische Abhandlung *Die Perfektion der Technik*. Zur Biographie vgl. auch den Überblick in Fröschle 1998, S. 25-32.

Aufsatz] Karl O. Paetel, *Ernst und Friedrich Georg Jüngers politische Wandlung*, in: *Deutsche Blätter*, Jg. 1, 1943, H. 10, S. 22-27.

Kästner] Der Schriftsteller Erich Kästner (1899-1974) wurde 1923 Redakteur des *Leipziger Tageblatts*, später der *Neuen Leipziger Zeitung*. 1927 siedelte er nach Berlin über und war von dieser Zeit an freier Mitarbeiter der *Weltbühne*, des *Montag Morgen*, der *Vossischen Zeitung* und des *Berliner Tageblatts*. Daneben veröffentlichte er Gedichte und schrieb Kabarett-Texte. Seinen Erfolg als Kinderbuchautor begründete er mit *Emil und die Detektive* (1929). 1931 erschien sein satirischer Roman *Fabian*. Kästners Bücher wurden 1933 verbrannt. Er ist zweimal für kurze Zeit verhaftet worden. Nach Hitlers »Machtergreifung« veröffentlichte er ausschließlich im Ausland, arbeitete jedoch unter Pseudonym und zeitweise mit »Sondergenehmigung« für die deutsche Filmindustrie (er verfaßte z.B. das Drehbuch für den Ufa-Jubiläumsfilm *Münchhausen* [1942]) und für deutsche Bühnen (vgl. Neuhaus 2000). 1943 erhielt er ein auch das Ausland einschließendes totales Schreibverbot. Über die Gründe für Kästners Verbleib in Deutschland nach 1933 ist von Emigranten und nach Kriegsende viel spekuliert worden, u.a. wegen der ihm von Franz Josef Görtz und Hans Sarkowicz bescheinigten Erfolgsaussicht des vielfach übersetzen Autors im angelsächsischen Sprachraum (vgl. Görtz/Sarkowicz 1998, S. 170). Erklärungen wurden von seinen Biographen in der engen Beziehung zur Mutter gesucht, von Kästner selbst dagegen mit dem Hinweis auf das Projekt eines umfassenden Augenzeugen-Romans über Nazi-Deutschland gegeben (vgl. die Vorbemerkungen zu *Notabene 45. Ein Tagebuch* [Kästner 1961, S. 10]). Insgesamt ergibt sich das Bild eines notgedrungen schweigenden, integren Autors, der »alles andere als ein Opportunist [war], doch von den Kreisen des aktiven Widerstands weiter entfernt als von der Mitgliedschaft in der Reichsschrifttumskammer« (Görtz/Sarkowicz 1998, S. 326). Von 1945 an wohnte Kästner in München, wo er bis 1946 Feuilletonchef der *Neuen Zeitung* war. 1951 wurde er zum ersten Präsidenten des westdeutschen PEN-Clubs gewählt. CZ hat Kästners Namen in einer Korrekturphase auf der ersten Liste des Dossiers von der Gruppe der *Sonderfälle* zu der Gruppe der *Positiven* umgeordnet. Zur Biographie vgl. neben Görtz/Sarkowicz 1998 auch Hanuschek 1999. Zum Verhältnis Kästners und CZs vgl. auch den Beitrag von Sven Hanuschek im *Zuckmayer-Jahrbuch*, Bd. 5.

Fallada] Hans Fallada, eigentl. Rudolf Ditzen (1893-1947), war extrem labil, suchtkrank, hegte wiederholt Selbstmordabsichten und wurde in den 1920er Jahren mehrfach wegen Unterschlagung zu Haftstrafen verurteilt. Trotz seiner Labilität zeigte Fallada jedoch immer wieder überraschende Lebenskraft und -lust, und den Unterschlagungen folgten aus innerer Überzeugung Bemühungen um Wiedergutmachung. 1928 trat der landwirtschaftlich ausgebildete Fallada in die SPD ein. Von 1930 an war er Angestellter des Rowohlt-Verlags. 1931 hatte er seinen ersten großen Erfolg als Schriftsteller mit dem Roman *Bauern, Bonzen und Bomben*. Sein nächster Roman *Kleiner Mann, was nun?* (1932), ein Welterfolg, wurde von CZ unter der Überschrift *Ein Buch* in der Abend-Ausgabe der *Vossischen Zeitung* vom 7. September 1932 emphatisch lobend besprochen. Fallada gab 1932 seine Stelle bei Rowohlt auf und zog nach Berkenbrück bei Fürstenwalde, wo er ein kleines Anwesen mietete. Aufgrund einer Denunziation des früheren Besitzers wurde er im März 1933 von der SS verhaftet, aber nach elf Tagen wieder freigelassen. Er verließ Berkenbrück nach diesem Vorfall und kaufte sich am 21. Juli 1933 ein bäuerliches Anwesen in Carwitz bei Feldberg (Mecklenburg), das er bis 1944 bewirtschaftete. Für eine Neuauflage änderte er NS-kritische Passagen in *Kleiner Mann, was nun?* (vgl. Theilig/Töteberg 1980, S. 75; vgl. auch Terwort 1992, S. 187-191). Fallada schrieb von nun an überwiegend belanglose Unterhaltungsromane (vgl. aber S. 313, Anm. zu *Autor eines Janningsfilms*, blieb jedoch nicht unumstritten. Mit dem Roman *Wolf unter Wölfen* (1937) geriet er in den Konkurrenzkampf zwischen dem ihm wohlwollenden Propagandaministerium und Rosenbergs Amt für Schrifttumspflege, das das Buch als »nicht förderungswürdig« deklarierte (vgl. von Studnitz 1997, S. 295-299; zur Biographie vgl. dort auch den Abriß S. 383-413). Nach einem Zwangsaufenthalt in der Nervenklinik Strelitz 1944 wurde Fallada nach Kriegsende von den sowjetischen Behörden für kurze Zeit zum Bürgermeister von Feldberg ernannt. Anschließend war der von Johannes R. Becher protegierte Schriftsteller Mitarbeiter der Ostberliner Zeitung *Tägliche Rundschau*. Über Kontakte zu CZ konnte nichts ermittelt werden. In CZs Autobiographie wird Fallada nicht erwähnt.

Wer niemals aus dem Blechnapf frass] Gemeint ist Falladas Roman *Wer einmal aus dem Blechnapf frißt* (Berlin: Rowohlt 1934).

>*Zola des neuen Deutschland*‹] In den Rezensionen zu Falladas Büchern finden sich ähnliche Vergleiche: Karl August Wittfogel schreibt in seiner Besprechung zu *Bauern, Bonzen und Bomben* etwa kritisch: »Welch eine Gelegenheit, Bauernleben und -Not im heutigen Deutschland [...] zu entwickeln! Man erinnere sich, wie Balzac und Zola den französischen Bauern in der Fülle seiner gesellschaftlichen Widersprüche schilderten [...]« (in: *Die Linkskurve*, Jg. 4, 1932, Nr. 2, S. 28-32, hier: S. 29). Ernst Heilborn bezeichnet in seiner Rezension von *Kleiner Mann, was nun?* die Figur des Verkäufers Heilbutt als einen »neue[n] Typ des Commis voyageur, eine, ich wäge das Wort, Balzacs würdige Gestalt« (in: *Die Literatur*, Jg. 35, 1932/33, S. 20 f.).

Inflationsroman] Gemeint ist der Roman *Wolf unter Wölfen* (Berlin: Rowohlt 1937), in dem Fallada das Schicksal dreier ehemaliger Soldaten während der Wirtschafskrise 1923 beschreibt. Gleichzeitig schildert er in diesem Zeitroman das soziale und politische Klima der Nachkriegs- und Inflationszeit durch verschiedene Milieus hindurch. Aktivitäten der Schwarzen Reichswehr beschreibt Fallada vor allem im achten Kapitel des ersten Teils, das mit *Es verwirrt sich in der Nacht* überschrieben ist.

Autor eines Janningsfilms] Gemeint ist das 1937/38 auf Anregung von Emil Jannings entstandene Drehbuch zu einem Film, der den Titel *Der eiserne Gustav* tragen sollte, aber nicht realisiert wurde. Fallada arbeitete den Stoff daraufhin zu einem Roman um, der 1938 veröffentlicht wurde. Zur Konzessionsbereitschaft Falladas bei der Arbeit am Drehbuch heißt es in der Fallada-Biographie von Cecilia von Studnitz: »Daß Fallada die Geschichte in der Systemzeit [der Weimarer Republik] enden läßt, ist gegen den Vertrag. Ausgemacht war ein Zeitablauf mindestens bis zur Machtübernahme der Nationalsozialisten. Am 25. Juli 1938 erhält der Autor von der Tobis-Filmgesellschaft ein Drehbuch, das auf diesen Punkt hinweist; am 28. Juli wird er zur Besprechung ins Propagandaministerium zitiert. Der Schauspieler Emil Jannings, der in dem Film den eisernen Gustav spielen soll, übermittelt ihm die Botschaft von Propagandaminister Goebbels: ›Wenn Fallada immer noch nicht wisse, wie er zur NS-Partei stehe, so wisse die NSDAP, was sie von Fallada zu halten habe.‹ Das bedeutet: Entweder verzichtet der Schriftsteller auf das Projekt, oder aber er führt den Roman im Sinne der Nationalsozialisten fort. Fallada erinnert sich: ›Ich liebe nicht die hohe Geste, vor Tyrannenthronen mich sinnlos, niemandem zum Nutzen, meinen Kindern zum Schaden, abschlachten zu lassen, das liegt mir nicht; nach drei Minuten

Überlegung nahm ich den Zusatzauftrag an. Was ich dann freilich mit mir zu Hause abzumachen hatte, das steht auf einem anderen Blatt. Der Monat, durch den ich diesen n. [Nazi] Schwanz schrieb, steht mit schwarzer Tinte umrandet in meinem Kalender, die Welt kotzte mich an, ich mich selbst aber noch mehr.‹ Was Fallada dann allerdings, nachdem er sich für die opportunistische Lösung entschieden hatte, aus dem Roman macht, ist ein Sündenfall und ein kaum nachzuvollziehender Kotau vor den Machthabern. Er verändert die Handlung radikal und setzt darüber hinaus einen von ihm selbst so genannten über zweihundertseitigen ›Nazischwanz‹ an das Ende: Aus dem Fuhrunternehmer Gustav Hackendahl, so heißt der ›Eiserne Gustav‹ bei Fallada, wird ein überzeugter NSDAP-Anhänger. Zusammen mit seinem Sohn Heinz stürzt sich der alte Mann in den Kampf gegen die bösartigen Schläger von der Kommunistischen Partei. Fallada liefert Anfang September das Manuskript bei der Tobis-Filmgesellschaft ab; eine Kopie geht an Propagandaminister Goebbels [...]. Goebbels habe, kolportieren die Filmleute, nach der Lektüre vom ›Wolf‹ darüber nachgedacht, ob Fallada ›ein Preis oder das KZ‹ zustehe. Jetzt, nach der Lektüre des so grausam umgearbeiteten ›Gustav‹ entscheidet er sich für die Anerkennung« (von Studnitz 1997, S. 300-303). Im September 1938 begannen unter der Regie Hans Steinhoffs die Dreharbeiten, die jedoch bereits kurze Zeit später auf Veranlassung Alfred Rosenbergs abgebrochen wurden. Zu den Auseinandersetzungen um das Drehbuch vgl. Caspar 1965 und Caspar 1988, S. 295-306.

Salomon] CZ hat den Schriftsteller Ernst von Salomon (1902-1972) 1922 bei einer Massenversammlung in Frankfurt am Main beobachtet, bei der Walter Rathenau über Deutschlands Außenpolitik gesprochen hat: »Sie standen da, [...] ohne seine Worte zu verstehen, was sie auch gar nicht wollten, sie starrten nur haßerfüllt auf sein nobles, durchgeistigtes Gesicht, mit dem Wunsch nach Rache für etwas, das sie selbst nicht wußten. Was für eine ungeheure Dissonanz, was für eine abgründige Spannung und Spannweite zwischen diesen und uns, die wir doch unter denselben Sternen, im gleichen Zeitraum zu leben hatten« (*Als wär's ein Stück von mir*, S. 322). Der ehemalige Kadett Salomon kämpfte nach dem Ersten Weltkrieg in Freikorps im Baltikum und in Oberschlesien und beteiligte sich 1920 am Kapp-Putsch. Danach war er in illegalen rechtsextremen Organisationen in Frankfurt am Main aktiv (vgl. Sabrow 1999, S. 175-181). 1922 wurde er wegen Beihilfe bei der Ermordung Walter Rathenaus zu fünf Jahren Zuchthaus verurteilt. Von 1928 an lebte Salomon in Berlin, wo er mit Ernst Jünger verkehrte. Im Kreis um Ernst Rowohlt lernte er den Maler Rudolf Schlichter kennen. Schlichter, der 1927 eine ›geistige Umkehr‹ vom Kommunismus zum Nationalismus vollzogen hatte, war seit 1919 mit CZ befreundet (vgl. Heißerer 1997, S. 308; vgl. auch Nickel/ Weiß 1996, S. 86 f.). 1929/30 beteiligte Salomon sich an Bombenanschlägen der schleswig-holsteinischen Landvolkbewegung. 1930 veröffentlichte er den autobiographischen Roman *Die Geächteten*, in dem er seine politische Entwicklung zum militanten Gegner der Weimarer Demokratie beschrieb und seine bisherige Position revidierte. 1930 empfahlen Alfred Döblin und Robert Musil das Buch in der Wochenzeitschrift *Das Tagebuch* unter der Überschrift *Die besten Bücher des Jahres* (Jg. 11, 1930, H. 50, S. 2001). »Dies«, so Döblin, »ist ein Mann, der noch nicht ganz einer ist, aber auf dem Weg dazu ist.« »›Die Geächteten‹«, lobte Musil, »überrascht durch die Begabung des Verfassers und packt auf das lebhafteste. Denn aus seinen jungen Menschen, die fast von ganz Deutschland seelisch [recte moralisch] geächtet worden sind, spricht eine mächtige melodische [recte moralisch] Energie, der bloß die richtige Fassung gefehlt hat« (zu den Lesarten vgl. ebd., H. 51, S. 2054). »So unverhohlen«, urteilte 68 Jahre später Richard Herzinger, »seine frühen Texte einen radikal nationalistischen Standpunkt vertreten, so wenig sind sie dabei doch im engeren Sinne politische Tendenzliteratur. Die Perspektive des Schriftstellers Salomon ist die des erzählenden, selbstreflexiven Subjekts, das vom grundlegenden Zweifel am Sinn all seines ideologisch motivierten Treibens gekennzeichnet ist. Seinen politischen Extremismus treibt der konservative Revolutionär aus der Anstrengung hervor, diesen nagenden, nihilistischen Zweifel zu übertönen und zu überbieten« (Herzinger 1998, S. 84 f.). Es folgten der dokumentarisch-autobiographische Roman *Die Stadt* (Berlin 1932) und die Jugenderinnerungen *Die Kadetten* (Berlin 1933). Zu Salomons frühen Romanen vgl. Lindner 1994, bes. S. 223-232. Die »Machtergreifung« betrachtete Salomon mit Skepsis: »Der metapolitische, antiwestliche Fundamentalismus der Konservativen Revolution«, so stellt Herzinger fest, »war durch eine unauflösbare Aporie gekennzeichnet: Er generierte eine extremistische Tatrhetorik, die unablässig zu ›Entschlossenheit‹ und ›Entscheidung‹ aufrief; doch sein metaphysischer Maximalismus verweigerte sich geradezu programmatisch einer konkreten politischen Definition seiner Ziele. [...] Als sich die so viele Jahre lang geforderte ›deutsche Revolution‹ gegen Liberalismus und Demokratie in einer konkreten Herrschaftsform verwirklichte, fühlten sich die rechtsintellektuellen Lebensrevolutionäre um ihre utopische Vision von einer elementaren Neugeburt der Nation jenseits allen ›Parteigeistes‹ und aller ideologischen Gegensätze geprellt« (Herzinger 1998, S. 89). Von 1934 an war Salomon Hauptschriftleiter der Freikorpszeitschrift *Der Reiter gen Osten* und auch als Lektor für den Rowohlt-Verlag tätig. 1936 schrieb er das Drehbuch für den Freikorps-Film *Menschen ohne Vaterland* (Regie: Herbert Maisch) und arbeitete anschließend zunächst für die Ufa, später für die Bavaria. Er schrieb in erster Linie Drehbücher für Unterhaltungsfilme, aber auch für den antienglischen Propagandafilm *Carl Peters* (1941, Regie: Herbert Selpin). Von 1940 an lebte Salomon in Oberbayern. Öffentlich trat er während der NS-Zeit nicht in Erscheinung. Sympathiebekundungen von Seiten der Nationalsozialisten ignorierte er. Im Juni 1945 wurde er von den Amerikanern interniert und bis September 1946 festgehalten. Mit seinem Buch *Der Fragebogen* (1951), in dem er sich kritisch mit der Entnazifizierung durch die Alliierten auseinandersetzte, machte er Furore: In Form einer Autobiographie gab Salomon darin Antworten auf die Fragen der alliierten Behörden und nahm Stellung zur jüngsten deutschen Vergangenheit. Alfred Polgar kritisierte am *Fragebogen,* dessen Antiamerikanismus unübersehbar ist: »Das ungeratene Dritte Reich wird zurechtgewiesen wie ein ungeratener Sohn vom Vater, dem hierbei der Stolz über den Teufelsjungen im Auge blinkt« (Polgar 1984, S. 168). In den 1950er Jahren verfaßte Salomon noch einige Drehbücher und Romane. In den 1960er Jahren orientierte er sich, Mitglied des ›Demokratischen Kulturbunds Deutschlands‹, aus seiner antiamerikanischen Position heraus zunehmend nach links und war in der Abrüstungs- und Antiatombewegung aktiv. Salomon war 1928/29 in erster Ehe mit Liselotte Wölbert verheiratet und lebte seit 1933 bis zum Kriegsende mit seiner jüdischen Lebensgefährtin Ille Gotthelft zusammen. Gemeinsame Kinder hatte Salomon in dieser Zeit nicht zu versorgen; erst mit seiner zweiten Ehefrau Lena Falk, die er 1948 heiratete, gründete er eine Familie (zu biographischen Details vgl. auch Klein 1994). CZ und Salomon kannten sich persönlich nicht, wie aus Salomons lobender Besprechung von CZs *Fastnachtsbeichte* hervorgeht (Salomon, *Die Klassiker sind unter uns,* in: *Die Zeit* vom 25. Dezember 1959, S. 9). In CZs Autobiographie wird Salomon und sein Roman *Die Geächteten* nur einmal beiläufig erwähnt (vgl. *Als wär's ein Stück von mir,* S. 322).

Schlageternimbus] Vgl. S. 235 f., Anm. zu *Johst.*

Fechter] Paul Fechter (1880-1958) war von 1906 bis 1910 Feuilletonredakteur bei den *Dresdner Neuesten Nachrichten*, von 1911 bis

1915 bei der *Vossischen Zeitung* und nach dem Ersten Weltkrieg bei der *Deutschen Allgemeinen Zeitung* (DAZ). Fechter hatte CZ 1925 als Vertrauensmann der Kleist-Gesellschaft den Kleistpreis für dessen Stück *Der fröhliche Weinberg* zugesprochen (vgl. *Als wär's ein Stück von mir*, S. 474). In der darauf einsetzenden Auseinandersetzung um das Stück verteidigte Fechter CZ energisch gegen den Vorwurf der »Unanständigkeit« (Paul Fechter, *Der Kampf gegen den Weinberg*, in: DAZ vom 26. Februar 1926, abgedruckt in Glauert 1977, S. 87-90). CZ war mit Fechter flüchtig bekannt: »Ich mußte«, so Fechter in seinem Buch *Menschen auf meinen Wegen. Begegnungen gestern und heute* (P. Fechter 1955, S. 70), »an den Abend denken, da wir nach dem Theater irgendwo mit Monty Jacobs, Frau Zuckmayer und noch ein paar Leuten zusammen saßen; wenig später kam Zuckmayer selbst, zusammen mit Egon Friedell, und nun erhob sich aus dem Stegreif zwischen Frau Zuckmayer, Zuckmayer und Friedell eine gespielte Liebes- und Eifersuchtsszene, die irrsinnig komisch war und wieder einmal Zuckmayers Begabung auch für das Theater des Lebens zeigte«. Aus den Jahren 1930 und 1931 sind in Fechters Nachlaß (im DLA) zwei Briefe CZs überliefert. Der erste wurde am 2. August 1930 im österreichischen Henndorf geschrieben und lautet: »Lieber Herr Dr. Fechter! Ihr Brief wurde mir hierher nachgeschickt und ich konnte daher leider die Karten nicht besorgen. Heute spielt die Volksbühne zum letzten Mal, schliesst über August und eröffnet am 1.9. wieder mit dem Weinberg. Ich habe Ihren Brief an meine berliner Sekretärin geschickt, der Herr braucht sie nur anzurufen oder eine Karte zu schreiben, dann besorgt sie ihm Anfang September für den ihm passenden Tag zwei Freikarten. Adresse: Frl. Müller, W30, Aschaffenburgerstr. 20 Tel: Pfalzburg 4362. Die Neuaufführung des Weinberg und der neue Erfolg [die Premiere der Inszenierung von Heinz-Dietrich Kenter fand am 20. Juli 1930 statt; der Theaterzettel mit der Besetzungsliste ist reproduziert bei Glauert 1977, S. 25], diese Bestätigung der gesunden Dauerhaftigkeit des Stückes und – wichtiger – der Richtigkeit des damals eingeschlagenen Wegs – war eine ganz grosse Freude für mich und erfüllte mich mit neuer, doppelter Dankbarkeit für Sie, der mich damals in den Sattel gesetzt hat. Heute, nachdem ein paar Jahre vergangen sind, in denen ich weiter gearbeitet habe, kann ich das sagen, ohne dass es phrasenhaft oder liebedienerisch klingt: Sie haben mir damals im entscheidenden Moment den rechten Stoss gegeben, das kann ich Ihnen nie genug danken. Es war wirklich, objektiv, grossartig von Ihnen, den ›Fröhlichen Weinberg‹ zu bepreisen, ich empfinde das umso stärker, da ich nächst⟨es⟩ Jahr selbst ›verteilen‹ muss, – ⟨›empfangen‹ ist entschieden angenehmer⟩. Ich weiss nicht, ob ich Ihnen damals ein Widmungsbuch des ›Fröhlichen Weinberg‹ geschickt habe, auf alle Fälle tue ichs jetzt, sollte es das zweite sein, so wird immerhin die Widmung von 1930 etwas anders klingen als die von 1925, und bestimmt noch herzlicher. Mit schönsten Grüssen! Ihr stets ergebener Carl Zuckmayer«. CZs zweiter Brief bezieht sich auf Fechters Polemik gegen die von CZ vorgenommene Auszeichnung Ödön von Horváths mit dem Kleist-Preis 1931. In Fechters Kritik, die am 3. November 1931 in der Abendausgabe der DAZ erschienen war, heißt es: »Der Verfasser dieses ›Volksstücks‹ [gemeint ist die am 2. November 1931 unter der Regie von Heinz Hilpert im Deutschen Theater Berlin uraufgeführte Komödie *Geschichten aus dem Wiener Wald*], den Carl Zuckmayer soeben mit dem halben Kleistpreis belehnt hat, ist von Hause aus Ungar. Man denkt: es ist wenigstens ein hübscher Zug von ihm, daß er nicht in seiner Muttersprache dichtet, sondern ein ihm fremdes Idiom mißbraucht. Weniger schön ist es von Zuckmayer, daß er ihm dafür, daß er als dieses fremde Idiom ausgerechnet unsere geliebte deutsche Muttersprache auserlesen hat, einen deutschen Literaturpreis zuerkannt hat. Man soll die Objektivität namentlich im Deutschen nicht zu weit treiben. In diesem Fall ist die Zuerteilung eines Preises, der auf den Namen Kleist hört, nicht einmal mehr mit geradezu perverser Objektivität zu entschuldigen. Denn diese Komödie ist ungefähr das dümmste, was je mit dem Anspruch, Literatur zu sein, über die Szene gegangen ist. [...] Zuckmayer wird viele gute Stücke schreiben müssen, bevor er die Krönung dieser Talentlosigkeit wieder gutgemacht hat. Zumal diese Talentlosigkeit eben so peinlich unsympathisch ist.« CZ schrieb daraufhin Fechter am 9. November 1931 aus Berlin: »Sehr geehrter Herr Fechter! Man schickt mir einen Ausschnitt aus der D.A.Z., den ich nicht unerwidert lassen möchte, und ich bitte Sie, obwohl ich nicht weiss, inwieweit das in Ihr Ressort fällt, meine Entgegnung weiterzugeben und ihren Abdruck zu veranlassen. Es handelt sich nicht um Polemik, denn ich bin kein Polemiker und würde niemals etwa auf eine Kritik, die ich ungerecht finde, oder dergleichen antworten. Es handelt sich hier nur um sachliche Feststellungen, die man auch dem Vertreter einer entgegengesetzten Überzeugung gern zubilligen wird. Sie persönlich hätte ich gern einmal gesprochen, – falls Sie glauben, dass man doch noch irgendwo eine gemeinsame Basis hat und über gegensätzliche Anschauungen fruchtbar und klärend reden kann. Sie wissen, wie sehr mir und meinem künstlerischen Empfinden alles ›Negative‹, – ›Analytisch-Zersetzende‹ fernliegt. Nur, über das, was positiv ist, was notwendig ist, was zwingend ist im Sinne künstlerischer und geistiger Wahrheit, aber auch im Sinn der heutigen deutschen Nation, darüber scheinen die Überzeugungen und Empfindungen der verantwortlichen Menschen so krass auseinanderzulaufen, dass es ein Jammer ist. Aber die Nation gerade braucht heute mehr denn je *jede* produktive Kraft, auch wenn sie sich nicht so leicht auf die gängige nationale Formel bringen lässt. Was Horvath anlangt: wo seine Schwächen sind, weiss ich und habe das auch zum Ausdruck gebracht. Aber dass man seine Stärke nicht sieht, das wundert mich. Als Sie vor sechs Jahren den ›Fröhlichen Weinberg‹ auszeichneten, waren auch Sie sich über die Schwächen klar und hatten den schönen Mut, trotz aller Missverständnisse für die Entwicklung eines Autors einzutreten. Erinnern Sie sich, dass auch Sie damals als ›Schänder des Heiligtums‹ angeprangert wurden? Es ist eine tragische Angewohnheit der Deutschen, dass sie immer die Differenzen im Zähler überschätzen und nie den grossen gemeinsamen Nenner sehen wollen. Müsste nicht eine Zeit kommen, die damit Schluss macht? Das ist die ernsteste Frage, die es heute für mich gibt. Mit den besten Grüssen! Ihr sehr ergebener Zuckmayer«. Die beigefügte Stellungnahme wurde in der DAZ nicht veröffentlicht. In den Nachlässen CZs und Fechters ist sie nicht überliefert. – Fechter verließ die DAZ im Herbst 1933, um mit Fritz Klein und Peter Bamm die Wochenzeitung *Deutsche Zukunft* zu gründen, deren Mitherausgeber er bis 1940 war (vgl. S. 322, Anm. zu *verboten*). Von 1933 bis 1942 gab Fechter zusammen mit Rudolf Pechel auch die *Deutsche Rundschau* heraus. Von 1937 bis 1939 arbeitete er am *Berliner Tageblatt*. 1939 kehrte er ins Feuilleton der DAZ zurück, wo er bis 1945 blieb (zur Biographie vgl. S. Fechter 1964, S. 17-39). Von 1938 an war Fechter Mitglied der Mittwochsgesellschaft, eines »gelehrte[n] und gesellige[n] Kreis[es] für wissenschaftliche Unterhaltung«, in dem sich seit 1939 maßgebliche Protagonisten des Hitler-Attentats vom 20. Juli 1944 zusammenfanden, namentlich Ulrich von Hassel, Ludwig Beck, Johannes Popitz und Jens Jessen, wobei sich die Mittwochsgesellschaft als Ganzes nicht mit der Gruppe der Verschwörer deckte (vgl. Scholder 1982, S. 30; Fechter beschreibt die Mittwochsgesellschaft in P. Fechter 1948, S. 365-417). Bekannt sind vor allem Fechters drei verschiedene Literaturgeschichten: in der ersten Ausgabe seiner völkisch orientierten *Dichtung der Deutschen* (1932) wird CZ kurz als Dichter der »Volkswirklichkeit« erwähnt (P. Fechter 1932, S. 856). In der

zweiten, an entsprechenden Stellen gekürzten und umgeschrie-
benen Ausgabe unter dem Titel *Geschichte der deutschen Literatur*
(1941) ist ein zusätzliches Kapitel angefügt, in dem Fechter nationalkonservative und nationalsozialistische Autoren (u.a. Hitler
und Alfred Rosenberg [P. Fechter 1941, S. 758-760]) bespricht und
die Literatur der Weimarer Republik verwirft. Hier wird CZ beiläufig »in seinen expressionistischen Anfängen« den »Sexual-
dram[en]« Ferdinand Bruckners und Hans Henny Jahnns zugesellt (ebd., S. 745). Dennoch sollte die Neuausgabe auf Anweisung
des Reichspropagandaamtes in der Presse ignoriert werden; aus
der Ausgabe von 1932 schloß man im Propagandaministerium,
daß »Fechter nicht als Repräsentant der Literaturvermittlung im
Geiste der heutigen Zeit angesehen werden« könne (vgl. Wulf
1989, Bd. 2, S. 306). In der dritten Ausgabe (1952) findet sich eine
ausführliche Würdigung CZs (P. Fechter 1952, S. 619-621). Nach
dem Zweiten Weltkrieg hatten CZ und Fechter, der von 1954 bis
1956 zusammen mit Joachim Günther Herausgeber der *Neuen
Deutschen Hefte* war, allem Anschein nach keinen Kontakt mehr.

Einsatz für Ernst Barlach] Am 14. Januar 1934 druckte Fechter in
der *Deutschen Zukunft* einen Nachdruck des Stammbaums der
Familie Barlach von Friedrich Dross, der zuerst in den *Mecklen-
burgischen Monatsheften* erschienen war (vgl. S. 201, Anm. zu
Barlach). Am 19. August 1934 folgte Fechters Aufsatz *Die Tragödie
der Kunst* über die Beseitigung des Magdeburger Ehrenmals, das
Barlach 1929 als Gefallenendenkmal im Auftrag des Preußischen
Kulturministeriums geschaffen hatte und das auf Antrag des
Domgemeinderats und des Reichsministers für Erziehung und
Volksbildung seiner »pazifistischer Grundstimmung« wegen aus
dem Magdeburger Dom entfernt und in der Nationalgalerie in
Berlin eingelagert worden war. Ein weiterer langer Aufsatz über
Barlach, den Fechter für die *Deutsche Rundschau* geschrieben hatte,
wurde nicht veröffentlicht (in seinem Nachlaß im DLA sind die
Korrekturfahnen mit dem aufgedruckten Datum »11. Okt. 35«
überliefert). 1935 veröffentlichte Barlach im Piper-Verlag das
Buch *Zeichnungen*, das Fechter einleitete. Im Verlag wurden am
24. März 1936 alle Exemplare dieses Buchs von der Bayerischen
Politischen Polizei beschlagnahmt (vgl. die Vornotiz zur Neuausgabe [München 1948]). Reinhard Piper schrieb dazu am 20. Mai
1936 an Barlach: »Manche Leute haben mir übrigens gesagt, die
Beschlagnahme könne auch schon durch den Fechter'schen Text
verursacht sein, weil hier gleich zu Anfang gesagt wird, daß im
dritten Reich der Kunst Barlachs Widerstand entgegengesetzt

werde und weil das dritte Reich eben nicht dulden könne, daß, trotzdem dies eigens hervorgehoben werde, ein Buch über diesen Künstler erscheine – daß also sozusagen offiziell und bewußt der Widerstand des dritten Reiches durch die Veröffentlichung ignoriert werde, resp. diese sich darüber hinwegsetze« (zit. nach Piper-Almanach 1964, S. 398). Auf die Beschlagnahme des Buches hin scheint Fechter am 3. April 1936 eine Eingabe bei Goebbels gemacht zu haben, in der er sich für die Aufhebung des Verbots einsetzte, weil »in diesem Bildhauer und Dichter eine der wesentlichsten Kräfte von heute am Werke ist, und weil ich für meinen Teil dazu beitragen wollte, die Missverständnisse zum wenigsten zu mindern, die sich immer wieder um sein Werk und seine Persönlichkeit ergeben [...]; ich nehme mir in diesem Fall doch den Mut, mich an Sie zu wenden, weil es sich hier um die Person und das Ansehen eines Künstlers handelt, für den einzustehen ich mich nicht nur in diesem jetzt so schwer angegriffenen Buche verpflichtet fühlte« (Entwurf der Eingabe im DLA, Nachlaß Paul Fechter). Nach Auskunft Sabine Fechters, der Tochter von Paul Fechter, hat Goebbels nicht geantwortet (vgl. Dross 1969, S. 860).

Klein] Der aus Siebenbürgen stammende Fritz Klein (1895-1936) wurde 1922 Leiter des außenpolitischen Ressorts der *Deutschen Allgemeinen Zeitung* und 1925 deren Chefredakteur. Als Beobachter nahm er 1925 an der Konferenz von Locarno und an Sitzungen des Völkerbundes in Genf teil. Aufgrund des Leitartikels *Bruderkampf* vom 29. Mai 1933, der Hitlers Politik gegen Österreich kritisierte, mußte er aus der anschließend für drei Monate verbotenen Zeitung ausscheiden (vgl. Silex 1968, S. 131-134). Er gründete daraufhin zusammen mit Paul Fechter die Wochenschrift *Deutsche Zukunft*. Als k.u.k. Oberleutnant trat er freiwillig in die Reichswehr ein, wo er bei einer Übung verunglückte. Über Kontakte zu CZ konnte nichts ermittelt werden. In CZs Autobiographie wird er nicht erwähnt.

›*Kunstbetrachter*‹] Das Wort »Kunstkritik« wurde auf Anordnung des Propagandaministers vom 27. November 1936 verboten und durch das Wort »Kunstbetrachtung« ersetzt. Dazu hieß es in der Anordnung: »An die Stelle der bisherigen Kunstkritik, die in völliger Verdrehung des Begriffes ›Kritik‹ in der Zeit jüdischer Kunstüberfremdung zum Kunstrichtertum gemacht worden war, wird ab heute der Kunstbericht gestellt; an die Stelle des Kritikers tritt der Kunstschriftleiter. Der Kunstbericht soll weniger Wertung, als vielmehr Darstellung und damit Würdigung sein« (zit. nach Wulf 1989, Bd. 3, S. 128; vgl. auch ebd., Bd. 4, S. 87).

Streicher] Der nationalsozialistische Politiker Julius Streicher (1885-
1946) war zunächst Volksschullehrer. Nach seiner Teilnahme am
Ersten Weltkrieg gehörte er 1920 zu den Gründern der Deutsch-
sozialen Partei, von der er 1922 mit 2000 anderen Parteigenossen
zur NSDAP wechselte. Im folgenden Jahr gründete er die antisemitische Wochenzeitschrift *Der Stürmer*, die er bis 1945 leitete.
1925 wurde er Stadtrat für die NSDAP in Nürnberg und Gauleiter
der fränkischen Regierungsbezirke. Seit 1933 war er Mitglied des
Reichstages und stand dem ›Zentralkomitee zur Abwehr der jüdischen Greuel- und Boykotthetze‹ vor. Streicher gilt als maßgeb-
licher Initiator der Nürnberger Gesetze. 1939 wurde gegen ihn
Anklage erhoben, u.a. wegen Korruption. Im Februar 1940 ist er
von allen Parteiämtern enthoben worden, durfte aber den Titel
Gauleiter und die Herausgeberschaft des *Stürmers* behalten. Er zog
sich daraufhin auf sein Gut bei Cadolzburg zurück. 1945 wurde er
verhaftet und bei den Nürnberger Prozessen zum Tode verurteilt.
verboten] Gerd Renken beurteilt die *Deutsche Zukunft* als ein Organ
des geistigen Widerstands (vgl. Renken 1970). Sie trat immer wieder
für jüdische oder unerwünschte Künstler ein, beispielsweise in den
Nekrologen für Samuel Fischer (42/1934), Julius Levin (6/1935)
und Max Liebermann (7/1935) oder in Beiträgen über Albert
Bassermann (20/1934) und Erich Ziegel (32/1934). In der letzten
Nummer der *Deutschen Zukunft* vom 2. Juni 1940 (22/1940) findet
sich neben einem »Abschieds-Leitartikel« des Hauptschriftleiters
Werner Wirths folgende Ankündigung des Deutschen Verlags, zu
dem die Zeitschrift seit 1938 gehörte: »Mit dem heutigen Tage stellt
die ›Deutsche Zukunft‹ ihr Erscheinen ein und geht in der neuen,
großen Wochenzeitung ›Das Reich‹ auf. Die publizistischen Aufgaben der ›Deutschen Zukunft‹ werden von der neuen Wochenzeitung in größerem Rahmen gelöst werden, gleichzeitig werden
die Ihnen bekannten Schriftleiter und Mitarbeiter auch im ›Reich‹
wieder zu Wort kommen.« Nach Angaben Fechters wurde die
Deutsche Zukunft auf Betreiben des Verlags, der über die Deutsche
Verlagsanstalt zum nationalsozialistischen Eher-Verlag gehörte,
durch das neugegründete *Reich* ersetzt; auf ein Verbot deutet jedoch nichts hin (vgl. P. Fechter 1949, S. 152). Fechter berichtet von
der vom Propagandaministerium ausgehenden Weisung an den
neuen Hauptschriftleiter Eugen Mündler, alle Mitarbeiter der
Deutschen Zukunft außer Fechter ins *Reich* hineinzunehmen
(ebd., S. 154). Der Brief Mündlers, auf den er sich stützt, ist in
Fechters Nachlaß allerdings nicht überliefert. In einem Brief vom
6. Oktober 1949, in dem sich Mündler für die Übersendung des

Buchs *An der Wende der Zeit* bei Fechter bedankte, heißt es jedoch: »Nun machen Sie die Bemerkung, ich hätte wohl einiges darüber sagen können, weshalb man Sie einst im Ministerium des Herrn Goebbels nicht sonderlich liebte. Ich kann darüber nur Allgemeines sagen. [Erich] Schwarzer [von 1937 an Chefredakteur des *Berliner Tageblatts*] oder irgendeiner der Herren aus dem sogenannten Verwaltungsamt oder aus dem Ministerium deutete mir an, dass Sie bei Herrn Goebbels als eine persona minus grata gälten, dass ich also bei der Erteilung von Aufträgen an Sie eine gewisse Vorsicht walten lassen solle. Mir aber lag daran, aus Ihrer Arbeit möglichst grossen Nutzen für das Blatt zu ziehen, denn gutgläubig, ja, naiv wie ich war, hoffte ich, es werde und müsse gelingen, allmählich wieder einen freieren Zeitungstyp zu entwickeln. Dafür sah ich nur einen Weg: man musste den Zeitungen, die dafür geeignet waren, eine gewisse geistige Unter- oder Hintergründigkeit geben, die von den normalen Aufpassern in den Ämtern nicht so leicht durchschaut werden konnte. Wer wäre für eine solche Aufgabe besser geeignet gewesen als Sie, sehr verehrter Herr Fechter? In der damaligen offiziellen Sprache erschien dieser Gedanke etwa in folgender Form: Wenn Sie Menschen mit einer gewissen Intelligenz ansprechen, ›erfassen‹ wollen, so müssen Sie intelligente Menschen schreiben lassen. Sie dürfen auch nicht vergessen, dass eine grosse Zeitung über die Grenze hinaus wirkt, draussen aber kritischere Menschen vorfindet, Menschen, die der für home-consumption bestimmten normalen Propaganda nicht zugänglich sind. Mit diesem Argument operierte ich [Otto] Dietrich [seit 1931 Reichspressechef der NSDAP, von 1938 an Pressechef der Reichsregierung und Staatssekretär im Propagandaministerium] gegenüber, der, wie Sie wissen, sich als Dilettant gern in philosophischen Bezirken tummelte und darauf sehr stolz war. Damit komme ich zu einem zweiten Punkt. Sie beobachteten bei mir ganz richtig eine gewisse Unsicherheit, als ich Sie zur Mitarbeit am ›Reich‹ einlud. Diese Unsicherheit rührte nicht daher, dass ich Schwierigkeiten für Sie oder mich befürchtete – schliesslich hat ja auch ein Mann wie Dr. Heuss im ›Reich‹ geschrieben – vielmehr hatte ich das Gefühl, damit von vornherein einer Ablehnung zu begegnen. Denn auch unser gemeinsamer Freund Wirths, mit dem ich darüber gesprochen hatte, sah kaum eine Chance für das Gelingen eines solchen Versuchs, schon gar nicht mehr, nachdem durchaus entgegen der ursprünglichen Zielsetzung Herr Goebbels angefangen hatte, die Leitartikel im ›Reich‹ zu schreiben. Richtig ist, dass mein Vorschlag, Ihnen die Leitung des kulturpolitischen Teils des ›Reichs‹ zu übertragen, abgelehnt worden war. Auch dieses Wissen mag bei mir zu der von Ihnen beobachteten Unsicherheit beigetragen haben. Gleichwohl war ich der Meinung, dass Sie, wie andere, hätten mitarbeiten können. Damals hätte ich das sehr begrüsst in der Hoffnung auf eine Fortsetzung Ihrer in der ›Zukunft‹ begonnenen Arbeit auf breiterer Basis. Und, wie ich hoffte, mit breiterer Wirkung. Denn auch im ›Reich‹ versuchte ich eine Lücke im Zaun zu finden und sie allmählich zu erweitern. Das wurde dadurch verhindert, dass eben Goebbels, angeblich auf Einladung der Herren vom Verwaltungsamt, in das Blatt eindrang und mit ihm ein paar von seinen wenig erfreulichen Mitarbeitern. Immerhin konnten wir uns im Feuilleton, in dem ja auch Eduard Spranger schrieb, noch eine Weile freier bewegen. Mit der Zeit wurde freilich auch das gefährlich und führte häufig zu Auseinandersetzungen mit dem Ministerium, mit Rosenbergs Leuten und schliesslich auch mit der SS« (DLA, Nachlaß Paul Fechter).

Wigman] Die Tänzerin und Choreographin Mary Wigman, eigentl. Marie Wiegmann (1886-1973), gründete 1920 eine eigene Schule für Ausdruckstanz, für den sich CZ zu Beginn der 1920er Jahre »entflammte« (vgl. *Als wär's ein Stück von mir*, S. 391). Vor dem »Anschluß« Österreichs besuchte sie CZ »in seiner ›Mühle‹ bei Salzburg« (H. Müller 1986, S. 244). Den Nationalsozialisten war sie wegen ihrer Kontakte zu Juden und sozialdemokratischen Organisationen suspekt. Ihre Arbeit wurde seit 1933 von öffentlicher Seite immer mehr erschwert (ebd., S. 222, 229-231). Wigman, die sich nach Müller nicht in politisch motivierter Opposition zum Regime befand (ebd., S. 242), wirkte 1936 mit dem Tanzwerk *Totenklage* an den Olympischen Spielen mit. 1937 kam es zum endgültigen Bruch mit den Machthabern und damit zu einem Ende der öffentlichen Subventionen. 1942 gab sie ihre Schule in Dresden auf und lehrte in Leipzig an der Hochschule für dramatische Kunst. 1943 choreographierte sie Hanns Ludwig Niedecken-Gebhards Inszenierung der *Carmina Burana* von Carl Orff in Leipzig. Nach Kriegsende gründete sie dort erneut eine Tanzschule, mit der sie 1949 nach Berlin-Dahlem übersiedelte. Der Nachlaß von CZ enthält einen Brief Mary Wigmans vom 17. Februar 1953, in dem sie sich begeistert über dessen 1952 veröffentlichte Goethepreisrede *Die langen Wege* äußert. Zu persönlichen Kontakten ist es nach dem Zweiten Weltkrieg jedoch offensichtlich nicht gekommen. Vgl. zur Biographie auch Fritsch-Vivié 1999.

Niedecken-Gebhardt] Hanns Ludwig Niedecken-Gebhard (1889-1954) war Opernregisseur und Theaterleiter. In seinem Heimatort

Ober-Ingelheim hatte er im März 1928 mit einer Laientheatergruppe CZs *Schinderhannes* aufgeführt. Bernhard Helmich spricht von einer nahen Freundschaft zwischen CZ und Niedecken-Gebhard, die auch in den ersten Jahren des Nationalsozialismus weiterbestanden habe (Helmich 1989, S. 141; vgl. dazu auch das Nachwort zu dieser Edition, S. 473). Von 1924 bis 1927 war Niedecken-Gebhard Intendant des Stadttheaters Münster, wo er sich mit Rudolf Schulz-Dornburg enthusiastisch für ein auf Gemeinschaftserleben zielendes kultisches Theater engagierte (vgl. Helmich 1989, S. 90-96). Nach einigen Gastengagements und zunehmenden beruflichen Engpässen ging er nach New York und inszenierte von 1931 bis 1933 an der Metropolitan Opera. Im März 1933 kehrte er nach Deutschland zurück, wo er als Experte für Massen- und Festspielregie nun gemeinsam mit Wilhelm Gerst, dem Geschäftsführer des ›Reichsbundes für deutsche Freilicht- und Volksschauspiele‹, zu einem der maßgeblichen Förderer der neuen Thingspielbewegung wurde (vgl. ebd., S. 151-166). Es folgten unzählige Festspiel-Inszenierungen, u.a. 1934 bei den Reichsfestspielen Heidelberg, bei den Göttinger Händel-Festspielen und bei den Olympischen Spielen 1936. 1940 wurde ihm von Goebbels die Leitung der prestigeträchtigen Deutschen Tanzbühne übertragen, die ihm jedoch bereits ein Jahr später wieder entzogen worden ist. Bis Kriegsende war Niedecken-Gebhard dann an den Städtischen Bühnen Leipzig engagiert und lehrte an der dortigen Hochschule für Musik. 1945 wurden ihm von den sowjetischen Behörden alle Ämter entzogen. Von 1946 an bis 1954 inszenierte er wieder die Göttinger Händel-Festspiele und lehrte von 1947 bis 1954 an der dortigen Universität Theaterwissenschaften. Nach dem Zweiten Weltkrieg ergab sich nochmals ein brieflicher Kontakt zu CZ: 1950 bat Niedecken-Gebhard ihn um Unterstützung bei seinem Versuch, am Deutschen Theater Göttingen bei Heinz Hilpert unterzukommen. Ein Engagement bei Hilpert kam jedoch nicht zustande; Niedecken-Gebhard inszenierte statt dessen gastweise an verschiedenen kleineren Theatern. In CZs Autobiographie wird er nicht erwähnt.

Skandalprozess] Hinweise auf einen solchen Prozeß konnten nicht gefunden werden. In Bernhard Helmichs Dissertation heißt es dazu, Niedecken-Gebhards Vertrag mit dem Stadttheater Münster sei nach der Spielzeit 1926/27 nicht verlängert worden, weil der Intendant den Vorstellungen und Wünschen der Stadt bezüglich der Spielplangestaltung nicht entsprochen habe. Zu den künstlerischen Differenzen gesellten sich noch finanzielle Schwierigkeiten des Theaters (Helmich 1989, S. 115-117).

Bodanski] Der österr. Dirigent Artur Bodanzky (1877-1939) gelangte nach Aufenthalten in Wien, Prag, Berlin und Mannheim 1915
an die Metropolitan Opera in New York und war dort Kapell-
meister. Von 1919 bis zu seinem Tod leitete er das New Symphony
Orchestra, dessen Oberspielleiter Niedecken-Gebhard von 1931
bis 1933 war.

Heinrich der Fünfundvierzigste] Heinrich XLV. Erbprinz Reuß
(1895-1945) war Intendant des Reußischen Theaters in Gera, das
durch seinen Einfluß in den 1920er Jahren progressiv orientiert
und überwiegend von »linker« Literatur dominiert war (vgl.
Rischbieter 2000, S. 209). Im Januar 1926 inszenierte CZ auf Einladung Heinrichs XLV. dort seinen *Fröhlichen Weinberg*. Er erinnert sich in seiner Autobiographie: »Selten habe ich in einer so
guten, produktiven Theater-Atmosphäre gearbeitet, die vor allem
dem Einfluß des künstlerisch ambitionierten Erbprinzen zu danken
war […]. Im selben Haus wurden damals Stücke von Brecht und
anderen provokativen Autoren gespielt, die selbst in der Berliner
›Jungen Bühne‹ Widerstände und Ärgernis erweckt hatten. Es gehört zu den grotesken und grausamen Mißverständnissen unserer
Zeit, daß nach dem Zweiten Weltkrieg der Erbprinz – seine Eltern
waren inzwischen verstorben – von der Sowjetbesatzung in ein
Lager verschleppt wurde, in dem er elend zugrunde ging« (*Als
wär's ein Stück von mir*, S. 485 f.). Zum 25jährigen Jubiläum des
Reußischen Theaters schrieb CZ einen Gratulationstext, der im
*Jahrbuch des Reußischen Theaters. Zum Jubiläum des Theaters
1902-1927*, hrsg. von Heinrich XLV. Erbprinz Reuß, Leipzig: Max
Beck 1927 veröffentlicht wurde. Mit CZ gehörte Heinrich XLV. zu
den Unterzeichnern des *Aufrufs an die Partei der Nichtwähler*, der
angesichts der bevorstehenden Reichtagswahlen am 14. September
1930 überparteilich zur Stimmenabgabe aufrief (vgl. Nickel/Weiß
1996, S. 218). Er engagierte sich aber auch in nationalkonservativen
Kreisen. Zu einer Dichtertagung auf Schloß Osterstein, die vom
30. Mai bis 2. Juni 1931 stattfand, lud er u.a. Wilhelm Schäfer,
Hermann Stehr, Börries Freiherr von Münchhausen, Erwin Guido
Kolbenheyer, Hanns Johst, Emil Strauß und Josef Magnus Wehner
ein. Als Ergebnis der Tagung, für deren Vorsitz ursprünglich der
nationalsozialistische thüringische Innenminister Wilhelm Frick vorgesehen war, wurde ein die »volksfremde« Literatur der Weimarer
Republik scharf angreifendes Manifest veröffentlicht und 1932 der
national-völkische Wartburgbund gegründet (vgl. Mittenzwei 1992,
S. 167-170). Als Heinrich XLV. sich 1935 für die Dresdener Generalintendanz bewarb, äußerte Reichsdramaturg Schlösser dennoch

große Bedenken, da er wie sein Konkurrent Thur Himighoffen
»politisch [...] ja auch nicht die rühmlichste Vergangenheit« habe
(vgl. Wulf 1989, Bd. 4, S. 116).

Eltern, vorm. regierenden Fürsten von Reuss-Gera] Der Vater des
Erbprinzen, Heinrich XXVII. Fürst Reuß (1858-1928), verheiratet
mit Elise Prinzessin zu Hohenlohe-Langenburg (1864-1929), regierte bis zur Novemberrevolution 1918.

Piscatorbühne] Vgl. S. 329, Anm. zu *Piscator*.

Frank] Gemeint ist Hans Franck.

Bröger] Karl Bröger (1886-1944) war der uneheliche Sohn eines
Schuhmachers und einer Bortenwirkerin und wuchs in ärmlichen
Verhältnissen auf. Er verließ die Realschule nach dem achten
Schuljahr, wurde Kaufmannslehrling und verdingte sich danach als
Tagelöhner. Er schloß sich der Arbeiterbewegung an und begann,
Gedichte zu schreiben, die er von 1910 an in den *Süddeutschen
Monatsheften* veröffentlichen konnte. 1912 erschien sein erster
Gedichtband. Im selben Jahr wurde er Redakteur der Nürnberger
Arbeiterzeitung *Fränkische Hauspost*, deren Feuilleton er von
1919 bis 1933 leitete. Daneben lehrte er an der Nürnberger Volks-
hochschule als Dozent für Literatur. Im März 1933 wurde er für
die SPD zum Stadtrat von Nürnberg gewählt. Im Juni 1933 ist er im
KZ Dachau interniert, im September 1933 aber wieder freigelassen
worden. Einige seiner Gedichte und Lieder wurden von den Nationalsozialisten zu Propagandazwecken verwendet. Eine Einordnung
Brögers als Arbeiterdichter im völkischen Sinne, wie sie Hans
Hermann Schulz vorgenommen hat (Schulz 1940, bes. S. 26-28), erklärt Gudrun Heinsen-Becker mit der Nähe von Brögers Themen –
Kriegserlebnis, Arbeit, Gemeinschaft – zur nationalsozialistischen
Ideologie (vgl. Heinsen-Becker 1977, S. 31-49). Bröger verhielt
sich in der NS-Zeit zurückhaltend und blieb »hinsichtlich seiner
wahren Motive schwer zu durchschauen« (König 1989, S. 247).
Über die Einschätzung Brögers kam es zu einer Auseinanderset-
zung, als in Koschs Literaturlexikon zu lesen war: »Bröger [...]
schloß sich später der nationalsozialistischen Bewegung an«
(Kosch 1949). Nach einer Gegendarstellung Constantin Bruncks
(Brunck 1950) folgte der Lexikonartikel der nächsten Auflage der
Brunck'schen Auffassung und charakterisierte Bröger als »nach
seinem Tod von der NSDAP fälschlich als ihr Anhänger erklärt«
(Kosch 1969). Gerhard Müller, der Brögers Leben im Zeitraum von
1933 bis 1944 auf der Grundlage von Archivalien detailliert dargestellt hat, kam zu dem Ergebnis: »Bröger war *Sozialdemokrat*, und
er blieb es auch. Es gibt keine Beweise dafür, daß er seine frühere

Haltung aufgekündigt und NS-Positionen vertreten hätte«
(G. Müller 1986, S. 50). Über Kontakte zu CZ konnte nichts ermittelt werden. In CZs Autobiographie wird Bröger nicht erwähnt.

Jhering] Herbert Ihering (1888-1977), Theaterkritiker und Publizist,
begann 1909 seine Karriere als Mitarbeiter von Siegfried Jacobsohns Theaterzeitschrift *Die Schaubühne*. Von 1918 bis 1933 war
er Redakteur des *Berliner Börsen-Couriers*. CZ lernte Ihering, der
sein 1920 uraufgeführtes Stück *Kreuzweg* im Gegensatz zu Alfred
Kerr lobend besprochen hat, Anfang der 1920er Jahre in Berlin
kennen. In seiner Autobiographie erinnert sich CZ dankbar der
wohlwollenden Förderung durch den Kritiker, der im *Börsen-
Courier* wiederholt literarische Versuche CZs abdrucken ließ (*Als
wär's ein Stück von mir*, S. 379 f. und 384). CZ nutzte diese Ver-
bindung 1923, als er Dramaturg in Kiel war, und erbat von Ihering
Schützenhilfe bei den Auseinandersetzungen um seine Komödie
Der Eunuch (vgl. Nickel 1997 a, S. 101-122). Bis 1933 begleitete
Ihering, der zu den entschiedenen Förderern Brechts gehörte, CZs
Entwicklung zunehmend ablehnend. Symptomatisch für Iherings
Kritik an CZ ist die Rezension des *Hauptmanns von Köpenick*,
den er »vom Standpunkt der Bühnenwirkung und der Rollen« als
CZs »bestes Stück« ansah und gleichwohl urteilte: »Aber es fehlt die
geistige Ordnung, in der sich alles abspielt. Das ist entscheidend.
Keine Mißverständnisse: Es ist gut, daß der ›Hauptmann von Köpenick‹ kein starres Tendenzstück geworden ist, daß er ›Kunst‹ sein
wollte. Aber Kunst kann nur auf dem Boden einer Weltanschauung,
einer Welteinstellung bestehen. Die Ordnung vermisse ich. Gut:
Zuckmayer betrachtet die Welt, er zeichnet sie. Aber ich sehe nicht
den festen Punkt, von dem aus er betrachtet. Er wechselt, er ist
verliebt in seine Personen. Er lenkt nicht den Geist des Zuschauers
dahin, von wo aus er betrachten soll« (*Berliner Börsen-Courier*
vom 6. März 1931, abgedruckt in Krull/Fetting 1987, 491 f.). 1934
wurde Ihering Nachfolger seines einstigen Gegenspielers Alfred
Kerr beim *Berliner Tageblatt*. 1936 schloß man ihn aus der Reichsschrifttumskammer aus (vgl. dazu auch S. 331, Anm. zu *Schrifttumskammer*). Er arbeitete nun als Besetzungschef bei der Tobis
Filmgesellschaft, wo er vor allem »vorbereitende Arbeit« für Jan-
nings-Filme leistete. 1942 berief ihn Lothar Müthel als Dramaturg
an das Wiener Burgtheater. 1945 wurde Ihering Chefdramaturg
des Deutschen Theaters Berlin. Nachdem er sich sehr für eine
Inszenierung des *Hauptmanns von Köpenick* eingesetzt hatte
(Premiere am 2. September 1947, Regie: Ernst Legal, Hauptrolle:
Paul Bildt), empfahl er den Theaterintendanten der Sowjetischen

Besatzungszone, *Des Teufels General* nicht zu inszenieren. CZ reagierte darauf am 12. August 1948 mit einem in der Wochenzeitung *Sonntag* veröffentlichten Brief (vgl. Nickel/Weiß 1996, S. 341-344). Bis in die 1970er Jahre standen CZ und Ihering dennoch in freundschaftlicher Verbindung, auch wenn zum Beispiel Iherings Rezension von CZs *Die Uhr schlägt eins* (1961) sehr kritisch ausfiel: »Zuckmayers Stück [...] hat keine Fabel. Es hat Menschen, es hat Schicksale, aber sie sind nicht miteinander verbunden, sie gehen aneinander vorbei. Sie zersetzen sich selbst, aber die Gegenwart wird nicht zur Historie und die Historie nicht zur Gegenwart. Der Zuschauer kann den Faden der Handlung nicht finden« (*Die andere Zeitung* [Hamburg] vom 10. Mai 1962). Nach der Uraufführung von CZs Drama *Das Leben des Horace A.W. Tabor* schrieb er allerdings »Ein kräftiges neues Stück von Zuckmayer. [...] Wir brauchen solche Stücke« (*Die andere Zeitung* [Hamburg] vom 3. Dezember 1964).

Piscator] Erwin Piscator (1895-1966) entwickelte in der Weimarer Republik das Programm eines politischen Theaters. Seine Inszenierungen, etwa seine Adaption von Schillers *Räubern* (1926), waren sehr umstritten, beim bürgerlichen Publikum aber auch recht erfolgreich. CZ konzipierte 1927 seinen *Schinderhannes* als expliziten Gegenentwurf gegen Piscators Theatervorstellungen. 1929 arbeiteten beide jedoch zusammen, als Piscator an Viktor Barnowskys Theater in der Königgrätzer Straße in Berlin CZs Bearbeitung des Schauspiels *What Price Glory* von Maxwell Anderson und Lawrence Stallings inszenierte. Piscator entschuldigte seine Beteiligung an dieser Aufführung in seinem 1929 erschienenen Buch *Das politische Theater* mit einer Geldverlegenheit und erklärte, »daß ich das Stück an meinem Theater weder angenommen noch in dieser Form herausgebracht haben würde« (Brauneck/Sterz 1986, S. 219). 1938 emigrierte er nach New York, wo er den Dramatic Workshop der New School for Social Research leitete. CZ unterrichtete 1940 als Professor für Drama an dieser Schule. Zu CZs Einschätzung von Piscator vgl. Nickel/Weiß 1996, S. 277.

Kerr] Alfred Kerr (1876-1948) war von 1919 bis 1933 Theaterkritiker des *Berliner Tageblatts*. U.a. wegen seiner kritischen Urteile über Bertolt Brecht, den er mehrfach als Plagiator angriff, befand er sich im Widerspruch zu den theaterkritischen Ansichten Herbert Iherings. CZs Stücke hat Kerr mit Ausnahme des *Fröhlichen Weinbergs* und des *Hauptmanns von Köpenick* negativ besprochen; vgl. seine Rezensionen *Carl Zuckmayer: ›Kreuzweg‹. Staatstheater*, in:

Berliner Tageblatt vom 11. Dezember 1920, Morgen-Ausgabe, *Carl Zuckmayer: ›Pankraz erwacht oder: Die Hinterwäldler.‹ Ein Stück aus dem fernen Westen. Deutsches Theater: Junge Bühne*, in: *Berliner Tageblatt* vom 16. Februar 1925, Abend-Ausgabe, *›Der fröhliche Weinberg‹*, in: *Berliner Tageblatt* vom 23. Dezember 1925, Morgen-Ausgabe, *Der Schinderhannes*, in: *Berliner Tageblatt* vom 15. Oktober 1927, Abend-Ausgabe, *Zuckmayer: ›Katharina Knie‹. Lessing-Theater*, in: *Berliner Tageblatt* vom 22. Dezember 1928, Abend-Ausgabe, *Zuckmayer: ›Rivalen‹. Königgrätzerstraße*, in: *Berliner Tageblatt* vom 21. März 1929, Abend-Ausgabe, *Zuckmayer: ›Kakadu-Kakada‹. Künstlertheater*, in: *Berliner Tageblatt* vom 20. Januar 1930, Abend-Ausgabe, *Adalbert in Köpenick. Deutsches Theater*, in: *Berliner Tageblatt* vom 2. Juni 1931, Abend-Ausgabe, *Zuckmayer und Hilpert: ›Kat‹. (Nach Hemingway). Deutsches Theater*, in: *Berliner Tageblatt* vom 2. September 1931, Abend-Ausgabe. 1933 floh er über Prag, Wien und Zürich nach Paris. 1935 zog er nach London und nahm die britische Staatsbürgerschaft an. Welchen Stellenwert CZ dem Urteil Kerrs beimaß, zeigt sich in seiner Autobiographie (vgl. *Als wär's ein Stück von mir*, S. 378 f., 381, 463, 480, 482, 510).

›*Kritik*‹] Eberhard Wolfgang Möllers antisemitisches Drama *Rothschild siegt bei Waterloo* ist am 6. Oktober 1934 parallel in Aachen und Weimar uraufgeführt und danach von der NS-Presse als wichtiges Ereignis beim Aufbau einer völkischen Dramatik gefeiert worden. Bei den Münchener Festwochen 1936 forderte Reichsdramaturg Schlösser seine erneute Aufführung. Otto Falckenberg, der Intendant der Münchener Kammerspiele, versuchte zunächst, einen Tausch mit einem Historienstück von Rehberg durchzusetzen, erhielt jedoch die strikte Anweisung Schlössers, Möllers Drama zu inszenieren. Ihering, der vom Berliner Tageblatt als Berichterstatter nach München entsandt worden war, verweigerte zwar nicht die Rezension (so Krull/Fetting 1987, S. 595), schrieb aber nur einen knappen Bericht, in dem er die Fabel als anekdotisch und deshalb undramatisch kritisierte. Sie habe, so Ihering, »keine personenbildende Macht. Es fehlen die Gegenspieler, die aneinander dramatisch entwickelt werden könnten« (*Rothschild siegt bei Waterloo*, in: *Berliner Tageblatt* vom 14. Mai 1936, Abend-Ausgabe). Dieser Beitrag Iherings, dessen Rezensententätigkeit schon 1935 in einem Brief von Bernhard Graf Solms an Hans Hinkel als »Wühlarbeit des bekannten Piscator-Förderers« und als »bewußte und konsequente Sabotage am nationalsozialistischen Aufbau« bezeichnet wurde (Wulf 1989, Bd. 4, S. 27 f.) führte zum Ausschluß aus der ›Reichsschrifttumskammer‹. Vgl. auch Dieter Mayers Beitrag Zuckmayer und Ihering im Zuckmayer-Jahrbuch, Bd. 6 (2003).

Tobis] Die 1928 gegründete Filmgesellschaft Ton-Bild-Syndikat (Tobis) war nach der Ufa der zweitgrößte Filmkonzern Deutschlands. Sie wurde zwischen 1935 und 1939 stückweise von der Cautio GmbH des nationalsozialistischen Strohmanns Max Winkler übernommen und wurde damit, wie die Ufa, »reichsunmittelbar«; 1937 stand die Tobis, deren Anteilsmehrheit bei der Cautio lag, bereits unter dem Einfluß des Propagandaministeriums (vgl. Becker 1973, S. 154-158; Moeller 1998, S. 114). Emil Jannings wurde 1937 Mitglied und 1938 Vorsitzender des Aufsichtsrates. Als Produktionschef löste 1937 der Regisseur Hans H. Zerlett den seit 1929 amtierenden Fritz Mainz ab und führte die Tobis bis Ende 1938. 1939 übernahm »Reichsfilmdramaturg« Ewald von Demandowsky diesen Posten.

›Script-Doctor‹] Ihering wurde um 1937 Besetzungschef bei der Tobis.

Schrifttumskammer] Am 16. Juni 1936 wurde Ihering aus der Reichsschrifttumskammer ausgeschlossen und ihm jede »schriftleiterische Tätigkeit« mit Hinweis auf seine Verleihung des Kleist-Preises 1922 an Brecht untersagt. In einem Brief an die Redaktion des *Sonntags*, in dem Ihering am 9. September 1956 die Spielplangestaltung von Gustaf Gründgens kritisiert hatte, berichtet Gründgens von seinem erfolglosen Einsatz im Juni 1936 bei Hanns Johst, um den ihn der Kritiker angesichts seines drohenden Ausschlusses gebeten habe (abgedruckt in Badenhausen/Gründgens-Gorski 1967, S. 330). Peter Michalzik hingegen kolportiert den Tatsachen nicht entsprechende Gerüchte einer zum Ausschluß führenden, aber nicht zu belegenden Intrige Gründgens' gegen Herbert Ihering wegen dessen nicht durchweg positiver Kritik einer Hamlet-Inszenierung (Michalzik 1999, S. 141; vgl. auch S. 332 f., Anm. zu *Wedekind, Pamela* und *Ehe mit Klaus Mann*).

Direktor des Burgtheaters] Am 12. März 1938 wurde im Zuge des »Anschlusses« Österreichs an das Deutsche Reich der bisherige Direktor des Burgtheaters, Hermann Röbbeling, von Mirko Jelusich als kommissarischem Leiter abgelöst. Joseph Goebbels akzeptierte jedoch Jelusich nicht als Direktor, sondern setzte Lothar Müthel in dieses Amt ein. Müthel konnte aufgrund eines schweren Autounfalls seine Stelle zunächst nicht antreten und wurde deshalb provisorisch vom 23. August 1938 bis zum 30. April 1939 durch Ulrich Bettac vertreten (vgl. Rathkolb 1991, S. 157 f.). Am 1. Mai 1939 übernahm dann Müthel die Direktion, die er bis zum 30. April 1945 innehatte. Von 1942 bis 1944 war Ihering, von Müthel berufen, Dramaturg am Burgtheater.

Stiefsohn] Kaspar Königshof (geb. 1920), der Pflegesohn von Ihering, besuchte – wie CZs Tochter Winnetou nach ihrer Flucht aus Österreich bis zur Emigration in die USA – die reformpädagogische Schule von Max Bondy (1892-1951) in Gland am Genfer See.
Boarding School] Internat.
Wedekind] Die österr. Schauspielerin Tilly Wedekind, geb. Newes (1886-1970), lernte 1905 in Wien bei der geschlossenen Erstaufführung der *Büchse der Pandora*, in der sie die Rolle der Lulu spielte, Frank Wedekind kennen, den sie 1906 heiratete. Von 1908 bis 1918 lebte sie in München, trat am dortigen Schauspielhaus auf und gastierte in zahlreichen Städten mit Stücken Wedekinds, deren Verbreitung sie sich nach seinem Tod 1918 hauptsächlich widmete. Sie spielte seither abwechselnd in Berlin und München. CZ lernte sie während dessen Zeit als Dramaturg an den Münchener Kammerspielen 1923 bei der Probenarbeit zu *Maria Stuart* kennen, und sie bemerkte »allmählich, daß er, wie viele Naturburschen, auch kokett war, das heißt, ganz so naturburschenhaft, wie er sich gab, war er eben nicht, jedenfalls durchaus nicht ungebildet« (Wedekind 1969, S. 223; vgl. auch *Als wär's ein Stück von mir*, S. 437 f.). 1939 besuchte sie ihre 1937 in die USA emigrierte Tochter Kadidja, kehrte aber noch vor Kriegsbeginn ins Deutsche Reich zurück. Zuletzt lebte sie mit ihrer Tochter Pamela am Starnberger See.
Pamela] Pamela Wedekind (1906-1986), Tochter von Frank und Tilly Wedekind, wurde wie ihre Mutter Schauspielerin. CZ lernte sie 1923 in seiner Münchener Zeit kennen (vgl. *Als wär's ein Stück von mir*, S. 438). Dazu heißt es in Klaus Manns 1932 veröffentlichter Autobiographie *Kind dieser Zeit*: »Damals war Pamela mit dem Carl Zuckmayer befreundet, der, in eine rote Pferdedecke eingewickelt, in Wedekinds Arbeitszimmer mit dem prachtvollsten Temperament Heilsarmeelieder brüllte. (Etwas später, als ich es vor Lust ans Tingeltangel zu gehen, gar nicht mehr aushalten konnte, schrieb er mir den Empfehlungsbrief an Walter Mehring, den die Presse auf entstellte Art berühmt gemacht hat [konnte nicht ermittelt werden] und in dem er berichtete, wie mein Vater und Rainer Maria Rilke im Englischen Garten sich miteinander vergangen hätten, und so sei ich entstanden« (zit. nach Naumann 2000, S. 217). 1925/26 trat Pamela Wedekind mit Erika und Klaus Mann sowie Gustaf Gründgens in Klaus Manns Stück *Anja und Esther* auf, 1927 auf namhaften Bühnen in ganz Deutschland in dessen *Revue zu Vieren*. Anschließend war sie in Königsberg, Leipzig und Berlin engagiert, bis sie 1929 den Dramatiker Carl Sternheim heiratete, mit dem sie 1930 nach Brüssel ging. Nach ihrer

Trennung von Sternheim 1934 vermittelte Emmy Sonnemann, die spätere Ehefrau Hermann Görings, sie ans Staatstheater Berlin, wo Pamela Wedekind unter Gründgens bis 1943 engagiert war (vgl. Wedekind 1969, S. 257). Nach dem Krieg trat sie in München auf und lebte bei ihrer Mutter am Starnberger See.

Ehe mit Klaus Mann] Pamela Wedekind und Thomas Manns Kinder Klaus (1906-1949) und Erika (1905-1969) hatten sich im Herbst 1923 im Haus von Heinrich Mann kennengelernt. »Zu dem Kreis dieser amüsanten Kinder«, heißt es in Tilly Wedekinds Autobiographie, »gehörte auch der hochbegabte Rickie Hallgarten [...] und die schon älteren W.E. Süskind und Carl Zuckmayer« (Wedekind 1969, S. 226). Im Sommer 1924 verlobten sich Pamela Wedekind und Klaus Mann. Auch dessen Schwester Erika und Pamela Wedekind verband eine tiefe und langjährige Freundschaft, wie Irmela von der Lühe in ihrer Erika-Mann-Biographie feststellt. Sie stützt sich dabei auf unveröffentlichte Briefe von Erika Mann und spricht von einem herzlichen Verhältnis bis mindestens 1929 (vgl. von der Lühe 1993, S. 288). Zur Heirat von Klaus Mann und Pamela Wedekind kam es jedoch nicht; als sie am 17. April 1930 den Dramatiker Carl Sternheim heiratete, brach Klaus Mann den Kontakt mit ihr ab.

Bannfluch] Thomas Mann war, so sein Sohn Klaus in seiner Autobiographie *Der Wendepunkt* (Reinbek 1984, S. 137), »unsere neue Gefährtin [...] entschieden unheimlich«. Doch erst zu Beginn der 1930er Jahre kühlte sich die Beziehung nicht nur von Klaus, sondern auch von Erika Mann zu Pamela Wedekind ab. Während der Emigration der Familie Mann war der Kontakt ganz abgebrochen. Erst mit Klaus Manns Tod 1949 fand wieder eine kurze Annäherung zwischen Erika Mann und Pamela Wedekind statt, die 1957 mit einem Zerwürfnis endete, da ihre »Ansichten über die Emigration, Gustaf Gründgens und die politische Landschaft der Nachkriegszeit« unvereinbar waren (von der Lühe 1993, S. 288). Die in die USA emigrierte Schwester Pamela Wedekinds, Kadidja Wedekind, stand dagegen während des Krieges mit der Familie Mann in Kontakt (vgl. die Einträge Thomas Manns vom 17. Dezember 1940 und vom 26. Juni 1945, zit. nach Jens 1982, S. 194 und Jens 1986, S. 220).

Forst] Der österr. Schauspieler und Regisseur Willi Forst (1903-1980) kam 1925 nach Berlin und spielte dort zunächst am Metropol- und am Lessing-Theater sowie von 1928 bis 1931 am Deutschen Theater. Anschließend widmete er sich vor allem der 1922 begonnenen Filmarbeit und führte 1933 erstmals mit dem Schubert-

Portrait *Leise flehen meine Lieder* erfolgreich Regie. Sein Film *Maskerade* (1934) mit Paula Wessely wurde ein Welterfolg und etablierte Forst als Regisseur von romantischen Filmen, die im Wien der Jahrhundertwende spielten. 1933 kehrte Forst aus Berlin zurück nach Wien, gründete 1936 seine eigene Filmgesellschaft, die Willi Forst-Film Produktion GmbH Wien, die seit 1937 als Deutsche Forst-Filmproduktion GmbH Berlin geführt wurde. Vor dem »Anschluß« Österreichs waren *Maskerade* und *Burgtheater* (1936) die einzigen rein österreichischen Filmproduktionen. Forst blieb mit seinen Unterhaltungsfilmen bis Kriegsende erfolgreich. Nach 1945 gelangen ihm dagegen keine nennenswerten Erfolge mehr. 1957 zog er sich aus dem Filmgeschäft zurück. Forst und CZ hatten sich offenbar schon in CZs Henndorfer Zeit kennengelernt und in Berlin u.a. mit Ernst Udet verkehrt. Beide haben sich – wie Forsts Biograph Robert Dachs mitteilt – bei der Uraufführung von *Des Teufels General* am 14. Dezember 1946 in Zürich wiedergetroffen, zu der CZ Forst eingeladen hatte (vgl. Dachs 1986, S. 145-147). Über weitere Kontakte zu CZ konnte nichts ermittelt werden. In CZs Autobiographie wird er nicht erwähnt.

Pabst] Georg Wilhelm Pabst (1885-1967) arbeitete von 1922 an als Filmregisseur. Er war einer der Exponenten der Neuen Sachlichkeit und eines sozial engagierten Kinos. Am 23. März 1931 meldete die Zeitschrift *Film*, CZ schreibe für Pabst ein Drehbuch über den deutschen Bauernkrieg. Dazu sind jedoch in den Nachlässen von CZ und Pabst keine Vorarbeiten oder Korrespondenzen überliefert. Nach der »Machtergreifung« Hitlers kehrte Pabst, der sich in Frankreich aufhielt, nicht nach Deutschland zurück. Im August 1933 nahm er ein Angebot von Warner Bros. an und arbeitete von Oktober 1933 an in Hollywood. Da er dort keinen Erfolg hatte, ging er im Mai 1936 nach Frankreich zurück, wo er vier Filme drehte. Am 4. Oktober 1938 schrieb CZ an Albrecht Joseph: »Ich erwarte jetzt, nachdem es nicht gedonnert hat, gelegentlich eine Antwort von Pabst und bin gern bereit mit ihm wegen eines Sujets für seinen nächsten Film zu verhandeln. Auch da wäre gut, wenn man da jetzt schon zu einem Abschluss käme damit man zeitig genug vorarbeiten kann. Ich bin, unter uns, heute nicht gerade für einen Schleuderpreis, aber für normales Bargeld zu haben, wenn sichs um eine Sache dreht die mir erträglich erscheint.« Zu Treffen zwischen Pabst und CZ kam es, wie sich aus dessen Korrespondenz mit Albrecht Joseph erschließen läßt, bei weiteren Paris-Aufenthalten CZs im Januar und März 1939, ohne daß ein gemeinsames Filmprojekt dabei erkennbare Konturen gewonnen hätte. Wie aus der Korrespondenz zwischen CZ und Joseph des weiteren hervorgeht, hielt sich CZ vom 15. Mai an erneut in Paris auf. Am 18. Mai 1939 kam es zu einem letzten Treffen mit Pabst. In CZs Autobiographie heißt es dazu, Pabst habe CZ und seine Frau am Tag vor der Abreise aus Paris ins amerikanische Exil in das exquisite Restaurant ›Vert Gallant‹ auf der Isle St. Louis eingeladen« (*Als wär's ein Stück von mir*, S. 144). »Aus Rücksicht auf seinen Sohn Peter«, so heißt es in einem Abriß der Biographie Pabsts von Hans-Michael Bock, »verzögert er [Pabst] 1939 die Annahme der französischen Staatsbürgerschaft und beschließt schließlich, endgültig in die USA zu gehen. Die Passage auf der ›Bremen‹ ist für den 8. September 1939 gebucht. Um sich von seiner Mutter zu verabschieden, besucht er das Familiengut Schloß Fünfturm bei Leibnitz in der – von den Nazis inzwischen ›angeschlossenen‹ – Steiermark und wird dort am 1. September 1939 vom Kriegsausbruch überrascht. Versuche, über Rom in die USA zu gelangen, scheitern, Pabst muß sich nach einem Bruch einer langwierigen Krankenhausbehandlung unterziehen. Schließlich bleibt er in Nazi-Deutschland, was ihm bei zahlreichen Kollegen, Historikern und Kritikern den Ruf eines Opportunisten einbringt und seine Nachkriegs-Karriere nachhaltig behindert. Am 7. Dezember 1939 stellt er den für Filmarbeit notwendigen Antrag auf Mitgliedschaft in der Reichsfilmkammer, dem jedoch – während intern Überprüfungen, u.a. bei der Geheimen Staatspolizei laufen – zunächst nicht stattgegeben wird. Nachdem auch ein Brief vom 15. Februar 1940 an seinen alten Kollegen Carl Froelich, der inzwischen zum Präsidenten der Reichsfilmkammer aufgestiegen ist, nicht zur Beschleunigung der Angelegenheit geführt hat, stellt er den Antrag, auf Grund seiner Mitarbeit an den Drehbüchern als ›Film-Schriftsteller‹ in die Reichsschrifttumskammer aufgenommen zu werden; am 31. August 1940 wird er mit Wirkung vom 1. April 1940 unter Mitgliedsnummer A 14 796 aufgenommen« (Bock 1997, S. 275). Von Herbst 1940 an arbeitet Pabst bei der Bavaria Filmgesellschaft. Zu seiner Filmarbeit in den letzten fünf Jahren der NS-Herrschaft und zur Einschätzung von CZs Portrait vgl. Jacobsen 1997 und den Beitrag von Wolfgang Jacobsen im *Zuckmayer-Jahrbuch*, Bd. 5. Über Kontakte CZs und Pabsts nach dem Zweiten Weltkrieg ist nichts bekannt.

psychoanalytischen Film] Gemeint ist *Geheimnisse einer Seele. Ein psychoanalytischer Film*, der am 24. März 1926 im Berliner Gloria-Palast uraufgeführt wurde.

›*Dreigroschenfilms*‹] Der Film *Die 3-Groschen-Oper* ist am 19. Februar 1931 in Berlin (Atrium) uraufgeführt worden. Am 10. August 1933 wurde er von der Filmprüfstelle verboten.

›*Westfront 1918*‹] Der Film *Westfront 1918. Vier von der Infanterie* wurde am 23. Mai 1930 im Berliner Capitol uraufgeführt.

›*Kameradschaft*‹] Der Film *Kameradschaft / La Tragédie de la mine* wurde am 17. November 1931 im Berliner Capitol uraufgeführt. Die französische Fassung kam am 18. März 1932 in die Pariser Kinos.

Frau] Gertrude Pabst, geb. Hennings (1899-1993).

Abetz] Otto Abetz (1903-1958) war Kunsterzieher, nationalsozialistischer Politiker und Diplomat. Er wurde 1934 Frankreichreferent in der Reichsjugendführung, 1935 in der Dienststelle Ribbentrop und als deren Repräsentant 1939 aus Paris ausgewiesen. Von 1940 bis 1944 war er Botschafter in Paris und initiierte die Enteignung und Abschiebung jüdischer Emigranten aus dem besetzten Frankreich. 1949 wurde er in Frankreich zu zwanzig Jahren Zwangsarbeit verurteilt, 1954 aber vorzeitig entlassen. Zur Tätigkeit von Abetz in Frankreich vgl. Ray 2000.

Mrs. Macpherson] Gemeint ist die englische Schriftstellerin, Kritikerin und Drehbuchautorin Winifred Ellerman (1894-1983), die unter dem Künstlernamen »Winifred Bryher« publizierte. Sie war von 1927 bis 1947 mit Kenneth Macpherson verheiratet.

Engel] CZ lernte den Regisseur Erich Engel (1891-1966) 1923 in München kennen, wo CZ für die Spielzeit 1923/24 als Dramaturg engagiert war. Als Engel 1924 auf den Posten des künstlerischen Leiters an das Deutsche Theater Berlin wechselte, verschaffte er CZ und Bertolt Brecht dort Dramaturgenverträge mit einer Laufzeit von einem Jahr (vgl. *Als wär's ein Stück von mir*, S. 453 f.) Über die Verbindungen bis zur Emigration CZs in die USA konnte nichts ermittelt werden. Von 1927 an inszenierte Engel an verschiedenen Berliner Bühnen und führte seit 1930 auch häufig Filmregie. 1934 durfte der von Hilpert angeforderte Engel, der als »belastet« galt, am Deutschen Theater nicht fest engagiert werden. Als Gastregisseur wurde ihm von 1935 an lediglich ein Stück pro Spielzeit zugestanden (vgl. Dillmann 1990, S. 115). Bis 1944 inszenierte er acht Stücke, davon vier von Shakespeare. CZs Darstellung des Regisseurpaars Fehling – Engel als gegensätzlich bestätigt das Urteil Henning Rischbieters, am Deutschen Theater hätten Engels Inszenierungen »mit ihrer rationalen, humanen Klarheit, analytischen Hellsichtigkeit, luziden Musikalität den wichtigsten ästhetischen Gegenpol zu den eruptiven, gewalttätig-elementaren

Inszenierungen Fehlings am Staatstheater und am Schiller-Theater« gebildet (Rischbieter 2000, S. 75). Von 1945 bis 1947 war Engel Intendant der Münchener Kammerspiele. Nach CZs Rückkehr nach Deutschland standen er und Engel wieder in Verbindung (vgl. Nickel/Weiß 1996, S. 323 f.). 1952 führte Engel, der von 1949 an Mitarbeiter am Berliner Ensemble von Helene Weigel und Bertolt Brecht und Filmregisseur bei der Ostberliner *Deutschen Film AG* (DEFA) war, die Regie bei der westdeutschen Neuverfilmung von CZs Komödie *Der fröhliche Weinberg.*

Shakespeares ›Sturm‹] Die Premiere fand am 25. Februar 1938 statt.

Seine Ehe ... jüdischen Freundin] Erich Engel heiratete im März 1919 Anna Triebel (1892-1981). Aus dieser Ehe gingen die Söhne Frank (geb. 1920) und Thomas (geb. 1922) hervor. In den 1920er Jahren lernte Engel Sonja Okun (1899-1944) kennen, mit der er seit Ende der 1920er Jahre in Berlin zusammenlebte, während seine Familie in Bayern wohnte. In den 1940er Jahren kehrte er zu seiner Frau zurück, von der er sich – anders als CZ angab – nicht hatte scheiden lassen. Sonja Okun hielt sich – durch Engel ermöglicht – von 1936 bis 1938 wegen einer TBC-Kur in der Schweiz auf. Davor und danach arbeitete sie in Deutschland in der zionistischen Organisation »Jugend Aliya«, die die Ausreise jüdischer Kinder nach Palästina arrangierte. 1943 wurde sie ins KZ Theresienstadt deportiert. Dort rief sie die Initiative »Helfende Hand« ins Leben. 1944 kam sie ins KZ Auschwitz, wo sie ermordet wurde.

Fehling] Der Schauspieler und Regisseur Jürgen Fehling (1885-1968) wurde 1918 von Friedrich Kayßler an die Berliner Volksbühne verpflichtet und gab dort 1919 sein Regiedebüt. Von 1922 bis 1944 inszenierte er am Staatstheater, arbeitete aber nach Auseinandersetzungen mit dem Generalintendanten Gustaf Gründgens 1935 und 1939/40 vorübergehend am Hamburger Schauspielhaus bzw. am Berliner Schiller-Theater. Fehling inszenierte sowohl zeitgenössische Stücke von regimetreuen Autoren wie Hanns Johst (*Propheten*, Premiere am 21. Dezember 1933; *Thomas Paine*, Premiere am 16. November 1935) als auch die als NS-kritisch interpretierbare Aufführung von Shakespeares *Richard III.* (Premiere am 2. März 1937; vgl. Drewniak 1983, S. 248 f.). Nach Kriegsende gründete Fehling ein eigenes kurzlebiges Theater und ging 1948 nach München ans Staatsschauspiel. 1946 wurden Verhandlungen über ein Engagement Fehlings als Oberspielleiter am Deutschen Theater abgebrochen, nachdem dieser einen den Schauspieler Heinrich George als Künstler würdigenden Nachruf veröffentlicht hatte (in: *Der Kurier* [Berlin] vom 12. November 1946, abgedruckt in Fehling 1978, S. 203 f.). In seiner Autobiographie berichtet CZ, daß er in seinen ersten Berliner Jahren Proben Fehlings am Staatstheater beigewohnt und dort auch gelegentlich eine Regie-Assistenz übernommen habe (*Als wär's ein Stück von mir*, S. 382). Auf künstlerischer Ebene war ihre Beziehung von kontroversen Positionen geprägt. In seinem Portrait Fehlings schrieb CZ 1965: »[...] von mir hat er nie ein Stück inszeniert, obwohl wir einander nahestanden und vor jeder meiner Uraufführungen die Möglichkeit erwogen: ihn reizte an sich alles, was überhaupt auf dem Theater darstellbar war. Aber meine Stücke lagen ihm im Grunde gar nicht. ›Bei dir ist alles zu klar‹, sagte er mir einmal, halb im Scherz, halb im Ernst – ›du mußt Nebel schreiben, verstehst du? Nebel – daraus kann man was machen!‹« (CZ, *Der Autor und sein Regisseur. Erinnerung an die Arbeit mit Regisseuren und Huldigung an Jürgen Fehling*, in: Zuckmayer, *Aufruf zum Leben*, S. 163-169, hier S. 167).

Mannheim] Bis zur Mitte der 1920er Jahre war Fehling mit der Schauspielerin Lucie Mannheim (1895/1899-1976) liiert, aber nicht verheiratet.

Gründgens] Gustaf Gründgens, eigentl. Gustav Gründgens (1899-1963), war von 1923 an als Schauspieler an den Hamburger Kammerspielen engagiert. 1928 kam er nach Berlin, spielte dort an verschiedenen Theatern und im Film, führte selbst Bühnenregie und ging 1932 ans Preußische Staatstheater. Seit 1933 war Gründgens mit der Schauspielerin Emmy Sonnemann, die 1935 Hermann Göring heiratete, befreundet. Von Göring wurde ihm im Februar 1934 zunächst die kommissarische Leitung des Staatstheaters, im September endgültig die Intendanz übertragen. 1936 avancierte er zum Preußischen Staatsrat, 1937 zum Staatsschauspieler und Generalintendanten der Preußischen Staatstheater. Gründgens' Karriere im Kulturbetrieb des ›Dritten Reichs‹ bildet den Hintergrund zu dem seit seinem Erscheinen im Oktober 1936 als Schlüsselroman gelesenen Exilroman *Mephisto* von Klaus Mann, der den Aufstieg des fiktiven Intendanten Hendrik Höfgen entlarvend darstellt. Dieser Roman hat wesentlich zum Bild von Gründgens als einem von der Macht faszinierten und konzessionsbereiten Künstler beigetragen (vgl. Spangenberg 1982). Auf eigenen Wunsch hin versah Gründgens von Juni 1943 bis März 1944 Dienst als Flaksoldat bei Utrecht, wobei er die Intendanz des Staatstheaters weiterführte. 1945 wurde er von den sowjet. Besatzern verhaftet und für neun Monate im Lager Jamnitz interniert. Zu seiner Freilassung trug maßgeblich Ernst Busch bei, der aussagte, er sei durch eine

Lüge von Gründgens während der NS-Zeit vor Verfolgung gerettet worden. Gründgens hat viele gefährdete Kollegen unterstützt, u.a. seinen Hamburger Mentor Erich Ziegel und dessen Ehefrau Mirjam Horwitz. Im Verfahren gegen Gründgens gaben im Januar/Februar 1946 mehrere Kollegen vor der Deutschen Prüfungskommission eidesstattliche Erklärungen ab und bezeugten, er habe sie im ›Dritten Reich‹ durch sein Engagement geschützt, so Erich Ziegel und Paul Bildt, die beide mit jüdischen Frauen verheiratet waren; ebenso Raoul Aslan, Theo Lingen und Paul Wegener (alle abgedruckt in Badenhausen 1982, S. 90-98). Im April 1946 ist Gründgens als Schauspieler, im August als Regisseur wieder offiziell zugelassen worden. 1947 wurde er Generalintendant der Städtischen Bühnen in Düsseldorf. 1955 übernahm er die Intendanz des Deutschen Schauspielhauses Hamburg. Dort inszenierte er am 3. September 1955 die Uraufführung von CZs Drama *Das kalte Licht* (vgl. hierzu den Briefwechsel CZ – Gründgens, abgedruckt in Badenhausen 1979; unter dem Titel *Gustaf Gründgens und Carl Zuckmayer* geringfügig ergänzt auch in Badenhausen 1982, S. 207-240). Über weitere Kontakte von Gründgens und CZ ist nichts bekannt. In CZs Autobiographie wird er beiläufig als Freund erwähnt (*Als wär's ein Stück von mir*, S. 94). Zur Biographie vgl. Michalzik 1999; Walach 1999. Vgl. auch den Beitrag von Franz Norbert Mennemeier im *Zuckmayer-Jahrbuch*, Bd. 5.

Hoppe] Gründgens heiratete die Schauspielerin Marianne Hoppe (geb. 1909; vgl. S. 396, Anm. zu *Hoppe*) am 20. Juni 1936. Die Ehe wurde 1946 geschieden. »Entgegen den damaligen Gerüchten«, so der Gründgens-Biograph Peter Michalzik, »spricht vieles dafür, daß die Ehe zwischen Gründgens und Marianne Hoppe lange stabil war und sie ein vertrauensvolles Verhältnis hatten, vielleicht vom Druck der äußeren Verhältnisse zusammengeschweißt« (Michalzik 1999, S. 143). Die Hoppe-Biographin Petra Kohse urteilt ähnlich und gibt zu bedenken, daß zwar nach den Schwierigkeiten wegen Gründgens' Homosexualität »die Heiratsabsicht zusätzlich politische Motive bekommen haben« mag, grundsätzlich aber von einer nahen und liebevollen Beziehung zwischen Hoppe und Gründgens auszugehen sei (Kohse 2001, S. 209). 1964 spielte Marianne Hoppe bei der Uraufführung von CZs Drama *Das Leben des Horace A.W. Tabor* die Rolle der Augusta Tabor. Wie zwei Briefe Marianne Hoppes aus den Jahren 1966 und 1973 in CZs Nachlaß dokumentieren, standen beide auch danach noch in lockerer Verbindung. In CZs Autobiographie wird Marianne Hoppe nicht erwähnt.

Mann] Im Herbst 1925 lernten sich Erika Mann und Gustaf Gründgens bei dessen Inszenierung von Klaus Manns Stück *Anja und Esther* an den Hamburger Kammerspielen kennen (Premiere am 22. Oktober 1925). Schon ein halbes Jahr später, am 24. Juli 1926, heirateten sie in München. Zum Bruch kam es bereits nach einem Jahr. Die Ehe wurde im Januar 1929 geschieden (vgl. von der Lühe 1993, S. 31-36 und S. 42).

fouché-haften Züge] Nach Joseph Fouché (1759-1820), der als skrupelloser, intriganter und anpassungsfähiger Politiker von 1799 bis 1802 Polizeiminister des Direktoriums der französischen Revolution war, von 1804 bis 1811 Polizeiminister Napoleons. Stefan Zweig veröffentlichte über ihn 1929 im Insel-Verlag Leipzig das Buch *Joseph Fouché. Bildnis eines politischen Menschen*.

Kommittee] Vgl. das Nachwort zu dieser Edition, S. 414 ff.

St. Just] Rolle in Georg Büchners Drama *Dantons Tod*. Das Stück wurde mit Gustaf Gründgens als St. Just verfilmt (Regie: Hans Behrendt, Uraufführung: 21. Januar 1930).

Furtwänglers] Der Dirigent Wilhelm Furtwängler (1886-1954) leitete seit 1922 das Berliner Philharmonische Orchester. 1928 wurde er Städtischer Generalmusikdirektor Berlins, 1933 zum Direktor der Berliner Staatsoper berufen und im selben Jahr zum Vizepräsidenten der Reichsmusikkammer sowie zum Preußischen Staatsrat ernannt. Nach der »Machtergreifung« Hitlers setzte er sich kontinuierlich für jüdische und andere ausgegrenzte Künstler ein. So verteidigte Furtwängler den angegriffenen Paul Hindemith in seinem Artikel *Der Fall Hindemith,* der am 25. November 1934 in der *Deutschen Allgemeinen Zeitung* veröffentlicht wurde. Nach den darauf folgenden öffentlichen Angriffen von Goebbels und Rosenberg legte Furtwängler alle Ämter nieder. Im April 1935 trat er jedoch wieder mit Konzerten an die Öffentlichkeit und nahm fortan im Musikleben des ›Dritten Reichs‹ eine prominente Rolle ein (vgl. auch den Beitrag von Susanne Schaal-Gotthardt im *Zuckmayer-Jahrbuch*, Bd. 5). Nach einem Entnazifizierungsverfahren im Dezember 1946 durfte Furtwängler wieder als Dirigent auftreten. Zu seinem Verhalten gegenüber dem Nationalsozialismus vgl. auch Prieberg 1986. In CZs Autobiographie wird er nur beiläufig erwähnt (*Als wär's ein Stück von mir,* S. 212).

offener Brief an die Kulturkammer] Am 11. April 1933 wurde in der *Vossischen Zeitung* ein offener Brief Furtwänglers an Joseph Goebbels veröffentlicht, in dem er gegen eine rassistisch motivierte Musikpolitik Stellung bezog und gegen die zunehmenden Angriffe auf Kollegen wie Otto Klemperer und Bruno Walter protestierte (vgl.

auch den Beitrag von Susanne Schaal-Gotthardt im *Zuckmayer-Jahrbuch*, Bd. 5). Der Brief ist abgedruckt in Wulf 1989, Bd. 5, S. 86 f.

in London im Jahr 1934] Von Januar bis März 1934 hielt CZ sich in London auf, wo er u.a. gemeinsam mit Elisabeth Bergner das Schreiben des Drehbuchs zu ihrem Film *Escape Me Never* vereinbart hat (vgl. Claus 2001).

Geiger Bergmann] Einen Geiger mit Namen Bergmann gab es nicht im Orchester der Berliner Philharmoniker. Jedenfalls findet sich sein Name nicht in der Jubiläumschronik dieses Orchesters, in der sämtliche Mitglieder seit seiner Gründung verzeichnet sind (Muck 1982). Der Konzertmeister, der zum 30. Juni 1934 (das wäre etwa der Termin, von dem CZ spricht) das Orchester verließ, war Simon Goldberg, der aber wurde nicht eingesperrt und mißhandelt. Er war außerdem so bekannt (er hat zusammen mit Paul Hindemith im Trio gespielt), daß unwahrscheinlich ist, CZ könnte ihn gemeint und den Namen falsch erinnert haben.

Lehar] Der österr. Komponist Franz Lehár (1870-1948) war von 1890 bis 1902 als Militärkapellmeister u.a. in Wien tätig. Anschließend beschäftigte er sich vor allem mit der Arbeit an seinen Kompositionen und wurde durch seine Operette *Die lustige Witwe* weltberühmt (1905). Sehr erfolgreich waren auch seine Operetten *Paganini* (1925), *Land des Lächelns* (1929) sowie *Giuditta* (1934). Nach der »Machtergreifung« geriet Lehár in Deutschland wegen seiner Zusammenarbeit mit jüdischen Künstlern und seiner Ehe mit einer Jüdin zunächst in Mißkredit. Von 1936 an stellte sein Werk, das Hitler nach dem Richard Wagners besonders schätzte, jedoch den Grundstock der überwiegend auf Operetten basierenden NS-Kulturarbeit im Bereich der Musik dar. Trotz bestehender Aufführungsverbote für einzelne Werke (*Friederike* [1928]) war der nun von staatlicher Seite geehrte Lehár der meistgespielte Operettenkomponist des ›Dritten Reichs‹ (vgl. Frey 1999, S. 315-317, 329-335; Linke 2001, S. 110-114).

Wagner] Das Werk des Komponisten Richard Wagner (1813-1883) erfuhr während des ›Dritten Reiches‹ große Aufmerksamkeit und Würdigung, die in der Wagner-Verehrung Hitlers gipfelte. Zur Frage, wie weit Wagners Schaffen von seinen völkisch-nationalistischen und antisemitischen Ideen geprägt ist und ob dadurch eine nationalsozialistische Rezeption des Komponisten möglich wurde vgl. Friedländer/Rüsen 2000.

Hindemith] CZ lernte den Komponisten und Bratschisten Paul Hindemith (1895-1963) im Juni 1922 kennen, als Hindemith auf Einladung der Studentengruppe um den Kunsthistoriker Wilhelm

Fraenger in Heidelberg konzertierte. Von Mitte der 1920er Jahre
an gab es Überlegungen zu einer gemeinsamen Oper, die jedoch
nicht realisiert wurden. Durch Vermittlung Hindemiths, der von
1934 an in der Türkei arbeitete, konnte CZs Bruder Eduard 1936
nach Ankara emigrieren. Von 1940 bis 1953 lehrte Hindemith an
der Yale University in New Haven, Connecticut. Bis zum Ende
des Zweiten Weltkrieges stand er in reger brieflicher Verbindung
mit CZ (der Briefwechsel ist vollständig ediert in Nickel/Schubert
1998). Erst 1962 kam es zu einer künstlerischen Zusammenarbeit:
CZ verfaßte den Text für das Singspiel *Mainzer Umzug*, für das
Hindemith die Musik schrieb. Die Uraufführung fand am 23. Juni
1962 im Stadttheater Mainz statt.

Jannings] Der Schauspieler Emil Jannings, eigentl. Theodor Friedrich Emil Janenz (1884-1950), begann 1900 seine Karriere als Büh-
nenschauspieler am Stadttheater Görlitz. 1914 kam er nach Berlin
und war bis 1920 an verschiedenen Bühnen, u.a. am Deutschen
Theater engagiert. Den Durchbruch erzielte er aber durch seine
Filmrollen in *Madame Dubarry* (1919, Regie: Ernst Lubitsch) und
Der letzte Mann (1924, Regie: Friedrich Wilhelm Murnau). Jannings ging 1926 nach Hollywood und wurde dort zum Star. 1928
erhielt er für die Filme *The Way of All Flesh* (1927, Regie: Victor
Fleming) und *The Last Command* (1928, Regie: Josef von Stern-
berg) den ersten Darsteller-Oscar der Filmgeschichte. Mit dem
Beginn der Tonfilmära kehrte er nach Deutschland zurück. 1930
spielte er die Hauptrolle in dem Film *Der blaue Engel*, dessen
Drehbuch CZ mitverfaßt hat (vgl. Dirscherl/Nickel 2000). Damit
begann eine enge Freundschaft zwischen CZ, Jannings und dessen
dritter Ehefrau, der Schauspielerin, Chansonniere und Sängerin
Gussy (Auguste) Holl (1888-1966), die Jannings um 1922 geheiratet
hatte. Es kam zu häufigen Besuchen von Jannings in CZs Henndorfer Wiesmühl und CZs und seiner Frau in Jannings Domizil am
Wolfgangsee, »von denen wir« – so CZ in seiner Autobiographie –
»immer etwas überfressen heimkehrten« (vgl. *Als wär's ein Stück
von mir*, S. 50). Als CZ nach der »Machtergreifung« Hitlers Aufführungsverbot erhielt, setzte sich Jannings vergeblich für seine
Rehabilitierung ein. Er wurde 1936 zum Staatsschauspieler und
zum Reichskultursenator ernannt und mit hohen Auszeichnungen,
z.B. 1938 mit der Goethemedaille, geehrt. Wegen »seiner Kompromisse mit den Machthabern«, schreibt CZ in seiner Autobiographie, sei es in dieser Zeit zu »gewisse[n] Differenzen« gekommen
(ebd., S. 88). Albrecht Joseph erinnerte sich daran, daß CZ ursprünglich am 12. März 1938 aus Österreich habe fliehen wollen.

Daß er dann jedoch erst am Morgen des 14. März den Zug von Wien nach Zürich bestieg, sei Resultat eines Gesprächs mit Jannings gewesen, der CZ berichtet habe, »daß die Nazis ihn wirklich mochten, daß sie dringend einen Dramatiker seines Formats und seines Talents brauchten, daß ›Bellman‹ in Wien aufgeführt werden könne und auch seine anderen Stücke bald wieder in Deutschland gespielt würden. Zuckmayer dürfe nur nicht den Fehler machen, sich wie ›ein elender jüdischer Flüchtling‹ zu benehmen, und jetzt feige und ohne wirkliche Not weglaufen« (Joseph 1993, S. 213). Jannings wurde 1938 Chef der Tobis-Filmgesellschaft. Er übernahm Rollen in mehreren Propagandafilmen, so in *Ohm Krüger* (1941; Regie: Hans Steinhoff). Zwar war er nicht Parteimitglied, erhielt aber nach dem Zweiten Weltkrieg als einer der großen Repräsentanten der NS-Zeit Auftrittsverbot. CZ hat ihn zu Beginn des Jahres 1947 in seinem Haus in St. Wolfgang mehrmals besucht. Darüber schrieb Jannings in einem Brief vom 5. März 1947 an Arnolt Bronnen: »Inzwischen war mein Freund Zuckmayer einige Male bei mir und ausserdem hatte ich vor drei Tagen eine lange Unterhaltung mit Dr. Lothar in Salzburg. Diese Tatsachen wollen Sie aber bitte *vertraulich* behandeln, damit sich nicht die Gazetten ihrer bemächtigen und meine Gegner auf den Plan gerufen werden. Dr. L. meint, dass sich meine Angelegenheit spätestens in zwei bis drei Monaten sowieso klären würde und Zuckmayer, der trotz allem und allem derselbe, anständige Bursche geblieben ist, der er immer war, hat sich für mich nicht allein durch Rat, sondern bereits durch die Tat eingesetzt. Näheres darüber würde ich Ihnen gern in einer persönlichen Aussprache mitteilen, und hoffe, dass Sie bald wieder Gelegenheit finden mich zu besuchen« (DLA, Nachlaß Bronnen). Christian Strasser faßt in seiner Monographie über CZ ein am 21. Juni 1994 geführtes Gespräch mit Renate Buchmann zusammen. Sie war nach 1945 mit der Familie Jannings befreundet. Ihr sei erinnerlich gewesen, »daß Zuckmayer sich ihr gegenüber über die ›Dummheit‹ seines Freundes alteriert habe, den Ohm Krüger gespielt zu haben. Es sei zwar zu einigen Treffen der beiden früheren Freunde gekommen, der Kontakt war jedoch nicht mehr so innig wie früher« (Strasser 1996, S. 276). In einem Brief an den Dramaturgen Karl-Heinrich Ruppel vom 8. August 1948 schreibt CZ, er habe alle Bühnen um die Streichung der Jannings-Erwähnung im ersten Akt seines Stücks *Des Teufels General* gebeten: »Der alte Sünder Emil«, kommentiert er diesen Vorgang, »soll seine Rechnung mit Himmel oder Hölle allein abmachen« (Nachlaß Dr. Jürgen-Dieter Waidelich, Berlin, Privatbesitz). In

Christian Strassers Buch über CZ finden sich auf S. 241-243 und 251 Faksimiles von Briefen CZs an Jannings sowie auf S. 150 das Faksimile eines Briefes von Jannings an CZ. In seiner 1939 geschriebenen Autobiographie wird CZ lediglich an einer Stelle gemeinsam mit Karl Vollmoeller als Autor des *Blauen Engels* erwähnt (zit. nach Jannings 1951, S. 198).

Veidt] Der Schauspieler Conrad Veidt (1893-1943) war 1918/19 in erster Ehe mit Gussy Holl verheiratet. Er spielte seit 1913 in Berlin, u.a. am Deutschen Theater und im Film. Zwischen 1927 und 1929 drehte er in Hollywood. 1933 emigrierte er nach England, 1940 ging er in die USA.

Massary] Die österreichische Sängerin und Schauspielerin Fritzi Massary (1882-1969), eigentl. Friederike Massaryk, seit 1904 in Berlin, war eine der berühmtesten Operetten- und Revuestars des ausgehenden Kaiserreiches und der Weimarer Republik. 1933 kehrte sie nach Österreich zurück. 1938 emigrierte sie nach Großbritannien und anschließend in die USA.

pantagruelischer] Pantagruel heißt einer der beiden Riesen in dem Roman *Gargantua und Pantagruel* von François Rabelais (um 1494-1553), der allerlei merkwürdige Abenteuer besteht, Gefangene, die er dabei macht, in einem durch Karies ausgehöhlten Zahn verstaut, sich aber vor allem durch einen schier unendlichen Appetit auszeichnet.

Gobseckzüge] Gobseck heißt der Titelheld einer Erzählung von Honoré de Balzac aus dem Jahr 1830. Er ist ein jüdischer Wucherer, der sich bei aller Raffgier jedoch stets an Abmachungen und Gesetze hält.

Wallach] Der Bankier Ernst Wallach (1876-1939) war Teilhaber der Firma v. Goldschmidt-Rothschild, Berlin. 1938 emigrierte er in die USA. Das 1821 als Bankhaus Goldschmidt gegründete Institut hat nichts mit dem von CZ in seiner Autobiographie erwähnten Vetter seiner Mutter, dem Bankier Ernst Goldschmidt, zu tun, in dessen Haus CZ den *Fröhlichen Weinberg* verfaßte (*Als wär's ein Stück von mir*, S. 465). Ernst Goldschmidt war Mitinhaber der Berliner Bankfirma E.L. Friedmann & Co.

Mutter jüdischer Abstammung] Das *Pariser Tageblatt* meldete am 6. Juli 1935, Jannings und Otto Gebühr hätten ein vorläufiges Spielverbot erhalten, weil sie »falsche Angaben über ihre Abstammung gemacht haben« sollen. Es habe sich aber inzwischen herausgestellt, »daß sie nicht als rassereine Arier gelten« könnten. Auch Albrecht Joseph berichtet ganz ähnlich wie CZ von Jannings' Mutter, sie sei »Jüdin russischer Herkunft« gewesen, und

Jannings selbst habe nicht ohne Stolz immer wieder darauf hingewiesen, »meistens dann, wenn die Rede auf seinen ausgeprägten Ge-
schäftssinn kam« (Joseph 1993, S. 197). In seiner 1939 geschriebenen Autobiographie stellt Jannings zu Beginn fest: »Mein Vater war
Amerikaner, meine Mutter eine in Moskau geborene Deutsche«
(Jannings 1951, S. 7). In einschlägigen Lexika werden Emil Janenz
aus St. Louis und Margarethe Janenz, geb. Schwabe, als die Eltern
Jannings' angegeben.

Goy] (jiddisch) Volk; ursprüngl. neutral, wurde es zur jüdischen
Bezeichnung für Heiden und Christen.

Lubitsch] Ernst Lubitsch (1892-1947) war von 1911 bis 1918 Schauspieler bei Max Reinhardt am Deutschen Theater, wo er Jannings
kennenlernte. Von 1917 an arbeitete er als Regisseur bei der Ufa.
Mit dem großen Erfolg von *Madame Dubarry* (1919) machte er
Jannings als Filmschauspieler populär. 1922 ging er in die USA, wo
er als Regisseur, bald auch als Produktionschef der Paramount arbeitete. Dort drehte er mit Jannings *The Patriot* (1928). 1935 wurde
Lubitsch die deutsche Staatsangehörigkeit aberkannt. 1942 drehte
er den Anti-NS-Film *To Be or Not to Be*. Zur Biographie vgl. Renk
1992. CZ berichtet in seiner Autobiographie beiläufig von einem
freundschaftlichen Kontakt zu Lubitsch und anderen deutschen
Regisseuren während seiner Zeit in Hollywood 1939 (*Als wär's
ein Stück von mir*, S. 564). Über Lubitschs angeblichen Haß auf
Jannings konnte nichts ermittelt werden.

Bruder und die Mutter verschwanden] Über eine Emigration von
Jannings' Mutter und eines Bruders – in seiner Autobiographie
nennt Jannings als Geschwister die zwei Brüder Walter und Werner
und eine Schwester Grete (Jannings 1951, S. 7) – konnte nichts ermittelt werden.

Überfalstaff] Falstaff ist Protagonist in Shakespeares Lustspiel *Die
lustigen Weiber von Windsor*.

Journalisten] Von einem solchen Gerücht berichtet auch Albrecht
Joseph: »Jannings verbarg seine Mutter in einer kleinen Wohnung
in einer entlegenen Gegend Berlins, verschaffte ihr und sich ge-
fälschte Papiere in Polen und veranlaßte Goebbels, ein Gesetz zu
verkünden ›zum Schutze wertvollen Eigentums des deutschen
Volkes‹. Danach konnten Menschen, die etwa Gerüchte über die
jüdische oder teilweise jüdische Abstammung bedeutender Schauspieler wie Otto Gebühr, Tony van Eyck oder eben Jannings ver-
breiteten, mit empfindlichen Haftstrafen belegt werden. Den Text
dieses Gesetzes druckten die Zeitungen vollständig ab; und es kam
die Behauptung auf, daß Jannings während der Hitlerzeit auch

dafür gesorgt hatte, daß einige Leute, die gewagt hatten, auf seine ungewisse Herkunft hinzuweisen, in Konzentrationslager kamen. Dafür habe ich keinen Beweis, aber in Einklang mit seinem Charakter wäre es durchaus gewesen« (Joseph 1993, S. 199 f.). Dieses Gerücht mochte auch Klaus Mann dazu veranlaßt haben, in seinem 1936 erschienenen »Schlüsselroman« *Mephisto* dem »Charakterspieler Joachim« Züge von Jannings zu verleihen. Joachim ist für die Internierung mehrerer Personen verantwortlich, die »die Großmutter des Tragöden verdächtigt hatten« (zit. nach K. Mann 2000, S. 298 f.). Über tatsächlich erfolgte, in Zusammenhang mit Jannings stehende Verhaftungen konnte jedoch nichts ermittelt werden.

Tucholski] Von Beginn der 1920er Jahre bis 1931 waren der Publizist Kurt Tucholsky und Jannings befreundet. Für Gussy Holl, Jannings' dritte Ehefrau, schrieb Tucholsky eine Reihe von Chansontexten zum Vortrag im Kabarett ›Schall und Rauch‹. Von Mitte April bis Mitte Mai 1931 war Tucholsky Gast in Jannings' Domizil am Wolfgangsee. Jannings sollte die Titelrolle in dem von CZ projektierten Drama *Eduard VII.* übernehmen und bat deshalb seinen langjährigen Freund Tucholsky, in England für CZ zu recherchieren (vgl. Gerold-Tucholsky/Raddatz 1962, S. 216 und 534). Die Arbeiten an diesem Stück hat CZ jedoch im Spätsommer 1932 abgebrochen (vgl. Nickel 1998, S. 217 f., Anm. 8). Weitere Briefe Tucholskys an das Ehepaar Jannings sind dokumentiert in ebd., S. 215 f. und in Hepp 1993, S. 241-243, 245, 250 f.

Toller] Der Schriftsteller Ernst Toller (1893-1939) emigrierte 1933 über die Schweiz und England in die USA, wo er 1939 Selbstmord beging. Über sein Verhältnis zu Toller äußerte sich CZ ausführlich in einem Brief an Tankred Dorst vom 29. Juli 1966, in dem er auch kurz auf den Kontakt Tollers zu Emil Jannings zu sprechen kam (abgedruckt in Ehrke-Rotermund 2002). In CZs Autobiographie wird Toller dagegen nur dreimal beiläufig erwähnt (vgl. *Als wär's ein Stück von mir*, S. 315, 386, 405).

Mehring] Walter Mehring war eng mit Tucholsky befreundet. Seit 1919 hatte er für das Berliner Kabarett ›Schall und Rauch‹ gearbeitet und u.a. Chansons für die von Tucholsky verehrte Gussy Holl, Jannings' dritte Ehefrau, geschrieben. Wahrscheinlich hat sich so auch eine Beziehung zu Jannings ergeben. Diese Kontakte konnten jedoch nicht belegt werden.

Jhering] Jannings hat vermutlich Iherings Engagement durch die Tobis um 1937 maßgeblich beeinflußt. In Ursula Krechels Dissertation über Ihering, die sich auch auf Gespräche mit dem Kritiker stützt, heißt es dazu: »Ihering ging als Besetzungschef an die Filmgesellschaft Tobis, wo ihm seine persönlichen Beziehungen zu vielen Schauspielern sehr zugute kamen. [...] Nach Iherings eigenen Angaben war seine Tätigkeit für die Tobis vor allem vorbereitende Arbeit für die Filme von Emil Jannings, die größtenteils bei der Tobis gedreht wurden« (Krechel 1972, S. 66). Mit Iherings Ausschluß aus der Reichsschrifttumskammer wurde ihm zwar die theaterkritische Arbeit der Tagespresse untersagt, einzelne Künstler durfte er jedoch portraitieren. 1941 veröffentlichte er das Buch *Emil Jannings. Baumeister seines Lebens und seiner Filme* (Ihering 1941), das nachdrücklich die Charakterdarstellung Jannings' würdigt und schwerpunktmäßig über dessen Werk bis 1933 berichtet.

Fallada] CZ spielt hier vermutlich an auf Jannings' Engagement für das Filmprojekt *Der eiserne Gustav*, dessen Drehbuchautor der in der NS-Zeit umstrittene Fallada war (vgl. S. 312, Anm. zu *Fallada*).

›*Mannesstolz vor Fürstenthronen*‹] Anspielung auf den »Männerstolz vor Königsthronen« in Schillers Gedicht *An die Freude*.

Göring in Berchtesgaden] Nachdem Adolf Hitler 1933 den ›Berghof‹ auf dem Obersalzberg erworben hatte, siedelte sich dort neben Martin Bormann und Albert Speer auch Hermann Göring an, der sich auf dem Eckerbichl in unmittelbarer Nähe von Hitlers Domizil ein Landhaus errichten ließ.

Darstellung des ›Soldatenkönigs‹] Gemeint ist der Film *Der alte und der junge König* (1935, Regie: Hans Steinhoff), in dem Emil Jannings Friedrich Wilhelm I. spielte. Tucholsky, Jannings' langjähriger Freund, bemerkte dazu in einem Brief vom 9. März 1935 aus seinem schwedischen Exil an Hedwig Müller sarkastisch: »A propos hat Jannings in einem Film den Vater Friedrichs des Zweiten gespielt, Friedrich Wilhelm den Ersten, als welcher ein richtiger Knüppelbulle und Kommisknopf war, so mit Krückstock und strenger Pflichtauffassung. Darob großer Jubel in der deutschen Presse. Schade, daß Jannings diese Rolle nicht 1914 gespielt hat. Aber da war er bibbernd und schwitzend auf der amerikanischen Botschaft in Berlin, um sich einen Paß zu besorgen, weil er kein Soldat werden wollte. Er war es auch nicht« (zit. nach Bonitz/Huonker 1997, S. 89).

Löwenbaby] Göring zog im Lauf der Zeit mehrere Löwen auf, die später verschiedenen Zoos übergeben wurden (vgl. Göring 1967, S. 130).

Krauss] Der Schauspieler Werner Krauß (1884-1959) war von 1913 bis 1924 und von 1926 bis 1931 am Deutschen Theater, zwischen 1924 und 1926 und von 1931 bis 1944 am Staatstheater in Berlin, von 1933 an daneben auch am Wiener Burgtheater engagiert. Von

1925 an hatte er in Scharfling am Mondsee, unweit von CZs Domizil in Henndorf, ein Sommerhaus. Mit CZ verband ihn eine enge Freundschaft. »So haben wir«, erinnert Krauß sich in seiner Autobiographie, »miteinander nur verkehrt als ›Apanatschka, die Große Wasserschlange‹, und er hat mich nur als ›Lieber Old Shurehand‹ angeredet. Einmal sind wir in Salzburg in einem Lokal gesessen, haben die Hemden ausgezogen, saßen mit nackten Oberkörpern und malten uns mit den Lippenstiften unserer Frauen Tomahawks darauf – als erwachsene Männer! Und wir stiegen dann in die Badewanne, aber das Zeug ging nicht weg, das ist so bei einem Weiberlippenstift« (Krauß 1958, S. 135). Bei der Uraufführung des *Hauptmanns von Köpenick* am 5. März 1931 am Deutschen Theater Berlin spielte er die Hauptrolle. In seiner Autobiographie erinnert sich CZ an eine riskante Reise 1936 (recte: Nov. 1935) nach Deutschland, bei der er von Krauß geschützt worden sei: »Werner Krauß aber wich in diesen Tagen einfach nicht von meiner Seite. Er saß neben mir in jener Premiere [einer Billinger-Uraufführung] – ›denn wenn ich, als Staatsrat, dabei bin‹, sagte er stolz, ›kann dir nichts passieren‹ –, und als ich am nächsten Tag von Scherler, einem Vertrauensmann aller Anti-Nazis im Propagandaministerium, informiert wurde, daß dort über mein Hiersein geklatscht worden war und ich in höchster Gefahr sei, falls ich nicht sofort abhaute, bestand Werner Krauß darauf, mit mir im Schlafwagen – er hatte an diesem Abend spielfrei – bis Prag zu fahren, wo er mich in Sicherheit wußte. Er brachte in diesen Schlafwagen Berlin-Prag-Wien [...] eine volle Flasche Kognak mit, und der Schlafwagenschaffner mußte uns ohne Unterlaß mit Bier versorgen [...]. Um acht Uhr früh, als wir in Prag anlangten, taumelte er über den Bahnsteig, um in den Speisewagen des Gegenzugs nach Berlin zu wanken, wo er abends Richard den Dritten spielen mußte. Aber sein Gewissen war rein, er hatte seinen Freund sicher hinübergebracht, und später habe ich meine Getreuen nicht mehr durch solch leichtsinnige Exkursionen belastet« (*Als wär's ein Stück von mir*, S. 56 f.). Bei der von CZ besuchten Uraufführung handelt es sich um Billingers Stück *Die Hexe von Passau* (Uraufführung am Deutschen Theater Berlin am 13. November 1935 unter der Regie von Heinz Hilpert, mit Käthe Dorsch in der weiblichen Hauptrolle); der von Krauß angeblich am nächsten Abend gespielte *Richard III.* hatte im Staatstheater erst am 2. März 1937 Premiere. – Während der NS-Zeit hat Krauß u.a. 1940 in dem antisemitischen NS-Hetzfilm ›Jud Süß‹ neben jüdischen Episodenrollen den Rabbi Loew und Süß' Sekretär Levi dargestellt. Er entschuldigte sich dafür 1958 mit der Ausrede: »Wenn ich es nicht gemacht hätte, hätte es ein anderer gemacht; wenn der nicht, ein dritter. Ich kann nicht sagen, daß ich etwa in Lebensgefahr gewesen bin, aber alles war so unberechenbar, man konnte ja auch kaltgestellt und um die Verdienstmöglichkeiten gebracht werden« (Krauß 1958, S. 226). 1947 besuchte ihn CZ in Stuttgart. »In meiner großen Not«, heißt es dazu in Krauß' Autobiographie, »im Jahre 47 [...] – da sitze ich in meinem Zimmer in Stuttgart – und plötzlich höre ich draußen den Schlachtruf der Comanchen – und da stand Old Zuck vor mir [...]« (ebd., S. 135). In der ersten Verhandlung des Entnazifizierungsverfahrens gegen Krauß, die im Januar 1947 stattfand, sagte CZ – sehr zum Unwillen von Gottfried Bermann Fischer (vgl. Nickel/Weiß 1996, S. 327) – für Krauß als Zeuge aus. Er habe dabei, so schrieb Krauß in seinen Lebenserinnerungen, ausführlich das Verhältnis zu Max Reinhardt geschildert und erklärt, »[...] daß Max Reinhardt der erste wäre, der sich mit allen seinen Kräften für Werner Krauß und seine Wiederverwendung an den deutschen Bühnen einsetzen würde; daß Werner Krauß mit aller Entschiedenheit der Verfolgung von Kollegen aus politischen und rassischen Gründen entgegentrat und versuchte, mit all seinen Kräften Unrecht zu verhüten oder begangenes Unrecht wiedergutzumachen« (Krauß 1958, S. 229). Krauß wurde freigesprochen. – Zu Werner Krauß vgl. auch den Beitrag von Franz Norbert Mennemeier im *Zuckmayer-Jahrbuch*, Bd. 5. – CZ veröffentlichte eine überarbeitete Fassung des Krauß-Portraits zusammen mit seinen einleitenden Überlegungen *Zur Charakterologie des Künstlers* am 3. Oktober 1947 in der *Neuen Zeitung*. Sie ist deutlich von CZs Stellungnahme für Krauß in dessen Entnazifizierungsverfahren geprägt und zeugt von dem Bemühen, nachteilig wirkende Details zu tilgen und Entlastendes aufzuwerten. So fehlt in der *Charakterologie* der Einschub über Krauß' Besuch bei Hitler (vgl. S. 11), außerdem der allgemeine Absatz zu den ›Heimkehrern‹ (vgl. S. 13 f.). In Krauß' Portrait fallen neben einigen kleineren, meist stilistischen Änderungen und der Auslassung persönlicher Details (so fehlt der Abschnitt »Krauss ist zutiefst ein Einsamling« bis »wenn wir beisammen waren« (vgl. S. 152) mehrere inhaltliche Eingriffe auf. Zunächst hat CZ das Portrait um wichtige Passagen gekürzt: um den Abschnitt über Krauß' Shylock-Darstellung, seinen Besuch bei Hitler und die Unzuverlässigkeit von kolportierten öffentlichen Äußerungen (von »Emigrantenblätter haben ein Interview veröffentlicht« bis »sehr vorsichtig sein muss.« (vgl. S. 149 f.). CZ zieht sich hier auf die Position des ›Nicht-Wissens‹ zurück, verzichtet auf Spekulationen und kürzt in der *Neuen Zeitung* die Passage auf folgenden Passus zusammen: »Diesen Schauspieler dürfte die deutsche Bühne nicht verlieren, solange er lebt. Wie er sich im einzelnen in der Nazizeit verhalten hat, mag vielleicht schwer zu rekonstruieren sein. Gott weiß, was in einem intellektuell nicht zu klaren Phantasiekopf gelegentlich vorgeht. Was nach 1940 liegt, ist mir unbekannt. Aber aus der Zeit, in der ich selbst noch Zeuge war, weiß ich einiges zu berichten, was die Leute, die ihn als Nazi verurteilen, wohl nicht wissen«. Der Versuch einer pauschalen Entlastung im *Geheimreport* (»Wie er sich im einzelnen in der Nazizeit verhalten hat, mag bei einem Schauspieler wie ihm vielleicht nicht so wichtig sein«) ist in der *Neuen Zeitung* einer tendenziell juristisch begründenden Entlastung gewichen, die sich auf die Schwierigkeit einer sicheren Rekonstruktion beruft und sich damit am Prinzip des »in dubio pro reo« orientiert. Entscheidend betont wird in der *Neuen Zeitung* hingegen das sichere Wissen um Krauß' Engagement für Verfolgte. Die Schilderung von Krauß' Einsatz für CZ (von »Zu mir persönlich« bis »hätte erwachsen können« (vgl. S. 151) schließt dort mit der Versicherung: »Dies halte ich für meine Pflicht, in eventuellen späteren Untersuchungsverfahren jederzeit zu bezeugen.« Diese 1947 hinzugefügte Erklärung suggeriert eine bereits im Exil bestehende Gewißheit über die Integrität von Krauß. Entsprechend verstärkt CZ 1947 Krauß' Einsatz für Siegfried Geyer durch seine persönliche Zeugenschaft und fügt nach dem Bericht von dessen Ausreise über die ungarische Grenze (vgl. S. 151 f.)) lediglich an: »als dies geschah, war ich selbst noch in Wien«. Der im *Geheimreport* gegebene Hinweis auf die bald nach dem »Anschluß« erfolgte eigene Emigration CZs (»Es wurde auch behauptet er habe Geyer selbst in seinem Wagen über die Grenze gebracht, – da ich schon nicht mehr in Österreich war als das geschehen sein soll, kann ich es nicht bezeugen« (vgl. S. 152) und damit die Relativierung von CZs Wissen über Krauß' Einsatz fehlt. Den Bericht über Krauß' Engagement für Geyer schließt CZ 1947 mit der appellativen Frage: »Es heißt, man solle solche anständigen Handlungen gegen einzelne, und aus persönlicher Freundschaft, nicht überschätzen. Wer aber kann beschwören, daß er sie unter gleichen Umständen begehen würde?« Das Portrait ergänzte er in der *Neuen Zeitung* um folgendes *Nachwort, September 1947*: »Mein Name ist im Zusammenhang mit dem Untersuchungsverfahren gegen Werner Krauß öfters genannt worden. Daher schien es mir richtig, diese, fern von Deutschland und zwei Jahre vor dem Zusammenbruch des Naziregimes verfaßten Skizzen zu veröffentlichen. Ich habe dem heute kaum etwas Wesentliches hinzuzufügen. Ich teile den Standpunkt aller Leute, die den Künstler *nicht* menschlich und politisch verantwortungslos, als ein williges Werkzeug jeden Regimes, zu sehen wünschen. Aber wir sollten uns bemühen, ihn zu sehen, wie er ist. Auch glaube ich kaum, daß dem Ziel, das uns vor allem am Herzen liegt: der endgültigen Verhütung eines neuen deutschen Nationalwahnsinns – der inneren Gesundung Deutschlands im Zug einer Gesundung Europas – dadurch geschadet würde, daß ein Schauspieler wie Werner Krauß wieder auftritt. Sollte dieser Standpunkt irrig sein, so lasse ich mich gern von denen – aber nur von denen! – belehren, die selbst in der Zeit des Naziterrors ihr Leben und ihre Freiheit im inneren Widerstand riskiert haben.« Auf seinen Beitrag in der *Neuen Zeitung* reagierte Herbert Hohenemser (geb. 1915), von Herbst 1946 an Theater- und Filmkritiker, von Mai 1947 an Feuilletonredakteur beim *Münchener Mittag*, mit einem *Offenen Brief an Carl Zuckmayer*. Darin heißt es u.a.: »Sie kennen, da Sie 1940 Deutschland verlassen haben, den Film ›Jud Süß‹ nicht. Sie haben auch die Darstellung des ›Shylock‹ durch Werner Krauß am Wiener Burgtheater nicht miterlebt. Ihr Begriff vom Schauspieler Werner Krauß ist genau derselbe, den ich bis zum Jahre 1940 von ihm hatte. Ihre Erzählung von der Episode in Henndorf ist so großartig, daß sie in die Theatergeschichte eingehen sollte. Besser als durch diese Anekdote könnte der wunderbare Menschendarsteller Werner Krauß der Nachwelt nicht überliefert werden. Und nun muß ich Ihnen sagen, daß der Eindruck des Films ›Jud Süß‹ zu den schwersten Erschütterungen zählte, die mein Selbstbewußtsein und mein festes Gefühl vom Sieg der gerechten demokratischen Sache in diesem Kriege erlitten hat. Ich weiß nicht, ob Sie zu denen gehören, die es glauben, daß Goebbels einen Schauspieler zwingen konnte, diese Filmrolle und später den ›Shylock‹ zu spielen. Zumindest darf ich Sie einer Meinung mit mir darin vermuten, daß dieser Zwang, falls er ausgeübt wurde, nicht weiter als auf die bürgerliche Existenz (wie die des Volksschullehrers) gezielt hat. Sie räumen, sehr verehrter Herr Zuckmayer, dem Schauspielermenschen andere Bewertungsmaßstäbe ein als dem gewöhnlichen Sterblichen. Sie machen gewisse Abstriche von allgemeinen, selbstverständlichen, charakterlichen Forderungen, die man an Menschen zu stellen pflegt. Sie behaupten, Eigenschaften wie Selbstkontrolle, Verantwortungsgefühl, geistige Klarheit, charakterliche Zuverlässigkeit dürften im Umkreis des Schauspielerberufes häufig vernebelt, untergraben, doppelbodig geworden sein. Der Franzose drückt dies mit einem rücksichtsloseren Wort aus: ›Déformation professionelle‹. Sind Sie sich bewußt, sehr verehrter Herr Zuckmayer, welche Degradierung des Schauspielers als Mensch Ihre Ansicht bedeutet? Können Sie sich vorstellen, daß allein diese einzige Behauptung in Ihrem Aufsatz den stürmischen Protest sämtlicher deutscher Schauspieler hervorrufen muß, die sich während der Nazizeit als Menschen wirklich rein erhalten haben, und die nicht vor eine Spruchkammer müssen, weil sie nicht ›entlastet‹ zu werden brauchen?« (*Münchener Mittag* vom 6. Oktober 1947). CZ antwortete Hohenemser am 3. November 1947: »Ich danke Ihnen herzlich für Ihren ›offenen Brief‹ (veröffentlicht am 6. Oktober, aber erst heute in meine Hände gelangt), in dem Sie sich mit meinem Aufsatz ›Künstler im Dritten Reich‹ und meiner Charakter-Skizze über Werner Kraus‹s› auseinandersetzen. Seien Sie überzeugt, dass ich Ihre ernsten und ehrlichen Argumente keineswegs leicht nehme. Ich möchte aber versuchen, einen Punkt klarzustellen, in dem Sie mich offenbar missverstanden haben. Sie nehmen an, dass ich ›dem Schauspielermenschen andere Bewertungsmaßstäbe als dem gewöhnlichen Sterblichen‹ einräumen wolle. Nun, ich glaube, dass man überhaupt an verschiedene Menschen, nicht nur Individuen, sondern auch Menschenarten und -gruppen, vielfach verschiedene Maßstäbe anlegen muss, wenn man ihnen psychologisch und moralisch gerecht werden will. Den Schauspieler und Künstler etwa gegen ›gewöhnliche Sterbliche‹ abzugrenzen, und ihm damit einerseits eine Art Narrenfreiheit zuzugestehen, andererseits eine menschlich und gesellschaftlich inferiore Rolle zuzuweisen, liegt mir natürlich ganz fern. Jedoch bemühe ich mich, was vielleicht auch mit meinem Beruf als Dramatiker zu tun hat, Menschen grundsätzlich aus ihren eigentümlichen Veranlagungen und Bedingtheiten zu verstehen. Gewiss würde ich mich ebenso bemühen, dem unbekannten Volksschullehrer, von dem Sie sprechen, gerecht zu werden. Oder dem kleinen Beamten, dem Berufsoffizier, dem Fabrikarbeiter, dem Bauern. Der Beruf eines Menschen ist ja im allgemeinen kein reiner Zufall, und das schauspielerische Talent, besonders wo es den Durchschnitt überragt, hat zweifellos psychologische Voraussetzungen, die man bei einem Bewertungsversuch nicht ausser Acht lassen darf. Gerade aus Kreisen solcher Schauspieler, die – um Sie zu zitieren – ›während der Nazizeit sich als Menschen wirklich rein erhalten haben‹, ist meinem Aufsatz eine unerwartete Fülle von Zustimmung zuteil geworden. Diese

Schauspieler empfanden meine Ausführungen keineswegs als ›Degradation‹, sondern so wie sie gemeint waren: als eine Bemühung um charakterologisches Verständnis. Natürlich ist der Schauspieler kein ›Aussenseiter der Gesellschaft‹ und es steht kein Mensch ausserhalb der Verantwortung. Aber innerhalb der Gesellschaft müssen an Menschen verschiedener Wesensart verschiedene Maßstäbe angelegt werden. Das, wovor wir uns am meisten zu hüten haben, heute mehr als je, ist prinzipielle Verallgemeinerung, theoretische Simplifizierung. Denn damit kommen wir aus der moralischen und geistigen Katastrophe unserer Zeit (nicht nur Deutschlands) nicht heraus. Ich persönlich glaube an das Dämmern einer philosophisch-religiösen Synthese, für die das Moralische und das Ästhetische durchaus keine Gegensätze mehr sind, – weder im Sinne Nietzsches, noch im Sinne des rationalistischen Utilitarismus. Voraussetzung dazu ist die Erkenntnis des Menschen in seiner Komplexität, seines kreatürlichen Wesens und seiner Berufung zur inneren Freiheit. Sicher haben Sie vollständig recht mit Ihrer Forderung, dass die Deutschen aus dem Erlebnis von zwei verlorenen Kriegen etwas völlig anderes lernen müssen, und können, als das Ressentiment des ›Sich-nicht-damit-abfinden-Könnens‹. Ganz Europa muss sich mit dem Verlust grosser unbezweifelbarer Werte abfinden, damit endlich Europa als ein lebendiges Ganzes, als ein produktives Wert-Gebilde erstehen kann. Hier, glaube ich, liegt die idealistische Forderung, in der sich die Überlebenden, ganz gleich ob älterer oder jüngerer Generation, finden müssen, und die auch uns, über den Einzelfall hinaus, verbindet« (DLA, Nachlaß CZ).

abgespielt hat] Die Anekdote von der Perchtenmaske erzählt CZ weitgehend textidentisch auch in seinem Vorwort zu Werner Krauß' Autobiographie (Krauß 1958, S. 8-11) und in seiner eigenen Autobiographie (*Als wär's ein Stück von mir*, S. 52-54).

zweiten Frau] Die Schauspielerin Maria Bard (1900-1944) war von 1926 bis 1931 an den Reinhardt-Bühnen in Berlin und Wien engagiert. 1931 heiratete sie Werner Krauß. 1935 unternahm sie eine Tournee durch Südamerika. Anschließend war sie am Staatstheater Berlin beschäftigt und hatte auch einige Erfolge beim Film. 1937 wurde sie zur Staatsschauspielerin ernannt. Nach ihrer Trennung von Krauß 1938 heiratete sie 1940 den Schauspieler Hannes Stelzer. 1944 nahm sie sich das Leben (vgl. Riess 1988, S. 222 und Rühmann 1982, S. 103). Krauß ging 1940 eine dritte Ehe mit Liselotte Graf ein.

frühere Frau] Krauß heiratete 1910 Paula Senger (gest. 1930).

Interview] In einem Artikel von Hans Bernhardt in der deutschsprachigen Emigrantenzeitung *Aufbau* (New York) vom 6. August 1943 heißt es: »Kürzlich [am 19. Mai 1943] war in der ›Deutschen Allgemeinen Zeitung‹ folgender Bericht des Wiener Korrespondenten [Karl Lahm] zu lesen: ›Anlässlich einer Neuinszenierung des ›Kaufmann von Venedig‹ im Burgtheater [Premiere am 15. Mai 1943] nahm der Regisseur *Lothar Müthel* Gelegenheit, sich über seine und Werner Krauss' Auffassung zu äussern:»Man habe in den letzten Jahrzehnten den Shylock zu einer grossen dramatischen oder gar tragischen Sondergestalt ausgebaut; sie habe ein Übergewicht erhalten, das den Aufbau des Werkes zerstörte. Der Shylock sei wie der Malvolio als Tölpel angelegt, als böser Popanz, der schon von seinem Glaubensgenossen Tubal verhöhnt und verulkt werde. ›Erst wenn wir den ‚Kaufmann von Venedig' so sehen‹, sagt Lothar Müthel, ›wird er in seiner genialen Komposition als Märchenlustspiel wieder hergestellt.‹ [...] ›Man ahnte nach Müthels Hinweis die Richtung, die Werner Krauss im Burgtheater bei der Wiederkehr des ›Kaufmanns von Venedig‹ einschlagen würde‹, fährt der Wiener Korrespondent fort. ›Krauss, der selber kürzlich sagte, dass nach seiner Darstellung des Shylock sich jeder ein Bild davon machen könne, wie der Jude sein würde, wenn er je wiederkehren sollte!‹ Wir wissen Bescheid, wenn wir Krauss' Darstellung folgendermassen beschrieben finden: ›Die Maske allein schon, das von grell-rotem Haar- und Bartwust umrahmte blass-rosa Gesicht mit den unstet pfiffigen Äuglein, der speckige Kaftan, der gespreizte schleppende Gang, das hüpfende Fusstampfen in der Wut, die krallige Gestik der Hände, das gröhlende oder mauschelnde Organ – dies alles eint sich zum pathologischen Bild des ostjüdischen Rassetyps mit der ganzen äusseren und inneren Unsauberkeit des Menschen bei Hervorhebung des Gefährlichen im Humorigen.‹«

Fall einer Schauspielerin] Konnte nicht ermittelt werden.

Geyer] Der Regisseur, Dramatiker und Theaterkritiker Siegfried Geyer (eigentl. Siegfried Geyerhan) war 1922/23 Stellvertretender Direktor der Renaissancebühne in Wien und der Neuen Wiener Bühne, 1924/25 Direktor der Kammerspiele, des Modernen Theaters und der Neuen Wiener Bühne. Verschiedene Quellen berichteten nach Kriegsende, Geyer sei in Budapest oder in einem ungarischen Konzentrationslager umgekommen oder arbeite als Dolmetscher für den sowjetischen Generalstab (vgl. Trapp 1999, Bd. 2/1, S. 307).

Kollege] Vermutlich handelt es sich um Gründgens' Privatsekretär Erich Zacharias Langhans, der bei Gründgens in Zeesen lebte (vgl. Michalzik 1999, S. 146). Gründgens hatte Langhans um 1927 in

Hamburg kennengelernt und ihn 1934 als Mitarbeiter engagiert (Riess 1988, S. 75, 125 f.; 156). Alfred Mühr berichtet in seiner Gründgens-Biographie, der Privatsekretär des Generalintendanten sei 1937 von der SS verhaftet worden (Mühr 1981, S. 72). Riess zufolge konnte Gründgens bei Göring Langhans' Freilassung und Ausreise nach Chile erwirken.

Landgut Zeesen] Gründgens hatte das bei Königswusterhausen gelegene Gut Zeesen im Mai 1934 erworben. Für den Kauf des aus jüdischem Besitz stammenden Hauses mußte er sich 1946 in einer Spruchkammerverhandlung verantworten und wurde freigesprochen (vgl. dazu Michalzik 1999, S. 149-153).

Hamletpremiere] Die Premiere des von Lothar Müthel und nicht von Gründgens inszenierten *Hamlet* fand am 21. Januar 1936 am Staatstheater in Berlin statt. Sie wurde, obwohl bei der Kritik umstritten, ein großer Erfolg. Im Anschluß, so berichtet Peter Michalzik in seiner Gründgens-Biographie, hätten sich die Angriffe auf Gründgens, die seine Homosexualität betrafen, verstärkt, und ein Artikel des *Völkischen Beobachters*, Norddeutsche Ausgabe vom 3. Mai 1936, in dem der Hamlet-Darsteller mit Oscar Wilde und Dorian Gray verglichen worden sei, habe Gründgens zur Abreise in die Schweiz veranlaßt (vgl. Michalzik 1999, S. 130-138 und Walach 1999, S. 97-100). Gründgens' Darstellung zufolge ließ er sich von diesem Emigrationsversuch durch Göring abbringen, kehrte nach Berlin zurück und wurde zu seinem Schutz vor solchen Angriffen durch die damit verbundene Immunität zum Staatsrat ernannt (vgl. Badenhausen/Gründgens-Gorski 1967, S. 17-20).

berühmten Stelle] Gemeint ist die Szene, in der Hamlet im Dialog mit dem Höfling Rosenkranz sagt: »Ich habe keine Lust am Manne – und am Weibe auch nicht – wiewohl Ihr das durch Euer Lächeln zu sagen scheint« (William Shakespeare, *Hamlet*, übers. von August Wilhelm Schlegel, 2. Akt, Szene 2). Eine andere Version des Vorfalls liefert Alfred Mühr, was darauf hindeutet, daß die Anekdote von Gründgens aufsehenerregendem Auftritt in verschiedenen Varianten kursierte. Mühr zufolge hielt Gründgens nach der Verhaftung seines Privatsekretärs [vgl. S. 354, Anm. zu *Kollege*] eine Lesung aus Shakespeares Komödie *Was ihr wollt* ab. Die reguläre Vorstellung des von ihm inszenierten Stücks habe wegen der Erkrankung des Darstellers des Malvolio, Theo Lingen, auszufallen gedroht. Gründgens habe sich daraufhin als Ersatz zur Lesung von Malvolio-Partien entschlossen: »>Wirf deine demütige Hülle ab und schreite vorwärts ...‹ hieß es in Shakespeares Text am selben Abend [dem Abend der Verhaftung] auf der Bühne des Schau-

spielhauses am Gendarmenmarkt aus Gründgens' Mund. Schon die
Ankündigung seines Auftretens hatte die Zuschauer außer Rand
und Band gebracht. Nun, da er nicht las, sondern spielte wie ein
eingewachsener Darsteller der Inszenierung, quittierte man jeden
Auftritt mit Sonderbeifall« (Mühr 1981, S. 76). Mühr zufolge ist
diese Episode auf wenige Wochen nach der Premiere (9. Juni 1937)
zu datieren.

Einige Leute] Konnte nicht ermittelt werden.

in den deutschen Zeitungen von 1943] Gemeint ist die Besprechung
des Films *Ohm Krüger* (1941; Regie: Hans Steinhoff) in der Wochenzeitung *Das Reich* vom 13. April 1941. Glaubt man dem Register
zur Mikrofilm-Ausgabe des *Reichs* (Bonn o.J.), wird Jannings in
dieser Zeitung ansonsten nicht erwähnt.

Albion] Bezeichnung für England.

Sudermann] Der Schriftsteller Hermann Sudermann (1857-1928)
war Ende des 19. Jahrhunderts neben Gerhart Hauptmann der
führende Dramatiker des Naturalismus. Während Hauptmann in
den 1910er Jahren eine Neubewertung als symbolischer Dramatiker
erfuhr (vgl. etwa Siegfried Jacobsohn, *Die Ratten*, in: *Die Schaubühne*, Jg. 12, 1916, Nr. 52, S. 608-612), die auch CZs Ansicht über
Hauptmann nahe kommt (vgl. Tschörtner 1999, S. 461-491), gab
Sudermann – sicher auch in Erinnerung an seine Streitschrift *Die
Verrohung der Theaterkritik* (1902) – das Feindbild für eine ganze
Kritikergeneration ab (vgl. Nickel 1996, S. 56-73). Einen direkten
Vergleich beider Dramatiker nahm Willi Handl in seinem Aufsatz
Hauptmann und Sudermann vor (in: *Freie deutsche Bühne*, Jg. 1,
1919/20, Nr. 29, S. 692-695).

Hauptmann] CZ hat Gerhart Hauptmann (1862-1946), den er sehr
verehrte, 1926 persönlich kennengelernt und mit ihm auch eine
(nicht sehr umfangreiche) Korrespondenz geführt. Bereits 1922
hielt er bei einer Matinée der Vereinigten Städtischen Theater Kiel
eine Rede über Hauptmann, deren Anlaß dessen 60. Geburtstag
war (abgedruckt in Zuckmayer, *Ein voller Erdentag*, S. 138-146).
Auch zu Hauptmanns 70. Geburtstag 1932 sprach CZ bei einer
Festveranstaltung, der offiziellen Geburtstagsfeier der Stadt Berlin
(diese Rede ist abgedruckt in Zuckmayer, *Aufruf zum Leben*,
S. 175-181). Eine weitere Festrede hielt CZ aus Anlaß von Hauptmanns 100. Geburtstag (abgedruckt in Zuckmayer, *Ein voller Erdentag*, S. 147-179). 1951 bearbeitete er dessen fragmentarisch ge-
bliebenes Drama *Herbert Engelmann*, das unter der Regie von
Berthold Viertel am 8. März 1952 am Akademietheater in Wien
uraufgeführt wurde. Für *Die Großen Deutschen. Deutsche Bio-*

graphien in vier Bänden verfaßte CZ den Hauptmann-Beitrag (Heimpel/Heuss/Reifenberg 1957, S. 227-244). Weitere Einzelheiten zum Verhältnis zwischen beiden Schriftstellern liefert der Aufsatz von Heinz Dieter Tschörtner (Tschörtner 1999).

Rocher de Bronce] eherner Fels (nach einer Redewendung Friedrich Wilhelms I. von Preußen).

Funk] Walther Funk (1890-1960) war von 1920 an Leiter des Handelsteils der *Börsen-Zeitung* (Berlin) und von 1922 bis 1930 deren Chefredakteur. 1931 wurde er Mitglied der NSDAP, 1933 Pressechef der Reichsregierung, 1937 Reichswirtschaftsminister, 1939 als Nachfolger Hjalmar Schachts Reichsbankpräsident.

Fifth Column] Fünfte Kolonne, Bezeichnung von Angehörigen politischer Gruppen, die während eines Krieges im eigenen Land die Ziele des Kriegsgegners verfolgen.

Déroute] Zusammenbruch.

Eine Dame] Konnte nicht ermittelt werden.

Madrid] Sieburg arbeitete 1941 nicht als Auslandskorrespondent für deutsche Blätter in Madrid, sondern war von 1940 bis 1942 als Diplomat an der deutschen Botschaft in Paris tätig.

erwähnte] Siehe S. 84.

wieder geheiratet] Von 1942 bis 1944 war Sieburg mit Dorothee Gräfin Pückler, geb. von Bülow (1911-1975), verheiratet. »Sie war«, so Hans-Georg von Studnitz, »eine Großnichte des Reichskanzlers Fürst Bernhard von Bülow und kam aus Württemberg, wo ihr Großvater Putlitz [Joachim Friedrich Wilhelm Edler zu Putlitz (1860-1922)] als Intendant der Hoftheater gewirkt hatte« (von Studnitz 1985, S. 72).

›Pearl Harbour‹ und Stalingrad] Am 7. Dezember 1941 bombardierte die japanische Luftwaffe ohne offizielle Kriegserklärung den US-amerikanischen Flottenstützpunkt Pearl Harbor auf der Hawaii-Insel Oahu. Der darauffolgende Kriegseintritt der USA am 11. Dezember 1941 sollte eine neue Phase im Kriegsverlauf markieren. Der Kampf um Stalingrad, der Ende August 1942 begonnen hatte, wurde am 31. Januar bzw. 2. Februar 1943 durch die Kapitulation der deutschen Truppen zugunsten der sowjetischen Armee entschieden.

Brues] Der Schriftsteller und Redakteur Otto Brües (1897-1967) nahm am Ersten Weltkrieg teil, studierte anschließend Germanistik und Kunstgeschichte, wurde 1922 Feuilletonredakteur des zur *Kölnischen Zeitung* gehördenden *Stadt-Anzeigers* und 1933 Feuilletonredakteur der *Kölnischen Zeitung*, als diese mit dem *Stadt-Anzeiger* fusionieren mußte. Er protegierte in Übereinstimmung mit der herrschenden Kulturpolitik vor allem rheinisch-volkstümliche Literatur (vgl. Oelze 1990, S. 69-73, und Drafz 1996). Brües veröffentlichte zahlreiche Romane, Gedichte und Erzählungen sowie eine Reihe von Dramen und war auch publizistisch sehr produktiv, wobei sich nach Einschätzung von Helge Drafz (ebd., S. 278 f., 291) seine Position in den Jahren 1933 bis 1945 mit Sicherheit nicht auf eine »taktische Annäherung« an den Nationalsozialismus, sondern auf seine kontinuierlich nationalkonservative Haltung gründete. 1937 wurde er, nach eigenen Angaben auf Druck des Kölner Gauleiters Josef Grohé und der stark bedrängten *Kölnischen Zeitung*, Mitglied der NSDAP (vgl. Brües 1967, S. 193 f.). Von 1939 bis 1943 leistete er Wehrdienst und gab die Soldatenzeitungen *Wacht im Westen*, *Wacht im Osten* und *Wacht im Südosten* heraus. 1942 erhielt Brües den Rheinischen Literaturpreis. Im Entnazifizierungsverfahren als »unbelastet« eingestuft, lebte er nach 1945 als freier Schriftsteller in Bayern, ließ sich 1953 in Krefeld nieder und arbeitete bis 1964 als Feuilletonredakteur bei der in Düsseldorf erscheinenden Zeitung *Der Mittag*. In dieser Zeit veröffentlichte Brües folgende Beiträge über CZ: *Das Leben bejahen, was es auch bringt. Carl Zuckmayers Volksstück ›Katharina Knie‹ im Düsseldorfer Schauspielhaus* (*Der Mittag* vom 17. September 1953), *Epistel an C.M. Bellmann im Parnaß. Gelegentlich der ›Ulla Winblad‹ im Düsseldorfer Schauspielhaus* (*Der Mittag* vom 15. Februar 1954), *Zuckmayer – Wanderer auf langen Wegen. Zum 60. Geburtstag des Dichters, der beinahe ein Weihnachtskind ist* (*Werra-Rundschau* [Eschwege] vom 24. Dezember 1956), *Nein – laßt uns vom Menschen reden! Der Dichter Carl Zuckmayer wird heute sechzig Jahre alt* (*Der Mittag* vom 27. Dezember 1956), *Ein Dichter wanderte auf langen Wegen. Zu Carl Zuckmayers 65. Geburtstag am 27. Dezember 1961* (*Der Mittag* vom 27. Dezember 1961), *Der andere Zuckmayer. Zum 65. Geburtstag des Dichters* (*Kölnische Rundschau* vom 27. Dezember 1961), *Nach dreißig Jahren so blank wie je. Carl Zuckmayers »Hauptmann von Köpenick« in Düsseldorf* (*Der Mittag* vom 10. September 1962). Im Nachlaß von Otto Brües im Stadtarchiv Krefeld finden sich darüber hinaus Typoskripte der Besprechungen von CZs *Das kalte Licht* (1955) und *Die Fastnachtsbeichte* (1959), zu denen keine Drucknachweise ermittelt werden konnten. Vgl. zur Biographie auch F. Janssen 1991. Über Kontakte zu CZ ist nichts bekannt. In CZs Autobiographie wird Brües nicht erwähnt.

Alverdes] Paul Alverdes (1897-1979) nahm am Ersten Weltkrieg teil und lebte nach seinem Studium der Rechtswissenschaften, Germanistik und Kunstgeschichte von 1922 an als freier Schriftsteller in München. Soweit ermittelt werden konnte, gehörte er nicht zum Mitarbeiterkreis der *Kölnischen Zeitung*. Den literarischen Durchbruch erzielte er mit der Erzählung *Die Pfeiferstube* (1929). Mit seinem vom Fronterlebnis geprägten Werk rechnete er zum nationalkonservativen Lager. Von einem nationalsozialistischen Standpunkt aus wurde Alverdes von Hellmuth Langenbucher kritisiert, weil er die Ansicht vertrete, »das Wesen aller echten Poesie wie aller echter Kunst sei, daß sie keinen Standpunkt besitze« (Langenbucher 1937, S. 24). Als Mitherausgeber und Chefredakteur der Monatszeitschrift *Das Innere Reich* geriet Alverdes in Gegensatz zur offiziellen Literaturpolitik. Aufgrund dreier nicht ideologiekonformer Aufsätze von Rudolf Thiel, Jochen Klepper und Reinhold Schneider zum 150. Todestag Friedrichs II. im Augustheft 1936 wurde die 1934 gegründete Zeitschrift im Oktober kurzzeitig verboten (vgl. Volke 1983, S. 31-38). Sie durfte dann aber unter Alverdes' und Karl Benno von Mechows Redaktion schließlich doch bis zum Herbst 1944 weiter erscheinen. Nach dem Zweiten Weltkrieg wurde Alverdes mit einem zweijährigen Publikationsverbot belegt und war anschließend vor allem mit Kinderbüchern und als Mitarbeiter des Bayerischen Rundfunks mit Hörspielen erfolgreich. Über Kontakte zu CZ konnte nichts ermittelt werden. In CZs Autobiographie wird er nicht erwähnt.

konservativ-katholisches Blatt] CZ verwechselt die katholische *Kölnische Volkszeitung* mit der liberalen *Kölnischen Zeitung*. Die *Kölnische Zeitung* stand in der Weimarer Republik der Deutschen Volkspartei nahe, während die *Kölnische Volkszeitung* die katholische Zentrumspartei unterstützte (vgl. Deutsches Institut für Zeitungskunde 1932, S. 242). Während des ›Dritten Reichs‹, so Klaus-Dieter Oelze, fand man in der *Kölnischen Zeitung* »Beiträge aller Richtungen, wobei genuine Nationalsozialisten im eigentlichen Feuilleton (Ausnahme: die Beilage ›Junge Nation‹) im Hintergrund stehen« (Oelze 1990, S. 69).

Geysenheiner] Max Geisenheyner (1884-1959) war Journalist und Schriftsteller. Von 1913 an schrieb er für die *Frankfurter Zeitung*, bei der er 1932 Feuilletonredakteur wurde. Als deren Kulturreferent mit Schwerpunkt Theater arbeitete Geisenheyner von 1937 bis zum Verbot der Zeitung 1943 in Berlin und lebte anschließend als freier Schriftsteller. 1935 veröffentlichte er im Reclam Verlag (Leipzig) das Volksstück *Petra und Alla*, 1936 im Frankfurter Societäts-Verlag das Buch *Phantasien aus dem Rucksack*, das 1942 in einer zweiten Auflage erschien. Von 1948 bis 1952 war er Feuilletonredakteur der in Mainz erscheinenden *Allgemeinen Zeitung,* in der er folgende, durchweg positive Besprechungen von Stücken CZs veröffentlichte: *Carl Zuckmayers ›Der Schelm von Bergen‹. Erstaufführung im Württembergischen Staatstheater* (9. Juni 1950), *Erstaufführung im rhein-mainischen Raum. Carl Zuckmayers »Der Gesang im Feuerofen« im Staatstheater Wiesbaden* (8. Januar 1951), *Im Mainzer Stadttheater: ›Der Hauptmann von Köpenick‹. Ein deutsches Märchen von Carl Zuckmayer* (14. Januar 1952), *›Das kalte Licht‹ in Mainz. Erstaufführung des Zuckmayer-Dramas im Mainzer Städtischen Theater* (20. April 1956). Geisenheyners letzter Text über CZ war ein am 20. November 1956 erschienener Bericht über einen CZ-Vortrag von Hanns W. Eppelsheimer. Über Kontakte zu CZ konnte nichts ermittelt werden. In CZs Autobiographie wird Geisenheyner nicht erwähnt.

Reiffenberg] Benno Reifenberg (1892-1970) studierte Kunstgeschichte, nahm dann am Ersten Weltkrieg teil und war von 1919 an bei der *Frankfurter Zeitung* tätig. 1924 wurde er deren Feuilletonchef, arbeitete von 1930 bis 1932 als Korrespondent in Paris und wurde anschließend leitender politischer Redakteur bis zum Verbot der Zeitung 1943. Nach der Ernennung Hitlers zum Reichskanzler verfaßte er den Leitartikel *Der Zweifel,* der den Aufstieg der Nationalsozialisten und Hitlers Machtanspruch entschieden kritisierte (*Frankfurter Zeitung* vom 31. Januar 1933). Als er aus Anlaß der Entfernung von van Goghs Portrait *Dr. Gachet* aus dem Frankfurter Städel mit der Begründung, daß es »entartet« sei, eine subtil politische Bildbetrachtung veröffentlichte, wurde er im Februar 1938 einen Tag lang in Schutzhaft genommen (*Frankfurter Zeitung* vom 9. Dezember 1937; vgl. Gillessen 1986, S. 370-372 und Hummerich 1984, S. 70 f.). Nach dem Verbot der Zeitung arbeitete Reifenberg als Hilfskraft bei dem Hirnforscher Oskar Vogt in dessen medizinischem Institut in Neustadt im Schwarzwald. Von 1945 bis 1958 gab er als Mitbegründer die Zeitschrift *Die Gegenwart* heraus und wechselte nach deren Einstellung zur *Frankfurter Allgemeinen Zeitung,* bei der er als Mitherausgeber bis 1965 tätig war. Über Kontakte zu CZ konnte nichts ermittelt werden. In CZs Autobiographie wird er nicht erwähnt.

hässliche Naziflöte] CZs überraschend negatives Bild von Reifenberg ist möglicherweise durch Joseph Roth beeinflußt worden, den er zuletzt im Juni 1938 auf der Beerdigung Ödön von Horváths traf (*Als wär's ein Stück von mir,* S. 133). In einem Brief an Blanche Gidon urteilte Joseph Roth: »Wer mit dem III. Reich eine Beziehung eingeht, und gar eine öffentliche, wie es mein armer Freund

Reifenberg tut, der ist aus dem Register meiner Freunde gestrichen«
(Brief vom 27. September 1933, zit. nach Kesten 1970, S. 280; vgl.
auch Bronsen 1974, S. 425-428).

Kunstbetrachter] Vgl. S. 321, Anm. zu ›*Kunstbetrachter*‹.

Frühlingsbriefs] Ein solcher Beitrag konnte in der *Frankfurter Zeitung* nicht ermittelt werden. Vermutlich dachte CZ an Passagen
wie die folgenden aus Geisenheyners Buch *Phantasien aus dem
Rucksack* (Geisenheyner 1936): »Stand nicht einmal das Herz vor
Rührung und Glück still, als ich nach einer rasenden Fahrt mit
dem Luftschiff um die Erde wieder über deutschen Landen
schwebte? Da verschwanden die Traumgespinste [...] – sie ver-
flüchtigten sich vor den ersten mit heißem Verlangen begrüßten
deutschen Straßen. Heimat!« (S. 6 f.) »Ich nehme Ludwig Bech-
steins ›Thüringer Sagen‹ aus dem Rucksack [...]. Es rauscht in der
schönen langen Geschichte vom Urgrund der Güte herauf. Sterne
Gottes fallen glitzernd herab. Mein Herz schlägt feierlich ruhig,
als säße ich in einer Kirche und lauschte einer frommen Legende«
(S. 16). »Mein Esel richtet die Ohren auf. Er nickt. Ich habe ganz
einfach ›Du schöne Welt‹ vor mich hingesagt. Drei Worte nur, aber
sind sie nicht ein Bächlein mit kleinen Blumeneinfällen am Rande
und lustigen Kieselspritzern mittendrin? [...] Haben wir nicht
beide ein wenig Wahlverwandtschaft, mein Esel und ich? Sind wir
nicht beide ein Stück unverbesserlicher, unverbrauchter, dumm-
seliger Natur? Möchte ich nicht immer sein wie er?« (S. 20).

Angermayer] Der österr. Schriftsteller Fred Antoine Angermayer
(1889-1951) nahm als Soldat am Ersten Weltkrieg teil und lebte
von 1921 an als freier Schriftsteller in Berlin. Er war Mitglied des
PEN-Clubs und des Bühnen- und Filmklubs und gehörte den
Vorständen des Verbandes deutscher Bühnenschriftsteller und des
Verbandes deutscher Rundfunkschriftsteller an. Angermayer verfaßte neben Gedichten (*Das Blut*, Sonettzyklus, 1923) vornehmlich Dramen für Bühne und Film. 1924/25 gab er mit Paul Zech in
Leipzig die Monatsschrift *Das dramatische Theater* heraus. »Alles
spricht dafür«, resümiert Helmut Schmidtmayer in seiner Dissertation *Fred A. Angermayer und die literarischen Bestrebungen des
Expressionismus* (Schmidtmayer 1949), »dass Angermayer von
vornherein sehr national eingestellt war und schliesslich offen zur
nationalsozialistischen Seite tendierte. Dem entspricht auch seine
Weltanschauung, die aus seinen Werken klar hervortritt. [...] Allerdings ist auffällig, dass die öffentliche Tätigkeit des Dichters mit
fortschreitendem Krieg völlig verstummte [...]. Ob der Dichter
sich angesichts der ›Enthüllung‹ des Nationalsozialismus von ihm

abwandte, kann nicht genau festgestellt werden [...].« Über Kontakte zu CZ konnte nichts ermittelt werden. In CZs Autobiographie wird Angermayer nicht erwähnt.

Kaisers] Georg Kaiser (1878-1945) war einer der meistgespielten expressionistischen Dramatiker. Er wurde durch Stücke wie *Die Bürger von Calais* (1914), *Von morgens bis Mitternacht* (1916), *Gas I* (1918) und *Gas II* (1920) bekannt. CZ berichtet in seiner Autobiographie über die Aufnahme von Kaisers Dramenwerk in das Programm des Frankfurter Schauspielhauses nach dem Ersten Weltkrieg (vgl. *Als wär's ein Stück von mir*, S. 313). Wie sich aus einer überlieferten Postkarte Kaisers vom 29. August 1938 in CZs Nachlaß ergibt, kannten sich die beiden Dramatiker auch persönlich. Der Text auf dieser Karte lautet: »Maestro, der Hochzeit in Potsdam entsinne ich mich, als wäre alles gestern gewesen. Poelzig [gemeint ist der Architekt Hans Poelzig (1869-1936)] ist tot. Gottlob leben Sie. Ein Wiedertreffen begrüsst Ihr Georg Kaiser«. Über weitere Kontakte zwischen Kaiser und CZ ist nichts bekannt.

Sternheim] Der Dramatiker Carl Sternheim (1878-1942) wurde vor allem durch Komödien wie *Die Hose* (1911), *Die Kassette* (1912) und *Bürger Schippel* (1913) bekannt. CZ lernte ihn während seiner Berliner Dramaturgenzeit kennen, worüber er in seiner Autobiographie berichtet: »Er sah aus wie die Mischung aus einem smarten Großkaufmann und einem belgischen Marquis und liebte es, in der Attitüde und im Tonfall eines preußischen Junkers zu agieren« (*Als wär's ein Stück von mir*, S. 460).

›*Komödie um Rosa*‹] Das Stück wurde am 11. September 1925 am Dramatischen Theater in Berlin uraufgeführt. Gedruckt erschien es 1924 im Schauspiel-Verlag, Berlin.

Thoma] Ludwig Thoma (1867-1921) etablierte sich bereits mit seinem ersten Buch, den Dialekterzählungen *Agricola. Bauerngeschichten* (1897), als regional geprägter bayerischer Erzähler. Bekannt wurde er vor allem durch seine *Lausbubengeschichten* (1905). Darüber hinaus verfaßte er einige zeit- und gesellschaftskritische Komödien, in denen er die wilhelminische Gesellschaft und das Bürgertum aufs Korn nahm (*Die Medaille* [1901], *Die Lokalbahn* [1902], *Moral* [1909]). Mit Reinhold Geheeb war er seit 1900 Chefredakteur der satirischen Zeitschrift *Simplicissimus*, in der er zahlreiche Gedichte veröffentlichte. Seit 1907 gab er mit Hermann Hesse die Zeitschrift *März* heraus. Nach Ausbruch des Ersten Weltkrieges wandte sich Thoma immer mehr dem Deutschnationalismus zu. Für den *Miesbacher Anzeiger* schrieb er 1920/21 politische Leitartikel, die wegen ihrer Ausfälle gegen den

Parlamentarismus, gegen demokratische und sozialistische Politiker und wegen des in ihnen zum Ausdruck gebrachten radikalen Antisemitismus in der Presse der politischen Rechten nicht ihresgleichen hatten (vgl. Volkert 1989). Sein Volksstück *Magdalena* (1912) hat CZ in der *B.Z. am Mittag* vom 18. August 1930 emphatischlobend besprochen (vgl. dazu Nickel/Weiß 1996, S. 245). Über Kontakte zu CZ ist nichts bekannt. In CZs Autobiographie wird Thoma nicht erwähnt.

»Flieg, roter Adler von Tirol«] Das Stück wurde am 11. Oktober 1929 am Bremer Schauspielhaus uraufgeführt. Gedruckt erschien es 1924 im Schauspiel-Verlag, Berlin. In der Besprechung Karl Neuraths in der *Deutschen Tageszeitung* (Berlin) hieß es: »Fred Angermeyer […] hat mit seinem neuesten Stück, einem Grenzlanddrama, einen großen und starken Erfolg gehabt. Und der ist um so höher anzuschlagen, als es sich um einen deutschen Stoff und einen Dichter handelt, der sich mutig gegen die allgewaltige Mode gestellt und ein herzhaftes Volksstück geschrieben hat« (zit. nach Elser 1930, S. 252). Willy Haas dagegen sah in der Berliner Tageszeitung *Montag Morgen* Angermayer sich treu bleiben: »Fred A. Angermayer ist zwar kein Dichter, aber ein unfehlbares Barometer. Zur Zeit des Expressionismus war er der tollste Expressionist. Zur Zeit der Georg Kaiser-Mode war er kaiserlicher als Kaiser. […] Wenn er heute biedere, derbe, nationalistische Bauerndramen von ›deutscher Not‹ schreibt, mit wilden Heimwehr-Tiraden und Racheschreien gegen welsche Tücke – so bedeutet das was. Es zeigt die Abwanderung der literarischen Snobs-Konjunktur nach rechts […]« (zit. nach ebd., S. 253).

Straub] Die Schauspielerin Agnes Straub (1890-1941) war von 1915 an am Berliner Staatstheater engagiert, hatte aber auch Engagements am Deutschen Theater und beim Film. Von 1929 bis 1935 befand sie sich vorwiegend auf Tourneen. 1935/36 leitete sie auch eine eigene Bühne, das Agnes-Straub-Theater in Berlin. Über Kontakte zu CZ ist nichts bekannt, in CZs Autobiographie wird Agnes Straub nicht erwähnt.

Blüher] Der Kulturphilosoph und Privatgelehrte Hans Blüher (1888-1955) schloß sich früh der Wandervogelbewegung an, über die er 1912 seine zwei ersten Bücher veröffentlichte. Blühers darin entwickelte Theorie der Homoerotik war von Sigmund Freud beeinflußt, mit dem er in Briefkontakt stand. Von seinen Erfahrungen im Wandervogel ausgehend publizierte er die zweibändige Monographie *Die Rolle der Erotik in der männlichen Gesellschaft* (Jena 1917-1919), in der er den heroischen »Männerbund« zur

Grundlage des Staates erklärte. Blühers Vorstellung von einer dem Volk innewohnenden schicksalsbestimmenden Idee, die vom »Männerbund« getragen und erfüllt werde, ist leicht in die Nähe der NS-Ideologie zu rücken. Er wollte seine Theorie jedoch nicht normativ verstanden wissen und rechtfertigte sich gegenüber dem Vorwurf, geistiger Wegbereiter des ›Dritten Reichs‹ zu sein, mit dem Argument, er habe nur benannt, womit die Nationalsozialisten später ihre aggressive Politik begründet hätten (vgl. Schoeps 1962, S. 24 f.). Ein Nationalsozialist, so stellt Günther Schloz fest, sei Blüher tatsächlich nie gewesen; seiner Theorien wegen müsse der »Selbstdenker« jedoch als Apologet des Führertums und überzeugter Antisemit betrachtet werden (Schloz 1969, S. 213, 225). Blühers vielbeachtetem Werk zur Homoerotik folgten zahlreiche kulturphilosophische Schriften, die teils von antisemitischen Ideen geprägt sind (*Secessio Judaica*, Berlin 1922; *Die Erhebung Israels gegen die christlichen Güter*, Hamburg 1931). Zwischen 1933 und 1945 enthielt er sich jeder Publikationstätigkeit; aus einer Liste der Bayerischen Politischen Polizei von 1933/34 geht hervor, daß Werke von Blüher beschlagnahmt und eingezogen wurden (vgl. Strothmann 1968, S. 230). Nach Kriegsende arbeitete Blüher wenig beachtet an einer Metaphysik der Natur, die 1949 unter dem Titel *Die Achse der Natur* im Stromverlag erschienen ist. Über Kontakte zu CZ ist nichts bekannt. In CZs Autobiographie wird Blüher nicht erwähnt.

Luserke] Der Reformpädagoge, Theaterpädagoge und Schriftsteller Martin Luserke (1880-1968) absolvierte seine Lehrerausbildung am Herrnhuter Brüderseminar (Niesky/Lausitz) und unterrichtete seit 1906 am Landerziehungsheim Haubinda, bevor er 1906 mit Gustav Wyneken und dem späteren Gründer der Odenwaldschule Paul Geheeb die Freie Schulgemeinde Wickersdorf in Thüringen gründete, die er von 1910 an mit zweimaliger Unterbrechung leitete. 1924 trennte er sich von Wyneken und gründete die »Schule am Meer« auf der Nordseeinsel Juist, der er bis zu ihrer Auflösung 1934 vorstand. Anschließend lebte er als freier Schriftsteller auf einem Segelschiff und ließ sich 1939 in Meldorf in Schleswig-Holstein nieder, wo er bis zu seinem Tod als Autor und Theaterpädagoge arbeitete. CZs Bruder Eduard hatte 1925 Luserkes Schule besucht und war von ihr so angetan, daß er dort bis zu ihrer Schließung als Musikpädagoge tätig war. Mit Luserke zusammen entwickelte Eduard Zuckmayer maßgeblich das musikalische Element der Laienaufführung und vertonte zahlreiche Musikspiele. Das gemeinsame Engagement für das Laienspiel dokumentiert der von beiden verfaßte Aufsatz *Musik und Laienspiel* (in: *Musik und Gesellschaft*, Jg. 1, 1930, H. 5, S. 137-143). Mit der Gründung der Schule am Meer schuf Luserke die Grundlage für die Verwirklichung seines pädagogischen Programms, das mit starker Betonung der musischen Elemente auf die Förderung der »nordisch-germanischen Kraft« des »deutschen Wesens« zielte. In der zivilisationskritischen Programmschrift *Schule am Meer. Leitsätze. Die Gestalt einer Schule deutscher Art* (1925) erklärte er: »Wir glauben an das deutsche Wesen als an eine geistig-seelische Rassigkeit, die über allen Tagesmeinungen und Parteikämpfen als Gemeinschaft der Sprache und als eine Geformtheit und fortdauernde Formung durch gemeinsame Kulturgüter besteht. Wir glauben aber, daß sie nicht bloß als Natur vorhanden ist, sondern daß es der Verantwortung der Lebenden unterliegt, was sie mit diesem Lebenskörper anfangen. Wir rechnen zu dieser Verantwortung auch eine kraftvolle Nüchternheit gegenüber der mystischen Überbewertung des Blut- und Leibhaften und der einsiedlerisch-völkischen Nervosität. Wir glauben nicht, daß alle krankhaften Erscheinungen am Volkstum auf Vergiftung mit Fremdartigkeit, sondern wir glauben vielmehr, daß sie auf geistig-seelischer Unterernährtheit und Formlosigkeit beruhen« (zit. nach Schwerdt 1993, S. 151). Schwerdt zufolge ist Luserkes Pädagogik stark von Ludwig Klages' Idee der Polarität von rationaler und nichtrationaler Welterfassung geprägt, zwischen der eine harmonische Synthese anzustreben sei. Prinzipiell müßten beide Denkweisen gefördert werden, derzeit habe aber die besondere Betonung auf der letzteren, der »nordisch-germanischen« Welterfassung, zu liegen, weil diese vom rational-analytischen, »hellenistischen« Denken zu sehr dominiert werde (ebd. S. 161). Auf Juist entwickelte Luserke das in Wickersdorf erarbeitete Laienspiel weiter, für das er von 1912 an selbst Stücke verfaßte und das ein wichtiger Bestandteil der musischen Ausbildung war. Er förderte besonders das Bewegungsspiel, das sich durch das »Gestaltwerden von Darstellungsgehalten« in großangelegten Bewegungsströmen auf einer speziellen Podiumsbühne auszeichnete und das er bevorzugt mit Shakespeare-Stücken umsetzte (Giffei 1979, S. 14; vgl. auch Ehrentreich 1965). Im Laufe des Jahres 1933, so Schwerdt, habe sich die »Schule am Meer« um die direkte Übernahme durch die Hitlerjugend bemüht, da sie im Zuge der Gleichschaltung als selbständiges Landerziehungsheim keine Perspektive mehr gesehen habe. »Unüberbrückbare ideologische Gegensätze« zum Nationalsozialismus hätten dabei nicht bestanden. Im Januar 1934 machte die Ablehnung der Reichsjugendführung diesen Plan zunichte, nachdem zuvor von der lokalen NSDAP-Ortsgruppe eine Untersuchung wegen Vorbehalten gegen das Institut und seine Lehrer angestrengt worden war, die jedoch für die Schule günstig endete. Im Februar 1934 kündigte Luserke seinen Rückzug aus der Schule an. Zu Ostern des Jahres löste er sie freiwillig auf. Schwerdt berichtet, anschließend habe dort für kurze Zeit eine »Führerschule« für den ›Bund deutscher Mädel‹ bestanden (vgl. hierzu Schwerdt 1993, S. 245). Luserkes Bereitschaft zur pädagogischen Mitarbeit im neuen Staat beweist sein Aufsatz *Die nordische Landschaft als Erzieher* (in: *Volk im Werden*, Jg. 1, 1933, H. 3, S. 49-55), in dem er sich für eine Erziehungsarbeit mit dem Ziel der »Herausformung völkischer Rassigkeit« ausspricht (ebd., S. 50). Bei Überlegungen zum Shakespeare-Laienspiel hob er nun den »nordisch-germanischen Charakter« von Shakespeares Dichtung hervor (*Shakespeare und das heutige deutsche Laienspiel*, in: *Shakespeare-Jahrbuch*, Bd. 69, 1933, S. 119 f.). Nach der Auflösung der Schule am Meer verfaßte Luserke weiterhin zahlreiche Abenteuer-, Seefahrer- und Spukgeschichten sowie zur Aufführung bestimmte Heldenspiele, Märchen und Grotesken. Von der nationalsozialistischen Literaturpolitik wurde er als Schriftsteller gefördert, erzielte hohe Auflagen und wurde 1936 mit dem Literaturpreis der Reichshauptstadt Berlin ausgezeichnet. Darüber hinaus veranstaltete Luserke für NS-Jugendgruppen wie die Hitlerjugend und den ›Bund deutscher Mädel‹ viele Lese- und Aufführungsabende. Bei Kriegsausbruch bot er sich als Erzähler für die Truppenbetreuung der Wehrmacht an und bereiste in dieser Funktion Norddeutschland sowie die besetzten Gebiete (vgl. hierzu Schwerdt 1993, 280-284 und 308-319). Über persönliche Kontakte zu CZ ist nichts bekannt. In CZs Autobiographie wird Luserke nicht erwähnt.

Wynecken-Kreis] Gemeint ist der Kreis um den Reformpädagogen Gustav Wyneken (1875-1964), der 1901 die Leitung des Landerziehungsheims Isenburg übernahm. 1906 gründete er gemeinsam mit Paul Geheeb die Freie Schulgemeinde in Wickersdorf bei Saalfeld in Thüringen, in der in den 1920er Jahren auch Peter Suhrkamp unterrichtete. Die Schule, zu deren Konzept die gemeinsame Verantwortung und Gestaltung von Lehrern und Schülern gehörte, wurde rasch bekannt. In einigen Städten gab es Freundeskreise dieser Schulgemeinde. Einem von ihnen gehörte zum Beispiel Walter Benjamin 1907 in Berlin an. 1913 veröffentlichte Wyneken die programmatische Schrift *Schule und Jugendkultur*. 1910 mußte er Wickersdorf nach Auseinandersetzungen mit den Behörden verlassen, konnte dort jedoch 1919 erneut als Lehrer, von 1925 an als Leiter tätig sein. Als es 1931 wegen seiner homosexuellen Beziehung zu einem Schüler abermals zu Auseinandersetzungen mit den Behörden kam, verließ er Wickersdorf endgültig und ließ sich zunächst in Berlin, 1934 in Göttingen nieder. Die Schulgemeinde wurde nach 1933 staatlich anerkannt und als an der nationalsozialistischen Ideologie orientierte Schule weitergeführt. Wyneken bemühte sich 1934/35 erfolglos um eine Wiederaufnahme seiner Erziehungsarbeit in Wickersdorf. Ebenso vergeblich suchte er die Kooperation mit Reichsjugendführer Baldur von Schirach (vgl. Kupffer 1970, S. 147 f.). Sein Plan, die Schule nach Kriegsende wieder zu übernehmen, zerschlug sich. Wyneken widmete sich fortan in Göttingen publizistischen Arbeiten und öffentlichen Vorträgen und pflegte die Verbindung zur Jugendbewegung. Über Kontakte zu CZ ist nichts bekannt. In CZs Autobiographie wird Wyneken nicht erwähnt.

Rosenbergkreis] Luserke wurde in Hellmuth Langenbuchers *Volkhafte Dichtung der Zeit* als »ein Erzähler von prachtvoller Eigenart« gepriesen, in dessen Werk »ein Bild des nordischen Menschen [lebt], das als Vorbild und Sinnbild in strahlender Größe vor uns steht« (Langenbucher 1937, S. 172).

Tauchbädern] Den Alltag in der Schule am Meer sowie die ritualisierten »Tauchbäder im Meer« beschreibt der Musikpädagoge Kurt Sydow (Sydow 1980, S. 181 f.).

Zeltgeschichten] Mit den *Zeltgeschichten. Fremdartige Abenteuer, von denen im Zelt und am Feuer erzählt wurde*, Bd. 1: *Die sieben Geschichten von Tanil und Tak. Indianische Legenden*, Bd. 2: *Die zwölf Geschichten von dem Helden Sar Ubo mit der silbernen Hand*, Bremen: Angelsachsen-Verlag 1925/26, debütierte Luserke als Erzähler.

›Shakespeare als Bewegungsspiel‹] In der Schrift *Shakespeare-Aufführungen als Bewegungsspiele*, herausgegeben von Hans Brandenburgs ›Bund für das neue Theater‹ (Stuttgart, Heilbronn 1921), setzte sich Luserke für die Aufwertung des rhythmischen Elements in Theateraufführungen ein und forderte die Rückbesinnung auf die traditionelle Aufführungstechnik der »geformten Bewegung« im Sinne des chorischen Theaters. In seinem Buch *Pan-Apollon-Prospero. Ein Mittsommernachtstraum, die Wintersage und Sturm. Zur Dramaturgie von Shakespeare-Spielen* (Hamburg 1957) faßte Luserke seine Überlegungen zusammen.

Professor Unrat] Protagonist in Heinrich Manns gleichnamigem Roman, an dessen Verfilmung CZ als Drehbuchautor beteiligt war (vgl. Dirscherl/Nickel 2000).

Michel] Der Essayist und Lyriker Wilhelm Michel (1877-1942) hatte
Jura studiert, lebte seit 1901 als freier Schriftsteller und war u.a. für
die *Münchener Neuesten Nachrichten* tätig. 1908 promovierte er
zum Dr. phil. 1913 ließ er sich in Darmstadt nieder, wo er Redakteur der Zeitschrift *Deutsche Kunst und Dekoration* wurde und
sich seinen literatur- und kunsthistorischen Arbeiten widmete.
Michel zählte 1919, zusammen mit CZ, zu den Mitarbeitern der
von Carlo Mierendorff herausgegebenen Zeitschrift *Das Tribunal*.
1925 wurde er mit dem Büchnerpreis ausgezeichnet. 1912 erschien
im Münchener Piper Verlag mit der Aufsatzsammlung *Friedrich
Hölderlin* sein erstes Werk zu diesem Dichter, das seine Fortsetzung in zahlreichen Schriften fand, die in der Biographie *Das
Leben Friedrich Hölderlins* (Bremen 1940) gipfelten. Michel, der
ursprünglich mit der Herausgabe der Werke Hölderlins bei Georg
Müller in München betraut worden war und diese 1912 an Nor-
bert von Hellingrath abtrat, begriff Hölderlin als den »einzige[n]
deutsche[n] Dichter [...], der ausschließlich vom Geist unserer
Volksgemeinschaft bestimmt wird« und der »nicht nur zum Erzie-
her, sondern zum Sänger, zum Propheten und Gesetzgeber seines
Volkes geworden [ist]. Ihm wurde anvertraut, das Geheimnis des
Deutschtums auszusprechen« (*Hölderlin und der deutsche Geist*
[Michel 1947, S. 1 und 3]; erstmals 1924]). Nach Hölderlin sei die
Aufgabe des deutschen Volkes »die Heraufführung einer neuen
abendländischen Kultur, ermöglicht durch die Grenzenlosigkeit
deutscher Hingabe, deutschen Lebenswissens und deutscher
Frommheit – diese Aufgabe ist ohne weiteres Aufgabe des ›Reichs‹;
sie ist sein geistiger Inhalt, sie ist seine inwendige Wirklichkeit und
seine unaufgebbare, ewige Sendung. Sie ist der imperiale, ja selbst
der imperialistische Gedanke des Deutschtums, sie ist das ›schwere
Glück‹, zu dem Deutschland ›stark geworden‹ ist, sie ist jenes
›Herrschen und dem höchsten Gedanken zum Siege zu verhelfen‹
Nietzsches« (ebd., S. 59 f.). Michels Hölderlin-Biographie von
1940 konnte »ohne die geringste Änderung« (Zeller 1983, S. 326 f.)
1949 wieder aufgelegt werden. Der ausgeprägte Nationalismus
Michels gründet nicht in einem völkischen oder gar rassistischen
Überlegenheitsgefühl, sondern in einer quasi-religiösen Ethik des
»nationalen Wesens«. Diese Überzeugung verteidigt Michel in
seiner scharfen Kritik am Antisemitismus (*Verrat am Deutschtum.
Eine Streitschrift zur Judenfrage*, Leipzig 1922), den er als unver-
zeihlichen Verstoß gegen die dem deutschen Wesen immanenten
Werte verurteilte. Dort stellt er fest: »Ich bin mir für meine Person
klar darüber, daß ich meinen Begriff vom Deutschtum unbewußt

mit allem Edlen und Ritterlichen geschmückt habe, das ich in äußerer und innerer Welt vorfand. Nun gut, ich will mit dieser Legende Deutschtum leben [...] Meine Legende Deutschtum hat mich in hohen geistigen Bezirken heimisch gemacht. Sie half mir, guten und weitherzigen Antrieben mehr Raum zu gönnen als schlechten. Sie erlaubte mir, vieles Herrliche zu erleben, das mir sonst fremd geblieben wäre, mich Schulter an Schulter zu fühlen mit Menschen, die Hohes dachten und Großes taten. Ich will nicht darauf verzichten, mich, die Menschen, das Geschehen an ihr zu messen. Nicht zuletzt die Antisemiten. Ja diese sogar an erster Stelle. Ihre Legende Deutschtum stimmt ja mit der meinen streckenweise überein. Indem ich von meiner Legende Deutschtum spreche, will ich behaupten und beweisen, daß sie Abtrünnige ihres eignen Glaubens sind« (ebd., S. 16 f.). 1933 begrüßte er mit Nachdruck den Protest gegen die in Darmstadt geplante Uraufführung von Brechts Stück *Die heilige Johanna der Schlachthöfe*, obwohl er es als »wahrscheinlich Brechts hervorragendste Leistung« bezeichnete: »Der Kern der Sache ist eindeutige bolschewikische *Gottlosenpropaganda.* Der Kern der Sache ist die Teufelsklaue, die sich gegen Grundpfeiler des abendländischen Lebens ausstreckt. [...] Der Widerstand, den die Brecht'sche Dichtung in Darmstadt findet, ist als eine beglückende Regung ungebrochener *Lebensinstinkte gegen einen künstlerisch verkappten Mordversuch* an unsrer Seele zu bewerten« (*Kölnische Zeitung* vom 1. Februar 1933, Morgen-Ausgabe). In einer – wie in dieser Rubrik üblich – namentlich nicht gekennzeichneten »Antwort« der *Weltbühne* vom 7. Februar 1933 (Jg. 29, 1933, Nr. 6, S. 230 f.) schrieb Carl von Ossietzky daraufhin: »Es bereitet mir keine große Freude, Sie niedriger zu hängen, denn Sie gehörten einst zum Mitarbeiterkreis der ›Schaubühne‹ und ich weiß, daß S.J. [d.i. Siegfried Jacobsohn] große Stücke auf Sie gehalten hat. Als Sie sich vor einigen Jahren nach langer Zeit wieder mit einem Artikel [Wilhelm Michel, *Der Betriebsunfall*, in: *Die Weltbühne*, Jg. 24, 1928, Nr. 48, S. 814-816] bei uns meldeten, hatte ich keine Bedenken, ihn abzudrucken, und ich verteidigte Sie nachher lebhaft gegen einige Leser, die uns erzählten, was Sie sonst so in Darmstadt trieben. Ich hielt das für ziemlich unwahrscheinlich, und deshalb geschieht es mir ganz recht, wenn man mir jetzt ein Theaterreferat von Ihnen, das, in der ›Kölnischen Zeitung‹ am 1. Februar erschienen ist, unter die Nase hält« (zit. nach Kraiker u.a. 1994, S. 470 f.; hier: S. 470). Während des ›Dritten Reichs‹ veröffentlichte er neben seinem Buch über Hölderlin: *Geliebte Welt* (Darmstadt 1933), *Das Herz im Alltag* (Bremen 1935), *Rudolf*

Koch, ein deutscher Meister (Kassel 1938), *Nietzsche in unserem Jahrhundert* (Berlin 1939) und *Kriegsrat Johann Heinrich Merck* (Darmstadt [1941]). Posthum erschien die Aufsatzsammlung *Hölderlins Wiederkunft* (Wien 1943) mit einem Vorwort von Rudolf Alexander Schröder sowie *Das schöne Jahr. Ein Buch von Bild und Seele der deutschen Landschaft* (Leipzig 1943). Über Kontakte zu CZ konnte nichts ermittelt werden. In CZs Autobiographie wird Michel nur als Mitarbeiter der Zeitschrift *Das Tribunal* beiläufig erwähnt.

Grimm] Der Schriftsteller Hans Grimm (1875-1959) war von 1897 bis 1910 als Kaufmann und Korrespondent in Südafrika tätig. 1913 hatte er mit seinen *Südafrikanischen Novellen* einen ersten literarischen Erfolg erzielt und lebte seit 1918 als freier Schriftsteller in Lippoldsberg. 1926 veröffentlichte er den zweibändigen Roman *Volk ohne Raum*, in dem er die Kolonialisierung Afrikas durch Deutschland propagierte und dessen Titel zum Schlagwort der nationalsozialistischen Expansionspolitik in Osteuropa wurde. Hellmuth Langenbucher widmete diesem Roman in seiner nationalsozialistischen Literaturgeschichte *Volkhafte Dichtung der Zeit* einen langen Abschnitt und stellt fest, Grimms Werk sei »das Beispiel einer Dichtung, die sich selbst völlig unwichtig geworden ist, da sie keine andere Aufgabe mehr anerkennt als die, das Schicksal ihres Volkes zu bekennen« (Langenbucher 1937, S. 349). Grimms anfängliche Sympathie für den Nationalsozialismus wandelte sich nach 1933 in Enttäuschung. Er war zwar von 1933 an Senator der Sektion für Dichtkunst der Preußischen Akademie der Künste sowie Präsidialrat der Reichsschrifttumskammer, aber trotz dieser Einbindung in das nationalsozialistische Kulturleben wurde er weder Mitglied der Partei, noch wurde er mit Ehrungen des ›Dritten Reichs‹ ausgezeichnet. Zwischen 1933 und 1945 veröffentlichte er kaum Neues. Aus Opposition gegen die offizielle Literaturpolitik rief er 1934 das jährliche ›Lippoldsberger Dichtertreffen‹ ins Leben. Dort trafen sich nationalkonservative Autoren, die wie Grimm eine Gesinnung abseits vom Parteigetriebe pflegten. Zur Lesung ihrer Werke erschienen u.a. Ernst von Salomon, Paul Alverdes, Rudolf G. Binding und Hans Carossa. »Hakenkreuzfahnen oder Ergebenheitsadressen an Hitler«, so Jost Hermand, »waren bei diesen Treffen ausdrücklich verpönt. In Lippoldsberg herrschte eine ›völkische‹ Gesinnung wesentlich älterer Art, die sich in einem nationalkonservativen Sinne als idealistisch-kulturell verstand.« Man »stimmte[] zwar mit vielen Maßnahmen der Nationalsozialisten weitgehend überein, verlangte[] jedoch, auf literarischem

Gebiet als die eigentliche[] Leitfigur[] der ›völkischen Gesundung‹ anerkannt zu werden« (Hermand 1998, S. 245). Goebbels wollte diesen Anspruch nicht billigen. Nach der Tagung des Jahres 1939 stellte Grimm das Dichtertreffen ein. Nach Kriegsende gab er die kritische Distanz zum Regime, die er trotz der Nähe seiner Weltanschauung zur nationalsozialistischen Ideologie gehalten hatte, auf. Er veröffentlichte 1950 mit seiner *Erzbischofschrift* eine entschiedene Verteidigung des Nationalsozialismus und verfolgte diese Haltung auch in seinen späteren politischen Publikationen, was auf heftige Kritik stieß (vgl. Sarkowicz 1980, S. 124-129). Grimm ist ein sehr komplexer Fall, dessen gründliche Erforschung ein dringendes Desiderat ist. Über Kontakte zu CZ ist nichts bekannt. In CZs Autobiographie wird Grimm nicht erwähnt.

Spengler] Der Kultur- und Geschichtsphilosoph Oswald Spengler (1880-1936) gilt aufgrund seines kulturpessimistischen Hauptwerks *Der Untergang des Abendlandes* (2 Bde., 1918-1922) als einer der Wegbereiter des Nationalsozialismus, dem er nach 1933 jedoch kritisch gegenüberstand. »Seine Einstellung zur nationalsozialistischen Machtübernahme«, so Frits Boterman, »war äußerst zwiespältig: Einerseits verwirklichte sie, was er zwischen 1918 und 1933 angestrebt hatte, nämlich den Untergang des parlamentarischen Systems von Weimar. […] Andererseits kritisierte er die Nationalsozialisten unverhohlen und warnte die neuen Machthaber, wie er bereits früher der Partei vorgehalten hatte, daß ›keine Zeit und kein Anlaß zu Rausch und Triumphgefühl‹ bestehe« (Boterman 2000, S. 402 f.). Nachdem sich die Nationalsozialisten Anfang 1933 vergeblich um Spengler bemüht hatten, fiel er nach dem Erscheinen seiner kritischen politischen Bestandsaufnahme *Jahre der Entscheidung* im August 1933 in Ungnade und zog sich von den Nationalsozialisten zurück. Der Röhm-Putsch vom 30. Juni 1934 führte zu Spenglers endgültigem Bruch mit dem Regime.

Seidel] Die Schriftstellerin Ina Seidel (1885-1974) brachte in ihren von 1911 an veröffentlichten Gedichten, Erzählungen und Romanen ein protestantisches Ethos und eine religiös geprägte Naturliebe zum Ausdruck. Von 1914 an lebte sie mit ihrem Mann, dem Pfarrer und Schriftsteller Heinrich Wolfgang Seidel, in Eberswalde bei Berlin, wo CZ sie mit ihrer Schwester Annemarie Seidel, seiner Lebensgefährtin in den Jahren 1920 bis 1922, häufig besuchte (vgl. die Edition des Briefwechsels zwischen CZ und Annemarie Seidel [Nickel 1999 a]). Umgekehrt war auch Ina Seidel häufiger Gast in Berlin (vgl. Seidel 1970, S. 314). 1922 schmiedete sie mit CZ sogar den Plan, den Roman *Zanoni* von Edward George Bulwer Lytton

zum Drehbuch für einen Stummfilm umzuarbeiten. Aber dieser Plan
zerschlug sich (vgl. Nickel/Weiß 1996, S. 63-65). 1933 unterschrieb
sie eine von Gottfried Benn formulierte Loyalitätserklärung für
Hitler. 1939 verfaßte sie aus Anlaß von Hitlers fünfzigstem Geburtstag einen Huldigungsartikel, in dem es u.a. heißt: »Wir [...]
waren längst Eltern der gegenwärtigen Jugend Deutschlands geworden, ehe wir ahnen durften, daß unter uns Tausenden der Eine
war, über dessen Haupte die kosmischen Ströme des deutschen
Schicksals sich sammelten [...]. Erst als wir uns nach so gewaltigen
Erschütterungen und Umwälzungen als auferstehendes Volk so
wie niemals zuvor in deutscher Geschichte auf den lebendigen Pol
in unserer Mitte bezogen fanden [...], da begriffen wir ehrfürchtig,
was uns geschehen war. Dort, wo wir als Deutsche stehen, als Vä-
ter und Mütter der Jugend und der Zukunft des Reiches, da fühlten
wir heute unser Streben und unsere Arbeit dankbar und demütig
aufgehen im Werk des einen Auserwählten der Generation – im
Werk Adolf Hitlers« (zit. nach Ferber 1979, S. 307).

Miegel] Die ersten Balladen der Schriftstellerin Agnes Miegel (1879-
1964) erschienen 1901 in Börries von Münchhausens *Göttinger
Musenalmanach*, dann folgten selbständig veröffentlichte Gedicht-
sammlungen in mythisch-sagenhaftem Stil. In ihren späteren Erzählungen schilderte sie verklärend ihre ostpreußische Heimat.
1916 wurde sie mit dem Kleistpreis ausgezeichnet. Von 1917 an
lebte sie als freie Schriftstellerin in ihrer Heimatstadt Königsberg,
wo sie von 1920 bis 1926 das Feuilleton der *Ostpreußischen Zeitung*
leitete. 1933 wurde sie im Zuge der völkisch-konservativen Reor-
ganisation und ›Säuberung‹ der Sektion für Dichtkunst in die
Preußische Akademie der Künste berufen. 1936 ist der Herder-
preis der Königsberger Universität, 1940 der Goethe-Preis der
Stadt Frankfurt an sie verliehen worden. Miegel bekannte sich in
einigen Gedichten zum NS-Staat, beispielsweise in ihrem hym-
nischen Widmungsgedicht *An den Führer*, das sie ihrem Lyrikband
Ostland (Jena 1940) voranstellte. Er enthielt u.a. das kriegsver-
herrlichende Gedicht *An die Jugend. Herbst 1939*. 1937 war sie in
die NS-Frauenschaft eingetreten. 1940 wurde sie NSDAP-Mitglied.
1945 floh sie von Königsberg nach Dänemark und ließ sich schließlich in Bad Nenndorf nieder (vgl. Piorreck 1990, S. 189). Über
Kontakte zu CZ konnte nichts ermittelt werden. In CZs Autobiographie wird Agnes Miegel nicht erwähnt.

Anmerkung über die Stillen im Lande] Vgl. S. 117.

Käthe-Kollwitz-Format] Die Graphikerin und Plastikerin Käthe
Kollwitz (1867-1945) beschäftigte sich in ihrem künstlerischen

Werk kritisch mit Armut und sozialer Ungerechtigkeit. Aus einer pazifistischen Haltung heraus thematisierte sie mit Nachdruck das Leid des Krieges.

Baumeister Solness] Titel eine Dramas von Henrik Ibsen.

Keyserling] Der Kulturphilosoph Hermann Graf Keyserling (1880-1946), Neffe zweiten Grades des Schriftstellers Eduard von Keyserling (1855-1918), hielt sich nach seinem Studium der Zoologie und Chemie u.a. in Paris auf, wo er nachhaltig von dem Kulturphilosophen und Rassentheoretiker Houston Stewart Chamberlain (1855-1927) beeinflußt wurde. 1908 zog er sich auf sein Gut Rayküll in Estland zurück, unternahm 1911/12 eine Weltreise, über die er das *Reisetagebuch eines Philosophen* (2 Bde., Darmstadt 1919) veröffentlichte. 1920 gründete er in Darmstadt die »Schule der Weisheit« als Zentrum seiner vitalistisch geprägten »Sinnphilosophie«, an deren Aktivitäten sich u.a. Leo Baeck, C.G. Jung, Alfred Adler und Max Scheler beteiligten (vgl. Gahlings 1996, S. 142 und 163). CZ lernte Keyserling 1920 kennen, als dieser zu einer von Wilhelm Fraenger veranstalteten Lesung nach Heidelberg kam (vgl. *Als wär's ein Stück von mir*, S. 349). 1927/28 unternahm Keyserling eine sechsmonatige Vortragsreise durch Nord- und Südamerika und veröffentlichte anschließend seine Impressionen in dem Buch *America Set Free* (1929, dt. *Amerika. Der Aufgang einer neuen Welt*, Stuttgart 1930), das ihn auch in Übersee bekannt machte. Zwar stellte sich Keyserling nach der »Machtergreifung« dem »Neuaufbau des Reiches« in persönlichen Briefen an Hitler zur Verfügung, geriet aber dennoch zunehmend unter Druck. Von 1937 bis 1939 wurde er mit Ausreiseverbot belegt, und die Zahl der Veranstaltungen seiner Schule nahm deutlich ab (Gahlings 1996, S. 239 f. und 263). Bei Kriegsausbruch zog er sich nach Schönhausen an der Elbe, 1943 nach Kitzbühel zurück. 1946 ließ er sich schließlich in Innsbruck nieder.

Eines seiner Bücher] Hermann Graf Keyserling, *Das Spektrum Europas*, Heidelberg 1928, beginnt mit dem Satz: »Alle Völker sind natürlich scheußlich«. Eine das Buch samt Verfasser vernichtende Kritik veröffentlichte 1928 Kurt Tucholsky unter dem Titel *Der darmstädter Armleuchter*. Er bescheinigte Keyserling »schiefe Urteile und halbrichtige, die ja gefährlicher sind als falsche« und konstatierte, Keyserling, der »lebensferne Plauderer«, verstehe »alles, aber fast alles falsch« (zit. nach Maack 2001, S. 244-252, hier: S. 248).

Ich traf ihn zuletzt 1937 in Wien] Am 2. April 1937 hielt Keyserling im Vortragssaal des Industriehauses in Wien einen vom Kulturbund veranstalteten Vortrag mit dem Titel *Erneuerung der Seele*, den CZ möglicherweise besucht hat.

Prinzhorn] Hans Prinzhorn (1886-1933) war Neurologe und von 1919 an Assistent an der Psychiatrischen Klinik der Universität Heidelberg, wo er sich seinen Spezialgebieten Psychotherapie und Charakterologie widmete. CZ berichtet in seiner Autobiographie von einem Heidelberger Musikabend, an dem Prinzhorn und er mitwirkten (*Als wär's ein Stück von mir*, S. 340). 1924 ließ sich Prinzhorn als Nervenarzt in Frankfurt am Main nieder. Von 1931 an lebte er in München. In den 1920er Jahren beschäftigte sich Prinzhorn, der in engem Kontakt zu Ludwig Klages stand, intensiv mit dem Gemeinschaftsgedanken und war zusammen mit dem Kunsthistoriker Wilhelm Fraenger Vorstandsmitglied des 1919 in Heidelberg gegründeten Vereins »Die Gemeinschaft« (vgl. Weckel 2001, S. 76 f.). Bereits 1924 würdigte er in dem Aufsatz *Geltungsbedürfnis und Geltungspflicht* die Führerqualitäten Mussolinis. Zwischen 1930 und 1932 veröffentlichte er in der Zeitschrift *Der Ring* eine vierteilige Artikelserie *Über den Nationalsozialismus*, in der er sich positiv zur nationalsozialistischen Bewegung und Adolf Hitler äußerte (vgl. Röske 1995, S. 249-262).

Klages] Der Schriftsteller und Journalist Victor Klages (1889-1978) war von 1923 bis 1933 außenpolitischer Redakteur des *Berliner Tageblatts* und hielt sich anschließend abwechselnd in Deutschland, Polen, Dänemark und England auf. Bei Kriegsbeginn wurde er als Dolmetscher dienstverpflichtet. Von 1945 an lebte er als freier Schriftsteller und Übersetzer in Berlin und arbeitete von 1947 bis 1952 als politischer Wochenkommentator beim RIAS Berlin. Über Kontakte zu CZ ist nichts bekannt. In seiner Autobiographie wird er nicht erwähnt. CZ hat Victor Klages hier mit dem Philosophen und Psychologen Ludwig Klages (1872-1956) verwechselt. Dieser war 1896 Mitbegründer der Deutschen Gesellschaft für Graphologie und gilt als Begründer der wissenschaftlichen Handschriftenkunde. 1905 eröffnete er in München das Psychodiagnostische Seminar. Mit seiner Anklage der Naturzerstörung *Mensch und Erde*, die in der Festschrift *Freideutsche Jugend. Zur Jahrhundertfeier auf dem Hohen Meißen* (Jena 1913) abgedruckt wurde, wirkt er nachhaltig auf die deutsche Jugendbewegung. Seit 1915 lebte er in Kilchberg in der Schweiz, wo er 1920 das Seminar für Ausdruckskunde wiedereröffnete und sein Hauptwerk *Der Geist als Widersacher der Seele* (3 Bde., Leipzig 1929-1932) schrieb. Die antimoderne, antirationalistische Lehre seiner Lebensphilosophie erfuhr in der Zeit des Nationalsozialismus große Verbreitung, besonders durch die Mitglieder des ›Klages-Kreises‹, namentlich durch die Publizisten und Germanisten Werner Deubel, Rudolf Ibel, Hans Kern, Martin Ninck, Hans Eggert Schröder, den Neurologen Julius Deussen und den Direktor des Schiller-Nationalmuseums Erwin Ackerknecht (vgl. hierzu Klausnitzer 1999 b).

Bachofen] Die kulturhistorischen Arbeiten des Schweizer Rechtshistorikers und Anthropologen Johann Jakob Bachofen (1815-1887) waren zu seinen Lebzeiten umstritten. Als Geschichtsphilosoph ging er von einem den Gang der abendländischen Geschichte mythisch bestimmenden Gegensatz zwischen Orient und Okzident aus. Um 1920 erlebte er im Kreis um Ludwig Klages eine Renaissance. Zur Popularisierung Bachofens und dem wachsenden Einfluß seiner Werke auf die modernere Ethnologie und Kultursoziologie trug aber vor allem der NS-Philosoph Alfred Bäumler durch sein Buch *Der Mythos vom Orient und Okzident* (1926) bei.

Bildnerei der Geisteskranken] Hans Prinzhorn, *Bildnerei der Geisteskranken*, Berlin: Springer 1922, eine Arbeit über die von Prinzhorn angelegte Sammlung künstlerischer Werke von Geisteskranken.

Frobenius] Der Ethnologe und Kulturhistoriker Leo Frobenius (1873-1938) gründete 1920 in München – auf seinem Afrika-Archiv aufbauend – das private Institut für Kulturmorphologie. 1925 verlegte er es nach Frankfurt am Main. Der umstrittene Autodidakt lehrte seitdem – ohne Schulabschluß und akademischen Grad – an der Universität Völker- und Kulturkunde. 1932 erhielt er eine Honorarprofessur. 1933 legte er mit der *Kulturgeschichte Afrikas* sein Hauptwerk vor. 1934 wurde er zum Leiter des Museums für Völkerkunde ernannt. Mit CZ gehörte Frobenius 1930 zu den Unterzeichnern des *Aufrufs an die Partei der Nichtwähler*, der angesichts bevorstehender Reichstagswahlen überparteilich zur Stimmabgabe aufrief (vgl. Nickel/Weiß 1996, S. 218). Nach Ansicht Hans-Jürgen Heinrichs legte Frobenius trotz mancher »propagandahafte[r] Töne um 1933, die der deutschen Nation, trotz der postulierten Gleichwertigkeit der Kulturen, eine ›Titelrolle‹, eine Vorrangstellung bei der europäischen Zukunftsgestaltung« einräumte, den »Grundstock für eine Umkehrung der eurozentristischen Sichtweise« (H. J. Heinrichs 1998, S. 18). »Konzessionen, über gewisse verbale Verbeugungen hinaus« habe Frobenius »den neuen Herren nicht gemacht«, urteilt auch Notker Hammerstein (Hammerstein 1989, S. 77 f.). In CZs Autobiographie wird Frobenius nicht erwähnt.

Schüler seines Instituts] Der bekannteste Schüler Frobenius', Adolf Ellegard Jensen (1899-1965), stieß 1924 zu Frobenius und wurde dessen engster Mitarbeiter. Seit 1933 Privatdozent an der Universität Frankfurt sollte er nach Frobenius' Tod 1938 das Institut weiterführen. Jensen, der »maßgeblichen Parteikreisen unliebsam« war und »im Sinne der Bewegung« als »unzuverlässig und undeutsch« galt, wurde jedoch die Institutsleitung verwehrt (vgl. Hammerstein 1989, S. 525-528). 1940 wurde ihm die Lehrerlaubnis entzogen. Nach dem Zweiten Weltkrieg ist er zum offiziellen Direktor des 1946 nach Frobenius benannten Instituts ernannt worden. Von 1947 an lehrte er als ordentlicher Professor in Frankfurt. Zum Kreis der Schüler von Frobenius gehörten des weiteren die Ethnologen Adolf Friedrich (1914-1956), Heinz Wieschhoff (1906-1961) und Andreas Lommel (geb. 1912); vgl. auch Leo-Frobenius-Institut 1998, S. 14.

Daqué] Der Paläontologe und Naturphilosoph Edgar Dacqué (1878-1945) wurde durch Bücher wie *Natur und Seele* (1926), *Leben als Symbol* (1928) und *Natur und Erlösung* (1933) bekannt. Seine 1924 veröffentlichte »naturhistorisch-metaphysische« Studie *Urwelt, Sage und Menschheit*, die 1931 in der 6. Auflage erschienen ist, hat CZ 1933 über den Ullstein-Verlag erworben (Vertragsakte CZ im Ullstein-Verlag). Vgl. auch CZs Erwähnung seiner Dacqué-Lektüre in einem Brief an Annemarie Seidel vom 9. Juni 1933 (Nickel 1999 a, S. 62-64, hier: S. 64).

Tietjen] Heinz Tietjen (1881-1967) war 1925/26 Intendant der Städtischen Oper Berlin und wurde 1927 zum Generalintendanten der preußischen Staatstheater berufen. Dort inszenierte er, der als Experte in Theatersanierung und -verwaltung galt, selten und folgte im großen und ganzen einer eher traditionellen Spielplangestaltung (vgl. Theater Trier 1992, S. 11 f.). Von 1933 bis 1944 leitete Tietjen die Bayreuther Festspiele. 1936 wurde er zum Reichskultursenator ernannt, 1941 ist er mit der Goethe-Medaille ausgezeichnet worden. Von 1948 bis 1955 war er Intendant der Städtischen Oper Berlin und von 1956 bis 1959 Intendant der Hamburger Staatsoper. Über Kontakte zu CZ konnte nichts ermittelt werden. In CZs Autobiographie wird Tietjen nicht erwähnt.

Krauss] Der österr. Dirigent Clemens Krauss (1893-1954) war von 1924 bis 1929 Leiter der Frankfurter Oper, anschließend Leiter der Wiener Staatsoper. Im Dezember 1934 folgte er dem Ruf an die Berliner Staatsoper, was von seinen österr. Zeitgenossen vielfach kritisiert wurde (vgl. Prawy 1969, S. 148). 1936 verließ er Berlin und ging an die Bayerische Staatsoper in München, die er von 1937 bis 1940 leitete. Von 1939 an war er Intendant des Mozarteums und von 1942 bis 1944 der Salzburger Festspiele. Krauss wurde 1945 Berufsverbot erteilt, er dirigierte aber von 1947 an wieder öffentlich, allerdings ohne festes Engagement. Über seine Rolle im Musikbetrieb des ›Dritten Reichs‹ fand bislang keine sachliche Auseinandersetzung statt (vgl. die Apologie von Scanzoni/Kende 1982). Über Kontakte zu CZ konnte nichts ermittelt werden. In CZs Autobiographie wird Krauss nicht erwähnt.

Kleiber] Der österr. Dirigent Erich Kleiber (1890-1956) war von 1923 bis 1934 Generalmusikdirektor der Berliner Staatsoper, wo er im Dezember 1925 Alban Bergs *Wozzeck* uraufführte und sich auch sonst, etwa mit Aufführungen der Werke Ernst Kreneks und Darius Milhauds, den Ruf eines für Neues aufgeschlossenen Musikers erwarb. Im Dezember 1934 trat er aus Protest gegen die nationalsozialistische Kulturpolitik zurück (vgl. Kater 1998, S. 238-241). Kurz darauf ging er nach Südamerika, arbeitete von 1936 bis 1949 am Teatro Colón in Buenos Aires und anschließend überwiegend in London. Über Kontakte zu CZ konnte nichts ermittelt werden. In CZs Autobiographie wird er nur einmal beiläufig erwähnt (*Als wär's ein Stück von mir*, S. 497). Zur Biographie vgl. Russell 1958.

Klemperer] Otto Klemperer war von 1927 bis 1931 gemeinsam mit Ernst Legal Leiter der Kroll-Oper in Berlin, die sich im Gegensatz zur traditionell orientierten Staatsoper besonders für die Förderung zeitgenössischer und junger Musik einsetzte. Klemperer leitete zahlreiche Ur- und Erstaufführungen der Werke Hindemiths, Weills, Kreneks, Strawinskys und Schönbergs. Von 1931 bis 1933 dirigierte er an der Berliner Staatsoper, bis er im Juni 1933 aus »rassischen Gründen« entlassen wurde. Klemperer emigrierte daraufhin in die USA. Zur Biographie vgl. Heyworth 1983/1996. Über Kontakte zu CZ konnte nichts ermittelt werden. In CZs Autobiographie wird Klemperer nur beiläufig erwähnt (*Als wär's ein Stück von mir*, S. 75).

Schulz-Dornburg] Hier sind wahrscheinlich der Dirigent Rudolf Schulz-Dornburg (1891-1949) und der Intendant Hanns Schulz-Dornburg (1891-1950) gemeint. Sie waren jedoch keine Brüder. Rudolf Schulz-Dornburg, seit 1925 Generalmusikdirektor in Münster, war von 1927 bis 1932 Operndirektor und künstlerischer Fachberater der Stadt Essen sowie Gründungsleiter der Essener Folkwangschule. Von 1934 an leitete er das Reichsfliegerorchester und wurde schließlich Chefdirigent des Deutschlandsenders. Von 1945 bis 1948 war er Generalmusikdirektor in Lübeck. – Hanns Schulz-Dornburg arbeitete von 1924 bis 1927 als Oberspielleiter der Oper am Reußischen Theater in Gera, 1928/29 als Intendant am Landestheater Coburg und anschließend bis 1932 in Dessau.

Von 1935 bis 1941 leitete er als Generalintendant Theater und
Oper in Kiel. Nach Peter Dannenberg hat seine 1938 von Goebbels kritisierte Spielplangestaltung, die Lustspiele und Schwänke
Klassikern und Zeitstücken vorgezogen habe, eine »Linie des geringsten Widerstandes und des geringsten Anspruches« verfolgt
(Dannenberg 1983, S. 291 f.). Nach Kriegsende führte er die Berliner Freilichtbühne am Waldsee, war von 1948 an als Intendant
am Badischen Staatstheater Karlsruhe beschäftigt und seit 1950 am
Landestheater Salzburg.

Iltz] Walter Bruno Iltz (1886-1965) arbeitete von 1921 an als Spielleiter am Schauspielhaus Dresden, wo er seit 1913 als Schauspieler
engagiert war. 1924 wurde er Generalintendant am Reußischen
Theater in Gera. Dort lernte CZ ihn 1926 kennen, als er auf Einladung des Erbprinzen Heinrich XLV. zu Reuß seinen *Fröhlichen
Weinberg* inszenierte (vgl. *Als wär's ein Stück von mir*, S. 485 f.).
Iltz wechselte 1927 als Generalintendant an die Städtischen Bühnen
Düsseldorf. Dort wurde ihm von örtlichen NSDAP-Funktionären
die Aufnahme von Juden in die Bühnenvorstände sowie ein »im
liberalistisch-marxistischen Sinne« geführtes Theater vorgeworfen
und im Februar 1937 die Intendanz entzogen (zit. nach Rathkolb
1991, S. 163). Rathkolbs Darstellung zufolge hat sich Iltz, der vor
der »Machtergreifung« eine antisemitische Personalpolitik abgelehnt habe, nach 1933 mit seinem »gepflegten und kulturpolitisch
wertvollen Spielplan« den Ruf eines der »führenden Theatermänner
Deutschlands« erworben (ebd., S. 62, 163). Von Goebbels wurde
ihm die Direktion des Wiener Volkstheaters verschafft, das er 1938
bis 1945 leitete. Unter Iltz wurde das nunmehrige KdF-Theater (zur
KdF vgl. S. 389, Anm. zu *in dem er Shakespeare und andere Klassiker
für die ›Kraft durch Freude‹ Organisationen gab*) mustergültig
geführt. Iltz sei, so Evelyn Schreiner in ihrer Untersuchung der
Spielplangestaltung, »peinlich genau bemüht [gewesen], die for-
malen Spielplanrichtlinien der ›Reichsdramaturgie‹ zu erfüllen.
Gerade dadurch dürfte er aber den oppositionellen Künstlern jenen Freiraum geschaffen haben, den sie zum künstlerischen und in
einigen Fällen auch persönlichen Überleben benötigten« (Schreiner
1989, S. 116). Schreiner weist darauf hin, daß Iltz von 1942 an vermehrt umstrittene Stücke in versteckt regimekritischen Inszenierungen angesetzt habe. Von 1947 bis 1951 war er Intendant des
Braunschweiger Stadttheaters und anschließend bis 1956 Generalintendant der Städtischen Bühnen Düsseldorf. Über weitere Kontakte
zu CZ konnte nichts ermittelt werden.

Rastaqueres] Internationaler Hochstapler.

Solms-Laubach] Bernhard Graf Solms (1900-1938) war Intendant und Journalist und von 1931 bis 1933 NSDAP-Abgeordneter für den Hessischen Landtag. Er engagierte sich kontinuierlich für die NS-Bewegung (vgl. Hennig 1983, S. 181, 186 und 405). Nach Hitlers »Machtergreifung« strebte er eine »kulturpolitisch orientierte Parteikarriere« im Theaterbereich an (vgl. Kiehn 2001, S. 62, und Wulf 1989, Bd. 4, S. 128). 1933 wurde er Intendant am Friedrich-Theater Dessau, 1934 Intendant der Berliner Volksbühnen, wo er selbst häufig Regie führte, dabei jedoch eine wenig glückliche Hand bewies (vgl. Kiehn 2001, S. 63-70). Goebbels notierte am 9. Mai 1936 anläßlich der Premiere der Lehár-Operette *Tatjana* im Theater am Nollendorfplatz: »Schauderhaft! Ich muß jetzt bald gegen Solms einschreiten. Das geht nicht mehr so weiter. Alte Pgschaft in Ehren! Aber der Mann kann nichts und ist zu langweilig« (zit. nach Fröhlich 1987, Bd. 2, S. 609). 1936 wurde Solms als Intendant des in die Volksbühne integrierten Theaters am Nollendorfplatz der Generalintendanz Eugen Klöpfers unterstellt. Nach der Beurlaubung von diesem Posten im März 1938 beging er wenig später Selbstmord. Über eine aufschlußreiche Begegnung berichtet CZ seinem Freund Albrecht Joseph in einem Brief vom 7. November 1941: »Ich erinnere mich sehr genau als ich bei Pinzi dem Erlkönig, Heinrich 45. Erbprinz Reuss, auf Schloss Osterstein den Grafen Solms traf, damals schon grosser Nazi, Freund von Helldorf, Hinkel, Rudolf Hess, Auwi, Goebbelsgünstling, aber auch eben Freunderl vom Erbprinzen, von Pfitzner und Hermann Stehr, von Prinzhorn und Klages, Verehrer von Furtwängler und Hindemith undsoweiter. Kulturnazi. Schmalköpfiger, gut aussehender, intelligenter Reithosentyp. Dabei eben kein verärgerter Karrierenjäger. Eher ein bischen salopp-aristokratisch – Du kennst die Sorte. Und da sagte der Pinzi: Man ist ja nicht für de Auswichse – wird sich auch alles gäben, der Goebbels wird sich noch mit Brecht befreunden, wird alles gommen. Die Bewäschung is doch ene Notwendischgeit. Ich sagte etwas Despektierliches über die Schweissfüssler- und Barchenthosenbewegung und dass das zur Nobilität, zur kulturellen wie zur traditionellen Aristokratie passe wie die Faust aufs Ei. Worauf Graf Solms erwiderte das sei ganz falsch – und gerade mir müsse er das einmal erklären, da ich ja selbst die ›beiden Komponenten‹ in mir habe, die Verbundenheit mit dem Volk einerseits, die künstlerische, also individual aristokratische Qualität andrerseits. So sei das mit dem Nationalsozialismus, der, ganz unabhängig von seiner ›temporären Führerschaft‹ oder von den äusseren Mitteln und Methoden die zu seiner Verwirklichung

angewandt werden müssten, zum ersten Mal für Deutschland und
für die Welt etwas anstrebe und erreichen könne was vielleicht nur
im klassischen Athen und in der grossen Zeit Roms versucht worden sei: Synthese aus ewig konservativen, das Feuer hütenden –
und ewig fortschrittlichen, nachdrängenden, das Feuer nährenden
Kräften. Das was weder der alte Sozialismus, noch der altnationale
Konservatismus, gekonnt oder auch nur geahnt habe. ›Da hasdes,
Korl‹, sagte der Erbprinz mit dem ich per Du war, – ›Sindäse. Das
ist furchtbar wichtig.‹ Mit eiserner Faust, meinte der Graf, werden
zwei an sich gegensätzlich scheinende Kraftzentren zusammenge-
zwungen, damit sie sich schöpferisch verbinden. Nicht das verrottet
Überzüchtete, sondern die Disziplin der Aristokratie, Produkt
generationenlanger Selbsterziehung, sowie ein leistungshaftes
Führertum, habe sich mit der instinkthaften und ausserrationalen
Dynamik der breiten Volksmasse zu verbünden und zu verbinden.
So würden die Massen, mit denen unsere Zeit zu rechnen habe, aus
dem rein materialistisch Mechanischen zu höherer Stufung und
Gliederung getrieben, die sich nicht gegensätzlich sondern parallel
zur elementaren Volksnatur bewege, und daraus werde sich die
neue Gesellschafts-, Staats-, Lebens- und Geistesform der Zukunft planmässig aufbauen lassen. ›Do siehste‹, sagte der Prinz,
›Stufung und Gliederung hat der Jähring [gemeint ist Herbert Ihe-
ring] immer gefordert.‹ Sagte Durchlaucht und organisierte die
Volkswanderoper mit seinem letzten Gerstl [(österr.) mit seinem
letzten Groschen], bis ihm auch das von der NS Kultur Fachschaft
abgenommen wurde« (DLA, Nachlaß CZ). Über weitere Kontakte
von CZ und Solms ist nichts bekannt. In CZs Autobiographie wird
Solms nicht erwähnt.

blonden Mädchen] Konnte nicht ermittelt werden.

Reger] Der Schriftsteller Erik Reger, eigentl. Hermann Dannenberger
(1893-1954), nahm am Ersten Weltkrieg teil und war anschließend
von 1919 bis 1927 im Pressebüro des Stahlkonzerns Krupp in Essen
tätig, wo er für sein Werk wichtige Einblicke in die Schwerindustrie erhielt. Von 1924 an schrieb er als Theaterkritiker u.a. im
Feuilleton der *Frankfurter Zeitung,* der *Berliner Börsen-Zeitung*
und der *Kölnischen Zeitung.* Während Reger als Kritiker anfangs
mit einem, so Karl Prümm, »traditionell-konservativen Kunst-
begriff« operierte, wandte er sich bis Ende der 1920er Jahre einem
»radikalen Intellektualismus« zu, der auf einem soziologisierten
Begriff der Kunst als Denkprozeß basierte (vgl. Prümm 1976,
S. 653 f.). Seit 1927 lebte Reger als freier Publizist und schrieb häufig für die *Weltbühne.* 1931 veröffentlichte er den Industrieroman

Union der festen Hand, für den er von CZ im selben Jahr neben Ödön von Horváth mit dem Kleistpreis ausgezeichnet wurde. CZ folgte dabei einer mehrfach wiederholten Anregung des Essener Dramaturgen Hannes Küpper (vgl. Nickel/Weiß 1996, S. 209-213). Der Roman beschreibt in dokumentarischem Stil das von spezifischen sozialen und ökonomischen Bedingungen geprägte Ruhrgebiet zwischen 1918 bis 1930 und schildert vor allem die deutschnationale Interessenpolitik der Schwerindustrie und deren propagandistische Öffentlichkeitsarbeit (vgl. Tauschke 1997, S. 193-196; vgl. auch Prümm 1976, S. 691 f.; zur Rezeption vgl. ebd., S. 693-696). Reger zog 1934 in die Schweiz, kehrte aber 1935 nach Deutschland zurück und arbeitete zunächst als Pressereferent des Mannheimer Arzneimittelkonzerns Boehringer, von 1938 an als Lektor des Deutschen Verlags in Berlin. Von 1945 bis 1954 war er Mitherausgeber und Chefredakteur der Berliner Tageszeitung *Der Tagesspiegel*. 1948 kam es noch einmal zu einem kurzen brieflichen Kontakt mit CZ, nachdem der *Tagesspiegel* am 6., 11. und 18. November 1947 eine nicht autorisierte Übersetzung seines Artikels *Germany's Lost Youth* (in: *Life*, Jg. 23, 1947, Nr. 11 [15. September], S. 124-126, 128, 130, 132, 135-136, 138) veröffentlicht hatte, auf die CZ mit einer am 6. Januar 1948 im *Tagesspiegel* veröffentlichten Stellungnahme reagierte (DLA, Nachlaß CZ, Standortkonvolut Germany's lost youth). Über weitere Kontakte ist nichts bekannt.

einem anderen, schwächeren Buch] Nach *Union der festen Hand* veröffentlichte Reger 1932 zunächst den Roman *Das wachsame Hähnchen*. Beide Bücher waren im ›Dritten Reich‹ unerwünscht. Mit dem »schwächeren Buch«, auf das CZ hier abhebt, ist vermutlich der 1933 erschienene Roman *Schiffer im Strom* gemeint, dessen Handlung – so Karl Prümm – überlagert werde von »einer schwülstigen Rheinromantik, einer Mystik der Landschaft, einem irrationalen Regionalismus, der sich noch mit einem gefühlsbetonten Katholizismus vermischt« (Prümm 1976, S. 692).

neue Arbeiten] Bis 1945 folgten die unterhaltenden Romane *Lenz und Jette. Chronik einer Leidenschaft* (1935), *Napoleon und der Schmelztiegel* (1935), *Heimweh nach der Hölle* (1937), *Kinder des Zwielichts. Ein Leben in voriger Zeit* (1941) und *Der verbotene Sommer* (1941).

Hatzfeld] Adolf Hatzfeld (1892-1957) hatte mit seiner Erzählung *Franziskus* (Berlin 1918) seinen ersten literarischen Erfolg. Von 1925 an lebte er als freier Schriftsteller in Bad Godesberg, gründete dort die ›Rheinische Liga für Menschenrechte‹ und gemeinsam mit Alfons Paquet den ›Bund rheinischer Dichter‹. In seinem Roman

Das glückhafte Schiff (Berlin 1931) portraitierte er den sowjetischen Außenminister Georgij W. Tschitscherin. In den folgenden Jahren habe sich Hatzfeld, so Dieter Sudhoff, »angepaßt«, indem er der NSDAP beigetreten sei (vgl. Sudhoff 1994, S. 178-188). Nach der »Machtergreifung« Hitlers publizierte er allerdings auffallend wenig. Trotzdem erhielt er 1942 den Joseph-von-Görres-Preis. Über Kontakte zu CZ konnte nichts ermittelt werden. In CZs Autobiographie wird Hatzfeld nicht erwähnt.

Selbstmordversuch] Im Jahr 1913.

Dietzenschmidt] Der österr. Schriftsteller Dietzenschmidt, eigentl. Anton Franz Schmidt (1893-1955), kam 1913 nach Berlin. In dieser Zeit wandte er sich unter dem Einfluß des katholischen Sozialpolitikers Carl Sonnenschein dauerhaft einem engagierten Katholizismus zu. Nach dem Erfolg seiner Tragikomödie *Kleine Sklavin* (1918, Uraufführung 1919) und des Legendenspiels *Christofer* (1920, Uraufführung 1919) folgten einige wohlbeachtete volkstümliche Dramen und weitere Legendenspiele. 1919 erhielt er den Kleist-Preis, 1928 den Tschechischen Staatspreis für Schöne Literatur. Von 1930 bis 1937 war er Vorsitzender der Sudentendeutschen Kulturgesellschaft. Nach 1934 veröffentlichte Dietzenschmidt nur wenig und geriet nach dem Krieg ganz in Vergessenheit. Über Kontakte zu CZ konnte nichts ermittelt werden. In CZs Autobiographie wird Dietzenschmidt nicht erwähnt.

Hausenstein] Wilhelm Hausenstein (1882-1957) war Journalist, Schriftsteller, Kunsthistoriker und Diplomat. Seit 1903 lebte er, von 1907 bis 1919 SPD-Mitglied, in München und war dort von 1917 bis zu seiner Entlassung 1933 Mitarbeiter bei den *Münchener Neuesten Nachrichten*. Hausenstein, Mitherausgeber u.a. der Zeitschriften *Der neue Merkur* und *Ganymed*, gehörte außerdem zu den Mitarbeitern der *Frankfurter Zeitung* und war von 1934 bis zur Auflösung 1943 Redakteur von deren Literatur- und Frauenbeilage. 1936 wurde er aus der Reichsschrifttumskammer ausgeschlossen, 1938 seine *Kunstgeschichte* (1928) verboten, da er sie nicht im nationalsozialistischen Sinne umgearbeitet hatte. 1940 konvertierte er zum katholischen Glauben. 1943 wurde ihm die journalistische Arbeit untersagt. Daraufhin begann er, die Werke Baudelaires ins Deutsche zu übersetzen. Von 1950 bis 1955 war er Generalkonsul und erster deutscher Botschafter der Bundesrepublik in Paris und seit 1950 Mitglied der Bayerischen Akademie der Schönen Künste (vgl. den biographischen Abriß mit Bibliographie in Rennert 1999, S. 509-530). Über Kontakte zu CZ konnte nichts ermittelt werden; in CZs Autobiographie wird Hausenstein nicht erwähnt.

Brandenburg] Der Schriftsteller Hans Brandenburg (1885-1968) lebte von 1903 an in München und veröffentlichte dort 1904 seine erste Gedichtsammlung *In Jugend und Sonne*. Vor dem Ersten Weltkrieg begann er sich für Ausdruckstanz und modernes Theater zu interessieren, verfaßte Tanzspiele für Mary Wigman und das Buch *Der moderne Tanz* (1913). 1919 rief er den ›Bund für ein neues Theater‹ ins Leben. Sein Interesse für kultisch-chorisches Theater schlug sich 1926 in dem Buch *Das neue Theater* nieder, das von den Nationalsozialisten als Wegbereitung der Thingspiele verstanden wurde. 1937 begriff Brandenburg dieses Werk, »das der Zeit weit vorauseilte«, selbst als Ruf »nach einem Theater des Volkes und der Volksgemeinschaft« (vgl. Brandenburg 1937, S. 13 f.). 1930 erhielt er den Münchener Dichterpreis. 1935 wurde er in die Vergabekommission für diesen Preis gewählt. Brandenburg gehörte der literarischen Vereinigung ›Die Argonauten‹ an. »Hier«, so Reinhard Wittmann, »trafen sich konservativ-nationale Autoren wie Paul Alverdes, Ludwig F. Barthel, Hans Brandenburg und Josef Magnus Wehner zwanglos gesellig mit jüngeren, meist liberaleren Schriftstellern wie Eugen Roth, W. E. Süskind und dem Freundespaar Ernst Heimeran und Ernst Penzoldt« (Wittmann 1995, S. 74). Der Kreis, der im literarischen Leben Münchens eine tonangebende Rolle spielte, wollte die Stadt als Gegenpol zu den Zentralen der ›Asphaltliteratur‹ verstehen (ebd., S. 80). 1936 gehörte Brandenburg zu den Begründern des Bamberger Dichterkreises (vgl. den biographischen Abriß in Segebrecht 1987, S. 118-129). Im literarischen Leben des ›Dritten Reiches‹ spielte er nach Einschätzung Wittmanns »gerade als Nicht-PG in der NS-Kulturpolitik eine willfährige Rolle« (Wittmann 1995, S. 106). Sein erfolgreichster Roman war *Vater Öllendahl* (1938). Nach Kriegsende sagte Brandenburg zugunsten einiger Schriftstellerkollegen in Entnazifizierungsverfahren aus, so u.a. für Will Vesper, Artur Kutscher, Heinz Steguweit, Josef Magnus Wehner. Als Autor konnte er nach 1945 nicht mehr Fuß fassen. Am 26. Juni 1961 meldeten die *Stuttgarter Nachrichten*: »Männer und Frauen des deutschen Geisteslebens haben an das Kuratorium des Wuppertaler Eduard von der Heydt-Preises eine Empfehlung gerichtet, dem Romancier, Erzähler, Lyriker und Essayisten Hans Brandenburg den ›Von der Heydt-Preis‹ seiner Vaterstadt zu verleihen. Die Verleihung des Preises soll eine Anerkennung seines Gesamtwerkes, vor allem seines Romans *Vater Öllendahl* und für den unveröffentlichten Roman *Ewiger Michel* sein, dessen Manuskript dem Kuratorium vorliegt. Die Unterzeichneten hoffen, daß das

Kuratorium sich verpflichtet fühle, die geistige Leistung des großen Sohnes der Stadt Wuppertal in einem Augenblick zu würdigen, wo der Gealterte sich in unverschuldeter materieller Beschränkung und seelischer Einsamkeit befindet« (zit. nach Segebrecht 1987, S. 127). Den Aufruf hatte der Schriftsteller Bernward Vesper, der Sohn Will Vespers, initiiert, dem CZ auf seine Bitte um Beteiligung am 20. Mai 1961 antwortete: »Sehr geehrter Herr Vesper! Da ich die Werke von Hans Brandenburg nicht kenne und ihn auch persönlich nie getroffen habe, hatte ich mich an Professor Heuss um eine Auskunft gewandt. Der [...] hat mir [...] Gutes über die menschlichen Qualitäten des Herrn Brandenburg mitgeteilt. Daher zögere ich nicht, Ihr Anliegen durch meine Unterschrift zu unterstützen« (DLA, Nachlaß CZ). Brandenburg bedankte sich in einem Brief vom 15. Juli 1961 bei CZ, woraufhin beide Autoren noch einmal Briefe gewechselt haben. Über weitere Kontakte konnte nichts ermittelt werden. In CZs Autobiographie wird Brandenburg nicht erwähnt.

Flake] Otto Flake (1880-1963) lebte seit 1909 als freier Schriftsteller an wechselnden Wohnorten. Nach der Veröffentlichung seines ersten Romans *Schritt für Schritt* (1912) wurde er Autor des S. Fischer Verlags. In den folgenden Jahren verfaßte er zahlreiche weitere Romane und schrieb daneben regelmäßig u.a. in der *Weltbühne* (1921-1926), der *Neuen Rundschau* (1912-1937) und der *Frankfurter Zeitung* (1906-1943). CZ hat Flake 1919 bei einer von Wilhelm Fraenger in Heidelberg veranstalteten Lesung kennengelernt: »Es kam Otto Flake, ein blonder, vornehm aussehender Mann, er sprach etwas trocken und didaktisch, hatte uns aber in seinem ›Logbuch‹, aus dem er las, Bedeutsames zum Aufriß einer neuen Ethik zu sagen« (*Als wär's ein Stück von mir*, S. 349). 1926 zog Flake nach Südtirol, wo er wegen seines *Sommerromans* (1927) ausgewiesen wurde, weil dieser für die deutschsprachige Bevölkerung Tirols Partei ergriff. 1928 ließ er sich in Baden-Baden nieder. 1933 unterschrieb Flake, der seit 1932 mit der aus jüdischem Elternhaus stammenden Marianne Hitz verheiratet war, eine Loyalitätserklärung des Reichsverbandes Deutscher Schriftsteller zugunsten Hitlers (*Schleswig-Holsteinische Zeitung* vom 26. Oktober 1933). Später erklärte er, er habe diese Unterschrift auf die Aufforderung des S. Fischer Verlags hin geleistet (Flake 1960, S. 448). Das Verhältnis zu Peter Suhrkamp, der den Verlag in Deutschland von 1936 an leitete, wurde gespannt, als Suhrkamp, für den Flake nach dem Urteil Peter Härtlings eine »kritische Größe« darstellte, die Verweigerung der Papierbewilligung für eine Zweit-

auflage von *Schritt für Schritt* hinnahm und ihm die Veröffentlichung seines neuen Buches *Große Damen des Barock* in einem
anderen Verlag nahelegte (Härtling 1981, S. 49 f.). Flake war über
den »immer dämpfend[en]« und »die Vorschriften beachtend[en]«
Suhrkamp erbost (Flake 1960, S. 495). Das umstrittene Buch
erschien 1939 allerdings doch bei S. Fischer. Sabine Graf zufolge
betonte Flake, der eine »Konsolidierung zur Nation auch im Nationalsozialismus« für möglich hielt, den »nationalen« Charakter
einiger seiner Werke, um auch im ›Dritten Reich‹ ein auflagenstar-
ker Autor zu bleiben (Graf 1992, S. 291 f.). In einem Beschwerde-
brief an die Reichschrifttumskammer schrieb Flake 1938: »Keine
Parteibuchhandlung stellt etwas von mir aus, obwohl ⟨der⟩
S. Fischer Verlag längst den Bestimmungen entspricht. An sich ist
es mir gleichgültig, ob ich ausgestellt oder besprochen werde. Das
Grundsätzliche geht mich an. Es ist Sache der Partei, ob sie darauf
verzichtet, einer Reihe Menschen im Land, die sich loyal verhalten,
zu dem Bewußtsein zu verhelfen, daß auch sie zur Nation gehören,
wozu nur etwas mehr Großzügigkeit gehörte, als geübt wird. Ich
meinerseits habe festzustellen, daß ich heute nur geduldet und
morgen vielleicht unerwünscht bin. Unter diesen Umständen
würde ich es vorziehn, wenn eine klare, endgültige Entscheidung
fiele« (zit. nach Flake 1960, S. 488 f.). Nach 1945 ist Flakes Werk nur
noch wenig beachtet worden. Über weitere Kontakte zu CZ konnte
nichts ermittelt werden.

Schmidtbonn] Der Schriftsteller Wilhelm Schmidtbonn (1876-1952)
war nach einigen Wanderjahren von 1906 bis 1908 am Schauspielhaus Düsseldorf als Dramaturg tätig und schrieb als Theaterkritiker
für das *Berliner Tageblatt*. Anschließend ließ er sich als Dramatiker,
der bei Max Reinhardt unter Generalvertrag stand und von diesem
bis 1920 gefördert wurde, am Tegernsee nieder. Während des Ersten
Weltkriegs arbeitete er als Kriegsberichterstatter für das *Berliner
Tageblatt*. Mit seinen Dramen, vor allem mit *Der Graf von Gleichen* (1908) und *Der Geschlagene* (1919), hatte Schmidtbonn bis
zum Ende der 1920er Jahre beachtlichen Erfolg. 1926 wurde er
Mitglied der Preußischen Dichterakademie, 1936 verlieh man ihm
die Ehrendoktorwürde der Universität Bonn, 1941 erhielt er den
Rheinischen Literaturpreis und 1943 die Beethoven-Medaille. Von
1928 an wohnte er aus gesundheitlichen Gründen in Ascona; erst
1939 kehrte er wieder nach Deutschland zurück. Zu Beginn der
dreißiger Jahre nahm Schmidtbonns Erfolg spürbar ab, seine Stücke
wurde kaum mehr gespielt (zu seinem dramatischen Werk vgl. Reber
1969). Unter dem Titel *An einem Strom geboren* hat er 1935 seine

Autobiographie veröffentlicht. Über Kontakte zu CZ konnte nichts ermittelt werden; in CZs Autobiographie wird er nicht erwähnt.

Adelt] Leonhard Adelt (1881-1945) war zunächst Buchhändler, dann als Journalist und Schriftsteller von 1900 an u.a. in Wien, Stettin und Hamburg tätig. Seit 1909 lebte er als freier Schriftsteller am Bodensee, seit 1911 bei München, wo er sich zum Flieger ausbilden ließ und sich seither immer wieder mit der Fliegerei beschäftigte, so auch in seinem propagandistischen Luftwaffen-Buch *Sturz in den Sieg: Das Wunder der Ju 88* (1942). Von 1914 bis 1918 war er Redakteur und Kriegsberichterstatter des *Berliner Tageblatts* und arbeitete nach 1920 als Journalist in München und Wien. Er verfaßte einige Lustspiele und Erzählungen und trat auch als Übersetzer hervor. Über Kontakte zu CZ konnte nichts ermittelt werden. In CZs Autobiographie wird Adelt nicht erwähnt.

Buch] Der Regisseur und Schriftsteller Fritz Peter Buch (1894-1964) war von 1924 bis 1933 Oberspielleiter am Schauspielhaus Frankfurt am Main, wo er 1929 mit der als tendenziös empfundenen Uraufführung von Sergej Tretjakows *Brülle China* einen Skandal verursachte. 1933 wurde er fristlos entlassen (vgl. Schültke 1997, S. 64 f.). Anschließend war er in Berlin am Preußischen Theater der Jugend (vgl. S. 403, Anm. zu ›*Theater der Jugend*‹) und als Gastregisseur an anderen deutschen Bühnen tätig. Von 1935 an arbeitete er als Regisseur und Drehbuchautor überwiegend für den Film. Besonders Literaturverfilmungen (*Der Katzensteg*, nach Hermann Sudermann, 1938), aber auch der anti-serbische Film *Menschen im Sturm* (1941) machten ihn bekannt. Boguslaw Drewniak urteilt, Buch habe in seinem Filmwerk einen »Kreis von Themen« behandelt, »der der ›Blu-Bo‹-Doktrin nahestand« (Drewniak 1987, S. 538; vgl. auch Schültke 1997, S. 98-101). Als Lustspielautor hatte Buch vor allem mit dem Stück *Ein ganzer Kerl* (1938) Erfolg. Nach dem Krieg arbeitete er als Kabarettist und an verschiedenen deutschen Bühnen als Gastregisseur und war seit 1957 Oberspielleiter in Bremen. Von 1960 an leitete er eine Schauspielschule in Wien. Über Kontakte zu CZ konnte nichts ermittelt werden. In CZs Autobiographie wird Buch nicht erwähnt.

Scholz] Der Schriftsteller Wilhelm von Scholz (1874-1969) nahm als Soldat am Ersten Weltkrieg teil, arbeitete dann aber von 1916 bis 1922 als Erster Dramaturg und Spielleiter in Stuttgart. Von 1926 bis 1928 war er Vorsitzender der neugegründeten Sektion für Dichtung der Preußischen Akademie der Künste, wo er zum »völkisch-nationalen ›Block‹« zu rechen war (Barbian 1993, S. 29). Debütiert hatte Scholz mit Gedichten (*Frühlingsfahrt*, 1896), er wandte sich dann jedoch vor allem dem neuklassizistischen und historisierenden Drama zu. Seinen ersten großen Bühnenerfolg, das Drama *Der Jude von Konstanz* (1905), versuchte Scholz in seinen Lebenserinnerungen zu einem frühen Bekenntnis zum Antisemitismus umzudeuten und in seiner Aussage ins Gegenteil zu verkehren (vgl. von Scholz 1939, S. 67 f. und 181 sowie Oettinger 1989, S. 153-165). 1933 bekannte er sich in der Schrift *Sechs Bekenntnisse zum neuen Deutschland. R.G. Binding, E.G. Kolbenheyer, die Kölnische Zeitung, W. v. Scholz, O. Wirz, R. Fabre-Luce antworten Romain Rolland* (Hamburg 1933) zum nationalsozialistischen Staat und feierte in Gedichten wie *Deutsche Wünsche* oder *Der harte Wille* Hitler und den Krieg (*Die Gedichte. Gesamtausgabe*, Leipzig 1944, S. 316, 318). 1932 erhielt er die Goethemedaille und 1944 die Ehrendoktorwürde der Universität Heidelberg. 1949 wurde er Präsident des Verbandes deutscher Bühnenschriftsteller und Komponisten. Über Kontakte zu CZ konnte nichts ermittelt werden. In CZs Autobiographie wird Scholz nicht erwähnt.

Edschmid] Der Schriftsteller und Journalist Kasimir Edschmid, eigentl. Eduard Schmid (1890-1966), galt seit der Veröffentlichung des Novellenbandes *Die sechs Mündungen* (Leipzig 1915) als Wortführer des literarischen Expressionismus. Mit CZ gehörte er 1919 zum Mitarbeiterkreis der von Carlo Mierendorff herausgegebenen Zeitschrift *Das Tribunal*. In der Zeit der Weimarer Republik war er freier Schriftsteller und publizierte u.a. in der *Frankfurter Zeitung*. Nach der »Machtergreifung« Hitlers wurden seine Bücher auf die ersten Verbotslisten gesetzt; zu ihrer Verbrennung forderte etwa die *Münchener Zeitung* am 5. Mai 1933 auf. Trotz zweier deutschtümelnder Romane (*Deutsches Schicksal* [1932] und *Das Südreich* [1933]) war Edschmid nur ein »geduldeter Autor«. Hinweise auf ein Schreibverbot gibt es jedoch keine. Edschmid lebte während der NS-Zeit überwiegend in Italien und widmete sich der Darstellung dieses Landes in der Reihe *Italien* (Frankfurt am Main 1935-1941, vier Bde.), deren fünfter Band erst nach Kriegsende erschien (*Italien. Seefahrt, Palmen, Unsterblichkeit*, Düsseldorf 1948). Nach 1945 spielte er als Vize- und Ehrenpräsident des westdeutschen PEN und der Akademie für Sprache und Dichtung im deutschen Literaturbetrieb eine wichtige Rolle. In seinem *Tagebuch 1958-1960* (K. Edschmid 1960) erinnert sich Edschmid an CZ und kommentiert dessen literarische Entwicklung: »Nur die Quantitäten wechseln, nicht die Qualitäten der Substanz und des Mutes. Wenn ich an Zuckmayer denke, einen blassen,

schmalen Jüngling mit fanatischen Augen, der mir sein erstes ex-
pressionistisches Stück [gemeint ist das Drama *Kreuzweg*; vgl.
Nickel/Weiß 1996, S. 49 f.] in Darmstadt vorlas, und den raschen
Sprung, den er spontan *al tocco* und *con brio* zur Popularität des
›Fröhlichen Weinbergs‹, des Köpenicker Hauptmanns und des
Schinderhannes machte, könnte ich freilich an meiner These zwei-
feln. In diesem Falle wenigstens. Sicher zu Unrecht« (K. Edschmid
1960, S. 320). CZ verfaßte zu Edschmids 75. Geburtstag den Artikel
Der große Bruder, der von der *Frankfurter Allgemeinen Zeitung* am
4. Oktober 1965 veröffentlicht wurde. Zur Biographie vgl. auch
Netuschil 1990 und U. Edschmid 1999.

Weichert] Der Theaterintendant und Regisseur Richard Weichert
(1880-1961) war von 1914 bis 1918 als Oberspielleiter in Mannheim und anschließend am Schauspiel in Frankfurt am Main tätig,
wo er, seit 1920 Intendant, bis 1929 blieb und den expressionistischen »Frankfurter Stil« mitentwickelte (vgl. *Als wär's ein Stück von
mir*, S. 313 f.). Zu Beginn der 1920er Jahre war er neben Hartung
Lehrer von CZs späterem Freund Albrecht Joseph. Weichert inszenierte in Frankfurt neben Stücken von Hasenclever, Brecht
und Fritz von Unruh auch CZs *Schinderhannes* (Premiere am
30. Dezember 1927) und *Katharina Knie* (Premiere am 16. März
1929). Von 1929 bis 1931 war er als Spielleiter am Deutschen
Volkstheater und am Lessingtheater in Berlin beschäftigt. Danach
ging er ans Staatsschauspiel München, wo er – von 1932 an Direktor – 1933 abgesetzt wurde. Von 1934 bis 1936 war er Spielleiter
am Berliner Theater des Volkes und anschließend bis 1944 an der
Berliner Volksbühne. Von 1936 bis 1939 führte er Regie bei den
Heidelberger Festspielen, zeitweise auch Regie am Wiener Burgtheater, wo er schon 1931 den *Hauptmann von Köpenick* inszeniert hatte (Premiere am 25. April 1931). Von 1947 bis 1951 war er
wieder als Schauspieldirektor in Frankfurt tätig, wo Heinz Hilpert
Des Teufels General (Premiere am 25. November 1947), Max
Noack den *Hauptmann von Köpenick* (Premiere am 6. Februar
1949) und Weichert selbst CZs *Gesang im Feuerofen* (Premiere am
7. Dezember 1950) und *Katharina Knie* (Premiere am 14. Juni
1951) inszenierten. In CZs Nachlaß ist ein Typoskript aus dem
Jahr 1969 mit dem Titel *Verspäteter Gruss an Richard Weichert*
überliefert, das folgenden Wortlaut hat: »Lieber Richard Weichert,
wo immer Sie sein mögen, – Ihr wahrer Wesenskern, der von Ihnen
wie von jedem Menschen unvergänglich ist, mag fühlen und spüren, mit welcher Treue und tiefer Sympathie Ihrer gedacht wird!
Ich möchte Sie grüssen, in den Bezirk des Unbegreiflichen und

Unvorstellbaren hinüber, so wie es mir hier nicht mehr vergönnt war. Aber wer könnte sich denn vorstellen, Richard Weichert werde einmal nicht mehr sein? Er war immer da, so lange wir da waren und uns erinnern können, er war in Frankfurt, wenn er nicht wo anders inszenierte, er war immer dort, wo das *Theater* war, dem er so unendlich viel gegeben hat, – von jener bahnbrechenden mannheimer Inszenierung des ›Sohn‹ von Hasenclever an, mit der er eine Stilepoche des deutschen Theaters einleitete und gleichzeitig erfüllte, bis zu der noblen Kunst seiner reifen Jahre. Das Gedenken daran wird so lange leben, wie das Theater lebt. Sei gegrüsst, Richard Weichert!«

in dem er Shakespeare und andere Klassiker für die ›Kraft durch Freude‹ Organisationen gab] Die 1933 gegründete ›Kraft durch Freude‹ (KdF) – ein Freizeitwerk der Deutschen Arbeitsfront (DAF) – war bis zur Übernahme der ›NS-Kulturgemeinde‹ 1937 die maßgebliche nationalsozialistische Kulturorganisation. Sie veranstaltete u.a. staatlich subventionierte Theateraufführungen und Konzerte (zur Rolle der KdF in der Theaterpolitik vgl. Dussel 1987, S. 132-140). Im Dezember 1933 wurde Max Reinhardts Großes Schauspielhaus in Vertretung des Reiches vom Propagandaminister und der DAF gepachtet und als Theater des Volkes wiedereröffnet. Dort wurden von nun an vor allem Klassiker gespielt, u.a. die von Weichert inszenierten Dramen *Wallenstein* (1934), *Iphigenie auf Tauris* (1934) und *Götz von Berlichingen* (1935). Von 1936 an sind dort allerdings, auf Druck von Robert Ley, des Leiters der DAF, nur noch Operetten aufgeführt worden (vgl. Rischbieter, 2000, S. 84 f).

Lingen] Der Schauspieler und Regisseur Theo Lingen, eigentl. Franz Theodor Schmitz (1903-1978), war von 1924 bis 1926 am Theater Münster engagiert. Anschließend wechselte er ans Neue Theater in Frankfurt am Main und kam 1929 nach Berlin ans Theater am Schiffbauerdamm, wo er in der neubesetzten *Dreigroschenoper* von Brecht den Peachum spielte. Am Neuen Theater hatte er 1929 als Sergeant in CZs Bearbeitung *Rivalen* von Anderson und Stallings mitgewirkt. 1930 spielte er in einer Neuinszenierung des *Fröhlichen Weinbergs* an der Volksbühne den Assessor Knuzius. Von 1930 bis 1936 war er am Staatstheater, an der Volksbühne und an der Komödie und von 1936 bis 1944 erneut am Staatstheater engagiert. 1928 hatte er Brechts ehemalige Frau, die österr. Opernsängerin Marianne Zoff, geheiratet und spielte häufig in Brecht-Stücken, so in *Mann ist Mann* (1931, Staatstheater) und der Uraufführung der Gorki-Bearbeitung *Die Mutter* (1932, Theater am

Schiffbauerdamm). Seit 1930 übernahm er in unzähligen Filmen vor
allem komische Rollen und führte gelegentlich auch Regie. 1944
zog er nach Österreich und nahm 1945 die österr. Staatsbürgerschaft an. Von 1948 an war er am Wiener Burgtheater engagiert
und gab Gastspiele in Düsseldorf, Hamburg und Berlin. Über
Kontakte zu CZ konnte nichts ermittelt werden. In CZs Autobiographie wird Lingen nur beiläufig als zweiter Ehemann von Marianne Zoff erwähnt (vgl. *Als wär's ein Stück von mir*, S. 442).

Aufricht] Der Theaterproduzent und -manager Ernst Josef Aufricht
(1898-1971) war seit 1923 als Schauspieler an verschiedenen Berliner
Bühnen tätig. 1923 gründete er gemeinsam mit Berthold Viertel
das Schauspielensemble ›Die Truppe‹. 1926/27 war er stellvertretender Direktor des Thalia-Theaters und von 1928 bis 1931 Pächter
des Theaters am Schiffbauerdamm, wo er 1928 Brechts *Dreigroschenoper* produzierte. 1931 gründete er die Ernst-Josef-Aufricht-Pro-
duktion und brachte noch weitere Brecht-Stücke heraus, so den
Aufstieg und Fall der Stadt Mahagonny und *Die Mutter*. 1932
wurde er künstlerischer Direktor des Theaters am Admiralspalast.
1933 emigrierte er nach Paris, wo er 1937 die *Dreigroschenoper* im
Théâtre de l'Etoile inszenieren ließ. 1939 und 1940 wurde er in den
Lagern Vierson und Braçonne interniert. 1941 emigrierte er nach
New York, wo er u.a. bei der Rundfunk-Sendereihe *We Fight
Back* mitwirkte. 1953 kehrte er nach West-Berlin zurück, konnte
als Theaterleiter an seine einstigen Erfolge aber nicht mehr an-
knüpfen. Über Kontakte zu CZ konnte nichts ermittelt werden. In
CZs Autobiographie wird Aufricht nicht erwähnt.

Brecht's erster Frau] Die österr. Opernsängerin Marianne Zoff
(1893-1984) kam 1919 ans Stadttheater Augsburg, wo sie Bertolt
Brecht kennenlernte. 1921 arbeitete sie am Theater in Wiesbaden.
Von 1922 an lebte sie zusammen mit Brecht, den sie am 3. November 1922 heiratete, in München. CZ schloß während seiner Zeit als
Dramaturg an den Münchner Kammerspielen 1923 Freundschaft
mit Brecht, Marianne Zoff begegnete ihm jedoch erst nach dem
Zweiten Weltkrieg (vgl. Banholzer 1981, S. 178 f. und Nickel/Weiß
1996, S. 76-78). 1925 wurde sie am Stadttheater Münster engagiert
und lernte dort Theo Lingen kennen, den sie – die Ehe mit Brecht
war 1926 geschieden worden – 1928 heiratete.

Zoff] Der Schriftsteller Otto Zoff (1890-1963) war von 1919 bis
1921 als Dramaturg an den Münchener Kammerspielen und am
Lobe-Theater in Breslau tätig. Von 1921 bis 1923 leitete er den
Münchener O.C. Recht Verlag und lebte anschließend als freier
Schriftsteller und Theaterleiter in Berlin, München, Breslau und

Florenz. Bekannt wurde u.a. sein Zeitroman *Die Liebenden* (1929). Darüber hinaus veröffentlichte er musik- und kunstgeschichtliche Werke. Im Frühjahr 1933 erhielten seine Stücke Aufführungsverbot. Von 1933 an war er Lektor im Ullstein Verlag. 1935 emigrierte er nach Italien, 1939 nach Frankreich und 1941 in die USA. Von 1949 an war er Korrespondent der *Frankfurter Allgemeinen Zeitung* in New York. 1961 kehrte er nach München zurück. Aus einem Brief Zoffs vom 15. März 1957 an CZ geht hervor, daß beide Autoren sich »in grossen Abständen gesehen [haben], eine Fahrt im Speisewagen Wien – Salzburg – (ungefähr 1934) – ist mir stark in Erinnerung geblieben. Aber diese letzten Begegnungen in Baden-Baden sind mir eine besonders schöne Erinnerung« (DLA, Nachlaß CZ). In CZs Autobiographie wird Otto Zoff nur beiläufig als Bruder von Marianne Zoff, der ersten Ehefrau Bertolt Brechts, erwähnt.

Achaz-Duisberg] Carl Ludwig Duisberg (1889-1958), der Sohn des Industriellen Carl Duisberg, war Schauspieler und Regisseur. Der promovierte Jurist wurde 1914 Attaché der deutschen Botschaft zunächst in den USA, von 1917 an in Norwegen. 1918 wechselte er unter dem Namen Carl Ludwig Achaz zur Schauspielerei, erhielt seine Ausbildung an den Reinhardt-Bühnen und war anschließend in Berlin u.a. am Lessingtheater, an der Volksbühne und dem Renaissance-Theater engagiert. 1933/34 leitete er gemeinsam mit Heinrich Neft das Deutsche Theater, von 1934 bis 1936 arbeitete er als Spielleiter an der Volksbühne. Danach lebte er als freier Schauspieler in München. Von 1945 bis 1948 war er Spielleiter am Stadttheater Passau. Über Kontakte zu CZ konnte nichts ermittelt werden. In CZs Autobiographie wird Duisberg nicht erwähnt.

›*Alten Duisberg*‹] Der Industrielle Carl Duisberg (1861-1935) war Initiator der 1925 gegründeten IG Farben. Seit 1884 bei der Firma Bayer, stieg der Chemiker 1899 zum Direktor der Leverkusener Laboratorien auf, wurde 1912 Vorstandsvorsitzender und 1926 Generaldirektor der IG Farben. Von 1925 bis 1931 stand er außerdem dem Reichsverband der Deutschen Industrie vor.

Moissi] Der aus einer albanischen Familie stammende österr. Schauspieler Alexander Moissi (1879/80-1935) war bis in die 1920er Jahre hinein einer der berühmtesten Bühnendarsteller der deutschsprachigen Theater. Für CZ gehörte er zur »erste[n] Reihe« einer »gewaltigen Generation von Schauspielern« (*Als wär's ein Stück von mir*, S. 50). Moissi wurde vor allem für seine melodiöse Sprechweise gerühmt. 1903 kam er zu Reinhardt ans Kleine Theater. Von 1906 bis 1933 spielte er am Deutschen Theater Berlin sowie in Wien und Salzburg. 1933 kehrte er nach Österreich zurück. Über Kontakte zu CZ konnte nichts ermittelt werden. Zur Biographie vgl. die feuilletonistische Darstellung von Rüdiger Schaper (Schaper 2000).

sich nicht lange halten konnte] Als Karl Heinz Martin und Rudolf Beer, die das Deutsche Theater und die angegliederten Kammerspiele von April 1932 an gepachtet hatten, im Januar 1933 von ihrer Direktion zurücktraten, übernahmen – nach Verhandlungen mit Max Reinhardt – Carl Ludwig Duisberg und Heinrich Neft, der ehemalige Verwaltungsdirektor der Bühne, die Leitung (vgl. Adler 1964, S. 228 und Huesmann 1983, S. 70). Der offizielle Direktions-Antritt erfolgte am 1. März 1933. In einem Gespräch mit dem *Berliner Tageblatt* stellte Duisberg das Programm vor: »Das Deutsche Theater wird ›gläubiges‹ Theater spielen – wobei gläubig nicht im Sinne der Religion zu verstehen ist. Es wird das Theater zu den Quellen zurückführen, aus denen alles Theater kommt: zum Kultischen« (*Berliner Tageblatt* vom 19. Februar 1933, zit. nach Weigel 1999, S. 174). Duisberg und Neft führten das Theater mit mäßigem Erfolg. Der bereits Ende April 1934 auslaufende Pachtvertrag wurde nicht mehr erneuert. Als 1934 dem Theater rückwirkend die seit 1928 bestehende Gemeinnützigkeit abgesprochen und damit erhebliche Steuer-Nachzahlungen gefordert wurden, ist das bankrotte Unternehmen, immer noch Eigentum Max Reinhardts, im Oktober 1934 der Deutschen Nationaltheater-AG überschrieben worden. Sie fungierte von der Spielzeit 1934/35 an als Eigentümerin des Theaters, das Heinz Hilpert bis 1944 leitete.

Legal] Ernst Legal (1881-1955) war von 1912 bis 1920 Schauspieler, Regisseur und seit 1918 auch Intendant am Königlichen Schauspielhaus Wiesbaden. Von 1920 bis 1924 arbeitete er als Dramaturg am Staatlichen Schauspielhaus Berlin bei Leopold Jessner, der CZs Drama *Kreuzweg* zur Uraufführung angenommen hatte (vgl. *Als wär's ein Stück von mir*, S. 372). In der Uraufführung dieses Stücks am 10. Dezember 1920 spielte Legal die Rolle des Jens Morgenstern. Anschließend war er bis 1927 Theaterdirektor in Darmstadt sowie 1927/28 in Kassel, wo unter seiner Intendanz CZs *Schinderhannes* (Premiere am 17. Januar 1928, Regie: Johannes Tralow) aufgeführt wurde. Von 1928 bis 1932 war er gemeinsam mit Otto Klemperer Intendant der Kroll-Oper Berlin und seit 1930 zusätzlich Intendant des Staatstheaters. Zwischen 1933 und 1936 leitete er zusammen mit Kurt Raeck das Theater in der Stresemannstraße. 1934 spielte er die Rolle des Pierre de la Cognac in

CZs Bearbeitung von Maxwell Andersons und Lawrence Stallings Stück *Rivalen* (Premiere am 2. März 1934 am Theater im Admiralspalast, Berlin). Schon seit 1920 wirkte Legal auch in Filmen mit, u.a. in dem tendenziösen Schülerdrama *Traumulus* (1936, Regie: Carl Froelich), in unterhaltenden Kriminalfilmen wie melodramatischen Produktionen (*Die goldene Stadt* [1942], Regie: Veit Harlan). Ebenso gemischt gestaltete er während des ›Dritten Reichs‹ als Intendant seinen Spielplan. Von 1938 bis 1944 arbeitete er als Regisseur und Schauspieler am Schiller-Theater Berlin unter der Leitung von Heinrich George. Legal, so Werner Mittenzwei, habe zu den Künstlern gehört, die »auf Distanz zu den Nationalsozialisten [ge]blieben« seien (Mittenzwei 1999, S. 67). Als einer der ersten Theaterkünstler nach Kriegsende erhielt er wieder die Arbeitserlaubnis. Von CZ inszenierte er am Deutschen Theater Berlin den *Hauptmann von Köpenick* (Premiere am 2. September 1947) und am Düsseldorfer Schauspielhaus *Katharina Knie* (Premiere am 16. September 1953). Von 1946 bis 1953 war er schließlich Intendant der Deutschen Staatsoper in Ost-Berlin. Über persönliche Kontakte zu CZ nach 1920 konnte nichts ermittelt werden, in CZs Autobiographie wird Legal beiläufig erwähnt (*Als wär's ein Stück von mir*, S. 372).

Kayssler] Der Schauspieler und Dramatiker Friedrich Kayßler (1874-1945) ging 1895 an das Deutsche Theater Berlin, trat seit 1904 an den Bühnen Max Reinhardts auf und war von 1918 bis 1923 Intendant der Neuen Freien Volksbühne. Von 1933 bis 1944 gehörte er dem Ensemble des Staatlichen Schauspielhauses Berlin an. Bei der Verfilmung des *Hauptmanns von Köpenick* (1931, Regie: Richard Oswald) spielte er den Friedrich Hoprecht. Für die 1934 geplante, aber nicht realisierbare deutsche Uraufführung des *Schelms von Bergen* war Kayßler ebenfalls für eine Rolle vorgesehen (vgl. *Als wär's ein Stück von mir*, S. 533). Über weitere Kontakte zu CZ konnte nichts ermittelt werden.

Fehdmer] Die Schauspielerin Helene Fehdmer (1872-1939) war von 1905 an mit dem Schauspieler Friedrich Kayßler verheiratet. Seit 1892 trat sie an verschiedenen Theatern in Berlin auf. Von 1918 bis 1932 hatte sie ein Engagement an der Volksbühne, von 1931 bis 1936 am Staatstheater. Sie arbeitete auch für die Filmindustrie, wirkte u.a. in Veit Harlans *Herrscher* (1937) mit. Über Kontakte zu CZ konnte nichts ermittelt werden. In CZs Autobiographie wird Helene Fehdmer nicht erwähnt.

Frank] Der Schauspieler Walter Franck (1896-1961) war seit 1923 in Berlin am Staatstheater engagiert, wo er bis 1944 blieb. Zwischen

1924 und 1927 spielte er am Deutschen Theater, wo er in der Uraufführung von *Pankraz erwacht* in der Titelrolle zu sehen war (Premiere am 15. Februar 1925, Regie: Heinz Hilpert; vgl. auch *Als wär's ein Stück von mir*, S. 461 f.). 1937 wurde er zum Staatsschauspieler ernannt. Nach Kriegsende war er für kurze Zeit Bürgermeister in Berlin-Schmargendorf. Von 1945 an spielte er am Hebbel- und am Renaissance-Theater, von 1952 an am Schloßpark- und Schiller-Theater in Berlin. Als CZ ihn 1958 fragen ließ, ob er noch Photos von der Aufführung von *Pankraz erwacht* habe, antwortete Franck dem »liebe[n], alte[n] Zuck«, er habe weder Photos noch – »zu meinem Leidwesen« – jemals wieder »einen ›Zuck‹« gespielt« (DLA, Nachlaß CZ, Brief vom 9. September 1958). Über weitere Kontakte konnte nichts ermittelt werden.

Gülstorff] Der Schauspieler Max Gülstorff (1882-1947) begann in Berlin am Schillertheater und kam 1915 zu Max Reinhardt ans Deutsche Theater. Von 1923 an war er hin und wieder auch als Regisseur am Wiener Theater in der Josefstadt tätig. Er spielte in zahlreichen komödienhaften Unterhaltungsfilmen mit, aber auch in den »staatspolitisch besonders wertvollen« Produktionen *Der Herrscher* (1937, Regie: Veit Harlan) und *Ohm Krüger* (1941, Regie: Hans Steinhoff). Er gehörte als Bürgermeister Obermüller zum Ensemble der Uraufführung (5. März 1931, Deutsches Theater, Regie: Heinz Hilpert) und der ersten Verfilmung des *Hauptmanns von Köpenick* (1931, Regie: Richard Oswald). Über Kontakte zu CZ konnte nichts ermittelt werden. In CZs Autobiographie wird Gülstorff nicht erwähnt.

Röbbeling] Hermann Röbbeling (1875-1949) war Schauspieler, Regisseur und Theaterdirektor. 1914 übernahm er die Leitung des Thalia-Theaters in Hamburg und 1928 zusätzlich die Direktion des Deutschen Schauspielhauses. Beide Häuser leitete er bis 1932. In dieser Zeit wurden am Schauspielhaus CZs *Katharina Knie* (Premiere am 16. Mai 1929) und *Der Hauptmann von Köpenick* (Premiere am 1. April 1931) aufgeführt. Von 1932 an war Röbbeling Direktor des Wiener Burgtheaters und nahm CZs Stücke *Der Schelm von Bergen* (Premiere am 6. November 1934) und *Bellman* (Premiere nach dem »Anschluß« Österreichs abgesetzt) zur Uraufführung an. Nach der Annexion Österreichs durch das Deutsche Reich wurde Röbbeling durch Mirko Jelusich ersetzt, wogegen er erfolglos bei Goebbels protestierte (vgl. Drewniak 1983, S. 73). Nach Berlin zurückgekehrt, blieb er stellungslos, denn im Zeugnis, das ihm NS-Vertrauensmänner ausstellten, wurde Röbbeling als »politisch vollkommen neutral und farblos« beschrieben. Er

habe »jedoch mit Vorliebe Stücke von jüdischen Autoren zur Aufführung gebracht und [sei] seinerzeit wegen seiner katholischen
Einstellung zur Leitung [des Burgtheaters] berufen« worden
(Gauakt Röbbeling, zit. nach Rathkolb 1991, S. 153). Nach 1945
konnte er die ihm angetragene Leitung des Hauses aus gesundheitlichen Gründen nicht mehr übernehmen.

Raub der Sabinerinnen] Schwank in vier Akten von Franz (1849-
1913) und Paul Schönthan (1853-1905), der 1884 in Stettin uraufgeführt wurde. In dessen Mittelpunkt steht der agile und schlag-
fertige Schmierentheaterdirektor Striese.

Frau] Frieda Röbbeling, geb. Wittenbecher.

Sohnes] Röbbelings Sohn Harald Hermann Röbbeling (geb. 1905)
war Filmregisseur und Drehbuchautor. 1926/27 und 1930/31 arbeitete er bei seinem Vater in Hamburg. Von 1928 bis 1930 war er
bei an den Städtischen Bühnen Rostock als Regisseur beschäftigt.
Im nationalsozialistischen Deutschland wurde er als Co-Autor
für zahlreiche Drehbücher engagiert. Nach 1945 führte er in einer
Reihe von Filmen selbst Regie. Über persönliche Kontakte zu CZ
ist nichts bekannt. In CZs Autobiographie wird er nicht erwähnt.

Annonce] In einer Sondernummer vom Juli 1938 mit dem Titel *Der
Jude in Österreich* veröffentlichte *Der Stürmer* einen Artikel über
das Wiener Theaterleben, in dem es heißt: »Am besten zeigt sich die
schauerliche Verjudung der Wiener Kultur, wenn die Besetzung
der Theater gezeigt wird. Das einzige Theater, das noch am sauber-
sten dastand, war das Burgtheater. Aber auch dieses hätte sich der
Verjudung mit der Zeit nicht mehr erwehren können. Schon war
sein Direktor nicht mehr einwandfrei. Es war ein Herr Röbbeling
aus Hamburg. Er ist mit einer Jüdin verheiratet. Herbeigeholt wurde
er ebenfalls von einem Juden, dem ›Kunstkritiker und Hofrat‹ Kar-
path [gemeint ist der Musikkritiker Ludwig Karpath]. Die Wiener
Judenpresse lobte Direktor Röbbeling über den Schellenkönig. Ein
Beweis dafür, daß sie ihn mit zur großen Mischpoche zählte« (*Stürmer*, Jg. 16, 1938, Sondernummer 9). Im August druckte die Wochenschrift folgende Meldung ab: »Herr Direktor Röbbeling vom Burgtheater Wien teilt mit, daß er für seine Ehefrau den Ariernachweis
erbracht hat. Er ist also nicht mit einer Jüdin, sondern mit einer
Nichtjüdin verheiratet. Direktor Röbbeling wurde seinerzeit auf
das Eintreten des Ministers Dr. Czermak [Emmerich Czermak war
1929-1932 Bundesminister für Unterricht] hin an das Burgtheater
berufen« (*Der Stürmer*, Jg. 16, 1938, Nr. 32).

Herterich] Der österr. Schauspieler, Regisseur und Theaterdirektor
Franz Herterich (1877-1966) hatte von 1912 an ein Engagement

am Burgtheater, das er von 1923 bis 1930 als Direktor leitete. 1932 übernahm er die Leitung des Wiener Theaters der Jugend, an dessen Wiederaufbau er nach 1945 maßgeblich beteiligt war. 1945 wirkte er in dem Propagandafilm *Kolberg* (Regie: Veit Harlan) mit. Am Burgtheater blieb er als Schauspieler bis 1955. Über Kontakte zu CZ konnte nichts ermittelt werden. In CZs Autobiographie wird Herterich nicht erwähnt.

Gold] Die österr. Schauspielerin Käthe Gold (1907-1997) war von 1928 bis 1931 am Breslauer Lobe-Theater engagiert und spielte anschließend bis 1935 an den Münchener Kammerspielen und auch am Wiener Theater in der Josefstadt. 1934 wechselte sie ans Staatstheater in Berlin, wo sie in zahlreichen Inszenierungen von Gustaf Gründgens und Jürgen Fehling zu sehen war. Von 1934 an arbeitete sie gelegentlich auch für den Film. 1936 wurde sie zur Staatsschauspielerin ernannt. Im Herbst 1944 ging sie nach der kriegsbedingten Schließung der deutschen Theater im September ans Schauspielhaus Zürich. »Die faschistischen Kulturbehörden«, so Werner Mittenzwei (leider ohne Angabe von Belegen), »schienen eher gewillt zu sein, ihren Weggang herunterzuspielen. In einer der letzten repräsentativen Publikationen über das Theater, die Ende 1944 in Deutschland erschien, wurde Käthe Gold zwar im Text erwähnt, aber in dem Phototeil über Gründgens' *Faust*-Inszenierung fehlte ihr Bild. Käthe Gold, von der man wußte, daß sie kein Mitglied der Nazipartei gewesen war, nahm man ohne Diskussion in das [Zürcher] Ensemble auf« (Mittenzwei 1979, S. 166 f.). In Zürich war Gold bis 1951 tätig. U.a. spielte sie am 5. Mai 1949 in der Uraufführung von CZs *Barbara Blomberg* unter der Regie von Oskar Wälterlin die Titelrolle. Seit 1947 trat sie am Wiener Burgtheater und bei den Salzburger Festspielen auf. Von einem Zusammentreffen mit Gold an Sylvester 1963 in Zürich berichtet CZ beiläufig in einem Brief an Carl Jacob Burckhardt (vgl. Mertz-Rychner/Nickel 2000, S. 81). Weitere Kontakte dokumentieren vier Briefe und sechs Telegramme Käthe Golds in CZs Nachlaß. In CZs Autobiographie wird sie nicht erwähnt.

Hoppe] Die Schauspielerin Marianne Hoppe (1909-2002) war von 1928 an in Berlin am Deutschen Theater engagiert. Von 1930 bis 1932 spielte sie am Neuen Theater in Frankfurt am Main, wechselte dann an die Kammerspiele München und kehrte 1935 nach Berlin ans Staatstheater zurück. Dort blieb sie bis 1945 und gehörte zu den bestbezahlten Schauspielerinnen. Sie wirkte u.a. in den Filmen *Der Schimmelreiter* (1934), *Capriolen* (1937) und in Veit Harlans *Der Herrscher* (1937) mit. 1937 wurde sie zur Staatsschauspielerin

ernannt. Von 1936 bis 1946 war sie mit Gustaf Gründgens verheiratet (vgl. S. 339, Anm. zu *Hoppe*). Bereits in den frühen 1930er
Jahren, so Petra Kohse, galt Hoppe als »Repräsentantin einer neuen
Künstlergeneration«, die sich rege am öffentlichen Leben beteilig-
te, was sich nach ihrer Heirat noch verstärken sollte (Kohse 2001,
S. 126-130, 229 f.). Mit Ausnahme des *Herrschers* hat sich Marianne
Hoppe von Propagandaprojekten der Nationalsozialisten fernge-
halten. Von 1947 bis 1955 spielte sie am Schauspielhaus Düsseldorf
und nahm danach keine festen Engagements mehr an. An den
Städtischen Bühnen in Düsseldorf spielte sie 1949 die Titelrolle in
CZs *Barbara Blomberg* (Premiere am 4. Mai 1949), bei der Zürcher
Uraufführung von CZs *Das Leben des Horace A. W. Tabor* (Pre-
miere am 18. November 1964) die Rolle der Augusta Tabor. Über
Kontakte zu CZ in den 1920er und 1930er Jahren konnte nichts
ermittelt werden. In CZs Autobiographie wird Marianne Hoppe
nicht erwähnt.

Lennartz] Die Schauspielerin Elisabeth Lennartz (1902-2001) spielte
seit 1927 in Berlin vor allem am Renaissance-Theater. An der Uraufführung in CZs *Katharina Knie* am 21. Dezember 1928 am Berliner Lessingtheater wirkte sie in der Titelrolle mit. 1930 spielte sie
die Rolle der Gudrun Gundelfinger (»eine hübsche Mama«) bei der
Uraufführung von CZs Kinderstück *Kakadu Kakada*. Von 1936
an war sie am Thalia-Theater in Hamburg engagiert. 1940 zog sie
sich von der Bühne zurück. Erst in den 1960er Jahren trat Lennartz,
die seit 1949 in Küsnacht lebte, wieder in Zürich und Basel auf.
Über das Wiedersehen nach dem Zweiten Weltkrieg in Zürich vgl.
Als wär's ein Stück von mir, S. 649.

im Jahr 34 Zürich in einem Stück von mir] Gemeint ist die Inszenierung des *Schelms von Bergen* am Zürcher Schauspielhaus unter der
Regie von Gustav Hartung, die am 2. Februar 1935 Premiere hatte.

jüngeren deutschen Schauspieler] Gemeint ist Gustav Knuth (1901-
1987), den Elisabeth Lennartz 1940 heiratete. Knuth spielte nach
dem Zweiten Weltkrieg die Hauptrolle bei der Zürcher Uraufüh-
rung von CZs *Des Teufels General*.

Marlow] Heinrich Marlow (1874-1944) war Schauspieler in Königs-
berg, Lübeck, Petersburg und Berlin und trat lange Jahre am
Deutschen Theater Berlin auf. 1931 spielte er bei der Uraufüh-
rung von CZs Hemingway-Bearbeitung *Kat* die Rolle des Majors.
Als Oberwachtmeister war er 1931 bei der von Heinz Hilpert in-
szenierten Uraufführung des *Hauptmanns von Köpenick* zu sehen.
Dieselbe Rolle spielte er auch in Richard Oswalds Verfilmung des
Dramas 1931. Während der NS-Zeit wirkte er in zahlreichen Filmen

mit, u.a. in *Der große König* (1942) von Veit Harlan. 1937 wurde Marlow zum Staatsschauspieler ernannt. Über Kontakte zu CZ konnte nichts ermittelt werden. In CZs Autobiographie wird Marlow nicht erwähnt.

Fuchs] Stanislaus Fuchs (1864-1942) wurde 1911 Intendant in Lübeck. Von 1918 an leitete er das Deutsche Theater in Riga. 1919/20 war er Intendant in Karlsruhe und anschließend bis 1931 Intendant an den Städtischen Bühnen Essen, mit dessen Dramaturgen Hannes Küpper CZ seit 1928 in Verbindung stand (vgl. die folgende Anm. zu *Küpper*). Über Kontakte zwischen Fuchs und CZ konnte nichts ermittelt werden. In CZs Autobiographie wird Fuchs nicht erwähnt.

Küpper] Hannes Küpper (1897-1955) besuchte nach dem Kriegsdienst die Hochschule für Bühnenkunst in Düsseldorf, ging anschließend als Schauspieler an das Künstler-Theater in Frankfurt am Main, danach an das Zürcher Schauspielhaus. Von 1923 bis 1927 lebte er als freier Schriftsteller in Berlin. In dieser Zeit veröffentlichte er u.a. mit Max Vallentin bei Gustav Kiepenheuer das Buch *Die Sache ist die* (1923). 1927 verlieh ihm Bertolt Brecht den Lyrikpreis der Zeitschrift *Die Literarische Welt* für sein Gedicht *He! He! The Iron Man* über den Radrennfahrer Reggie Mac Namara. Im gleichen Jahr wurde er Dramaturg an den Städtischen Bühnen Essen. Dort gründete er die Zeitschrift *Der Scheinwerfer*, für die auch CZ einige Beiträge schrieb (Beitrag zur Umfrage *Kritik der Kritik*, Jg. 1, 1927/28, H. 14/15 [Mai 1928], S. 30; *Der Dichter und seine Wegbereiter*, Jg. 4, 1930/31, H. 12 [März 1931], S. 21; *Meine Familie Knie*, Jg. 5, 1931/32, H. 16 [Mai 1932], S. 9-10; anläßlich der Essener Erstaufführung des *Hauptmanns von Köpenick* druckte der *Scheinwerfer* auch CZs Texte *Ein deutsches Märchen* und *Die Geschichte vom Tümpel* nach: Jg. 4, 1930/31, H. 12 [März 1931], S. 4-10). Auf Küppers Vorschlag hin verlieh CZ 1931 den Kleist-Preis nicht nur an Ödön von Horváth, sondern auch an Erik Reger (vgl. Nickel/Weiß 1996, S. 209-212). Nachdem Küpper im Mai 1933 das Erscheinen seines *Scheinwerfers* einstellen mußte, ging er zunächst als Dramaturg und Regisseur ans Schauspielhaus Düsseldorf, 1937 ans Schauspielhaus Hamburg. Von 1939 an beteiligte er sich in Berlin am Aufbau des deutschen Fernsehens, inszenierte Fernsehspiele und ging als Fronttheater-Regisseur im Rahmen der Truppenbetreuung auf Tournee (vgl. Winker 1996, S. 267 f.). 1945 wurde Küpper Hörspielregisseur beim sowjetisch kontrollierten Berliner Rundfunk in der Masurenallee. Bis 1949 zeichnete er für mehr als zwanzig Hörspielbearbeitungen verantwortlich, darunter eine von CZs *Schinderhannes* (Sendedatum: 31. März 1949). In

CZs Autobiographie wird er nicht erwähnt. Ein Portrait Küppers und seiner Zeitschrift *Der Scheinwerfer* findet sich in Meyer 1985. Vgl. auch das Nachwort in Claßen/Schütz 1986 sowie Wagner 1997.

Bettac] Der aus Stettin stammende Schauspieler Ulrich Bettac (1897-1959) war seit 1921 an verschiedenen Berliner Bühnen tätig, bis er 1927 zum Wiener Burgtheater wechselte. Von 1936 an führte er dort auch Regie, von August 1938 bis April 1939 leitete er, der nach Rathkolb zur »illegalen SA-Brigade 6« gehörte, das Theater provisorisch (vgl. Rathkolb 1991, S. 158). Bettac blieb bis zu seinem Lebensende Schauspieler am Burgtheater und trat dort nach 1945 in mehreren Stücken CZs auf: in *Des Teufels General* (1948), im *Hauptmann von Köpenick* (1950), in der Uraufführung der Hauptmann-Bearbeitung *Herbert Engelmann* (1952) und im *Kalten Licht* (1956). Über Kontakte zu CZ konnte nichts ermittelt werden. In CZs Autobiographie wird er nicht erwähnt.

›*grand utilité*‹] von großer Nützlichkeit.

Mann] Nach Bettacs provisorischer Leitung übernahm Lothar Müthel im Mai 1939 die Direktion des Burgtheaters bis Mai 1945 (vgl. S. 290, Anm. zu *Müthel* und S. 331, Anm. zu *Direktor des Burgtheaters*).

Harlan] Veit Harlan (1899-1964) gehörte zu den erfolgreichsten Regisseuren des ›Dritten Reichs‹. Er begann als Theaterschauspieler und war seit 1919 an der Berliner Volksbühne engagiert. 1924 wechselte er ans Staatstheater, wo er bis 1934 blieb. Dort trat er als Friedrich Thiemann in der Uraufführung von Hanns Johsts *Schlageter* (20. April 1933, Regie: Franz Ulbrich) auf. 1935 führte er erstmals Filmregie und etablierte sich mit *Krach im Hinterhaus* als sicherer »Schnellregisseur«. Harlan, der bis zu diesem Zeitpunkt auch als Filmschauspieler gearbeitet hatte, wandte sich nun ausschließlich der Regie zu. Den Durchbruch erzielte er mit dem Jannings-Film *Der Herrscher* (1937), der mit dem Nationalen Filmpreis ausgezeichnet wurde. Harlans Schaffen erstreckte sich sowohl auf propagandistische Filme als auch auf melodramatische Literaturverfilmungen wie *Opfergang* (1944, nach Rudolf G. Binding) oder *Immensee* (1943, nach Theodor Storm). Harlans bekanntester und gleichzeitig berüchtigtster Film ist der antisemitische Propagandafilm *Jud Süß* (1940). Zu Geschichte und Inhalt dieses Films vgl. Knilli/Maurer/Radevagen/Zielinski 1983. In seinen Erinnerungen, deren deutliches Ziel die eigene Entlastung ist, erklärt Harlan, der Film sei ihm von Goebbels befohlen worden (vgl. Harlan 1966, S. 100). In seinen Memoiren versuchte Harlan deutlich zu machen, daß sein Schaffen im ›Dritten Reich‹ ganz von der Person des Propagandaministers bestimmt gewesen sei. Die Frage, ob er mit seinen Filmen gezielt einer Propaganda für das ›Dritte Reich‹ gedient habe oder sie sich nur mit ihrer spezifischen Ästhetik in den Dienst der Propaganda stellen ließen, diskutiert Norbert Grob (vgl. Grob 1984). Die Authentizität eines Interviews, in dem Harlan sich zum Nationalsozialismus bekannt hat, wurde von ihm stets bestritten und konnte nie geklärt werden (vgl. Charlotte Koehn-Behrens, *Deutsche Künstler fanden zum Nationalsozialismus. Veit Harlans Weg ging über eine Tragödie*, in: *Völkischer Beobachter*, Norddeutsche Ausgabe vom 5. Mai 1933). Durch *Jud Süß* als Spitzen-Regisseur endgültig etabliert, konnte Harlan prestigeträchtige Projekte durchführen und u.a. vier der ersten deutschen Farbfilme drehen. Mit dem Durchhalte-Epos *Kolberg* (1945) inszenierte Harlan den teuersten Film des ›Dritten Reichs‹, der wie *Der große König* (1942) als Film der Nation ausgezeichnet wurde. Harlan hatte nach der Scheidung von Hilde Körber 1939 die schwedische Schauspielerin Kristina Söderbaum (»die Reichswasserleiche«) geheiratet. Seit 1938 spielte sie in den meisten Filmen Harlans die weibliche Hauptrolle. Von 1943 an leitete Harlan bei der Ufa eine eigene Produktionsgruppe und gehörte zusammen mit Söderbaum zu den bestverdienenden Filmschaffenden. Die Ankündigung eines Freispruchs im (nie offiziell abgeschlossenen) Entnazifizierungsverfahren Harlans Ende 1947 löste einen Proteststurm aus. 1948 wurde er von der ›Vereinigung der Verfolgten des Naziregimes‹ und der ›Notgemeinschaft der durch die Nürnberger Gesetze Betroffenen‹ des »Verbrechens gegen die Menschlichkeit« angeklagt. In den beiden folgenden Schwurgerichtsprozessen 1949/50, die von einer öffentlichen Auseinandersetzung um seine Person begleitet wurden, ist Harlan freigesprochen worden (vgl. Zielinski 1981). In den 1950er Jahren drehte Harlan noch mehrere Filme, deren Aufführung immer wieder auf Protest stieß. Zur Biographie vgl. die leider auf viele Nachweise verzichtende Darstellung von Frank Noack (Noack 2000). Über Kontakte zu CZ konnte nichts ermittelt werden. In CZs Autobiographie wird Harlan nicht erwähnt.

Lustspielautors] Walter Harlan (1867-1931), Vater von Veit Harlan, war Jurist und Schriftsteller. Zwischen 1898 und 1904 arbeitete er als Dramaturg am Berliner Lessingtheater. Anschließend lebte er als freier Schriftsteller in Berlin. Er verfaßte vor allem Lustspiele. Sein bekanntestes Stück, *Das Nürnbergisch Ei* (1913), wurde von seinem Sohn Veit unter dem Titel *Das unsterbliche Herz* (1939) verfilmt.

Körber] Die österr. Schauspielerin und Theaterpädagogin Hilde
Körber (1906-1969) wuchs in Wien auf, ging 1924 nach Berlin und
spielte in den folgenden Jahren an verschiedenen Bühnen in
Deutschland, u.a. 1928/29 am Schauspielhaus in München unter
Otto Falckenberg. In Berlin war sie häufig am Renaissance-Theater
zu sehen. Von 1936 an arbeitete sie auch für den Film. Ihre erste
Filmrolle hatte sie – neben Otto Gebühr – im *Fridericus* (1936,
Regie: Johannes Meyer), ihre zweite in *Maria, die Magd* (1936,
Regie: Veit Harlan). Harlan und Körber waren von 1929 bis 1938
verheiratet. Sie spielte häufig in Harlans Filmen, etwa in *Der
Herrscher* (1937) und *Der große König* (1942). Unter Hans Stein-
hoffs Regie wirkte sie in den propagandistischen Produktionen
Robert Koch (1939) und *Ohm Krüger* (1941) mit. Nach dem Krieg
war Hilde Körber von 1946 bis 1953 als CDU-Stadtverordnete in
Berlin politisch aktiv und leitete die Max-Reinhardt-Schule von
1951 bis zu ihrem Tod. Über Kontakte zu CZ konnte nichts ermittelt
werden. In CZs Autobiographie wird Hilde Körber nicht erwähnt.

Bruckner] Der österr. Schriftsteller Ferdinand Bruckner, eigentl.
Theodor Tagger (1891-1958), gründete 1922 das Renaissance-
Theater Berlin und leitete es bis 1927. Seinen ersten großen Erfolg
hatte er mit dem Stück *Krankheit der Jugend* (Uraufführung am
16. Oktober 1926 in Breslau), gefolgt von *Die Verbrecher* (Uraufführung am 23. Oktober 1928 am Deutschen Theater Berlin). Im
Februar 1933 emigrierte er über Österreich nach Frankreich, von
dort 1936 in die USA; seit 1937 lebte er in New York. 1951 kehrte
er nach Deutschland zurück und war von 1953 an Dramaturg am
Schiller- und Schloßparktheater. Über Kontakte zu CZ konnte
nichts ermittelt werden. In CZs Autobiographie wird Bruckner
nicht erwähnt.

Höflich] Die Schauspielerin Lucie Höflich, eigentl. Helene Lucie
von Holwede (1883-1956), war seit 1903 am Deutschen Theater
Berlin engagiert, von 1919 an auch am Preußischen Staatstheater.
1933/34 leitete sie die Staatliche Schauspielschule in Berlin. Danach
war sie bis 1936 Leiterin eines eigenen Studios für Schauspielnach-
wuchs an der Berliner Volksbühne. 1937 wurde sie zur Staatsschauspielerin ernannt. Zwischen 1935 und 1940 spielte sie an der
Volksbühne und am Schiller-Theater und zog sich dann nach Bad
Doberan zurück. Lucie Höflich war bereits im Stummfilm erfolgreich und wirkte später u.a. in Hans Steinhoffs Filmen *Robert
Koch* (1939) und *Ohm Krüger* (1941) mit. Von 1946 bis 1950 leitete
sie das Mecklenburgische Staatstheater in Schwerin, wurde 1947 mit
dem Professorentitel ausgezeichnet und trat anschließend wieder

in Berlin am Hebbel-, Schloßpark- und Schiller-Theater auf. 1947/48 hat CZ mit ihr einige Briefe u.a. über *Des Teufels General* gewechselt. Über weitere Kontakte ist nichts bekannt. In CZs Autobiographie wird sie nicht erwähnt.

Elwenspoek] Der Regisseur und Schriftsteller Curt Elwenspoek (1884-1959) war von 1914 an Oberregisseur in Mainz, 1918/19 Spielleiter in Wiesbaden und von 1919 bis 1922 erneut Regisseur in Mainz. 1922 wurde er als Intendant an die Städtischen Bühnen Kiel berufen und engagierte CZ als Dramaturgen für die Spielzeit 1922/23. Nach einem Eklat wegen der Aufführung von CZs Bearbeitung der Komödie *Der Eunuch* von Terenz, der mit Elwenspoeks Kündigung endete (vgl. Nickel 1997 a), war er 1923/24 Oberspielleiter und Dramaturg in München, anschließend Chefdramaturg an den Württembergischen Staatstheatern. Von 1930 bis 1938 arbeitete er als Chefdramaturg am Stuttgarter Rundfunk, während des Zweiten Weltkriegs beim Rundfunk in Oslo und Berlin, danach beim Süddeutschen Rundfunk. 1947/48 standen CZ und Elwenspoek in brieflicher Verbindung. Über weitere Kontakte ist nichts bekannt.

Maisch] Herbert Maisch (1890-1974) war im Ersten Weltkrieg Offizier. 1919 absolvierte er ein Volontariat für Regie und Dramaturgie in Ulm. Von 1920 bis 1924 wirkte er als Intendant am Württembergischen Staatstheater in Stuttgart und anschließend bis 1930 in Koblenz und Erfurt. 1930 wechselte er ans Nationaltheater Mannheim, bis er im März 1933, nach eigenen Angaben wegen seiner politisch nicht opportunen Spielplangestaltung, seines Amtes enthoben wurde (vgl. Maisch 1970, S. 242). Im April 1931 hatte Maisch in Mannheim den *Hauptmann von Köpenick* inszeniert und bei dieser Gelegenheit CZ kennengelernt (vgl. ebd., S. 384). Ende 1933 wurde er zum Leiter des von Hans Hinkel initiierten Preußischen Theaters der Jugend in Berlin ernannt, das bereits im April 1934 wieder aufgelöst worden ist. Anschließend war er als Regisseur bei der Ufa, später bei der Tobis tätig. Dort drehte er neben einigen, teils als »propagandistisch« bewerteten Kriegsfilmen den »von den Nationalsozialisten für ihre Propaganda in Beschlag« genommenen Film *Friedrich Schiller. Triumph eines Genies* (1940) und war Co-Regisseur bei Hans Steinhoffs *Ohm Krüger* (1941); vgl. Kreimeier 1992, S. 321, 331, 335; zu *Friedrich Schiller. Triumph eines Genies* auch Segeberg 2001, S. 491-533). Nach dem Krieg arbeitete Maisch kurze Zeit als Spielleiter an der Komödie Berlin und am Dresdener Staatstheater. 1947 wurde er Generalintendant der Kölner Bühnen, wo er 1948 die Regie bei den Aufführungen von *Des Teufels General* (Premiere am 10. Januar

1948) und des *Hauptmanns von Köpenick* (Premiere am 27. November 1948) übernahm. CZ erinnerte daran in einem Beitrag für den *Kölner Stadtanzeiger*: »Beide Aufführungen waren von meinem Freund Herbert Maisch inszeniert, der es verstand, in dieser schwierigen Zeit dem Kölner Theater ein eigenes Gesicht zu geben und besonders das Schauspiel auf den Rang einer grosstädtischen Bühne zu bringen« (zit. nach dem Typoskript im DLA, Nachlaß CZ). 1950 führte Maisch die Regie bei der Kölner Aufführung von CZs *Gesang im Feuerofen* (Premiere am 16. November 1950), vier Jahre später auch bei *Rivalen* (Premiere am 5. Januar 1955). 1967 inszenierte er nochmals den *Hauptmann von Köpenick* in Köln (Premiere am 25. November 1967) und *Des Teufels General* am Westfälischen Landestheater. In CZs Autobiographie wird Maisch nicht erwähnt.

›*Theater der Jugend*‹] Das Preußische Theater der Jugend e.V. wurde auf Initiative Hans Hinkels 1933 unter der Schirmherrschaft Hermann Görings gegründet, von Herbert Maisch aufgebaut und geleitet. Es eröffnete am 2. Dezember 1933, mußte jedoch bereits im April 1934 wieder schließen, da ihm die staatlichen Mittel gestrichen wurden. Zur Spielzeit 1934/35 öffnete dann das Theater der Jugend e.V., das aus dem Theater der höheren Schulen e.V. hervorgegangen war und nun unter die Schirmherrschaft von Joseph Goebbels und Baldur von Schirachs gestellt wurde. Die künstlerische Leitung lag seitdem bei dem Intendanten Oscar Ingenohl (1887-1966), der bereits seit 1927 Aufführungsleiter des Theaters der höheren Schulen gewesen war. Nach Kriegsende bis 1951 war Ingenohl Intendant des Berliner Hebbel-Theaters. Über Kontakte zu CZ ist nichts bekannt. In CZs Autobiographie wird Ingenohl nicht erwähnt.

Schirach] Baldur von Schirach (1907-1974) war von 1925 an NSDAP-Mitglied. Er wurde 1928 Leiter des Nationalsozialistischen Studentenbundes, 1931 Reichsjugendführer der NSDAP und übernahm 1933 das Amt des Jugendführers des Deutschen Reichs für den Ausbau der nationalsozialistischen Jugendorganisationen. Von 1940 an war er Gauleiter und Reichsstatthalter in Wien, daneben auch ›Beauftragter für die Inspektion der gesamten Hitlerjugend‹ und spielte eine zunehmend wichtige Rolle in der NS-Kulturpolitik. 1946 wurde er wegen der Deportation von 20.000 Wiener Juden zu zwanzig Jahren Haft verurteilt. Vgl. die Biographie von Michael Wortmann (Wortmann 1982). In seiner Autobiographie erwähnt Schirach das Theater der Jugend und seine Intendanten nicht (von Schirach 1967).

ehemalige Deutschnationale] Im März 1927 übernahm Alfred Hugenberg (1865-1951), der seit 1916 einen marktbeherrschenden Medien-
konzern aufgebaut hatte, die hochverschuldete Ufa. Im folgenden
Jahr wurde er Vorsitzender der Deutschnationalen Volkspartei, der
er seit 1918 angehörte und für die er seit 1920 im Reichstag saß. Seine
Partei führte er in die enge Zusammenarbeit mit der NSDAP,
durchbrach deren Isolation und wurde damit zu einem Wegbereiter
der »Machtergreifung« Hitlers. Von Januar bis Juni 1933 war er
preußischer Minister für Wirtschaft, Landwirtschaft und Ernährung,
verlor dann aber deutlich an politischem Einfluß. Zum Geschäftsführer der Ufa berief Hugenberg Ludwig Klitzsch, einen »routinier-
te[n] Medienexperte[n] mit deutschnationaler Prägung«, der von
1931 bis 1943 als Generaldirektor den Konzern leitete. Wie Hugenberg wurde Klitzsch 1949 aufgrund der »politische[n] Verstrickun-
gen des deutschnationalen Medienkonzerns mit dem NS-Regime«
als »Mitläufer« eingestuft (vgl. Kreimeier 1992, S. 192 und Töteberg
1992 a, S. 203). Als eine weitere einflußreiche »deutschnationale
Schlüsselfigur« fungierte Ernst Hugo Correll, Produktionschef der
Ufa seit 1928, bis er 1939 aus fachlichen Gründen entlassen wurde
(vgl. Töteberg 1992 b, S. 330). Im März 1937 wurde die Ufa für das
Deutsche Reich von der Cautio GmbH erworben und damit
»reichsunmittelbar«, was der Öffentlichkeit bis 1941 verborgen blieb
(vgl. Behn 1992, S. 389). Klaus Kreimeier urteilt über die Übernahme:
»Einwände gegen den Verkauf regten sich in den leitenden Gremien
des Konzerns offenbar nicht. Die Mehrheit der Entscheidungsträger
war längst über vielfältige Verbindungen mit dem staatlichen
Machtapparat liiert und lebte in Übereinstimmung mit der Politik
der Nationalsozialisten [...]. Die überwiegende Zahl der Produktionsleiter, die kleine Gruppe der ideologisch verläßlichen Regisseure,
die nun in der Ufa den Ton angaben, sowie die zahlreichen staatlich
dekorierten, im übrigen jedoch allen politischen Erwägungen weitgehend abgeneigten Darsteller und Künstler sahen die Entwicklung kaum wesentlich anders« (Kreimeier 1992, S. 305). Gleichzeitig
sei das Bild der Ufa in den letzten Vorkriegsjahren widersprüchlich
gewesen. Dort habe man immer wieder Kritik geäußert, und der
Hitler-Gruß sei vermieden worden. So blieb beispielsweise der Autor
und Regisseur Curt Goetz, der 1933 in die Schweiz ausgewichen
und 1939 in die USA emigriert war, bis 1937 bei der Ufa beschäftigt.
Auch der dem proletarischen Kino und der SPD nahestehende Regisseur Werner Hochbaum konnte bis zu seinem Ausschluß aus der
Reichsfilmkammer 1939 bei der Ufa arbeiten (ebd., S. 335-337).
ge›purged‹] to purge: reinigen.

Ehepaar Kippenberg] Gemeint sind die Schriftstellerin und Verlegerin Katharina Kippenberg (1876-1947) und ihr Ehemann, der Verleger Anton Kippenberg (1874-1950). Anton Kippenberg hatte seit 1906 die alleinige Leitung, 1914 darüber hinaus die Anteilsmehrheit des Leipziger Insel-Verlages inne. Von 1914 an nahm auch Katharina Kippenberg großen Einfluß auf die Programmgestaltung. Der Insel-Verlag verlegte vor allem Klassiker-Ausgaben, die wichtigsten Autoren waren daneben Hugo von Hofmannsthal und Rainer Maria Rilke. Der Verlag konnte in der NS-Zeit politisch neutral bleiben. Nach Heinz Sarkowski verhielt Anton Kippenberg »sich gegenüber den Behörden der neuen Regierung äußerst vorsichtig und nach außen loyal«, wobei ihm zu Hilfe kam, daß der Verlag »kaum progressive Belletristik im Programm hatte und im politischen Bereich Abstinenz übte«, weshalb »die Verluste wesentlich geringer [waren] als z.B. bei S. Fischer, Gustav Kiepenheuer, Rowohlt oder Ullstein« (Sarkowski/Jeske 1999, S. 298 und 303). Seinen erfolgreichsten Autor, Stefan Zweig, strich der Verlag mit dessen Einverständnis 1933 aus dem Programm (ebd., S. 315). Neben den bereits vor der »Machtergreifung« Hitlers zum Verlag gehörenden Autoren wie Hans Carossa, Ricarda Huch, Karl Heinrich Waggerl, Ernst Bertram, Rudolf Alexander Schröder, Felix Timmermans kamen nun neue Autoren wie Gertrud von Le Fort, Reinhold Schneider, Friedrich Schnack, Edzard Schaper und Friedrich Georg Jünger hinzu. Die erfolgreichsten Autoren des Verlags während des ›Dritten Reichs‹ waren Carossa und Waggerl (vgl. ebd., S. 346).

Insel-Almanach 1940 und 41] An »zeitgenössischen Dichtern« enthält der *Insel-Almanach* 1940 u.a. Texte von Ernst Bertram, Hans Carossa, Ernest Claes, Hugo von Hofmannsthal, Ricarda Huch, Gertrud von Le Fort, Eberhard Meckel, Max Mell, Christian Morgenstern, Otto Nebelthau, Rainer Maria Rilke, Albrecht Schaeffer, Edzard Schaper, Friedrich Schnack, Reinhold Schneider, Otto Freiherr von Taube, Felix Timmermans, Karl Heinrich Waggerl, Konrad Weiß und Andreas Zeitler. Beiträger des Insel-Almanachs von 1941 waren u.a.: Rudolf Bach, Hans Carossa, Ernst Claes, Ricarda Huch, Friedrich Georg Jünger, Hans Jüngst, Katharina Kippenberg, Gertrud von Le Fort, Max Mell, Eberhard Meckel, Edzard Schaper, Friedrich Schnack und Reinhold Schneider.

Gunther Nickel / Johanna Schrön

Carl Zuckmayers *Geheimreport* für das ›Office of Strategic Services‹

Für Maria Guttenbrunner
zum 22. November 2001

Im Nachlaß von Carl Zuckmayer befindet sich ein bislang nur in Ausschnitten veröffentlichtes Konvolut mit der Aufschrift *Geheimreport*.[1] Es besteht aus einer maschinenschriftlichen Namenliste mit handschriftlichen Ergänzungen und Streichungen,[2] einer Einleitung, in der Zuckmayer Überlegungen zur *Charakterologie* des Künstlers festhält, und einem Dossier mit etwa 150 Charakterportraits. Beschrieben sind Schriftsteller, Publizisten, Verleger, Schauspieler, Regisseure und Musiker, die Zuckmayer meist persönlich kannte und die während der NS-Zeit in Deutschland geblieben waren.

[1] Die *Charakterologie* überschriebene Einleitung hat Zuckmayer zusammen mit seinem überarbeiteten Portrait von Werner Krauß in der *Neuen Zeitung* (München) vom 3. Oktober 1947 unter der Überschrift *Künstler im Dritten Reich* veröffentlicht (zu den dabei erfolgten Textveränderungen vgl. unseren Kommentar, S. 349 f.). Das Jannings-Portrait wurde erstmals publiziert in Strasser 1996, S. 277-284. Dort finden sich des weiteren die leicht gekürzte Charakterisierung von Hans Albers (S. 169 f.) und die ungekürzten Urteile über Grete Wiesenthal (S. 171), Richard Billinger (S. 288-291) und Heinz Hilpert (S. 292-294). Das Portrait Heinz Hilperts wurde neben den Stellungnahmen zu Hans Reimann und Ernst Jünger auch im Katalog zur Marbacher Zuckmayer-Ausstellung abgedruckt (Nickel/Weiß 1996, S. 305-307).

[2] Vgl. S. 6 f. Nur die mit Bleistift vorgenommenen handschriftlichen Korrekturen und Ergänzungen stammen von Zuckmayer, alle anderen sind von fremder Hand ausgeführt worden.

Die wenigen bekannt gewordenen Teile dieses Dossiers haben zu Kritik aus ganz unterschiedlichen Gründen geführt. Auf der einen Seite warf man Zuckmayer Verharmlosung vor,[3] auf der anderen attackierte man ihn mit dem Vorwurf, er habe ehemalige Weggefährten denunziert.[4] Ob solche Einwände tatsächlich triftig sind oder dieser Arbeit nicht vielmehr durchaus lautere Motive zugrundelagen, läßt sich nur beurteilen, wenn man auch den historischen Kontext beachtet, in dem der Report entstand. Daher wird im folgenden zunächst der Auftraggeber – der amerikanische Geheimdienst ›Office of Strategic Services‹ (OSS) – charakterisiert und danach die Diskussion über die künftige Deutschlandpolitik unter den deutschen Emigranten ausführlich anhand einer Reihe bislang unbekannter Dokumente nachgezeichnet. Zuckmayer erweist sich dabei als politisch denkender und handelnder Schriftsteller, der seine konzeptionellen Vorstellungen sowohl engagiert als auch mit dem pragmatischen Blick für realistische Optionen vertrat. Daneben zeigt sich, wie zahlreiche und bemerkenswerte Kontakte er hatte, von denen in seiner Autobiographie, der es an bekannten Namen nicht gerade mangelt, keine Rede ist. (Weil man nicht voraussetzen kann, daß vor allem die emigrierten Politiker, mit denen Zuckmayer in Verbindung stand, heute außerhalb der Exilforschung noch bekannt sind, haben wir in biographischen Anmerkungen jeweils die wichtigsten Lebensstationen festgehalten.) Im dann folgenden Abschnitt wird die Entstehungsgeschichte des *Geheimreports* beschrieben und schließlich Zuckmayers Intention seiner Arbeit für das OSS eingeordnet.

3   Vgl. S. 151-153.
4   Vgl. S. 467-469.

1. Der Auftraggeber: das OSS

Zuckmayers OSS-Report entstand 1943/44, kurioserweise zur selben Zeit, als die politische Zuverlässigkeit des vermeintlichen »enemy alien« – »5 feet, 8 inches, ... 192 pounds ... black hair and grey eyes« – vom FBI kritisch unter die Lupe genommen wurde.[5] Er sollte bezwecken, schreibt Zuckmayer in der Vorbemerkung zur auszugsweisen Veröffentlichung in der *Neuen Zeitung* (München) vom 3. Oktober 1947, »die künftige Besatzungsmacht in Form von möglichst objektiven Charakterstudien über führende Persönlichkeiten des deutschen Kulturlebens zu informieren«.

Das OSS existierte 1943 gerade seit einem Jahr. Es war aus der Organisation des ›Coordinator of Information‹ (COI) hervorgegangen, dem ersten nationalen Auslandsgeheimdienst der USA. Franklin Delano Roosevelt hatte ihn am 11. Juli 1941, kurz vor dem Eintritt der Vereinigten Staaten in den Zweiten Weltkrieg, ins Leben gerufen.[6] William Joseph Donovan, der seit seinen verwegenen Aktionen als Führer des 165. Infanterieregiments im Ersten Weltkrieg den Beinamen »Wild Bill« trug, hatte in diesem Jahr dem amerikanischen Präsidenten das *Memorandum of Establishment of Service of Strategic Information* vorgelegt. Es basierte auf der Beobachtung, daß moderne Kriege längst nicht mehr nur eine Angelegenheit des Militärs seien, sondern die Mobilmachung einer ganzen Nation mit sich brächten. Donovan, der 1942 Direktor des OSS wurde, empfahl deshalb, die USA sollten Informationen künftig nicht nur aus den militärisch-strategischen, sondern aus allen gesellschaftlichen Bereichen sammeln, ana-

---

5 Zit. nach Stephan 1995, S. 385-391, hier: S. 388. Vgl. auch R. Albrecht 1989.
6 Der Wortlaut der Order ist abgedruckt in Roosevelt 1976, S. 7. Zur weltpolitischen Lage, die die USA zum Kriegseintritt und damit auch zur Gründung eines Geheimdienstes veranlaßte, vgl. W. Heinrichs 1992, S. 8-18.

lysieren und aufbereiten.[7] Entsprechend waren die Aufgaben, die das OSS laut einer Direktive vom 23. Dezember 1942 zu erfüllen hatte: Spionage, Unterstützung von Widerstandsgruppen, Sabotage hinter den feindlichen Linien sowie Sammeln und Analysieren von kriegsrelevanten Informationen, etwa über wirtschaftliche Ressourcen, Produktionsstandorte oder exponierte Personen.

Der für die Datenerhebung gegründete ›Research and Analysis Branch‹ war in die vier regionalen Abteilungen Europa/Afrika, Ferner Osten, Sowjetunion und Lateinamerika untergliedert, für die zeitweise mehr als 1.000 Mitarbeiter tätig waren. Hinzu kamen die ›Supporting Divisions‹, und hier an erster Stelle die ›Central Information Division‹ (CID). Diese katalogisierte die eingehenden Informationen und machte sie damit zugänglich. Teil der CID waren die ›Biographical Records‹. Unter der Leitung der Emigranten Hajo Holborn,[8] Felix Gilbert[9] und – im New Yorker Büro – Emmy C. Rado wurden hier Informationen über hochrangige Personen des ›Dritten Reichs‹ gesammelt. Am 7. Juni 1943 nahm die ›Field Unit of Biographical Records‹ in New York ihre Arbeit auf, für die neben Emmy Rado drei weitere hauptamt-

7 Vgl. dazu und zum Folgenden Marquardt-Bigman 1995, S. 15-24.
8 Hajo Holborn (1902-1969), 1931-1933 als Historiker an der Deutschen Hochschule für Politik in Berlin, emigrierte 1933 über Großbritannien in die USA, wo er von 1934 an als Professor für Geschichte lehrte. Von 1943 bis 1945 war er einer der Leiter der ›Research und Analysis Branch‹ im OSS (vgl. Röder/Strauss 1980, Bd. 2/1, S. 531 sowie Radkau 1971, S. 54-57).
9 Der jüdische Historiker Felix Gilbert (1905-1991) emigrierte 1933 nach England und kam 1936 in die USA, wo er am Scripps College und am Institute for Advanced Studies in Princeton lehrte. Im Jahr seiner Einbürgerung 1943 wurde er Mitarbeiter des OSS in Washington. Als ›Research Analyst‹ war er zwischen 1944 und 1946 in London, Paris und Deutschland tätig (vgl. Röder/Strauss 1980, Bd. 2/1, S. 376). In seiner Autobiographie, in der Gilbert auf seine Arbeit als Interviewer für das OSS kurz zu sprechen kommt, wird Zuckmayer nicht erwähnt (vgl. Gilbert 1989, S. 196-199).

liche Mitarbeiter als Interviewer tätig waren: Ann Stewart[10] sowie die deutschen Emigranten Werner Thormann und Robert M.W. Kempner, der spätere stellvertretende Hauptankläger bei den Nürnberger Kriegsverbrecherprozessen.[11]

Kempner und Stewart haben den *Geheimreport* mit Sicherheit gelesen. Zuckmayers Ansprechpartnerin war aber in erster Linie Emmy Rado (1900-1961), eine Schweizerin, Ehefrau des aus Ungarn emigrierten Psychiaters Sándor Radó. Sie gehörte zum konservativen Flügel des Geheimdienstes und favorisierte die politischen Vorstellungen der »rechten« Sozialdemokraten um Siegfried Aufhäuser und Max Brauer. Allen Dulles, dem OSS-Chef in Bern, schlug sie vor, den Kirchenführern beider Konfessionen zentrale Rollen beim Wiederaufbau Deutschlands zu übertragen und übernahm dann für Dulles das »Crown Jewels Project«, dessen Ziel es war, die kommunistischen Einflüsse in Deutschland zurückzudrängen und nichtkommunistische Antinazis (die »Kronjuwelen«) für wichtige Stellen im Nachkriegsdeutschland zu empfehlen. Später war sie zuständig für den OSS-Mitarbeiter Wilhelm Högner, den bayerischen Ministerpräsidenten 1945/46 und 1954-1956.[12]

Die Auswertung von Zuckmayers Report übernahm Werner Thormann (1894-1947). Er hatte sich zu Beginn der 1920er Jahre in linkskatholischen Kreisen bewegt, war Mitglied des ›Zentrums‹ und des ›Friedensbundes deutscher Katholiken‹,

10 Biographische Angaben konnten nicht ermittelt werden.

11 Der Rechtsanwalt Robert M.W. Kempner (1899-1993) war in der Zeit der Weimarer Republik Mitglied im Vorstand des ›Republikanischen Richterbunds‹ und setzte sich für ein Verbot der NSDAP ein. 1935 emigrierte er nach Spanien. Von September 1939 an lebte er in den USA (vgl. Röder/Strauss 1980, Bd. 1, S. 360 f.). Zu seiner OSS-Tätigkeit vgl. Kempner 1983, S. 362 f.

12 Zu Emmy Rado vgl. Mac Donald 1942, S. 248 f.; Smith 1972, S. 223 f., 236; Mauch 1993, S. 76 und 88 f.; Mauch 1999, S. 121. In Zuckmayers Autobiographie wird sie nicht erwähnt. Zu Rados Verbindung mit Hoegner vgl. Hoegner 1959, S. 185, 194.

später Sekretär des Zentrumspolitikers Joseph Wirth und Chefredakteur der Zeitschrift *Deutsche Republik*. Im März 1933 emigrierte er nach Paris, wo er zunächst als Korrespondent für das *Wiener Echo* und den Wiener *Telegraf*, dann für die Wiener ›Amtliche Nachrichtenstelle‹ und die Presseabteilung der österreichischen Botschaft in Paris tätig war. 1938 übernahm er als Nachfolger Arthur Koestlers die Chefredaktion der von Willi Münzenberg herausgegebenen Zeitschrift *Die Zukunft*, die im März 1939 unter der Überschrift *Der innere Weg* einen Abschnitt aus Zuckmayers 1938 veröffentlichtem Bekenntnisbuch *Pro Domo* abdruckte (Jg. 2, 1939, Nr. 11, S. 6). Nach der Kapitulation Frankreichs 1940 emigrierte er über Lissabon in die USA, wo er 1941 Mitglied im Vorstand des ›German-American Council for the Liberation of Germany from Nazism‹ wurde. Seit 1943 arbeitete er für das OSS.[13]

»Die Tür des Büros«, so Emmy Rado in ihrem Bericht über die Arbeit des New Yorker OSS-Büros im ersten Jahr,

> ist mit ›U.S. Government | Biographical Records‹ beschriftet. Es gibt keinen Hinweis auf das OSS. Das Wort ›Government‹ wurde gewählt, um Vertrauen bei den interviewten Personen zu wecken, bei denen es sich überwiegend um Ausländer handelt, die erst kurze Zeit in den USA leben.[14]

Während in New York ein riesiger Pool mit biographischen Informationen entstand, traten auch an der Westküste deutsche

---

13 In Thormanns Nachlaß (im Deutschen Exilarchiv, Frankfurt am Main) ist leider nur ein Brief Zuckmayers vom 16. Oktober 1946 überliefert. Er berichtet darin von seiner bevorstehenden Reise nach Deutschland und Österreich als ziviler Kulturoffizier des US-War-Departments. In Zuckmayers Autobiographie wird Thormann nicht erwähnt.

14 National Archives II, College Park, Maryland, Washington D.C., Military Records, Record Group 226 (OSS), entry 159, box I, folder 5; Original in englischer Sprache.

Emigranten in den Dienst des amerikanischen Geheimdienstes. Dabei handelte es sich unter anderem um die ehemaligen Mitarbeiter des Frankfurter ›Instituts für Sozialforschung‹ Franz Neumann, Otto Kirchheimer und Herbert Marcuse. Neumann schlug vor, auch Bertolt Brecht und Siegfried Kracauer anzuwerben, ein Gedanke, der jedoch allem Anschein nach wieder verworfen wurde.[15]

Die Aufgaben und Ziele der Emigranten, die für das OSS arbeiteten, differierten erheblich. Während beispielsweise Marcuse damit beschäftigt war, »die gesellschaftlichen Bedingungen der kapitalistischen Ordnung zu analysieren, die Unrecht, Unfreiheit und Ungleichheit produzierten«,[16] hatte das »Name Project« bzw. »Name File Project«, wie die ›Biographical Records‹ in Aktennotizen vom 5. April 1943 noch hießen,[17] keine theoretischen Ambitionen, sondern diente ausschließlich der Erhebung biographischer Daten. Im ersten Jahr wurden 5.069 Berichte zusammengetragen, davon 2.003 über Deutsche in Deutschland, 706 über Österreicher in Österreich und 90 über Deutsche und Österreicher im Exil.[18]

Die ›Central Intelligence Agency‹ (CIA), an die man heute zuerst denkt, wenn vom amerikanischen Geheimdienst die Rede ist, war eine Neugründung des Jahres 1947, und es sollte, wie Petra Marquardt-Bigman hervorhob,

15 Vgl. Katz 1989, S. 10 und Mauch 1999, S. 213 f. Von Bertolt Brecht ist allerdings ein Briefentwurf überliefert, in dem er dem Leiter der Library of Congress, Archibald MacLeish, anbietet, für die Amerikaner im Bereich der Radiopropaganda gegen Deutschland zu arbeiten (Hecht u.a. 1988-2000, Bd. 29, S. 219 f.). MacLeish war maßgeblich an der Personalplanung des COI beteiligt. Zu Neumanns, Kirchheimers und Marcuses Arbeit für das OSS vgl. Söllner 1982.

16 Jansen 1999, S. 44.

17 National Archives II, College Park, Maryland, Washington D.C., Military Records, Record Group 226 (OSS), entry 159, box I, folder 4.

18 Ebd., folder 5.

nicht übersehen werden, daß das OSS vor einer ganz anderen Kulisse als sein Nachfolger CIA operierte. Während des Krieges erschien der von Roosevelt geprägte Slogan von Amerika als dem »arsenal of democracy« zutiefst glaubwürdig. Es war das Amerika des »New Deal«, nicht das McCarthys, das gegen den Faschismus kämpfte; und als COI/OSS als der erste zentrale Geheimdienst in der Geschichte der Vereinigten Staaten eingerichtet wurde, traten viele, deren politische Haltung von den Idealen des »New Deal« geprägt waren, in seine Dienste.[19]

Weil das OSS ihm die einzigartige Möglichkeit bot, einen aktiven Beitrag zum Kampf gegen das NS-Regime in Deutschland zu leisten, erklärte sich auch Zuckmayer zur Mitarbeit bereit. Sein Report, der für die ›Biographical Records‹ in New York entstand, war, wie die Zahlen Emmy Rados zeigen, zwar nur einer unter vielen anderen, seinen Urteilen wurde aber ein besonderer Stellenwert zugemessen. Bevor jedoch davon die Rede sein soll, bedarf es des angekündigten längeren Blicks auf einen – wie man in diesem Fall wohl sagen darf – Nebenkriegsschauplatz. Durch ihn läßt sich unter anderem zeigen, wie das OSS vermutlich auf Zuckmayer aufmerksam wurde.

2. »Mann über Bord« – der Kontext des ›Geheimreports‹ (I)

Am 23. Juli 1943 berichtete die *New York Times* über die Gründung eines ›Nationalkomitees Freies Deutschland‹ (NKFD) in Moskau.[20] In britischen und amerikanischen Regierungskreisen wurde der Vorgang als ein Meisterstück der psychologischen Kriegsführung Stalins bewertet, das vor allem deshalb zu Kopfzerbrechen führte, weil nun Unsicherheit darüber herrschte, ob die Sowjetunion an der Forderung nach einer bedingungslosen Kapitulation Deutschlands auch wei-

19 Marquardt-Bigman 1995, S. 114.
20 Vgl. Scheurig 1993.

terhin festhalten würde.[21] Unter den deutschen Emigranten in
den USA ist die Gründung des NKFD mit Sympathie, aber
nicht vorbehaltlos begrüßt worden. Am 26. Juli 1943 erläuterte
Paul Hagen alias Karl Frank (1893-1969), der erste Ehemann
von Alice Zuckmayer und Vater ihrer Tochter Michaela, in
einem Brief an Carl Zuckmayer seine Bedenken. Frank hatte
sich nach dem Ersten Weltkrieg der österreichischen KP angeschlossen, dann jedoch mehr und mehr den austromarxisti-
schen Positionen Otto Bauers angenähert. Inzwischen vertrat
er – seit 1939 als Exilant in den USA – die traditionellen Positionen der linken sozialdemokratischen Parteiopposition.[22]
In Franks Brief heißt es:

> Du wirst wohl die Erklärung des sogenannten deutschen
> National-Komitees in Moskau gelesen haben. Der Zeit-
> punkt, die Placierung eines Enkels von Bismarck in der Lei-
> tung,[23] einige Andeutungen über die englischen und ameri-
> kanischen Truppen und der allgemeine Inhalt geben dieser
> Erklärung den Charakter als Basis für deutsch-russische
> Sonderverhandlungen. Soweit ist sie negativ zu beurteilen.
> Und negativ ist sie natürlich auch, weil ein National-Komi-
> tee mit Weinert[24] an der Spitze und den abgebrauchten

21 Vgl. Bungert 1997, S. 31-68.
22 Vgl. Röder/Strauss 1980, Bd. 1, S. 187 f.; Kliem 1957.
23 Heinrich Graf von Einsiedel (geb. 1921), Urenkel Otto von
    Bismarcks, war 1939 in die deutsche Luftwaffe eingetreten.
    Im August 1942 geriet er in sowjetische Gefangenschaft. Am
    12./13. Juli 1943 war er an der Gründung des ›Nationalkomitees
    Freies Deutschland‹ beteiligt (vgl. von Einsiedel 1985, S. 76).
    Gemeinsam mit Major Karl Hetz amtierte er als Vizepräsident
    des Komitees.
24 Der von 1935 an im Moskauer Exil lebende Schriftsteller Erich
    Weinert (1890-1953) wurde zum ersten Präsidenten des ›Natio-
    nalkomitees Freies Deutschland‹ (NKFD) gewählt; ein von ihm
    verfaßter Bericht über die Tätigkeit des NKFD erschien posthum
    1957 unter dem Titel *Das Nationalkomitee »Freies Deutschland«
    1943-1945.*

KP-Angestellten am Schwanze keine repräsentative Vertretung ist. Dagegen enthält diese Erklärung auch wichtige fortschrittliche Züge in der Richtung der Förderung der Revolution in Deutschland. Auf dieser Linie müßte sich die gesamte Politik der Alliierten bewegen.[25]

Frank glaubte, die US-Emigranten müßten einen eigenen Standpunkt finden und mit einer eigenen Resolution an die Öffentlichkeit gehen, falls sich herausstelle, daß die Sowjetunion politisch an Terrain gewinne. »Wärst Du bereit«, fragte er Zuckmayer, »mit unseren Freunden und vermutlich Thomas Mann, an den ich mich auch wende, als Einberufer für eine [...] Konferenz zu zeichnen?«[26] Wie Zuckmayers Antwort ausfiel, ist nicht bekannt. Sein weiteres Verhalten berechtigt jedoch zu der Annahme, daß Franks Vorstellungen seinen eigenen nahe kamen. Auf jeden Fall beteiligte er sich nun, anders als im August 1942, als er die Bitte Albert Grzesinskis um Unterzeichnung einer programmatischen Erklärung *Für das freie Deutschland* einfach ignoriert hatte,[27] intensiv an den Diskussionen und Verhandlungen.

25 DLA, Nachlaß Carl Zuckmayer.

26 Ebd. Vgl. dazu das Regest von Thomas Manns im Ton sehr freundlichen Brief an Hagen vom 6. August 1943, den man wohl als Absage werten muß, in Bürgin/Mayer 1980, S. 736.

27 Das geht aus einem Brief Albert Grzesinskis an Zuckmayer vom 12. September 1942 hervor, der in Zuckmayers Nachlaß überliefert ist. In Grzesinskis Nachlaß (im Deutschen Exilarchiv, Frankfurt am Main, im Landesarchiv Berlin und im Internationaal Instituut voor Sociale Geschiedenis, Amsterdam) finden sich dagegen keine Briefe Zuckmayers. Grzesinski (1879-1947) war von 1903 an SPD-Funktionär, 1925/26 und von 1930 bis 1932 Polizeipräsident von Berlin und von 1926 bis 1930 preußischer Innenminister (vgl. T. Albrecht 1999). 1933 emigrierte er in die Schweiz. Von 1937 an lebte er in New York, wo er 1941 das ›German-American Council for the Liberation of Germany from Nazism‹ gründete, aus dem dann die ›Association of Free Germans, Inc.‹ hervorging (vgl. Röder/Strauss 1980, Bd. 1, S. 252).

Zur Zeit der Gründung des Moskauer NKFD gab es in den USA bereits eine Reihe von Emigrantenvereinigungen, die untereinander jedoch zerstritten waren. Die 1939 gegründete sozialdemokratische ›German Labor Delegation‹ unter der Führung von Gerhart Seger,[28] Rudolf Katz[29] und Friedrich Stampfer[30] lehnte jede Zusammenarbeit mit Kommunisten ab, die sich von 1942 an in der ›German Anti-Axis League‹, der ›German American Emergency Conference‹ und dem ›Victory Committee of German-American Trade Unionists‹ zusammenschlossen. Zwischen diesen beiden Lagern bewegte sich die linkssozialistische Gruppe ›Neu Beginnen‹ um Karl Frank und die ›American Friends of German Freedom‹ unter Vorsitz von Reinhold Niebuhr.[31]

Nach der Gründung des NKFD waren auch Emigranten, die sich bislang nicht politisch organisiert hatten, von der Notwendigkeit einer gemeinsamen Erklärung überzeugt. So trafen sich am 1. August 1943 Heinrich und Thomas Mann, Lion Feuchtwanger, Bruno Frank, Ludwig Marcuse, Hans Reichenbach und Bertolt Brecht in der Wohnung von Berthold Viertel in Los Angeles und »begrüß[t]en die Kundgebung der deutschen Kriegsgefangenen und Emigranten in der Sowjetunion« in einer gemeinsam verfaßten Resolution.[32] Schon am folgenden Tag zeigte sich jedoch, daß der Schein der Einigkeit getrogen hatte. »Gestörter Morgen«, notierte Mann in sein Tagebuch, »Beunruhigung durch die gestrigen Ergebnisse, wiederholtes Telephonat mit [Bruno] Frank, Beschluß der Ablehnung, Telephon mit Feuchtwanger, da Viertel nicht zu erreichen. Irritation und Verdruß.«[33] Brecht war über Manns Rückzug empört. Die gemeinsam beschlossene Resolution

28 Vgl. Anm. 40.
29 Vgl. Anm 69.
30 Vgl. ebd.
31 Vgl. Bungert 1997, S. 93 f. Zu Niebuhr vgl. Anm. 61.
32 Hecht u.a. 1988-2000, Bd. 27, S. 161 f.
33 de Mendelssohn 1982, S. 608.

sei, so faßte er in seinem *Journal* Thomas Manns Begründung zusammen, »eine ›patriotische Erklärung‹, mit der man den Alliierten ›in den Rücken falle‹, und er könne es nicht unbillig finden, wenn ›die Alliierten Deutschland zehn oder zwanzig Jahre lang züchtigen‹.«[34] »Die entschlossene Jämmerlichkeit dieser ›Kulturträger‹«, kommentierte Brecht das Verhalten des Literaturnobelpreisträgers,

> lähmte selbst mich wieder für einen Augenblick [...]. Mit Goebbels' Behauptung, Hitler und Deutschland sei eins, stimmen sie überein, wenn Hearst[35] sie übernimmt. [...] Wie gesagt, für einen Augenblick erwog sogar ich, wie »das deutsche Volk« sich rechtfertigen könnte, daß es nicht nur die Untaten des Hitlerregimes, sondern auch die Romane des Herrn Mann geduldet hat, die letzteren ohne 20 bis 30 SS-Divisionen über sich.[36]

Noch eine Woche später war Brecht über Thomas Manns Reaktion derart aufgebracht, daß er in seinem *Journal* festhielt:

> Als *Thomas Mann* vorigen Sonntag, die Hände im Schoß, zurückgelehnt sagte: »Ja, eine halbe Million muß getötet werden in Deutschland«, klang das ganz und gar bestialisch. Der Stehkragen sprach. Kein Kampf war erwähnt, noch in Anspruch genommen für diese Tötung, es handelte sich um kalte Züchtigung, und wo schon Hygiene als Grund viehisch wäre, was ist da Rache (denn das war Ressentiment von dem Tier).[37]

Brecht wollte jedoch nichts unversucht lassen, um eine Spaltung der Emigration zu verhindern, und verfaßte deshalb einen zweiten Entwurf. Zur selben Zeit beschäftigte sich auch Zuckmayer mit der Moskauer Resolution, die er sehr be-

34 Hecht u.a. 1988-2000, Bd. 27, S. 163.
35 Der amerikanische Medienmagnat William Randolph Hearst (1863-1951), ein entschiedener Gegner des New Deal.
36 Hecht u.a. 1988-2000, Bd. 27, S. 163.
37 Ebd., S. 164. Vgl. auch Lehnert 1976, S. 62-88.

grüßte. In einem Brief vom 7. August 1943 an Max Schröder[38] plädierte er für eine entsprechende Erklärung der deutschen Emigranten in den USA:

> Ich finde man sollte im Augenblick keine Einzelaufrufe oder Manifeste, die nur von einer bestimmten Antinazi-gruppe verfasst und veröffentlicht werden und von einer begrenzten Reihe von Einzelpersönlichkeiten gezeichnet ⟨sind⟩, herausbringen, – denn das würde nur der weiteren Zersplitterung dienen. Ich finde es *müsse* jetzt, von allen oder möglichst vielen Gruppen der freien Deutschen gemein-sam, ein Kommittee Freies Deutschland in Amerika einbe-rufen werden, das, von ehemaligen Parteileuten bis zu un-abhängigen Anti-Nazi-Persönlichkeiten, und sozusagen von Neubeginnen bis Volkszeitung, von Hagen[39] bis Seger,[40]

38 Max Schröder (1900-1958) emigrierte 1933 nach Frankreich. Bei Kriegsausbruch wurde er zunächst interniert. Ihm gelang aber schließlich die Flucht nach Marokko. Von 1941 an lebte er in New York, wo er stellvertretender Chefredakteur der KP-nahen Zeitschrift *The German American* wurde (zum politischen Kurs der Zeitschrift vgl. Middel u.a. 1979, S. 145). 1946 übersiedelte er nach Ostberlin, wo er von 1947 bis 1957 Cheflektor des Auf-bau-Verlags war (vgl. Röder/Strauss 1980, Bd. 1, S. 669). Über weitere Kontakte zu Zuckmayer ist nichts bekannt; in Zuck-mayers Autobiographie wird Schröder nicht erwähnt.

39 Vgl. S. 415.

40 Der 1933 aus Deutschland geflüchtete Sozialdemokrat Gerhart Seger (1896-1967) war von 1935 an Redakteur, von 1936 an Chefredakteur der *Neuen Volks-Zeitung*, die sich in Frontstel-lung gegen kommunistische Positionen und jener von Links-sozialisten wie Karl Frank befand (vgl. Röder/Strauss 1980, Bd. 1, S. 685 f.; Middel u.a. 1979, S. 147 f.; S. Schneider 1979). Von Seger sind in Zuckmayers Nachlaß zwei Briefe überliefert, der erste vom 10. Mai 1940, in dem er Zuckmayer zur Mitarbeit an der *Neuen Volks-Zeitung* einlädt, der zweite vom 19. September 1944, aus dem hervorgeht, daß Zuckmayer fünf Tage zuvor das Schreiben eines Nachrufs auf Wilhelm Leuschner mit dem Hin-weis auf in Deutschland lebende Angehörige abgelehnt hatte. Der Vorgang ist insofern merkwürdig, als Leuschner erst am

von Staudinger[41] bis Rosenfeld,[42] und nach Möglichkeit unter Einbeziehung sonstiger, auch konservativer Kräfte, wenn sie nur ehrlich die Vernichtung Hitlers und die Befreiung des deutschen Volkes wollen, alle sozialen und demokratischen – sagen wir ruhig: revolutionären Kräfte die man gegen die Nazis und gegen die Möglichkeit rückschrittlicher und destruktiver Lösungen der deutschen Frage aufbringen kann, zusammen fasst.

29. September hingerichtet wurde. Über weitere Kontakte zwischen Zuckmayer und Seger ist nichts bekannt; in Zuckmayers Autobiographie wird Seger nicht erwähnt.

41 Der SPD-Politiker Hans Staudinger (1889-1980) emigrierte 1933 über Frankreich und Großbritannien in die USA, wo er von 1934 bis 1960 Professor für Wirtschaftswissenschaften an der ›New School for Social Research‹ in New York war. Dort lernte Zuckmayer ihn vermutlich 1940 kennen, als er für kurze Zeit eine Professur für Drama an Erwin Piscators ›Dramatic Workshop‹ bekleidete. Von 1939 an war Staudinger Mitglied der ›German Labour Delegation‹ unter Max Brauer (vgl. Röder/Strauss 1980, Bd. 1, S. 723). In Zuckmayers Nachlaß ist ein Brief vom 17. Februar 1944 überliefert, in dem Staudinger über Differenzen bei einem Treffen berichtet, das dazu dienen sollte, eine Feier zum Andenken an Carlo Mierendorff vorzubereiten. Über weitere Kontakte ist nichts bekannt; in Zuckmayers Autobiographie wird Staudinger nicht erwähnt.

42 Kurt Rosenfeld (1877-1943) war in der Weimarer Republik einer der führenden Vertreter der linken Opposition in der SPD und vor allem als politischer Strafverteidiger (u.a. Rosa Luxemburgs und Carl von Ossietzkys) bekannt geworden. 1933 emigrierte er nach Paris, 1934 in die USA, wo er von 1941 an Mitherausgeber der Zeitschrift *The German American* war (vgl. ebd., S. 614). In Zuckmayers Nachlaß ist ein Brief Rosenfelds vom 14. Februar 1942 überliefert, in dem er um die Unterzeichnung eines von Heinrich Mann, Lion Feuchtwanger und Bertolt Brecht gezeichneten *Aufrufs an das deutsche Volk* bat; dieser wurde – ohne weitere Unterschriften – in den *Intercontinental News* (New York) vom 19. März 1942 veröffentlicht (vgl. Hecht u.a. 1988-2000, Bd. 23, S. 423). Über weitere Kontakte ist nichts bekannt; in Zuckmayers Autobiographie wird Rosenfeld nicht erwähnt.

Man sollte – meiner Meinung nach – zunächst nicht so sehr durch Publikationen von Erklärungen, als durch direkte Fühlungnahme mit allen einschlägigen Gruppen und Leuten, die Einberufung eines solchen Kommittees vorbereiten, und lieber mit vereinzelten prinzipiellen Manifesten usw. warten, bis eine solche breitere Basis geschaffen werden kann. Ich selbst komme Anfang September für etwa zwei Wochen nach New York und würde mich freuen, mit den Editors des German American darüber zu sprechen.[43]

In den Akten des OSS fällt Zuckmayers Name erstmals in einer Notiz Emmy Rados vom 28. August 1943, in der sie über drei Resolutionen berichtet, die infolge der Gründung des ›Nationalkomitees Freies Deutschland‹ entstanden waren:

Anbei finden sich drei Resolutionen von in den USA lebenden Deutschen, die ihren Standpunkt zum Moskauer Freies Deutschland Komitee betreffen.

Die Resolution 1)[44] wurde von den Unterzeichnern verfaßt und einer Reihe von deutschen Flüchtlingen unterbreitet. Aber sie stieß nicht auf Zustimmung. Man spürte, daß sie sich zu sehr an die Moskauer Bekanntmachung anlehnt.

Resolution 2)[45] stammt von denselben Leuten. Sie hatte dasselbe Schicksal.

Diese beiden Resolutionen waren Dorothy Thompson[46] mit der Bitte um einen Rat geschickt worden, und sie riet von ihnen ab.

---

43 Stiftung Archiv der Akademie der Künste, Berlin, Nachlaß Max Schröder.

44 Es handelt sich um die am 1. August 1943 u.a. von Brecht und Thomas Mann in Hollywood unterzeichnete Erklärung. Der Wortlaut findet sich in Hecht u.a. 1988-2000, Bd. 27, S. 161.

45 Der Wortlaut ist identisch mit dem Text in ebd., Bd. 23, S. 23.

46 Dorothy Thompson (1894-1961) war von 1924 bis 1934 Deutschlandkorrespondentin amerikanischer Zeitungen. Zuckmayer wurde ihr 1925 in einem Berliner Restaurant von seiner Ehefrau, die sie bereits aus Wien kannte, vorgestellt. Am 25. Au-

Resolution 3) ist Dorothy Thompson's Einfall. Sie wurde von Dorothy Thompson, Budislawsky [!][47] (ihr wissenschaftlicher Mitarbeiter) und Carl Zuckmayer aufgesetzt. Sie fußt auf dem Gedanken, General Eisenhowers Stellungnahme[48] umzuformulieren und auf diese Weise zu einer Resolution zu kommen, die sich nicht an die der russischen Freien Deutschen anlehnt.

Diese letzte Resolution wurde per Luftpost den Unterzeichnern des in Hollywood entstandenen Aufrufs zugeschickt. Bisher ist noch keine Antwort eingetroffen.[49]

gust 1934 ist sie wegen ihre Buchs *I Saw Hitler* aus Deutschland ausgewiesen worden. Nicht zuletzt deshalb avancierte sie nun zu einer der angesehensten Publizistinnen in den USA. 1939 ermöglichte sie Zuckmayer durch eine Bürgschaft die Einreise in die Vereinigten Staaten, wo sie ihn auch weiter unterstützte (vgl. Zuckmayer, *Die Geschichte der Dorothy Thompson*, in Zuckmayer, *Aufruf zum Leben*, S. 21-33). Als Zuckmayer 1941 eine Farm in Vermont pachtete, wurde er ihr Nachbar. Zu ihrer Rolle als »politische[r] und intellektuelle[r] Verkehrsknotenpunkt« für die deutschsprachige Emigration vgl. Radkau 1971, S. 69-73; zur Biographie vgl. Kurth 1990.

47 Gemeint ist der deutsche Journalist Hermann Budzislawski (1901-1978), der 1933 nach Zürich, 1934 nach Prag emigrierte, wo er die Zeitschrift *Die neue Weltbühne* herausgab. 1938 flüchtete er nach Paris, 1940 in die USA. 1948 kehrte er nach Ostberlin zurück, wo er von 1948 bis 1967 Professor für Journalistik und anschließend Herausgeber, zeitweise auch Chefredakteur der Wochenzeitschrift *Die Weltbühne* war (vgl. Röder/Strauss 1980, Bd. 1, S. 102 f.). In Zuckmayers Nachlaß sind drei Briefe Budzislawskis und seiner Frau Hanna aus den Jahren 1942 und 1945 überliefert; in seiner Autobiographie wird Budzislawski kurz portraitiert: »[…] wir verbrachten viele Abende in herzlicher Freundschaft zusammen, auch wenn wir politisch nicht übereinstimmten« (*Als wär's ein Stück von mir*, S. 617).

48 Vgl. Anm. 50.

49 National Archives II, College Park, Maryland, Washington D.C., Military Records, Record Group 226 (OSS), entry 106, box 24, folder 104; Original in englischer Sprache.

Die dritte Resolution, die Emmy Rado ihrer Aktennotiz beifügte, hat folgenden Wortlaut:

Wir begrüssen den Aufruf der Vereinigten Nationen an sämtliche unterdrückten Völker Europas,[50] sich bereit zu halten für den Tag der Befreiung und Abrechnung mit den nazistischen und faschistischen Unterdrückern. Wir erklären, dass das italienische Volk das erste und das deutsche Volk das zweite Opfer der faschistischen Gewaltherrschaft waren und dass es die drängende Aufgabe dieser Völker ist, alles zum Sturz und zur Niederlage ihrer heimischen, von aussen geschwächten Gewaltherrschaften zu tun.

Wir selber, die wir in den Vereinigten Staaten leben und zum Teil amerikanische Staatsbürger sind, sind deutscher Herkunft und von jeher die erklärten Feinde des Hitlerregimes. Wir halten den Zusammenschluss unserer Kräfte für unbedingt nötig, um den demokratischen Kräften in Deutschland, an die wir unverrückbar glauben, in dieser entscheidenden Phase des Krieges zum Durchbruch zu verhelfen und sie zur Niederlage des Hitlerregimes einzusetzen. Wenn diese Kräfte nicht zu entschlossenen Mitkämpfern gemacht werden, kann es keinen vollständigen Sieg der Demokratien, und wenn nicht eine starke Demo-

50 Am 1. Januar 1942 verkündeten Winston Churchill und Franklin D. Roosevelt eine *Declaration by United Nations*, die ein politisches Bündnis gegen Deutschland, Italien und Japan darstellte und von 26 Staaten unterzeichnet wurde. Ihm traten bis 1945 weitere 21 Staaten bei (dieses Bündnis ist der Vorläufer der heutigen UN, die 1945 gegründet wurde). Die Resolution von Dorothy Thompson, Hermann Budzislawski und Zuckmayer bezieht sich vermutlich auf einen von Churchill und Roosevelt als Vertretern der United Nations abgegebenen Aufruf vom 17. Juli 1943, in dem sie das italienische Volk zur Kapitulation aufrufen. Dieser Aufruf erfolgte angesichts des Vormarsches der von General Eisenhower befehligten Truppen in Italien, ist aber keine Erklärung von ihm.

kratie in Deutschland errichtet wird, keinen dauernden
Frieden für die Welt geben.[51]

Brecht registrierte am 30. August 1943 in seinem *Journal* eine
von Budzislawski umgeformte Proklamation, die eine Bezugnahme auf das Moskauer NKFD vermeide. Dabei dürfte es
sich um diesen dritten von Emmy Rado registrierten Text
gehandelt haben. Ihre Interpretation, Dorothy Thompson,
Budzislawski und Zuckmayer hätten sich vom NKFD distanzieren wollen, ist jedoch abwegig. Budzislawski, der Kommunist war, haben solche Intentionen mit Sicherheit ganz fern
gelegen. Und das Engagement Dorothy Thompsons, die zu
dieser Zeit mit Karl Frank in enger Verbindung stand, zielte
ebenso auf eine breite Sammlungsbewegung wie jenes von
Zuckmayer, der am 31. August 1943 Max Schröder schrieb:

Meiner Ansicht nach ist eine gemeinsame Initiative, die
zu einer öffentlichen Entschliessung führen könnte, nur
sinnvoll, wenn sie auf breiter Grundlage basiert ist. Aber
vielleicht kann man jetzt einen Schritt weiter kommen.
Ich würde Ihnen vorschlagen, sich mit Baerensprung[52]
in Verbindung zu setzen, der Ihnen – für eine eventuelle
Einladungsliste – nach verschiedensten Richtungen hin
Anregungen geben kann. Budzislawski wird vor Ende

51 National Archives II, College Park, Maryland, Washington D.C.,
    Military Records, Record Group 226 (OSS), entry 106, box 24,
    folder 104.
52 Horst W. Baerensprung (1893-1952) war Jurist und zählte in der
    Weimarer Republik zur sozialdemokratischen Linken. Er ge-
    hörte zu den Mitgründern des ›Reichsbanners Schwarz-Rot-
    Gold‹. Von 1930 bis 1932 war er Polizeipräsident von Magde-
    burg. Nach seiner Flucht aus Deutschland 1933 lebte er einige
    Jahre in China, wo er u.a. als Berater beim Aufbau der Armee
    und des Geheimdienstes Tschiang-Kai-schecks tätig war. 1939
    übersiedelte er in die USA, wo er sich in mehreren Emigranten-
    vereinigungen engagierte, u.a. von 1942 an als Mitglied der ›Ger-
    man-American Emergency Conference‹ (vgl. Röder/Strauss 1980,
    Bd. 1, S. 32 und die folgende Anm.).

September nicht in NY sein, Baerensprung ist seit ein paar
Tagen wieder dort. Ich bin unter seiner Adresse, 328 E 50,
ab 9. Sept. in New York zu erreichen. Wir haben hier die in
Hollywood von einigen Persönlichkeiten verfasste Adresse,
die uns durch Brecht zugänglich gemacht wurde, durch-
gesprochen und unsrerseits ein paar Vorschläge dazu gemacht, – und wir haben (›wir‹ in diesem Fall Baerensprung,
Budzislawski, Elisabeth Hauptmann[53] und ich) den Freun-

[53] Zuckmayer lernte die Schriftstellerin Elisabeth Hauptmann
(1897-1973) vermutlich 1924 kennen, als Zuckmayer und Brecht
als Dramaturgen an das Deutsche Theater Berlin engagiert wurden (1924 lernte sie jedenfalls Brecht kennen, mit dem sie zeitlebens eng zusammenarbeitete). In einem undatierten Tagebuch-
eintrag aus dem Jahr 1926 hielt sie über einen Besuch des *Fröhlichen Weinbergs* mit Zuckmayer fest: »Ein gesundes gutgebau-
tes Stück, aber ganz altes Theater. – Ausdrücke wie: entjungfern
usw., die sehr spärlich sind, fallen auf. Die Typen, die Harmlosigkeit, alles ist alt. Zuckmayer schreibt auch als Zuschauer, er
hatte einen schrecklichen Spaß an seinem Stück + an den Schauspielern. Er ist ein anderer Zuschauer als Brecht. Er beklagt sich
über d. schlechte Reklame zur 100. Auff., denn er wolle doch
60 Jahre von diesem Stück leben, sagt er, und außerdem wolle er
jetzt bessere Stücke schreiben […]. Bei Zuckmeyer [!] waren 2
seiner Freunde, sehr nette Leute, ein Arzt und ein Kaufmann,
auch B.s Freunde haben anderes Format« (zit. nach Kebir 1997,
S. 48 f.). Elisabeth Hauptmann wurde 1929 Mitglied der KPD.
1934 floh sie über Frankreich in die USA, wo sie bis 1940 als
Lehrerin an einem College in St. Louis tätig war. Von 1940 an
war sie Lebensgefährtin Horst Baerensprungs und lebte in New
York. 1943/44 standen Hauptmann und Baerensprung mit
Zuckmayer über die Frage einer gemeinsamen Resolution der
deutschen Emigranten in den USA in reger Verbindung. In
Zuckmayers Nachlaß sind aus dieser Zeit insgesamt acht Briefe
Hauptmanns und Baerensprungs überliefert. Elisabeth Hauptmann übersiedelte 1949 nach Ostberlin. Nach Brechts Tod 1956
wurde sie Herausgeberin von dessen Werken. Über weitere
Kontakte zwischen ihr und Zuckmayer ist nichts bekannt. In
ihrem Nachlaß (in der Akademie der Künste, Berlin) sind keine
Briefe Zuckmayers überliefert. In seiner Autobiographie wird
sie nicht erwähnt.

den in Hollywood auch geschrieben, dass wir eine allgemeine Sammlung derzeit für wesentlicher halten als die
Unterzeichnung einer Erklärung durch nur einige, mehr
oder weniger ›prominente‹ Namen.[54]

Entsprechend ist der Tenor einer Antwort auf eine Umfrage
der KP-nahen Emigrantenzeitschrift *The German American*
im September 1943, in der sich Zuckmayer über die Gründung des Moskauer Nationalkomitees Freies Deutschland
äußerte:

> Ich stimme vollständig mit Ihnen überein, dass die Grün-
> dung des Nationalen Komitees ›Freies Deutschland‹ in
> Moskau einen Schritt von äusserster Wichtigkeit darstellt,
> den alle fortschrittlichen Kräfte Deutschlands, die für die
> Befreiung des deutschen Volkes von Hitler und eine echte
> Demokratie in Deutschland hoffen und arbeiten, freudig
> begrüssen müssen. Die politische Bedeutung des Komitees
> wird zum Teil von anderen politischen Faktoren abhängen,
> vom weiteren Verlauf des Krieges und vor allen Dingen von
> der politischen Wechselbeziehung zwischen Russland und
> den anderen Alliierten.
>
> Die moralische und geistige Bedeutung der Gründung
> steht ausser allem Zweifel, zumal die Formulierung des vor-
> liegenden Aufrufs von jedem freien Deutschen, aller Schat-
> tierungen und Richtungen, unterschrieben werden kann.
>
> Ich bin aber der Ansicht, dass der Ausdruck der Zustim-
> mung von Seiten einzelner Personen nicht genügt. Der
> Aufruf des Nationalen Komitees in Moskau gibt die Ge-
> legenheit und die Grundlage, auch hier die in verschiedene
> Gruppen aufgespaltene deutsche Emigration zu gemein-
> samer Äusserung und gemeinsamer Aktion zusammen-

54 National Archives II, College Park, Maryland, Washington D.C.,
    Military Records, Record Group 226 (OSS), entry 106, box 24,
    folder 104.

zufassen. Auch in Amerika, auch in England, müssten Komitees auf breiter Basis geschaffen werden, die sich mit dem Komitee in Moskau, und, wann und wo immer möglich, mit den freiheitlichen Kräften innerhalb Deutschlands, vereinigen, und zu einem Kampf zusammen schliessen, dessen Ziel uns Allen gemein ist.[55]

Dieser Beitrag beweist endgültig, daß Emmy Rados Interpretation der von Zuckmayer mitverfaßten Resolutionsalternative falsch war. Ursache ihrer Fehldeutung war vermutlich ihr geradezu fanatischer Antikommunismus, der unter anderem durch Vorurteile gegen Karl Frank und seine Gruppe ›Neu Beginnen‹ zum Ausdruck kam. Schon 1942 waren von ihr Befürchtungen geäußert worden, Frank habe eine sozialistische oder kommunistische Revolution in Deutschland zum Ziel. Er strebe keine genuin antifaschistische Revolte der Arbeiter und Dissidenten an, sondern eine deutsche Sowjetregierung.[56] Frank ist diese Aversion nicht entgangen. »Ablehnend« verhalte sich ihm gegenüber, so schrieb er in einem leider nur unvollständig erhaltenen Brief an Zuckmayer vom 11. Mai 1944, »eine der Abteilungen des O.S.S. Es ist die, milde gesagt, konservativste in diesem Amt.«[57] Pikanterweise handelte es sich dabei um eben jene, für die Zuckmayer von Emmy Rado engagiert worden war.

Die Bemühungen um eine gemeinsame Resolution der deutschsprachigen Emigranten kamen nicht voran, stießen vielmehr auf erhebliche Schwierigkeiten. Zuckmayer hat deshalb noch ein weiteres Manifest entworfen – ein zentrales und bislang unveröffentlichtes Dokument der deutschen Emigration in den USA, das wir im folgenden ungekürzt dokumentieren.

55 *The German American* (New York), Jg. 2, 1943/44, Nr. 5 (September 1943).
56 Vgl. Mauch 1999, S. 238.
57 DLA, Nachlaß Carl Zuckmayer.

Exkurs: Zuckmayers Manifest
›Deutsche in Amerika! Deutsch-Amerikaner!‹

Der Krieg in Europa, dessen furchtbare Verwüstung durch die alleinige Schuld Hitler's, seiner Helfer und Hintermänner, heraufbeschworen wurde, ist – mit dem Abfall Italiens, mit dem siegreichen Sommerfeldzug der russischen Armee, mit der wachsenden Wirksamkeit der alliierten Luftangriffe – in seine Endphase getreten. Keiner von uns kann sagen, wie lang das Ringen sich noch hinziehen wird.

Niemand zweifelt, dass harte Kämpfe bevorstehen.

Der Ausgang jedoch steht ausserhalb jeden Zweifels: die Niederlage Hitlers ist besiegelt.

Nichts kann sie abwenden.

Nichts kann die Armeen unter Nazi-Befehl, die Unterdrücker der besetzten Länder, die Gewaltherrscher innerhalb Deutschlands, vor dem unvermeidlichen Ende retten, – das mit jedem Bomber, den eine amerikanische Fabrik ausliefert, mit jedem Tank, der zu einem Hafen rollt, mit jedem einzelnen Mann, der ein Truppenschiff besteigt, näher rückt.

Der Winter in Russland, nicht mehr durch die Hoffnung auf einen kommenden Sommersieg gemildert, wird für die deutsche Armee und das Volk zur unerträglichen Belastung.

Die unablässige Bedrohung sämtlicher Küsten, sämtlicher Fronten, sämtlicher besetzter Länder, die Wahrscheinlichkeit eines bevorstehenden neuen Angriffs an unbekannter Stelle, macht eine wirksame militärische Konzentration, ja sogar eine erfolgreiche Defensive, auf die Dauer unmöglich.

Der Misserfolg des U-Bootkriegs hat sich durch die enormen Transportleistungen der Vereinigten Nationen schlagend erwiesen, und kann durch keine neue Anstrengung mehr aufgeholt werden.

Ersatz und Nachschub, Widerstandskraft der Bevölkerung und der Wirtschaft, werden durch die stetig zunehmende Zerstörung Deutschlands aus der Luft dezimiert und gebrochen.

Die Lage Deutschlands ist hoffnungslos.

Wird es auch immer noch, durch alle Mittel eines hochorganisierten Macht-Apparats, gewaltsam zusammen gehalten, – so muss die Katastrophe des Zusammenbruchs, der die Existenz jedes Einzelnen bedroht, desto härter und grausamer werden. Wie mag es in unserer alten Heimat, aus der Viele von uns durch die Verfolgung des Hitler-Terrors vertrieben wurden, heute aussehen?

Mit welch tiefer Bitterkeit, mit welchem Hass und mit welcher Verzweiflung, mögen jene Kreise des deutschen Volkes, die nie hinter Hitler standen, sondern selbst seine ersten Opfer waren, – in den Abgrund blicken, dem er sie entgegen getrieben hat, und der die Unschuldigen mit den Schuldigen zu verschlingen droht!

In dieser Stunde halten wir, die Angehörigen und Abkömmlinge des deutschen Volkes in Amerika, es für unsere unabweisliche Pflicht, – vor uns selbst, vor der Welt, vor den Vereinigten Nationen, mit denen wir uns in diesem Krieg verbündet fühlen, – unsere Stimme zu erheben, um alle freiheitlich gesinnten Deutschen, in⟨ner-⟩ und ausserhalb Deutschlands, aufzurufen, sich zum Endkampf gegen den Hitler-Terror, zur Befreiung und Reinigung Deutschlands, zu vereinen. Wir erkennen dieses Ziel, – in dem die einzige und letzte Hoffnung, den völligen Untergang Deutschlands abzuwenden, beschlossen liegt, – als unser aller gemeinsame Sache, – die jeden Gegensatz von Richtungen und Gruppen, jeden Unterschied von Ansicht und Meinung, überwölbt.

Wir sind überzeugt, dass die demokratischen Kräfte innerhalb Deutschlands, – an deren Existenz wir unverrückbar glauben, – keine drängendere Notwendigkeit empfinden, als sich zum Sturz Hitlers zu erheben, sobald ihre Zeit gekommen ist.

Wir glauben, dass die Empörung über Hitlers Schandtaten, die Beschämung über die Verbrechen seiner Kriegsführung, die den deutschen Namen beschmutzt und entehrt haben, die Massen der Bevölkerung, – bis in die Reihen ehemaliger Nazi-Mitläufer hinein, durchdrungen und aufgerüttelt hat.

Wir wissen, dass Teile der deutschen Armee, sogar der durch die Hitler-Erziehung verseuchten Jugend, auf das Zeichen brennen, um ihre Gewehre umzudrehen und gegen die Gewaltherrscher des Dritten Reiches, für ein freies Deutschland zu marschieren.

Wir wissen und kennen aber auch die ungeheuren Schwierigkeiten und Hindernisse, die einem erfolgreichen Aufstand, einer Sammlung, Einigung, Aktivierung der demokratischen Kräfte Deutschlands, entgegenstehen, – und wir können nur *hoffen*, dass das deutsche Volk den Schritt zur befreienden Tat findet, bevor es zu spät ist.

Denn es ist die letzte Stunde.

Wird sie versäumt, – dann gibt es, auf undenkliche Zeiten, kein freies Deutschland mehr.

Wird sie genutzt, – dann wird ein erneuertes, befreites Deutschland seinen Platz unter freien Völkern in Anspruch nehmen, – und die Hilfe, die Achtung, die Freundschaft der Welt wieder gewinnen.

Daher erklären wir als unsere gemeinsame Überzeugung: dass ein Deutschland, welches durch eigne Tat Hitler und seine Ursachen beseitigt, die Verbrechen der Nazi's gegen das eigene Volk und gegen alle anderen unversöhnlich zur Rechenschaft zieht und sühnt, – dass ein wahrhaft demokratisches Deutschland ein freies Volk in einer Gemeinschaft freier Nationen werden soll, – ohne deren erdumspannende Vereinigung es keinen dauerhaften Frieden und niemals eine gerechte Ordnung in der Welt geben kann.

Unser Ziel heisst: die Errichtung einer freien, fortschrittlichen und starken Demokratie in Deutschland.

Wir verstehen unter einer freien Demokratie: die bestmögliche Form staatlicher Selbstverwaltung, deren Regierungsorgane den Körperschaften einer frei gewählten Volksvertretung jederzeit und in voller Öffentlichkeit verantwortlich sind.

Wir verstehen unter einer fortschrittlichen Demokratie: eine Staatsführung, die den besten und gesündesten Kräften des wirtschaftlichen, politischen, geistigen Lebens den entscheidenden Einfluss auf alle Fragen der nationalen Entwicklung gewährt.

Eine Staatsführung, welche die Garantie persönlicher Freiheit und produktiver Initiative mit jener Planung, wie sie für das gesamte Wohl eines Volkes und für den Schutz aller Volksschichten notwendig ist, elastisch zu verbinden und auszugleichen weiss.

Eine Staatsführung, die unablässig bemüht ist, die aus den Fehlerquellen der menschlichen Natur entspringenden Irrtümer und Misstände, – Eigensucht und Ehrgeiz von Gruppen oder Personen, Bürokratischer Verkalkung, Überalterung und Erstarrung, – zu verbessern und abzuändern.

Wir verstehen unter einer starken Demokratie: eine Staatsführung, die bereit und imstande ist, die Rechte des Volkes gegen alle Anschläge und Untergrabungen zu verteidigen; die Erziehung ihrer Jugend zu kontrollieren und sie mit ihren Idealen zu erfüllen; eine Exekutive aufzubauen, die weiss, wofür sie einsteht, und entschlossen ist, jederzeit für die Erhaltung der ~~inneren~~ Freiheit zu kämpfen.

Eine solche Demokratie ist die einzige Grundlage für die freie Entwicklung des kulturellen und geistigen Lebens jeder Nation.

Eine solche Demokratie schliesst jede Aggressionspolitik, die auf Unterdrückung und Beherrschung anderer Völker gerichtet wäre, aus, – denn sie ist ihrem Wesen nach auf Zusammenarbeit und Austausch, auf Weltverkehr und Weltwirtschaft, auf die gemeinsame Erhöhung des allgemeinen Wohlstandes angewiesen. Autarkie, Isolation und Chauvinismus sind ihr Tod.

Die Errichtung einer freien Demokratie als Staats- und Lebensform des deutschen Volkes war immer unser Ziel, an dem uns kein Rückschlag und kein äusserer Einfluss irre machen kann.

~~Dies~~ Es war unser Ziel und unser Wille in der dunkelsten Stunde von Hitlers blutigem Triumph.

Es wird unser Wille und unser Ziel bleiben in der Stunde seiner Vernichtung, des Zusammenbruchs seiner Armeen, und der bedingungslosen Ergebung Deutschlands. Wir glauben, dass, durch Leiden gestählt, durch Erfahrung gehärtet, Männer in Deutschland aufstehen werden, die befähigt sind, die deutsche Demokratie zu errichten und zu erhalten.

Es wird ihre erste Aufgabe sein, in Deutschland grundlegende Reformen durchzuführen, ~~die~~ wie sie im Jahre 1918 versäumt worden sind, – um das deutsche Volk von der Vorherrschaft reaktionärer und imperialistischer Schichten, den Wegbereitern künftiger Kriege, zu befreien.

Die Unterzeichner dieses Aufrufs, Deutsche und Deutsch-Amerikaner aller politischen und religiösen Bekenntnisse, erklären ihre Bereitschaft und ihren Willen, einem neuen demokratischen Deutschland, aufgebaut aus den echten Kräften des Volkes: Arbeitern, Bauern, Bürgern, – ~~mit dem vollen Einsatz ihrer Personen~~ ihrem vollen persönlichen Einsatz beizustehn. Wir wünschen Zusammenarbeit und Solidarität mit allen gleichgerichteten Kräften in⟨ner-⟩ und ausserhalb Deutschlands.

Wir ~~erklären unsere Solidarität mit dem~~ begrüssen das Manifest des deutschen National Kommittees in Moskau, das in starken und klaren Worten das deutsche Volk zur Überwältigung und Absetzung seiner ~~Gewaltherrscher~~ Unterdrücker aufruft.

Wir wenden uns an die Regierungen der Vereinigten Nationen, an die ~~krieg in diesem~~ in diesem Krieg verbündeten Völker, an die Sieger von Morgen: mit der Bitte um Verständnis, Förderung, Unterstützung für unsere gute Sache, die auch die ihre ist.

Wir wissen uns mit den besten Kräften, mit der überwältigenden Mehrheit in unsrem Gast- und Heimatland Amerika einig in der festen Entschlossenheit zur Erreichung des gemeinsamen Ziels:

Endgültige Vernichtung aller Nazis und Faschisten.

Endgültige Befreiung der Welt und aller Völker von der Bedrohung durch machthungrige Gruppen und Organisationen, und durch die Mittel wirtschaftlicher oder politischer Unterdrückung.

Endgültige Aufrichtung und Sicherung eines freien, sozialen, demokratischen Deutschland als Teil und Glied einer freien und friedlichen Welt.

Dann, *und nur dann*, wird dieser Krieg für die Völker, die ihn durchkämpfen und durchleiden müssen, gewonnen sein.

Es lebe die Welt Freier Völker![58]

3. »*Mann über Bord*« – *der Kontext des* ›*Geheimreports*‹ *(II)*

Bemerkenswert ist an diesem Memorandumsentwurf, daß Zuckmayer erneut die Proklamation des Moskauer Nationalkomitees begrüßt hat, bemerkenswert zumal, weil er sich in einem vermutlich zur selben Zeit entstandenen Arbeitspapier unter der Überschrift *General Points for a Free German Action in USA*[59] durchaus besorgt darüber zeigte, wie viele kommunistische Doktrinäre – »Crackpots like J. R. Becher or little Functionaries like Pieck« – dort sicherlich das Sagen haben dürften. Er glaubte aber, die positiven Seiten der Arbeit des NKFD seien dadurch nicht ernsthaft in Frage gestellt, eine Ansicht die der Ex-Kommunist Karl Frank nicht zu teilen vermochte. Seine Einwände erläuterte er Zuckmayer in einem undatierten Brief:

> Du wirst ja gehört haben, wie verfahren wieder einmal die ganze Geschichte ist. Ich wusste im voraus, dass das geplante Meeting ohne eine »Gruppen«grundlage nicht zustandekommen würde, deshalb war ich dafür, dass es gemacht würde, auch wenn die Segerleute ablehnend, und die Staudingers sich zierend verhielten. Ihr habt anders entschieden,

58 DLA, Nachlaß Carl Zuckmayer.
59 Ebd.

mit dem Erfolg, dass die Freeworld[60] beauftragt ⟨wurde⟩,
⟨und⟩ wie gewöhnlich die ganze Sache verbummelt hat.

Die zweite Kalamität ist eine ernstere. Ich weiss nicht, ob
Du weisst, wie sehr kürzlich Deine message an die (kommunistische) ›German American‹ group, (und intern, die
Begrüssungsformel in Deinem Manifestentwurf an das
Moskauer comitee) ausgenützt worden ist. *Wir beide* müssen uns jedenfalls gründlich missverstanden haben. Als ich
Dir das erstemal über einen Versuch eine Art Vertreter Comitee hier aufzustellen, schrieb, unterstrich ich sicherlich,
dass es *unabhängig sowohl von dem Moskauerrummel, wie
von den Unterwürflingen hier sein müsse*, wenn es Erfolg,
ja wenn es den geringsten positiven Sinn haben sollte. In
diesem Sinn war auch unsere, resp. Niebuhrs[61] Antwort an
die Tass[62] gehalten. Es war eine Erklärung, wenn Du sie Dir
nochmals durchliest wirst Du das sehen, die unterstrich,
dass nur eine *»Joint«action der Alliierten*, und nur für *wei-
tergehende demokratische Ziele*, als die Moskauermessage,
und nur basiert auf der *Zusammenarbeit mit allen erprob-*

60 Die ›Free World Association‹ war eine 1941 gegründete inter-
    nationale Vereinigung, die unter der Leitung des emigrierten spa-
    nischen Diplomaten Julio Alvarez del Vayo in Ländersektionen
    auf den demokratischen Aufbau nach dem Krieg hinarbeitete.
61 Der Theologe Reinhold Niebuhr (1892-1971) war Professor für
    Christliche Ethik und Religionsphilosophie am Union Theo-
    logical Seminary in New York und Präsident der ›American
    Friends of German Freedom‹. Seine wissenschaftliche und poli-
    tische Entwicklung skizziert Radkau 1971, S. 46-50.
62 Die sowjet. Nachrichtenagentur. In einer von der TASS erbete-
    nen, auf den 12. August 1943 datierten Stellungnahme begrüßte
    Niebuhr das Manifest des Nationalkomitees, äußerte aber zu-
    gleich Bedenken: »[...] die Wirksamkeit eines Aufrufs zu einem
    demokratischen Umschwung in Deutschland wird abhängig
    sein von der Autorität, mit der er erlassen wird, und davon, ob
    über ihren echt demokratischen Charakter Sicherheit besteht«
    (zit. nach Radkau 1971, S. 195).

ten demokratisch gesinnten Verbindungsleuten in der deutschen Emigration, Erfolg haben könne, und anzustreben sei. Deine Message an den German american club, ebenso wie Dein manifest, werden aber hier von Kommunisten (ebenso wie von den emotionellen anticommunisten) dazu benützt, (von den einen) zu sagen: *Zuck führt die Einigungsaction auf der Linie der Free Germans*, (von den anderen: Zuck plus Feuchtwanger plus so und so many well known fellow travellers sind als Stalins Quislings[63] aufgezogen worden) ...

Meine Freunde und ich können Dein Manifest daher, so sehr wir in vielem übereinstimmen, so wie es ist nicht unterschreiben. Es ist uns natürlich nur secundär wichtig was Leute sagen oder welche fractionellen Umtriebe mit einer Sache unternommen werden. Obgleich das in einem Gastland etwas wichtiger ist, als wenn man volle Bewegungsfreiheit im eignen Lande hat (America ist sehr tolerant, aber es gibt natürlich Grenzen. Stell Dir vor Du lebtest in Moscau, und Du würdest Dich dort für eine in Washington, teilweise gegen Moskau, aufgezogene Gruppe öffentlich manifestierend exponieren, das würde nur ein Narr tun, sein Ende wäre besiegelt; hier sieht die Sache etwas anders aus, aber der ›Black record‹ ist auch hier gewiss). Wir sind prinzipiell eben mit der Moskauer Free Germany politik *nicht einverstanden*. In meiner Arbeit[64] habe ich ausführlich begründet, warum nach meiner Meinung eine einseitige Abhängigkeit Deutschlands nicht der Weg zur Freiheit ist. Das ist das wesentliche. Die Sache ist dadurch etwas kompliziert und verworren, dass die Moskauer derzeitige Linie,

---

63 Vidkun Quisling (1887-1945) war der Führer der faschistischen Partei ›Nasjonal Samling‹ in Norwegen.

64 Gemeint ist das Buch *Will Germany Crack? A Facutual Report on Germany from Within*, das Frank unter seinem Pseudonym Paul Hagen 1942 in New York und London bei Harper & Brothers veröffentlicht hat.

fortschrittlicher ist für die Zukunft Deutschlands als die berühmten Kingsbury-Smith pläne des Westens.[65] Ich bin aber überzeugt, dass sich in der weiteren Entwicklung die Konstellation genau ins Gegenteil verkehren kann: Moskau ist aus russischen Interessen jetzt fortschrittlich, aus den gleichen russischen Interessen kann eine jähe Wendung erfolgen, wenn Hitler erst besiegt ist. Umgekehrt, England und Amerika, deren Führungen vorübergehend reactionäre Pläne gegen Deutschland brüteten, können später – *sie schwenken bereits, dafür gibt es viele Anzeichen*, eine viel fortschrittlichere Linie einnehmen, als sie gestern getan. Es ist das gute Recht, ja sogar die Pflicht solcher Leute wie Dorothy [Thompson], den Amerikanern in der Verwirrung zu sagen, wo ihre Interesssen wirklich liegen, aber *wir sind nicht sie!* Wenn wir dasselbe sagen, sind wir Agenten von Moskau (Sie ist übrigens der beste Beweis, wie viele Amerikaner wirklich denken, siehe auch den letzten Gallupool,[66] – das ist es, was ich im Auge habe, wenn ich mit einer Schwenkung hier rechne). Nimm aber einmal an, es kommt zu keiner Einigung mit den Russen auf einer fortschritt-

65 »Unter der Überschrift ›Our Government's Plan for Postwar Germany‹«, so berichtete die in New York erscheinende Emigrantenzeitung *Aufbau* am 9. April 1943, »veröffentlicht Kingsbury Smith in ›The American Mercury‹ Gedanken über das Schicksal eines geschlagenen Deutschlands, die der Verfasser auf Informationen von Persönlichkeiten im State Department zurückführt.« Diese sahen u.a. die Festnahme und Bestrafung der Kriegsverbrecher, die sofortige Aufhebung der Judengesetze, die Stillegung der Kriegsindustrie, vor allem aber die Auflösung Deutschlands als politische und wirtschaftliche Einheit in separierte Staaten und Gebiete vor.

66 Der amerikanische Meinungsforscher George Horace Gallup (1901-1984) gründete 1935 das ›American Institute of Public Opinion‹ und belegte die große demoskopische Aussagekraft kleiner, stichprobenartiger Umfragen (der sogenannten ›Gallup polls‹).

lichen Kompromisslinie, und die Russen wiederholen das Paktmanöver, dann hätten *wir* uns auf der Vorbereitung dieser *Bruchlinie – auf ihrer Seite kompromittiert*, das könnte schon in ein paar Wochen oder Monaten sich herausstellen, dann wären wir erledigte Leute. Es ist ausserdem eine Tatsache, dass die Russen dann, wie sie damals mit Hitler paktieren mussten, mindestens mit Junkergenerälen paktieren müssen. Das ist nun sicher nicht der Weg in die Deutsche Freiheit.[67]

Ganz anders als Frank reagierte dagegen der aus Österreich in die USA emigrierte sozialdemokratische Politiker Julius Deutsch.[68] Der Mitarbeiter der ›Free World Association‹ war von Zuckmayers Textentwurf sehr angetan. »Ihr Manifest«, schrieb er Zuckmayer am 30. September 1943,

enthält nach meiner Überzeugung durchaus das, was in der heutigen Lage gesagt werden muss. Es ist klar und einfach.

67 DLA, Nachlaß Carl Zuckmayer.
68 Der österr. Jurist und Politiker Julius Deutsch (1884-1968) trat nach dem Ersten Weltkrieg der Sozialdemokratischen Arbeiterpartei Österreichs bei, gründete 1923 den ›Republikanischen Schutzbund‹, dessen Obmann er bis 1933 war, und gehörte bis 1934 zu den Mitarbeitern der Wiener *Arbeiter-Zeitung*. 1936 ging er als militärischer Berater der republikanischen Regierung nach Spanien. Dort organisierte er zeitweise die Küstenverteidigung und die Rekrutenausbildung. Von 1938 an lebte er in Paris, wo er u.a. Einheitsfrontverhandlungen mit der KP führte. 1940 emigrierte er in die USA, wo er von 1941 an Mitarbeiter der ›Free World Association‹ war. Dort leitete er den europäisch-amerikanischen Klub und engagierte sich darüber hinaus in der deutschen Sektion. In seinen Memoiren erinnert er sich an die vergeblichen Bemühungen um die Einigung der deutschen Emigration und Zuckmayers Manifest: »Ein hoffnungsvoller Versuch dieser Art [die Einigung zu vollbringen] war ein flammender ›Appell an die Welt‹ aus der Feder Carl Zuckmayers« (Deutsch 1960, S. 366). 1947 kehrte er nach Wien zurück und bekleidete dort führende Ämter in der SPÖ.

Seine Sprache ist würdig und hat den politisch richtigen Ton.
Ich habe das Manifest einigen Freunden zu lesen gegeben,
die der gleichen Meinung sind. Es werden wohl einige Kür-
zungen verlangt werden, aber das wird an dem Aufbau und
Inhalt des Manifestes nichts ändern. Soweit wäre also alles,
was das Manifest betrifft, in Ordnung. Dagegen besteht leider über die Prozedur nach wie vor keine Übereinstimmung.
Ich sehe nicht, wie unter diesen Umständen die Versammlung zu stande kommen soll. Es liegt mir gewiss ferne, die
eine oder die andere bestimmte Gruppe zu beschuldigen,
aber wenn man eine Zeit lang diesen unbeholfenen Kuddel-
Muddel sieht, dann vergeht einem die Lust, weiter zu arbeiten. Die Hauptschuld trägt allerdings diesmal ohne Zweifel
die Gruppe »Volkszeitung«.[69] Die Leute lassen eine grosse
politische Gelegenheit ungenützt vorübergehen, bloss weil
ihnen die Nasenspitze eines Führers einer anderen Gruppe
nicht gefällt. Alles in allem: Ein klägliches Bild deutscher
Zerfahrenheit.[70]

Elisabeth Hauptmann berichtete Zuckmayer Ende September, Julius Deutsch habe aus Zuckmayers Vorschlägen »neuen
Mut geschöpft«. »Baer[ensprung]«, heißt es sodann,

hat erreicht, dass sich nicht nur Piscator, sondern auch
Staudinger sich für die Sache einsetzen will. Baer[ensprung]

69 Gemeint sind vor allem Siegfried Aufhäuser (1884-1969), Max
    Brauer (1887-1973), Rudolf Katz (1895-1961), Friedrich Stamp-
    fer (1874-1957) und Gerhart Seger (vgl. Anm. 40), die Haupt-
    vertreter der sozialdemokratischen »Rechten« in der deutsch-
    sprachigen Emigration. Sie befanden sich in scharfer Opposition
    zu Karl Frank und seiner Gruppe ›Neu Beginnen‹. Außer zu
    Seger, der Zuckmayer zweimal vergeblich zur Mitarbeit an der
    Neuen Volks-Zeitung eingeladen hat (vgl. Anm. 40), ist über
    Kontakte Zuckmayers zu Mitgliedern dieser Gruppe nichts be-
    kannt.
70 DLA, Nachlaß Carl Zuckmayer.

versucht jetzt, mit Aufhäuser (German Labor) zu einer Einigung zu kommen. Es dauert alles ungeheuer lange, und Deutsch verliert immer wieder die Geduld mit den Deutschen, was insofern sehr unrecht von ihm ist, als er sich auf den 26. Oktober versteift, wohingegen wir uns auch auf einen späteren Termin einigen könnten, wenn wir uns überhaupt einigen. Staudinger gefiel der Aufruf sehr. Im Moment hängt wirklich alles an Aufhäuser, der auch abgesehen von der Labor Delegation wichtig wäre.[71]

Am 9. Oktober teilte Elisabeth Hauptmann Zuckmayer mit, daß »es mit der Versammlung nichts ist – zumindest im Oktober nicht«.[72] Am 14. Oktober schrieb sie ihm dann: »Ihr Manifest wird auch weiter bewegt, [...] aber bei dem ›Third Free World Congress‹ am 28. Oktober, bezw. vom 28.-30. Okt. nicht verlesen [...].« Man wolle seinen Entwurf aber bald besprechen, eventuell mit seiner Hilfe leicht redigieren und dann sofort in Umlauf bringen. »Ich glaube«, schloß sie, »wenn wir uns mal richtig Mut antrinken, werden wirs schon schaffen. Aber Spass beiseite: es wird wirklich Zeit, wo demnächst Franco doch wohl unser lieber Alliierter sein wird[73] und die Russen an der alten Polengrenze sein werden.«[74]

---

71 Ebd. Der Brief ist undatiert, das Entstehungsdatum läßt sich aber durch den Hinweis erschließen, er sei am Tag nach der Beerdigung Kurt Rosenfelds (gest. am 26. September, beigesetzt am 28. September 1943) geschrieben worden.

72 DLA, Nachlaß Carl Zuckmayer.

73 Im Dezember 1942 hatte das seit 1939 von Francisco Franco diktatorisch regierte Spanien mit Portugal den ›Iberischen Pakt‹ geschlossen, durch den sich andeutete, daß Spanien von einer prodeutschen auf eine prowestliche Neutralitätspolitik umschwenken werde. Tatsächlich verschlechterten sich die Beziehungen Spaniens zu Deutschland im weiteren Kriegsverlauf, während sich die zu den Alliierten zunehmend verbesserten.

74 DLA, Nachlaß Carl Zuckmayer.

Die nächsten Gespräche über eine ›Free Germany‹-Resolution der deutschen US-Emigranten fanden am 4. November 1943, einen Tag nach der Trauerfeier für den am 30. Oktober 1943 gestorbenen Regisseur Max Reinhardt statt. Teilnehmer der mehr als zwei Stunden dauernden Besprechung waren neben Zuckmayer und Thomas Mann auch Siegfried Aufhäuser, Karl Frank, Paul Hertz[75] und Paul Tillich.[76] »Glaubte anfangs«, hielt Mann, der gesundheitlich angeschlagen war, in seinem Tagebuch fest, »es nicht leisten zu können, hielt dann aber bis zu zweifelhaften Resultaten durch.«[77]

Plötzlich standen die Chancen gar nicht schlecht, daß sich die deutschen Emigranten auf eine gemeinsame Exilvertretung unter Führung Thomas Manns würden einigen können. Karl Frank war allerdings so unvorsichtig, gegenüber einem OSS-Mitarbeiter davon zu sprechen, er wolle den Literaturnobelpreisträger »in ein deutsches Komitee *einwickeln*«. Als sie davon hörte, sorgte Emmy Rado aufgrund ihrer Vorbehalte gegen Frank sofort dafür, daß Adolf A.

75 Paul Hertz (1888-1961) war von 1905 an Mitglied der SPD, als deren Vertreter er von 1920 bis 1933 im Reichstag saß. 1933 emigrierte er nach Prag und wurde Mitglied des Exil-Parteivorstandes der SPD. Von 1939 an lebte er in den USA, wo er zusammen mit Karl Frank einer der führenden Vertreter der Gruppe ›Neu Beginnen‹ war (vgl. Röder/Strauss 1980, Bd. 1, S. 287 f.). Die Gedächtnisrede Zuckmayers, die er am 12. März 1944 zur Erinnerung an Carlo Mierendorff gehalten hat, erschien 1944 zusammen mit Reden von Hertz und Alfred Vagts im Selbstverlag. Dazu finden sich in Zuckmayers Nachlaß drei Briefe von Hertz aus den Jahren 1944 und 1946.

76 Der evangelische Theologe Paul Tillich (1886-1965) war von 1929 an Mitglied der SPD und setzte sich ähnlich wie Zuckmayers Freund Carlo Mierendorff gegen die Verbürgerlichung der Partei und für einen ›neuen Sozialismus‹ ein. 1933 emigrierte er in die USA, wo er im März 1944 einer der Initiatoren des ›Council for a Democratic Germany‹ war (vgl. Röder/Strauss 1980, Bd. 1, S. 763-765 sowie Pauck/Pauck 1978).

77 Bürgin/Mayer 1980, S. 646.

Berle[78] Thomas Mann nahelegte, den Vorsitz einer deutschen Exilvertretung auf keinen Fall anzunehmen, was dieser daraufhin auch nicht tat.[79] Der Vorgang machte unter dem Slogan »Mann über Bord« schnell die Runde.[80] Zuckmayer erfuhr vom endgültigen Rückzug Manns durch einen Brief Horst Baerensprungs vom 3. Dezember 1943:

Lieber Zuckmeister,
in unserm letzten Briefe[81] sprachen wir von einer Zusammenkunft bei Mann, Thomas. Um von unserer Seite möglichst bereit zu sein, hatten wir ein paar Sitzungen vor diesem denkwürdigen Freitag[82] und dachten, dass dann mit

---

78 Adolf A. Berle (geb. 1895), von 1938 bis 1944 Unterstaatssekretär im amerikanischen Außenministerium, traf sich am 25. November 1943 mit Thomas Mann in Washington, der darüber in seinem Tagebuch festhielt: »Gegen ½ 1 mit dem Wagen zum State Department. Berle's Office. Mit ihm zum Army and Navy Club, Lunch und Gespräch über das Politicum mit glücklich negativem Ausgang« (de Mendelssohn 1982, S. 650).

79 Vgl. Mauch 1999, S. 121-123 sowie Bungert 1998, S. 266 f.

80 »›Mann über bord‹ is the slogan which was created after the meeting Thomas Mann held upon his return from Washington«, heißt es in einer Aktennotiz von Emmy Rado, die faksimiliert wiedergegeben ist in Stephan 1995, S. 114.

81 Dieser Brief ist in Zuckmayers Nachlaß nicht überliefert.

82 Baerensprung bezieht sich auf ein Treffen mit Thomas Mann, das am Freitag, den 26. November 1943 in New York stattgefunden hat und über das Mann in seinem Tagebuch festhielt: »12 Uhr Versammlung der ›Herren‹ bei mir. Erhitzende Angelegenheit, sie abschlägig zu bescheiden und zu trösten« (de Mendelssohn 1982, S. 651). Brecht nahm das Scheitern der Bemühungen zum Anlaß, Thomas Mann in einem Brief vom 1. Dezember 1943 nochmals zu bitten, die »Zweifel an der Existenz bedeutender demokratischer Kräfte in Deutschland« nicht zu vermehren (vgl. Hecht u.a. 1988-2000, Bd. 29, S. 317 f.; der Antwortbrief Thomas Manns, in dem er zwar »von eine[r] gewisse[n] Gesamthaftung des deutschen Volkes« spricht, aber Brechts Kritik an einer Gleichsetzung von »deutsch« und »nazistisch« zustimmt, ist abgedruckt in E. Mann 1963, S. 363-365).

(dem baldigen amerikanischen Bürger) Thomas Mann bald
eine Einigung über das von Grund aus umgearbeitete
Manifest von Tillich (er verwendete einige Ihrer sehr guten
Vorschläge) und über die Erweiterung des Komitees erreicht werden könnte. Statt dessen eröffnete Thomas Mann
den gebetenen Männern, dass er aus einer Besprechung mit
Berle den Eindruck gewonnen habe, dass ein solches ge-
einigtes Komitee im Moment nicht gewünscht sei; dass er
im Moment auch nicht geneigt sei; es täte ihm natürlich
leid; man könne aber bei passenderer Gelegenheit wieder
bei ihm anfragen usw.

Die in Frage kommenden Männer waren konsterniert.
Hier war also derjenige deutsche Schriftsteller, der in der
Öffentlichkeit mit grosser Ehrfurcht als *der* deutsche Dichter, als Vorkämpfer des freien deutschen Worts gefeiert
wird, und liess, wie sich die Mehrzahl der Beteiligten ausdrückte, die deutsche Emigration und das nichthitlerische
deutsche Volk in ihrer schwersten Zeit im Stich. Ich referiere
hier mit Absicht über diese Reaktion. Ich selber musste von
dem Meeting sofort nachhause, da ich nur wegen dieser Zusammenkunft aus einem Bronchitisbett aufgestanden war.
Zuhause ging das Telefon dann fortgesetzt. Da ich erst 1940
aus China zurückgekommen und über viele Unterneh-
mungen der Emigration nicht besonders gut informiert bin,
klärte man mich nun auf: dass im Grunde das Verhalten
Manns nicht überrascht hätte, er habe es schon oft so gemacht, ausserdem solle ich nur mal seine Schriften von 1914
an nachlesen usw. Auch mische sich die Familie in solche
Sachen ein. Man solle eben bei politischen Unternehmun-
gen nicht mit einem so unpolitischen Menschen rechnen,
dem es ja nicht auf seine politische Integrität ankäme, sondern der nur auf seine persönliche Stellung als Schriftsteller
bedacht sei.

Fast alle waren sich darüber klar, dass man versuchen
solle, die doch fast geeinigte Gruppe zusammen zuhalten,
obwohl da sofort Schwierigkeiten auftauchten. Die poli-

tische Lage – nicht zuletzt die politische Lage in Bezug auf die kleinen Nationen, mit denen man ja später auskommen soll – spricht dafür, dass eine geeinigte deutsche Emigration vorhanden ist und zwar so bald als möglich. Versuche, die Gruppe *ohne* Thomas Mann weiterzuführen, sind nun im Gange, ob sie Erfolg haben, bleibt abzuwarten. Gestern waren zum Beispiel Tillich, Budz,[83] Staudinger und Aufhäuser hier. Tillich ist natürlich voll von einem holy anger, aber auch Staudinger war sehr bekümmert. Die äusserste Linke lacht sich eins ins Fäustchen (»das hätten wir auch vorher sagen können«), aber auch die Rechten, worunter einige sehr solide demokratische und rechtere Professoren zu verstehen sind, ja auch Leute wie Niebuhr stossen in das gleiche Horn wie die Linken und sagen, dass Thomas Mann nie zu einem Schritt, der etwas Haltung und Mut verlange, zu haben gewesen sei. Und es sei ein grosser Fehler der Emigration, sich immer wieder mit ihm zu befassen, weil die *Amerikaner* ihn als politische Figur nähmen.

Wie gesagt: Bis in die jüngste Zeit waren meine persönlichen Erfahrungen mit Schriftstellern quantitativ sehr gering, und meine Erfahrungen innerhalb der deutschen Emigration weisen auch einige bedeutende Lücken auf. Aber um Ihnen jetzt meine persönliche Meinung zu sagen: ich wäre auch dafür, wenn wir eine Einigung der Gruppen zustande bringen könnten, meinetwegen unter der temporären Führung Tillichs. Aufgaben dieser Einheitsgruppe müssten sein:

1. Gegenseitige Verleumdung (der einzelnen Gruppen oder Mitglieder) bei offiziellen, halboffiziellen und privaten Stellen einzustellen. Wen das Gewissen drückt, soll seine Beschwerde einem Clearings-Ausschuss der Gruppe unterbreiten.

83   Hermann Budzislawski.

2. Keine Gruppe unternimmt bei irgendeiner Behörde irgendwelche Schritte von Wichtigkeit auf eigene Faust.

3. Praktische Versuche, z.B. an die Gefangenen heranzukommen, an der Propaganda beteiligt zu werden usw. dürfen nur von der Einheits-Gruppe unternommen werden. Auch die Öffentlichkeit muss erfahren: diese Einheitsgruppe handelt für alle. Dabei kann von einem Manifest vorderhand abgesehen werden.

Heute abend ist eine Sitzung der Labor Delegation. In wenigen Tagen wird die Teheraner (oder Tifliser usw.) Erklärung der Big Three[84] vorliegen. Von der Sitzung der Labor Delegation und der Erklärung der Big Three werden natürlich alle weiteren Schritte wesentlich abhängen. Aber ich glaube: bereits heute muss man sich als anständiger *deutscher* Antifaschist darüber klar sein, dass es eine Grenze der Abhängigkeiten von Regierungen, Erklärungen usw. gibt. Ein deutscher Antifaschist kann ebenso wenig ein Vansittart[85] und Emil Ludwig[86] sein (und manche sind geneigt, Thomas Mann in die selbe Kategorie zu tun) wie er ein ausschliesslicher Diener Herrn Berles sein kann. Es kann Sie übrigens interessieren, dass Thormann als Katholik sich sehr bei einer solchen Gruppe, wie sie geplant war,

---

84 Vom 28. November bis 1. Dezember 1943 berieten Roosevelt, Churchill und Stalin auf der Konferenz von Teheran die Neuordnung Europas nach Kriegsende.

85 Der engl. Diplomat Robert Gilbert Vansittart (1881-1957), der von 1930 bis 1938 Unterstaatssekretär im Außenministerium war, befürwortete eine rigoros antideutsche Politik.

86 Emil Ludwig (1881-1948) lebte von 1940 an als Emigrant in den USA, wo er ein außerordentlich erfolgreicher Sachbuchautor war. Er vertrat die These von einem deutschen Sonderweg und einem spezifischen, für den Nationalsozialismus besonders anfälligen deutschen Nationalcharakter, die auch seinem Buch *The Germans. Double History of a Nation* (New York 1942) zugrundeliegt (vgl. den Artikel über Emil Ludwig von Johanna W. Roden in Spalek/Strelka 1989, S. 554-569, sowie Koepke 1987, S. 79-87).

beteiligen wollte und ebenfalls den Vorfall sehr bedauert. (Die Österreicher, sofern es sich um die demokratischen und sozialistischen handelt, überschütten uns arme deutsche Antifaschisten mit viel Anteilnahme. Sie sind sehr aktiv, aber auch damit schütten sie nur Salz in unsere Wunden. Die Österreicher freilich haben den Adler[87] und den Deutsch und sind nicht veranlasst, Werfel um die Führung der österreichischen Emigration zu bitten.)

Ich halte Sie auf dem Laufenden und bitte Sie um Ihre Ansicht zu der Wendung, die die Sache genommen hat.

Herzlich Ihr

H[orst] B[aerensprung]

Lieber Zuck, Brecht ist hier oben auch mit bei Thomas Mann. Trotz seiner Empörung ist er auch für den Versuch, zusammen zu bleiben. Herzlichst Elis[abeth] Hauptmann.[88]

Zuckmayer berichtete seiner Frau, die nach San Francisco gereist war, in einem Brief vom 6. Dezember 1943 von den Vorgängen:

Ich bekam gerade Post vom Baerensprung, dass das Thomas-Mann-Komittee, dem ich Gottseidank keine Zeit und Arbeit mehr gewidmet sondern bei Zeiten Ade gesagt habe, aufgeflogen ist und grosser Krach und Thomas kalte Füsse bekommen hat undsoweiter – und dass jetzt mit dem in New York eingetroffenen Brecht neue Versuche gemacht werden bei denen man auf mich nicht verzichten könne etcetera. Ich bleib aber vorläufig weiter aus alledem raus, soll mal Brecht machen, der dazu geeigneter ist.[89]

Von nun an hielt Zuckmayer sich von allen Diskussionen über Manifeste, Resolutionen oder Aufrufe fern. Bereits im

---

87 Gemeint ist der sozialistische Politiker Friedrich Adler (1879-1960), der 1940 in die USA emigrierte (vgl. Röder/Strauss 1980, Bd. 1, S. 6 f.).
88 DLA, Nachlaß Carl Zuckmayer.
89 Original im Privatbesitz.

Oktober war er einer Einladung Ernst Blochs zu einem Vortrag in Boston nicht gefolgt.[90] Als man seinen Namen ungefragt unter eine von Paul Tillich initiierte Deklaration gesetzt hatte, wehrte er sich dagegen entschieden. Seinem Verleger Gottfried Bermann Fischer schrieb er dazu am 20. April 1944:

> Dass die Leute vom Tillich-Komitee es gewagt haben, meinen Namen unter ihr ausserordentlich schwaches und sicher sehr ungeschicktes Manifest zu setzen, nachdem ich ihnen vor vier Wochen klipp und klar abgesagt habe,[91] ist ein starkes Stück. Ich habe noch Sonntag nacht ein Protesttelegramm geschickt und dann an drei verschiedene Vertreter eingeschriebene Briefe, darauf bestehend dass die betr. Exemplare aus der Zirkulation gezogen werden müssen, wenn sie mich nicht zu einer öffentlichen Berichtigung zwingen wollen. Ich will in keine, wie immer geartete, politische Gruppierung der Emigration hinein, ich halte es für wahrscheinlich, dass unsereiner allein und auf seine, unabhängige Art viel mehr für die Zukunft tun kann, – und selbst wenn solche Koalitionen von Linksparteilern bis zu Zentrumsleuten eine Chance hätten, wieder ein politischer Faktor für Deutschland zu werden, – was sogar aus Verlegenheit geschehen kann weil oder wenn man nichts anderes weiss, – so würde ich es immer noch für totgeboren halten, so lange sich nicht aus dem nachhitlerschen Deutschland selbst neue Kräfte zeigen. Ausserdem will ich weder Kultusminister in Preussen noch Burgtheaterdirektor in Wien werden, sondern nur wieder mit meinem Wort und meiner

90 Vgl. Nickel/Weiß 1996, S. 295 f.
91 Möglicherweise hatte Zuckmayer auf einen Bericht im *Aufbau* (New York) vom 3. März 1944 unter der Überschrift *Deutsche Exilpolitik am Broadway* reagiert, in dem von einer Studiengruppe unter Leitung Paul Tillichs die Rede war, der neben Horst Baerensprung, Hermann Budzislawski, Bertolt Brecht, Karl Frank, Paul Hertz und Albert Grzesinski unter anderem auch Zuckmayer angehöre.

Arbeit das deutsche Volk erreichen, – und dazu scheint es
mir auch am besten, sich jetzt von allen Grüppchen und
Clübchen fern zu halten.[92]

Einen Tag später entschuldigte sich Karl Frank bei Zuckmayer:

Ich erhielt eben die Kopie Deines eingeschriebenen Briefes
an Baerensprung. Ich hatte nie erfahren, dass Du Deine
Unterschrift auch auf dem Aufruf-Entwurf zurückgezogen
hattest. Wohl hatte mir Frau Hauptmann einmal mitgeteilt,
dass Du nicht dem Kommittee angehören willst. Ich würdige vollkommen Deine Motive und werde dafür sorgen, dass
vor der Veröffentlichung Dein Name auch unter den Unterzeichnern gestrichen wird. In einem kann ich Dich beruhi-
gen. Es gibt weder eine gedruckte noch eine hektographierte
Liste des Initiativ-Kommittees mit Deinem Namen, die in
Umlauf gekommen wäre. Richtig ist leider, dass es eine
Liste von ausgewählten Namen von Unterzeichnern gibt,
auf der Du genannt bist. Sie wurde einem Kreis von etwa
hundert Amerikanern zugesandt mit der Aufforderung, im
Hinblick auf die kommende Veröffentlichung einer amerikanischen sponsoring group beizutreten. Im Begleitbrief
wird ausdrücklich gesagt, dass es sich um einen proviso-
rischen Entwurf handelt und um ein vertrauliches Schreiben.[93]

In einem Brief vom 17. Februar 1944 an den kommunistischen Schriftsteller und Verleger Wieland Herzfelde, der ihn
gebeten hatte, dem Gründungsausschuß des Autorenverlags
›Aurora‹ beizutreten, umriß Zuckmayer seine gewandelte
Haltung in Fragen der politischen Gruppenbildung. Während
er noch zwei Jahre zuvor lediglich wegen Geldsorgen keinen

---

92 Indiana University, The Lilly Library, Manuscripts Depart-
    ment, Bloomington, Indiana, USA, Teilnachlaß Gottfried Ber-
    mann Fischer.
93 DLA, Nachlaß Carl Zuckmayer.

Verlagsanteil gezeichnet hatte,[94] lehnte er es nun aus strategischen Überlegungen ab, Herzfeldes Verlagsprogramm neben Ernst Bloch, Bertolt Brecht, Ferdinand Bruckner, Alfred Döblin, Lion Feuchtwanger, Oskar Maria Graf, Heinrich Mann, Berthold Viertel, Ernst Waldinger und F. C. Weiskopf mitzuverantworten:

> Wie ich Ihnen neulich schon geschrieben habe:[95] mitarbeiten möchte ich bestimmt in Ihrem ~~neuen~~ Verlag, und ich hoffe, Ihnen bald das Manuskript eines neuen Stückes einreichen zu können, das sich vielleicht für die Buchveröffentlichung eignet. (Es behandelt die Höllenfahrt eines deutschen Generals, der gegen die Nazis ist aber für sie kämpft, und darüber hinaus die Tragödie und Schuld des Menschen, der – aus was für Motiven auch – gegen seine wahre Überzeugung handelt). Ich halte es aber für besser, den Gründern nicht beizutreten, obwohl das eine sehr schwere Entscheidung für mich ist. Denn die einzelnen Namen Ihrer Gründer repräsentieren für mich die besten, bedeutendsten und wichtigsten Autoren der deutschen Emigration, einige, wie vor allem Brecht, oder Heinrich Mann, die stärksten Dichter der Epoche. Trotzdem bilden sie als Ganzes, als Gruppe, eine ideologisch so stark abgegrenzte Einheit, dass ich nicht sicher bin, ob ich mich ihrem politischen und geistigen Programm immer und in allen Punkten einordnen könnte. Unser Ziel ist bestimmt das gleiche: (nennerhaft gesagt: Sozialismus – und Freiheit des

94 »Mit der Zeichnung eines Verlagsanteils«, so Zuckmayer in einem Brief vom 17. August 1942 an Herzfelde, »sieht es bei mir so aus: ich muss versuchen das Geld am 1. September oder 1. Oktober herauszuschinden, denn im Augenblick bin ich penniless und habe an den Monatsersten immer allerlei Zauberkunststücke zu vollführen um die ärgsten Rechnungen zu bezahlen« (Stiftung Archiv der Akademie der Künste Berlin, Nachlaß Herzfelde).

95 Gemeint ist ein Brief vom 17. Februar 1944, der ebenfalls im Nachlaß Herzfeldes überliefert ist.

produktiven Schaffens). In der menschlichen und charakterlichen Haltung gehn wir gewiss auch zusammen. Was den ›Zähler‹ anlangt, – Mittel und Wege, Form und Ausdruck, – mag es zu Meinungsverschiedenheiten kommen, (zum Beispiel, ganz allgemein, in der Beziehung zu religiösen Fragen, in der Auffassung von ›Propaganda‹ usw.). Und ich halte es für besser, wenn man unter grundsätzlich Gleichgesinnten eine Möglichkeit von Differenzen sieht, sie von vornherein zu vermeiden, statt es später eventuell zu Misshelligkeiten, Unklarheiten, Austritt oder dergleichen kommen zu lassen. Nicht etwa, dass mir Ihre Gruppierung zu ›radikal‹ wäre – einer gemässigteren stünde ich viel ferner. Aber ich konnte mich nie einer ideologisch festgelegten Richtung anschliessen und kann es auch heut noch nicht, es gibt für mich zu viel ungelöste Fragen, mit denen ich mich nur von meinem eigensten Standpunkt aus herumschlagen kann, – ohne mich deshalb isolieren zu wollen. Auf meine aktive Mitarbeit, wo immer sie Ihnen nützlich und brauchbar erscheint, können Sie rechnen.[96]

Ähnlich äußerte er sich gegenüber Karl Otto Paetel, einem ehemaligen Nationalbolschewisten, der sich von Ende der 1920er Jahre an im Umfeld Ernst Jüngers bewegt und 1930 die ›Gruppe Sozialrevolutionärer Nationalisten‹ gegründet hatte. Nach der Zurückdrängung der nationalsozialistischen ›Linken‹ um Gregor Strasser war Paetel in scharfe Opposition zur NSDAP gegangen. 1935 emigrierte er nach Prag, floh 1937 weiter nach Paris und 1940/41 über Spanien und Lissabon in die USA. Dort wurde er Mitarbeiter der *Deutschen Blätter*, die 1943 einen Auszug aus Zuckmayers Bekenntnisschrift *Pro Domo* (1938) abdruckten.[97] 1946 hat er zusammen mit

---

96 Ebd.
97 Zuckmayer hat Karl Otto Paetel (1906-1975) vermutlich erst im Exil kennengelernt. Briefliche Kontakte bestanden bis 1947. Zur Biographie vgl. Röder/Strauss 1980, Bd. 1, S. 546 f., sowie Elfe 1987, S. 190-198.

Friedrich Krause[98] das Buch *Deutsche Innere Emigration.*
Antinationalsozialistische Zeugnisse aus Deutschland heraus-
gegeben, für das Zuckmayer den Beitrag *Dem Gedächtnis*
Haubachs und Mierendorffs beisteuerte. Kurz vor der Druck-
legung bekam Zuckmayer eine Ankündigung des Titels zu
Gesicht, die ihn veranlaßte, Paetel zu schreiben:

> Ich weiss nicht wie weit die Veröffentlichung des Bänd-
> chens nun schon durchgeführt oder fortgeschritten ist. An
> sich scheint mir gegen Ihre Auswahl nichts einzuwenden.
> Die Ankündigung durch Krause[99] war allerdings recht
> ungeschickt. Persönlich sind mir Schlagworte wie ›Innere
> Emigration‹ zuwider. Das hat nichts mit ›rechts‹ oder ›links‹
> zu tun – mehr mit Geschmack. Ich glaube nicht an allein-
> seligmachende Parteiprogramme, Ideologien oder Wirt-
> schaftslehren. Ich bin gegen Gleichschaltung, besonders der
> Dichter und Künstler, wohin sie auch ›ausgerichtet‹ sei. Ich
> bin ebenso wenig von einem ›Nur-Linksradikalen‹ wie von
> einem ›Nur-Konservativen‹ ohne Vorbehalt hingerissen und
> glaube dass die Gewalt elementarer Ereignisse die Begriffe
> ›revolutionär‹ und ›reaktionär‹ von Grund auf erschüttert
> und in ihrer konventionellen Anwendung fragwürdig ge-
> macht haben. Das sind persönliche Ansichten. Ich bin aber
> dagegen dass man einer Veröffentlichung von deutschen
> Freiheitsdokumenten, eine ungeheuer wichtige Unterneh-
> mung, nach aussen hin einen einseitigen und womöglich

---

98 Friedrich Krause (1897-1964) war von 1929 bis 1932 Lokal-
    redakteur der *Neuen Leipziger Zeitung.* Er emigrierte 1933 nach
    Bregenz und arbeitete für den Europa Verlag, dessen Miteigen-
    tümer er war, und den Oprecht Verlag in Zürich. Für beide Un-
    ternehmen war er von 1938 an in New York als Vertreter tätig.
    Dort gründete er auch einen eigenen Verlag, in dem 1946 das
    Buch *Deutsche Innere Emigration. Antinationalsozialistische*
    Zeugnisse aus Deutschland erschienen ist. Zur Biographie vgl.
    Röder/Strauss 1980, Bd. 1, S. 391.
99 Konnte nicht ermittelt werden.

engstirnigen, unfreien Anstrich gibt. Krause hat da offenbar keine glückliche Hand und muss kontrolliert werden, ich hoffe Sie können ihn überwachen und beeinflussen.

Ich weiss selbst nichts über die Haltung und die Äusserungen von Frank Thiess während der Nazi-Zeit, aber es ist da ein ziemliches Geschrei im Gange.[100] Sie wissen das ja auch. Sollten Sie über Thiess besser informiert sein als ich so können Sie wohl beurteilen, ob er wirklich in die geplante Sammlung hineingehört oder ob er sich tatsächlich in einer Weise kompromittiert hat dass er – wenn auch mit einem annehmbaren Dokument[101] – der Sache schaden würde und der ›Nur-Opposition‹ die gewünschte Waffe liefern um das ganze Büchlein als stinkende Reaktion zu verschreien.

Ich fürchte dass ich mit meinen Anmerkungen und Ratschlägen zu spät komme, aber ich wollte sie doch noch aussprechen. Ich würde das Wort ›innere Emigration‹ überhaupt nicht anwenden sondern nur vom deutschen Widerstand sprechen und von denen, die unabhängig von Partei oder Richtung lieber ihr Leben opferten als die Tyrannei und die Schande Deutschlands zu erdulden. Und in der Auswahl alle solchen weglassen, für die das vielleicht nicht zutrifft sondern die es nur jetzt entdeckt haben. Leute wie

100 Der Band enthält von Thieß den Text *Innere Emigration*.
101 Frank Thieß veröffentlichte am 18. August 1945 in der *Münchener Zeitung* den Artikel *Innere Emigration*, mit dem er auf einen Beitrag Thomas Manns reagierte, der in vielen amerikanischen Armeezeitungen, u.a. auch in der *Bayerischen Landeszeitung* vom 18. Mai 1945 unter der Überschrift *Thomas Mann über die deutsche Schuld* erschienen und von Walter von Molo mit einem *Offenen Brief* beantwortet worden war. Die Reaktionen von Molo und Thieß, die eine »innere« Emigration im Vergleich zu einer »äußeren« Emigration als moralisch mindestens ebenbürtig verteidigten und Thomas Mann zur Rückkehr nach Deutschland aufforderten, lösten eine Debatte aus, die – leider unvollständig und einseitig – dokumentiert ist in Grosser 1963. Zur Rolle von Thieß im ›Dritten Reich‹ vgl. Renner 1990.

Wiechert haben ihre Stellung bewiesen.[102] Von solchen wie
Thiess und Alverdes[103] kann ich es nicht beurteilen und rate
⟨zur⟩ Vorsicht.[104]

Zuckmayer schätzte die endlosen Diskussionen um Resolutionen, Programme und die daraus erwachsenen Unstimmig-
keiten genauso als unergiebig ein wie das tradierte politische
Lagerdenken. Nicht alle seine Freunde und Bekannten konnten ihm in seinen Ansichten folgen. Der 1933 aus Deutschland
emigrierte Schriftsteller Ulrich Becher[105] begab sich etwa auf
einen – wie Zuckmayer es gegenüber Karl Frank in einem
Brief vom 13. September 1944 bezeichnete – »Giftspritz-
Feldzug«. »Bei solchen Leuten«, so Zuckmayer,

> bei denen das auf gleichartigen Boden fällt, Mehring[106] und
> anderen, die heute sowieso gegen uns eingenommen sind,
> hat er erzählt, er sei hier abgereist, weil ich so ›deutsch-
> national‹ geworden sei dass man es überhaupt nicht aus-
> halten könne. Mir wurde das in New York sofort wieder

102 Der Band enthält von Wiechert den Text *Neuanfangen*. Vgl.
     Zuckmayers Urteil über Wiechert in seinem *Geheimreport*; in
     diesem Band S. 22 f. und den Kommentar auf S. 198 f.

103 Der Band enthält von Alverdes einen Auszug aus dem Text *Ge-
     meinschaft und Masse* (1934), den Alverdes in sein Buch *Dank
     und Dienst. Reden und Aufsätze* (München 1939, S. 266-269,
     hier: S. 269) aufgenommen hat. Vgl. Zuckmayers Urteil über
     Alverdes in seinem *Geheimreport*; in diesem Band S. 157 und
     den Kommentar S. 358 f.

104 Archiv der deutschen Jugendbewegung, Witzenhausen, Nach-
     laß Karl Otto Paetel, Brief vom 7. Dezember 1945.

105 Ulrich Becher (1910-1990) emigrierte 1933 aus Deutschland. Von
     1944 an lebte er in New York (vgl. Röder/Strauss 1980, S. 65).

106 Walter Mehring (1896-1981), einer – so Zuckmayer in seiner
     Autobiographie – »meiner liebsten Freunde aus den frühen
     Berliner Jahren« (*Als wär's ein Stück von mir*, S. 131), emigrierte
     1933 aus Deutschland. Von 1941 an lebte er in den USA (vgl.
     auch S. 243, Anm. zu *Mehring* sowie Röder/Strauss 1980,
     Bd. 2/2, S. 795 f.). Über Kontakte zu Zuckmayer in der Zeit
     des amerikanischen Exils ist nichts bekannt.

erzählt. Auch bei anderen hat er politisch gegen mich gehetzt und mich als ›Fast-Nazi‹ und ›deutschnationalen
Reaktionär‹ hingestellt – vor allem seine Abreise von hier
damit erklärt. (Mir ist das natürlich sehr wurscht und ich
denke nicht daran mich damit einzulassen oder etwas dagegen zu unternehmen.)[107]

4. Die Entstehung von Zuckmayers ›Geheimreport‹

Als die Fraktionskämpfe über ein gemeinsames Memorandum der deutschen Emigration in den USA ihren Anfang
nahmen, hatten sich die OSS-Mitarbeiterin Emmy Rado und
Zuckmayer über die Anfertigung eines Reports mit Charakterportraits verständigt. Rado war vermutlich durch die von
Zuckmayer mitverfaßte Resolutionsalternative (vgl. S. 423 f.)
auf ihn aufmerksam geworden. Wann genau und wodurch
bzw. durch wen angeregt das OSS auf ihn zugegangen ist,
konnte jedoch nicht ermittelt werden.

Am 21. September 1943 schickte Emmy Rado Zuckmayer
eine »sehr genau ausgearbeitete Liste von Charakter-Eigen-
schaften«, die leider nicht überliefert ist. Sie sollte ihm, wie es
im Begleitbrief hieß, »einige Anhaltspunkte« beim Verfassen
seiner »Personal Traits« geben.[108] Daraufhin schrieb er eine
Einleitung, vermutlich seine Überlegungen zur Charakterologie (S. 9-14), für deren Übersendung sich Emmy Rado am
18. Oktober bedankte: »Was Sie sagen, kann nicht besser aus-
gedrückt werden als Sie es getan haben. Meine Kollegen sind
ebenso beeindruckt davon wie ich, und wir sehen mit Spannung Ihren Berichten entgegen.«[109] Nächste Ergebnisse,
wahrscheinlich die in vier Kategorien eingeteilte Namenliste
(S. 15-17), gab Zuckmayer persönlich ab. Er traf Emmy Rado

107 Institut für Zeitgeschichte München, Nachlaß Karl Frank.
108 DLA, Nachlaß Carl Zuckmayer.
109 Ebd.

allerdings, wie aus ihrem Brief vom 7. Dezember hervorgeht, nicht an:

Lieber Herr Zuckmayer:
Es tat mir leid, Sie nicht gesehen zu haben – aber ich hoffe auf das nächste Mal.

Was Sie bisher geschrieben haben, ist genau das Richtige und gerade wie wir es gern haben. Thormann is [!] begeistert. Bitte fortfahren! Es hilft uns gerade an einer Stelle, wo wir alle nicht genau Bescheid wissen.

Grüssen Sie ihre Frau von mir. Hoffentlich kann sie sich auch einmal von den Ziegen wegreissen.

Herzlichen Gruss
Ihre
Emmy C. Rado[110]

Im Januar 1944 ist dann vermutlich das Gros des Abschnitts »Gruppe 1: Positiv (Vom Nazi-Einfluss unberührt, widerstrebend, zuverlässig)« entstanden (S. 18-55), für dessen Übersendung sich Emmy Rado am 2. Februar bedankte:

Lieber Herr Zuckmayer:
Vielen, vielen Dank für die »Guten«. Ich habe mich sehr damit gefreut.

Wenn Sie zu den »Schlechten« kommen, tun Sie bitte Gerüchte, Geschichten, »dirt«, etc. herein. Vielleicht kann so etwas noch gebraucht werden im Psychological Warfare. Halten Sie nicht zurück.

Unsere Leute sind sehr geknickt durch den Tod von C[arlo] M[ierendorff]. Es ist ein so bösartiges Schicksal, das einen Mann überleben lässt und ihn dann *so* einholt.

Wir freuen uns auf Ihren Besuch.

Bis dahin
mit herzlichem Gruss
Emmy C. Rado[111]

---

110 DLA, Nachlaß Carl Zuckmayer.
111 Ebd.

Emmy Rado verlangte also nach Klatsch, bekam ihn und war – trotz der häufigen Hinweise Zuckmayers auf die Unzuverlässigkeit solcher Informationen – hingerissen. Am 24. Februar schrieb sie:

> Mein lieber Herr Zuckmayer:
> Ihre dramatischen Skizzen haben die grösste Begeisterung erregt. Wenn ich schreiben könnte, würde ich versuchen, Ihnen zu erklären, *wie* gut das Material ist. So muss ich warten, bis Sie kommen und ich es Ihnen mündlich sagen kann.
> Ich schicke Ihnen heute $ 150.00[112] durch Postal Money Order. Am 1. März schicke ich weitere $ 150.00. Die Teilung geschieht nur, um mein Budget zu balancieren.
> Sie haben Ihren angekündigten Besuch noch nicht ausgeführt; ich höre aber, dass Sie zur Feier von C[arlo] M[ierendorff] hier sein werden, stimmt das?[113]
> Herzliche Grüsse
> von Ihrer »unängstlichen«
> Emmy C. Rado[114]

Am 6. März erhielt Zuckmayer von Emmy Rado die zweite Rate seines Honorars mit der Ankündigung: »Im April werden wir eine dritte schicken.« »Ihre Arbeit«, schrieb sie ihm dann noch, »ist *so* gut. Wenn Sie nicht schon berühmt wären, könnten Sie es damit werden.«[115] Am 3. April folgte nochmals eine Zahlung von 150 Dollar. Wie aus der Korrespondenz mit seiner Frau hervorgeht, traf Zuckmayer Emmy Rado noch hin und wieder in New York. Ein letzter Brief von ihr datiert aus dem Jahr 1945 und kam aus Zürich.[116]

---

112 Zum Vergleich: Der durchschnittliche Wochenlohn eines Angestellten betrug 1944 in den USA 43,63 Dollar, der eines Arbeiters 45,27 Dollar (vgl. Kocka 1977, S. 277).
113 Zuckmayer hielt am 10. März 1944 in New York seine Rede *Carlo Mierendorff. Porträt eines deutschen Sozialisten* (abgedruckt in Zuckmayer, *Aufruf zum Leben*, S. 39-63).
114 DLA, Nachlaß Carl Zuckmayer.
115 Ebd.
116 Ebd.

5. Bedeutung und Bewertung
von Zuckmayers ›Geheimreport‹

Die Bedeutung, die Zuckmayers Portraits für Emmy Rado hatten, wird in ihrem *Report of First Year Activity June 7, 1943 – June 7, 1944* deutlich, in dem es unter anderem heißt:

> Ein weiteres Dossier wurde über die führenden Schriftsteller und Künstler in Deutschland angefertigt. Nach der Besetzung wird es von besonderer Bedeutung sein, wer von ihnen sofort ausgeschaltet werden muß. Auskünfte, auf die wir zurückgreifen können, verdanken wir einem berühmten deutschen Schriftsteller, der jetzt als Flüchtling bei uns lebt. Er hat eine hervorragende Charakteranalyse über seine deutschen Kollegen verfaßt, die zeigt, daß eine größere Zahl von Schriftstellern und Künstlern der Weimarer Jahre, die begeisterte Linke waren, zu leidenschaftlichen Nazis wurden, als Hitler die Macht übernahm. Die eher konservativen Schriftsteller der zwanziger Jahre dagegen behielten nach Hitlers Machtergreifung eine vernünftigere und zurückhaltendere Haltung bei.[117]

Damit wird ein Aspekt hervorgehoben, der wahrscheinlich schon bei der Auftragsvergabe eine zentrale Rolle spielte. Ein Indiz für diese Annahme liefert Zuckmayers Feststellung, Hermann Graf Keyserling und viele seiner Anhänger hätten sich von der nationalsozialistischen Ideologie angewidert abgewandt, weshalb man sie »keineswegs, wie es Linksdemokraten sicher tun werden, in Bausch und Bogen als Nazivasallen und Reaktionäre abtun« dürfe (vgl. S. 167). Diese Invektive gegen die »Linksdemokraten« kam der konservativen Grundhaltung Emmy Rados sehr entgegen und stellte zugleich einen Gegensatz zu den Analysen von Herbert Marcuse dar.

---

117 National Archives II, College Park, Maryland, Washington D.C., Military Records, Record Group 226 (OSS), entry 159, box I, folder 5; Original in englischer Sprache.

Allein methodisch beschritt Zuckmayer einen Weg, der sich grundlegend von den Untersuchungen jener OSS-Mitarbeiter unterschied, deren Einfluß nach dem Urteil Alfons Söllners »beträchtlich war«.[118] Anders nämlich als Franz Neumann, Otto Kirchheimer und Marcuse, die die politische und ökonomische Makrostruktur des NS-Staates analysierten, betrieb Zuckmayer gleichsam Mikrogeschichte und begründete, warum in seinen Augen bestimmte Menschen bei einem Neuanfang nach dem Zweiten Weltkrieg für Schlüsselpositionen entweder in Frage kamen oder nicht. Dabei ging er wie beim Schreiben eines Dramas vor, und Emmy Rado sprach wohl auch nicht von ungefähr in ihrem Brief vom 24. Februar 1944 von »dramatischen Skizzen«. Zuckmayer charakterisierte die ihm am nächsten stehenden Personen ausführlich, die anderen dagegen nur knapp (einige auch gar nicht). Oft werden dabei Valeurs und Ambivalenzen sichtbar, die für eine strukturelle Gesellschaftsanalyse so irrelevant sind wie alle individuellen Besonderheiten. Seinem Vorgehen liegt dieselbe Auffassung zugrunde, die ihn später einmal zu einer Kritik an Brecht veranlaßte, weil dieser als Dramatiker aus theoretischen Gründen nie Menschen habe gestalten wollen.[119] Zuckmayer war dagegen überzeugt, daß sich jedes Urteil über Verhaltensweisen im Nationalsozialismus konsequent an der einzelnen Persönlichkeit und deren Verantwortung ausrichten müsse.

Franz Neumann hat in seiner 1942 erstmals veröffentlichten und 1944 in einer überarbeiteten Fassung erschienenen Studie *Behemoth* nachzuweisen versucht, »daß es keinen spezifischen deutschen Charakterzug gibt, der für Aggression und Imperialismus verantwortlich zu machen wäre, sondern daß der Imperialismus der Struktur der deutschen Monopolwirtschaft, dem Einparteiensystem, der Wehrmacht und der

118 Söllner 1982, S. 30.
119 DLA, Nachlaß Carl Zuckmayer, Brief Zuckmayers an Ludwig Berger vom 19. August 1961.

Bürokratie innewohnt.«[120] Aber es gab unter seinen Kollegen auch die Überlegung, die deutsche Bevölkerung sei von der NS-Propaganda in fundamentalen Fragen nachhaltig manipuliert worden. »Die nationalsozialistische Erziehung zu Rationalität und Effizienz«, meinte Herbert Marcuse, »hat die Denk- und Verhaltensmuster der Menschen in allen Bevölkerungsschichten viel grundlegender verändert als der so laut verkündete Bruch mit den überkommenen Tabus. ›Innerlichkeit‹ und ›Romantizismus‹«, so glaubte Marcuse, der nicht ahnte, wie sehr gerade diese Haltungen etwa in den deutschen Nachkriegsfilmproduktionen wieder zum Ausdruck kommen sollten, »sind vom Nationalsozialismus durch die politische Mobilisierung zerstört worden.«[121] Marcuse und Neumann befürworteten daher eine Umerziehung der deutschen Bevölkerung, wobei Neumann allerdings großen Wert darauf legte, sie müsse im wesentlichen »von den Deutschen selbst geleistet werden«.[122] In Zuckmayers Augen war sie überflüssig, beruhte seine Charakterologie doch auf der unausgesprochenen Annahme invarianter Charaktereigenschaften. Offenbar war er ähnlich wie Ernst Jünger der Ansicht, daß Charaktere nicht erworben, sondern »durch die göttliche Ungerechtigkeit des Schicksals [...] verteilt« werden: »Einmal gegeben, ›eingeritzt‹, sind sie in ihrem Kerne unveränderlich.«[123] Zuckmayers Report läuft daher auf die Empfehlung hinaus, charakterlich geeignete und charakterlich ungeeignete Personen zu unterscheiden und entsprechende personalpolitische Konsequenzen zu ziehen. Um diese Unterscheidung vorzunehmen, versuchte er auf der Basis eines Konzepts der autonomen Persönlichkeit, die Motive für Konzessionen gegenüber dem NS-Staat fallweise zu bewerten. Schließlich konnte ein und dieselbe

---

120 Neumann 1984, S. 549.
121 Marcuse 1998, S. 59.
122 Vgl. ebd., S. 60 f. sowie Neumann 1978, S. 307.
123 Ernst Jünger, *Der Charakter*, in: Berggötz 2001, S. 207-212, hier: S. 210.

Handlungsweise einmal ein taktisches Zugeständnis, ein anderes Mal Ausdruck tatsächlicher politischer Überzeugung sein. Daß Zuckmayer nur über exponierte Personen ein Urteil abgab, relativiert allerdings seine implizite Kritik an Überlegungen zu einer Umerziehung der Deutschen. Denn genau besehen ging es ihm um die Auswahl geeigneter Leitfiguren, also um Menschen, die vorbildhaft und nachhaltig prägend wirken konnten. Auch Effekte, die »opinion leader« zu erzielen vermögen, sind aber nichts anderes als erzieherischer Natur.

Dennoch bleibt eine entscheidende Differenz zum Umerziehungskonzept Marcuses in der unterschiedlichen Auffassung von der »Mentalität« und deren Veränderbarkeit bestehen, was eng mit dem skizzierten Charakterbegriff zusammenhängt. Marcuse ist letztlich ein »Sozialingenieur«, der Grunddispositionen in überschaubaren Zeiträumen ändern zu können glaubt, während Zuckmayer von länger wirksamen Mentalitäten ausgeht. Daher rührt auch sein Glaube, trotz der NS-Herrschaft bestehe ein »eigentliches« Deutschland weiter und der Nationalsozialismus sei lediglich eine Art ›Oberflächenmentalität‹.

Noch in einem anderen Punkt sind die Gegensätze unversöhnbar. Die Gruppe um Neumann ging davon aus, daß in Deutschland allenfalls von der Arbeiterbewegung und der politischen Linken nennenswerter Widerstand zu erwarten sei. Das Attentat vom 20. Juli 1944 bewerteten sie als bloße Palastrevolte enttäuschter Konservativer.[124] Die mit dieser Sichtweise verbundenen Unzulänglichkeiten hat Petra Marquardt-Bigman scharfsinnig analysiert:

> Der Verdacht krasser Parteilichkeit muß aufkommen, wenn die schließlich nicht denkfaulen R & A[= Research and Analysis]-Deutschlandexperten angesichts der von ihnen selbst

---

124 Vgl. Heideking 1993; Heideking/Mauch 1993, S. 13-151; Marquardt-Bigman 1995, S. 96-118.

formulierten These, daß es in einem totalitären Staat keine von breiten Bevölkerungsschichten getragene Revolution geben könne, nicht zu dem Schluß gelangten, daß im nationalsozialistischen Deutschland nur diejenigen eine Chance hatten, das Regime zu stürzen, die ihm zunächst gedient hatten, deshalb Teil seines Machtapparates waren und aus dieser Position heraus versuchen konnten, ihm diesen Machtapparat zu entreißen. Zumal dann, wenn man wie R&A davon ausgeht, daß sich der Untergrund auf Armee- und Parteikreise ausgeweitet habe, zeugt es kaum von politischer Unvoreingenommenheit und Objektivität, wenn man die Handlungsmöglichkeiten dieses »Untergrunds« mit dem Argument abtut, daß er doch nur auf einen Staatsstreich abziele. Mit dieser Darstellung verletzten die R&A-Experten ihre Sorgfaltspflicht als Wissenschaftler wie als Geheimdienstmitarbeiter. Als Wissenschaftler handelten sie unzulässig, weil sie ihre Kriterien für die Beurteilung des deutschen Widerstands nicht offenlegten, als Geheimdienstmitarbeiter handelten sie unzulässig, weil sie die ihnen vorgegebenen Kriterien – nämlich die Frage nach den tatsächlichen Handlungsmöglichkeiten des Widerstands – ignorierten.[125]

Zuckmayer war zwar kein Theoretiker, schätzte die Situation in Deutschland aber vielleicht gerade deshalb weit treffsicherer ein. Schon in der 1938 publizierten Bekenntnisschrift *Pro Domo* hatte er auf die Existenz eines ›Anderen Deutschlands‹ hingewiesen, das sich nicht nur auf die Arbeiterbewegung und Reste der politischen Linken beschränke. Diese Ansicht bekräftigte er nochmals 1944 in seiner Auseinandersetzung mit Thomas Manns Tochter Erika, nachdem ihr Artikel *Eine Ablehnung* am 21. April 1944 in der deutschsprachigen New Yorker Exilzeitung *Aufbau* erschienen war. In diesem Beitrag heißt es u.a.:

125 Marquardt-Bigman 1995, S. 105.

Bis zum Tage des Kriegsausbruches mochte man an ein
»anderes« Deutschland glauben, mochte sich einreden, dass
eine Majorität »guter«, wenngleich verblüffend inaktiver
Deutscher von den Nazis niedergehalten sei. Mir selbst waren derlei Vorstellungen nicht fremd, wiewohl an ihnen
festzuhalten von Jahr zu Jahr schwieriger wurde. Als aber
ein bis zu den Zähnen bewaffnetes Reich, weit davon entfernt, seine Waffen gegen seine »Versklaver« zu erheben,
über Europa hergefallen war, zerstob der Wunschtraum. In
der Gegenwart, soviel war deutlich geworden, zählte dies
»andere« Deutschland nicht.

Zuckmayer war über diesen Beitrag so empört wie Brecht
kurz zuvor über das Verhalten Thomas Manns. Er reagierte
mit einem *Offenen Brief an Erika Mann*, den der *Aufbau* am
12. Mai 1944 veröffentlichte:

Liebe Erika, ich habe Deinen Artikel ›Eine Ablehnung‹
mit Bedauern gelesen. Wenn ich mich gedrängt fühle, Dir
zu antworten, so vor allem deshalb, weil ich selbst keiner
Gruppe, keinem Ausschuss oder Komitee der deutschen
oder österreichischen Emigranten angehöre, weil ich mich
nach gründlicher Überlegung entschlossen habe, nicht an
Proklamationen teilzunehmen und kein Manifest zu unter-
zeichnen. [...]
[Dieser Entschluss] resultiert aus [...] Erwägungen, – die
mich bezweifeln lassen, ob eine politische Aktivität der
Emigrationskreise heute möglich und nützlich ist, oder ob
sie eher dazu geeignet ist, verwirrende Diskussionen zu
stiften und eine an sich gute Bestrebung vorzeitig auf ein
totes Gleis zu schieben. Er resultiert ferner aus persönlicher
Abneigung gegen theoretische und doktrinäre Fixierungen,
und aus einer ebenso persönlichen Auffassung von der aus-
serparteilichen und unabhängigen Stellung künstlerischen
Schaffens. Er hat aber nichts gemein mit einer generellen
Diskriminierung des deutschen Volkes, die mir ebenso
absurd, zelotisch, kurzsichtig, – wirklichkeitsfremd und

wahrheitsfern erscheint, wie jedes moralische Gesamturteil über ein Volk oder eine ›Rasse‹.

Völker sind aus Menschen zusammen gesetzt, und Menschen sind Geschöpfe, die beide Wesenspole, den des Guten, den des Bösen, in sich tragen. Eine prinzipielle Einteilung in ›gute‹ und ›böse‹ Völker, oder auch in die ›Guten‹ und die ›Bösen‹ innerhalb der Völker, ist sinnlos. [...] Wir haben keinen Grund, anzunehmen, dass nicht gerade dort, wo Terror und Gewalttat ihr schändlichstes Gesicht gezeigt haben, eine tiefgehende und ehrliche Katharsis möglich ist. Die Reinigung Deutschlands muss tiefgehend und gründlich sein, aber sie kann der Welt nichts nützen, wenn sie nur eine Zwangsmassnahme ist, wenn sie nicht von Innen kommt, und wenn ihr die Hilfe und das Vertrauen versagt bleibt [...]

Ich sehe nichts Gutes darin, weder für Deutschland noch für die Welt, wenn als krasser Pendelausschlag gegen den Wahnwitz des Pangermanismus nun ein ebenso krasser Antigermanismus geschaffen wird, der den kleinherzigen und abergläubischen Zügen des Antisemitismus bedauerlich ähnelt. [...]

Ich schreibe Dir nicht als ein ›politischer Gegner‹ oder von einem anderen ›politischen Lager‹, das ich nicht zu beziehen gedenke, – sondern als ein alter Freund, weil mir der Ton Deiner ›Ablehnung‹ zutiefst missfällt. Es ist kein guter Ton. Er weckt traurige Assoziationen. [...]

Ich beschliesse diesen Brief mit einer Bitte: bleibt auch in den leidenschaftlichen Auseinandersetzungen dieser kämpferischen Tage auf jener Plattform, zu der Euch Abstammung, Erziehung, menschliches Niveau verpflichtet.

Zuckmayer lehnte nicht nur die »Bestrafung« des deutschen Volks ab, sondern war – wie Franz Neumann – der Überzeugung, daß die Erziehung der Deutschen nicht Sache der Siegermächte sein dürfe. Nach einer Informationsreise durch Deutschland und Österreich, die er als ziviler Kulturbeauftragter des amerikanischen Kriegsministeriums vom 4. November 1946 bis zum 30. März 1947 unternahm, warnte er in seinem *Bericht über das Film- und Theaterleben in Deutschland und Österreich* für das US-War-Department:

> Theater in Deutschland wird nicht als Instrument der Propaganda erfolgreich sein – (und man braucht sich auch keine Sorgen zu machen, wenn dies von anderen Seiten versucht wird) – aber es ist *von größter erzieherischer und moralischer Bedeutung und Wert* und wird es immer sein. […] Ein politisch linientreues Theater war in Deutschland immer von kurzer Dauer, selbst wenn es mit sensationellen Methoden gemacht war. […] Dies ist ein psychologischer Faktor, den wir uns klar machen und auf dem wir aufbauen müssen. Alles, was nach Propaganda riecht (heute mehr denn je zuvor, denn sie hatten zu viel davon), wird ein deutsches Publikum mißtrauisch machen.[126]

Zuckmayers Bericht läuft auf die Empfehlung hinaus, der deutschen Bevölkerung mit Wohlwollen und Vertrauen zu begegnen, denn sie sei mehrheitlich mit der nationalsozialistischen Politik nicht einverstanden gewesen. Diese Ansicht teilte auch Werner Thormann, in dem Zuckmayer neben Emmy Rado einen weiteren Leser im OSS hatte, bei dem sein *Geheimreport* uneingeschränkten Beifall fand. Thormann schrieb Zuckmayer am 28. Juli 1944:

> Lieber Herr Zuckmayer:
> schon lange wollte ich Ihnen schreiben und melden, dass die Aufarbeitung des Materials, das Sie uns geschickt haben, für die internen Bedürfnisse unseres Office beendet ist. Es waren ein paar angenehme Wochen für mich über den Stoff zu arbeiten, den Sie so deutlich gemacht haben. Sie sollten eine Möglichkeit finden, grosse Teile Ihres Ms. für eine spätere Buchveröffentlichung auszuwerten. Uns haben Sie

---

126 DLA, Nachlaß Carl Zuckmayer; Original in englischer Sprache.

einen unschätzbaren Dienst geleistet. Ich darf Ihnen nochmal die Versicherung geben, dass die secrecy des Materials vollkommen gewahrt ist. Ausser Mrs. R[ado] und den Leitern unserer Washingtoner Abteilung hat niemand ihr Ms. in der Hand gehabt.

Leider sind aber ein paar Seiten entweder in den Files in Washington oder im Bureau von Mrs. R. geblieben und so fehlten mir bei der Bearbeitung die Bemerkungen, die Sie über Angermayer, Hans Franck, Hans Grimm, Wilhelm Michel, Ponten, Wilhelm Schäfer, Ina Seidel, Strauss und Blüher gemacht haben. Es handelt sich um die Seiten 122-124 und 126-131 des Ms. Haben Sie eine Copie? Dann wäre ich Ihnen sehr dankbar, wenn Sie sie mir für ein paar Tage überlassen würden. Das geht wesentlich schneller, als wenn ich den bürokratischen Apparat der Durchsuchung der Files nach den fehlenden Seiten in Bewegung setze.

Wenn es Ihre Zeit erlaubt können Sie mir gelegentlich kurz sagen, was Sie über die folgenden Autoren wissen, deren Biographien auch auf unserem Programm stehen: Julius Maria Becker, Friedrich Bethge (der stellvertretende Frankfurter Intendant), E. v. Bodman, R. v. Delius, Erich Ebermayer, Fr. Eisenlohr, Herbert Eulenberg, Frenzel, v. d. Goltz, Wilhelm Hegeler, Hans Kyser, Curt Langenbeck, Rolf Lauckner, Hans Leip, Gerhard Menzel, Will Erick Peuckert, Albrecht Schäffer, die Brüder Anton und Friedrich Schnack, Stenbock-Fermor, die beiden Diederichs Frauen: Helene Voigt D. und Lulu v. Strauss u. Torney, Hans Tralow, v. d. Trenck, Hel⟨l⟩muth Unger, Wilhelm Vershofen, Wenter, Winckler, die Brüder Maxim und Hermann Ziese, Hans Heinrich Ehrler, Wolfgang Goetz.

Die meisten auf dieser Liste werden nicht sehr wichtig und unpolitisch sein, aber sie erscheinen gelegentlich und man wird wahrscheinlich für eine guidance, wie sie einzuschätzen sind, sehr dankbar sein.

Von den Guten und Bösen, über die Sie uns geschrieben haben, sind einige gestorben. Stanislaus Fuchs, Holl, Winterstein,[127] der Graf Solms-Laubach, Bröger und Hans Sass-mann. Kästner ist weder in »Wer ist's« noch im Literatur-Kürschner zu finden. Sollte ihm das Publizieren doch noch verboten worden sein? Nicht geschrieben habe ich über Salomon, weil ich mich zu erinnern glaube, dass er ein Emigrant geworden ist. Er lebte, soviel ich weiss, bereits in den 30er Jahren in Südfrankreich. Pabst gehört übrigens auch zu den Verschollenen. Trotz der reumütigen Heimkehr ist sein Name nicht wieder im Zusammenhang mit Film oder sonstiger öffentlicher Betätigung aufgetaucht. Siegmund [!] Graff ist Referent im Propmin. geworden, Bronnen ist Dramaturg am Fernsehsender in Berlin, Harald Paulsen ist Intendant des Theaters am Nollendorfplatz. Toni van Eyck ist am Wiener Burgtheater. Die übrigen sind, soweit unsre Quellen reichen alle noch in den Positionen, in denen Sie sie charakterisiert haben.

Sie erwarteten noch Information über Caspar Neher, haben Sie noch die Absicht, uns über ihn zu schreiben?

Wann kommen Sie wieder nach N.Y.? Was macht Ihr Stück? Die Ereignisse gehen so schnell, dass die verschiedenen Comités jeden Sinn verloren haben. Ich glaube, es war sehr richtig, sich fernzuhalten. Sehr gefreut habe ich mich, dass Sie Erika Mann so deutlich die Meinung gesagt haben.

Ich lese ab und zu die Zeitungen von drüben, es ist ganz klar ersichtlich, dass sie jede Zeile, die ihnen nicht vom Pro⟨p⟩min. vorgeschrieben wird, der Flucht ins Idyll widmen. Das lässt den Schluss auf eine überwältigende Kriegs- und Parteimüdigkeit im deutschen Volke zu. Gott sei Dank, dass das Ende nun endlich sichtbar wird.

Nochmals herzlichsten Dank für Ihre Hilfe und auf ein hoffentlich baldiges Wiedersehen

Ihr ergebenster

Werner Thormann[128]

127 Winterstein starb erst 1961.
128 DLA, Nachlaß Carl Zuckmayer.

Es finden sich nirgends Anzeichen dafür, daß Zuckmayer Thormanns Bitte nach zusätzlichen Portraits nachgekommen sein könnte. Seine Neigung, über weitere Personen zu urteilen, die ihm allesamt nicht sehr nahegestanden haben, dürfte nicht allzu groß gewesen sein, hatte er doch schon in einer Reihe der ausgeführten Stellungnahmen seine Einschätzungen mit dem Hinweis auf sein unzureichendes Wissen eingeschränkt. »Wo wir nichts wissen«, empfahl er daher, »dürfen wir bona fides und Anständigkeit eher als das Gegenteil annehmen. Ich bitte diesen Grundsatz auf die Mehrzahl der hier nicht oder nur flüchtig erwähnten Vertreter des künstlerischen Lebens in Deutschland anzuwenden« (S. 180). Diese Maxime beherzigte er beim Schreiben seines *Geheimreports* auch selbst weitgehend, was im Fall von Veit Harlan zu einer krassen Fehleinschätzung führte. Er ließ sich hier und da auch zu verbalen Entgleisungen hinreißen (»schon rein äusserlich minderwertig«, S. 64) und urteilte über Menschen, mit deren Arbeit und politischer Haltung er nicht sehr vertraut war. »Sauberer«, wie Zuckmayer wohl gesagt haben würde, wäre es zweifellos gewesen, er hätte sich immer dann einer Stellungnahme enthalten, wenn seine Informationsbasis auch für ihn erkennbar dürftig war.

Folgen hatte sein Report für die von ihm charakterisierten Personen vermutlich nicht, denn in den Entnazifizierungsverfahren wurden keine OSS-Unterlagen herangezogen. »Ich glaube«, berichtete der OSS-Mitarbeiter Louis A. Wiesner,

> daß schwarze Listen (Nazis) tatsächlich angefertigt wurden, aber sie fanden niemals weite Verbreitung in der Militärregierung. Auf jeden Fall machte die Entdeckung der vollständigen NSDAP-Ordner in Deutschland die schwarzen Listen des OSS überflüssig.[129]

Es bleibt allerdings unklar, zu welchen Zwecken Thormanns Bericht, der auf Zuckmayers Charakterstudien beruhte, ge-

---

129 Wiesner 1985, S. 175.

dient hat, denn er ließ sich weder in den OSS-Akten noch in Thormanns Nachlaß finden. Für den geringen Einfluß des *Geheimreports* spricht aber auch die Tatsache, daß sich der Name Friedrich Georg Jüngers entgegen Zuckmayers Rat auf schwarzen Listen befand.[130] Die Vermutung des Münchener Historikers Werner Maser, Zuckmayer habe die amerikanische Militärregierung für Deutschland durch seine – wie Maser es nennt – »Denunzierung« davon abgehalten, sich 1945/46 bei den Sowjets für George einzusetzen, ist daher nicht mehr als eine reichlich gewagte Spekulation.[131] Die darüber hinaus von Maser getroffene Feststellung, Zuckmayers Portraits seien »unzuverlässig und teilweise total falsch«,[132] basierte zudem auf unzureichender Textkenntnis, denn der gesamte *Geheimreport* war für jede Einsichtnahme bis zur hier erfolgten vollständigen und kommentierten Publikation gesperrt. Inhalt und Duktus der Vorwürfe erinnern im übrigen frappant an die Kritik, die der völkische Schriftsteller Erwin Guido Kolbenheyer in seiner Autobiographie formuliert hat:

> Die denunziatorischen Helfershelfer des Morgenthauplanes, Sparte Kultur, kamen zugleich mit den schwarzen, grauen und weißen Listen, deren Inspiratoren sie gewesen waren, herüber und sie kamen als »Retter und Rächer der Kultur«, Vergelter zwölf magerer Jahre. [...]
> Als Exempel können die Schriftsteller Döblin (bald verstummt) und Zuckmayer gelten. Ihnen gelang in dieser Zeit, da deutsche Dichtung verpönt war, ihre »Namen« wieder aufzuwärmen und ihre Fertigkeiten spielen zu lassen, Zuckmayer in der Erinnerung seines derbschlüpfrigen »Fröhlichen Weinbergs«, den man noch vor dem ersten Kriege begröhlt hatte, als Deutschland darauf zu verzichten

---

130 Vgl. Fröschle/Haase 2001, S. 145.
131 Maser 1998, S. 402.
132 Ebd.

begann, die Schaubühne als »moralische Anstalt« zu betrachten.

Der Emigrant Zuckmayer – die Morgenthaubesetzung
saß noch nicht fest auf den Stühlen – [...] legitimierte sich,
»Beauftragter« der USA zu denunziatorischer Aufklärung
während des Weltkrieges, als ein Charaktertyp des zweiten
Nachkriegsjahres.

Oktober 1947 kündigte er in der »Neuen Zeitung« an:
»Ausschnitte einer größeren Arbeit, 1943 verfaßt im Auf-
trage eines bestimmten Amtes der amerikanischen Regierung.« [...]

Zuckmayer gibt eine »Einleitung zur Charakter*ologie* (!)
der Künstler«. Künstler – also immerhin eine kulturelle
Angelegenheit, nicht nur eine politische. Die Einleitung eröffnet, nach welchen Gesichtspunkten man diese »Charakterologie« gezeichnet haben wollte.

Der Autor war beauftragt worden, die politische Verantwortlichkeit der nichtemigrierten »Dichter und Schriftsteller, Journalisten, Verleger«, aber auch der Schauspieler
zu prüfen, und das schon im Jahre 1943. Mr. Zuckmayer
informierte verantwortlich – also in moralischer Funktion,
die dem Verfasser des »Fröhlichen Weinberges« zweifellos
zukam. Allein er blieb doch ein Theaterschriftsteller und
konnte erwarten, mit deutschen Bühnen wieder in einträg-
liche Beziehung zu kommen. Vorsorglich also unterschied
er seine Verantwortlichkeiten. Schauspieler – wie sagen
doch die Engländer? »*An actor is always a little worse than
a man.*« Also mit der Verantwortlichkeit der Schauspieler
brauchte man nicht allzu verantwortlich ins Gericht zu gehen, oder zutiefst in die Charakterologie, wie Mr. Zuckmayer seine Charakteristiken nannte. »Etwas anders liegt
der Fall« ... bei der in Deutschland verbliebenen Konkurrenz der Publizisten nach dem Kriege, bei den Dichtern,
Schriftstellern, Journalisten, Verlegern. Die brauchte Mr.
Zuckmayer gewiß nicht mehr, denn die würden voraus-
sichtlich mundtot gemacht sein. Für diese Leute galten

andere charakterologische Maximen als für brauchbare Schauspieler:»Mit den Mitteln der Sprache wächst die Verantwortung«. Nach Zuckmayer traf das die Verantwortung steigernde Mittel der Sprache Schauspieler nicht. Sollte dieser amtliche Denunziant meinen, nach dem Kriege mit stummen Schauspielern fröhliche Weinberge aufführen zu können? [...]

Welch objektive Kenntnis hatte der Reportagedramatiker Zuckmayer von den in Deutschland verbliebenen Künstlern, deren politische Moral er –»mehr als hundert und ausführlich!« – zu untersuchen die Unverfrorenheit hatte? Und welch ein Standpunkt, Künstler und Geistige nach politischen Gesichtspunkten für eine künftige »Behandlung« charakterisiert zu halten und überdies bei der Charakteristik auf Vorstellungen angewiesen zu bleiben, die lediglich Vermutungen und Gerüchte waren! All das amtlich beauftragt, dem Feinde Unterlagen zu einem Vorgehen nach dem Kriege zu bieten, das der Demütigung des deutschen Volkes und seiner Helotisierung auch im Kulturleben dienen sollte! Ein Zeichen, was an *moral insanity* in Emigrantenkreisen zu finden war.

Die schwarzen Listen, die nach diesen Denunziationen zusammengestellt worden waren, bewirkten das Verbot und die Vernichtung der Werke deutscher Kulturträger, die ihrem Volke in schwerster Zeit beigestanden waren. Man beschlagnahmte ihr Vermögen, vertrieb sie aus ihrem Heim und das verlassene Heim wurde ausgeplündert, seine Wiederherstellung auf Lebenszeit unmöglich zu machen.[133]

Die Verurteilung von Zuckmayers Arbeit für das OSS als Denunziation sieht über die konkreten historischen Umstände großzügig und im Fall des zu den Spitzenverdienern des NS-Literaturbetriebs gehörenden Kolbenheyer auch reichlich selbstgerecht hinweg. Ihr liegt die merkwürdige Ansicht zugrunde, ein vor der nationalsozialistischen Verfolgung ge-

133 Kolbenheyer 1958, S. 487-489.

flohener deutscher Schriftsteller, dem seine Staatsangehörigkeit 1939 aberkannt worden war, habe sich bedingungslos loyal gegenüber einem – von wem auch immer regierten – deutschen Staat zu verhalten und dürfe nicht versuchen, auf politische Leitlinien und personalpolitische Entscheidungen in einem militärisch besiegten Nachkriegsdeutschland Einfluß zu nehmen.

6. Blick zurück nach vorn

Zuckmayer war davon überzeugt, daß das, was in Deutschland zwischen 1933 und 1945 geschehen ist, »auch bei anderen Völkern denkbar und möglich« wäre.[134] Bereits 1942 notierte er sich unter der Überschrift *Ein paar einfache Grundsätze zur Lösung des »deutschen Problems«*:

1. Wer an ›Volk‹ glaubt, muss auch an das deutsche Volk glauben.

   Es gibt keine besseren oder schlechteren Völker.

   (Sonst wäre man gleich bei der »Herrenrasse« angelangt).

   Es gibt nur bessere oder schlechtere Politik.

   Man hat nur die eine Alternative: entweder man glaubt überhaupt nicht an ›Volk‹, an den ›gemeinen Mann‹, sondern ist der Überzeugung, dass die Mehrzahl der Menschen dumm, schlecht und verächtlich ist und von den Einzelnen, die ihnen an geistiger oder physischer Macht überlegen sind, beherrscht werden muss. Dann steuert man direkt ~~zum Faschismus~~ zur Diktatur.

   Oder, man glaubt, dass dem Volk, jedem Volk, – das sich aus einfachen Menschen zusammensetzt, – ein guter Geist innewohnt, der stark genug ist, die mörderischen und zerstörerischen Gewalten, Selbstsucht, Neid, Hass, und Machtgier, – zu überwinden und der es, unter entsprechenden Bedingungen, zum Ethos der Freiheit und der gegen-

---

134 *Als wär's ein Stück von mir*, S. 651.

seitigen Hilfe, zur Selbstregierung, zur Demokratie, befähigt.

Auf diesem Glauben sind alle Freiheitskämpfe aufgebaut, die es je in der Welt gegeben hat, und alle revolutionären Theorien, auch wenn sie sich selbst ›materialistisch‹ nennen, – sind daraus entsprungen.

Ein einzelnes Volk davon auszunehmen, wäre sinnlos.

2. Der Nazi ist international. Er ist überall. Man kennt ihn am Gesicht. Wo er aufkommt, ist er nicht – aus Gründen verschiedener Nationalität – besser oder schlechter, sondern ohne Unterschied schlecht.

In Deutschland konnte er aufkommen, das Deutsche Volk hat es geduldet, dafür aber auch erduldet. Das deutsche Volk war in seiner politischen Entwicklung – im Gegensatz zu seiner geistigen und seelischen – zurück geblieben, in seiner ökonomischen Lage und Struktur ungesund. Drum wurde es zum Brutherd und Opfer des Nazitums. Davon befreit, wird es einen grossen Sprung gemacht haben und durch grausamste Erfahrung für einen selbstverschuldeten Rückstand aufgeholt haben. Es gibt überhaupt keinen Grund, in ein gereinigtes und befreites Deutsches Volk weniger Glauben und Vertrauen zu setzen als in irgendein anderes der Welt.

Wer genau wissen will wie das ›Volk‹, der common man, in Deutschland ausschaut, mitten unter der Naziherrschaft, lese *Anna Seghers »Das Siebte Kreuz«*.[135]

135 In einem Brief an seinen Freund Ludwig Berger vom 16. März
     1943 urteilte Zuckmayer über diesen Roman: »Das weitaus
     beste Buch der Emigration. Und unser Ländchen lebt darin,
     in jeder Silbe« (DLA, Nachlaß Carl Zuckmayer). Zuckmayer
     hat die in Mainz geborene Anna Seghers (1900-1983) 1920 als
     Student in Heidelberg kennengelernt, sie aber später nie
     wiedergetroffen. Seine Erinnerungen an die Heidelberger Begegnung
     hielt er in einem Grußwort für den aus Anlaß ihres
     70. Geburtstags entstandenen Band *Anna Seghers aus Mainz*
     (Mainz 1973, S. 10-12) fest.

3. Das Deutsche Volk muss behandelt werden nach dem amerikanischen Grundsatz der »equal opportunity«. Um sie ihm zu verschaffen, muss seine Nazi- *und* Armeeführung vernichtet werden. Von aussen her vernichtet, denn von innen her ist das unmöglich. Es muss ferner, zur wirklichen Durchführung dieser Vernichtung und als Übergang zur wirklichen Befreiung, von aussen her für eine gewisse Zeit eine Exekutivgewalt bekommen, bis es sich seine eigne, voll verantwortliche, errichten kann. Erziehung aber muss, wie in jedem Fall, Selbsterziehung sein. Es gibt keine andere, die vorhält. Bestraft werden müssen die deutschen Nazis, rücksichtslos, als furchtbares Beispiel für alle Nazis, alle offenen und heimlichen Laval's,[136] der Welt. Das deutsche Volk zu bestrafen, wäre nichts als ein Schlag und eine Demoralisierung für alle Völker der Welt, ein Akt des Unglaubens und ein Verrat am »gemeinen Mann«, wie immer seine Nation und seine Sprache sei.[137]

Zur Herausbildung dieser Position dürfte entscheidend beigetragen haben, daß Zuckmayer 1933 von der »nationalen Revolution« selbst fasziniert war. Hatte er in einem Brief an seinen Freund Hans Schiebelhuth vom 28. März 1933 noch vorsichtig von »elementaren und wohlmeinenden Kräften« gesprochen, die »in der nationalen Bewegung durchaus vorhanden« seien, so zeigte er sich, wenn auch nicht uneingeschränkt, in seinen beiden Briefen vom April 1933 an Friedrich Sieburg von der politischen Entwicklung in Deutschland

---

136 Gemeint ist der frz. Politiker Pierre Laval (1883-1945), der 1940 nach der Besetzung Frankreichs durch deutsche Truppen stellvertretender Ministerpräsident in der sogenannten Vichy-Regierung wurde. Als er sich von dem autoritären Regime des von ihm zunächst unterstützten Marschalls Philippe Pétain distanzierte, wurde er im Dezember 1940 abgesetzt und verhaftet, 1942 aber auf deutschen Druck hin zum Ministerpräsidenten ernannt.

137 DLA, Nachlaß Carl Zuckmayer.

angetan.[138] Wiederum nicht vorbehaltlos, aber doch mit unverkennbarer Zustimmung fiel sein Urteil über die »Machtergreifung« der Nationalsozialisten in einem Brief an den Regisseur Hanns Niedecken-Gebhard vom 5. April 1933 aus:

> Ich gehöre nicht zu den Leuten, die über die jüngste Entwicklung in Deutschland unglücklich sind. Ich kann mich der Größe, die dieser elementaren Bewegung innewohnt, einfach nicht entziehen. Ich halte es auch für falsch, sich jetzt rein kritisch einzustellen, wie das so viele aus dem geistigen Lager und vor allem die meisten der – wie ich – durch Mißverständnisse indirekt Betroffenen – tun! Ich glaube zu stark an Deutschlands innere Substanz, an die geistige, seelische, sittliche (d.i. menschliche) Wertigkeit und Wertbedürftigkeit dieses Volkes, um mir einen kulturellen Niedergang vorstellen zu können. Im Gegenteil, es muß aus alledem etwas Neues, Besseres entstehen. Ein Volk, in dem eine solche Sehnsucht, eine solche Wunschkraft steckt, sich seinen lebendigen Mythos zu schaffen, wird und muß den rechten Weg finden. Daß vorläufig dabei allerlei durcheinander purzelt, muß man in Kauf nehmen. Im Grunde purzelt ja doch nur das, was keinen festen Standpunkt hat.[139]

So befremdlich eine solche Äußerung heute auch erscheinen mag, so aufschlußreich ist es zu sehen, wie akzeptabel die »nationale Erhebung« selbst auf einen Schriftsteller wie Zuckmayer gewirkt hat, der von 1930 an wiederholt als engagierter Gegner des Nationalsozialismus öffentlich in Erscheinung getreten war. Vermutlich verschaffte ihm die Erfahrung seiner

138 Vgl. dazu den Beitrag von Gunther Nickel im *Zuckmayer-Jahrbuch*, Bd. 5.
139 Brief Zuckmayers an den Regisseur Hanns Ludwig Niedecken-Gebhard vom 5. April 1933, zit. nach Helmich 1989, S. 141. Die Originale der Briefe Zuckmayers an Niedecken-Gebhard befanden sich im Theatermuseum Köln, sind dort aber nicht mehr auffindbar.

eigenen Hoffnungen auf eine positive politische Entwicklung der deutschen Politik nach Hitlers »Machtergreifung« erst die Voraussetzung dafür, daß er 1943/44 in seinem *Geheimreport* und auf andere Weise in seinem fast zeitgleich begonnenen Drama *Des Teufels General* [140] versuchte, das breite Spektrum menschlicher Verhaltensmöglichkeiten im nationalsozialistischen Deutschland darzustellen. Im übrigen bleibt dabei ein Grundzug in Zuckmayers politischer Haltung von 1918 bis zum Ende des Zweiten Weltkrieges unverändert: Seine Sympathien galten in dieser Zeit stets einem Sozialismus, der sich nicht nur in der Sozialdemokratie in verschiedenen Formen, sondern auch modellhaft im »Frontsozialismus« des Ersten Weltkriegs gezeigt hatte [141] und in der Gemeinschaftsidee seines akademischen Mentors Wilhelm Fraenger [142] ebenso wiederkehrte wie in der Ideologie der Volksgemeinschaft, die die NSDAP propagierte. Wenn Zuckmayer in dem zitierten Brief an Wieland Herzfelde vom 17. Februar 1944 erklärte, ihr Ziel sei »bestimmt das gleiche«, nämlich »nennerhaft gesagt: Sozialismus – und Freiheit des produktiven Schaffens«, so ist das ein starkes Indiz dafür, daß er wie viele andere Emigranten, unter ihnen auch die Forschungsgruppe um Franz Neumann, einen ›Dritten Weg‹ zwischen Kapitalismus und Kommunismus als Perspektive für Deutschland favorisiert hat. [143] Für diese Annahme spricht auch, daß Zuckmayer vor allem zu Linkssozialisten Kontakte pflegte, sich dagegen von den »rechten« sozialdemokratischen Emigrationskreisen fernhielt. Ja, diese weckten in ihm erhebliche Aversionen, wie aus den Schlußsätzen eines nur fragmentarisch überlieferten Textes hervorgeht:

140 Vgl. Nickel 2001, S. 577-612.
141 Vgl. Fröschle 1999, S. 312 f.; zum Problem des Sozialismus in diesem Kontext vgl. auch Sieferle 1995, S. 45-73.
142 Vgl. Weckel 2001, S. 65-75.
143 Vgl. dazu auch die in Deutschland nach dem Zweiten Weltkrieg geführte Diskussion um einen ›Dritten Weg‹, die Wolfgang M. Schwiedrzik nachgezeichnet hat (Schwiedrzik 1991).

Wie mir jetzt deutlich geworden ist, fühlt sich die amerikanische Regierung wegen ihrer Zustimmung zur Genfer Konvention nicht berechtigt, auf Kriegsgefangene Einfluß zu nehmen. Deshalb sind die einzigen deutschen Zeitungen, die in den Kriegsgefangenenlagern verteilt werden, die New Yorker ›Staatszeitung‹ und die ›Neue Volkszeitung‹ – von denen die letztere ein außerordentlich dummes Blatt ist, das mit antirussischem Quatsch brilliert und von denselben alten Narren herausgegeben wird, die die Weimarer Republik auf den Hund haben kommen lassen und die für einen Nazi genauso lächerlich sind wie für jedes andere menschliche Wesen.

Ich denke, daß jeder einzelne Gefangene in unserer Hand eine Chance ist, etwas für das künftige Deutschland zu tun – wenn man richtig vorgeht.

Aber es sieht ganz danach aus, als würden wir diese Chance verspielen. Die Russen tun es bestimmt nicht.[144]

Nach dem Zweiten Weltkrieg begegnete Zuckmayer einer Reihe von Menschen, deren Haltung er in seinem *Geheimreport* noch kritisiert hatte, weit verständnisvoller. In seiner 1966 veröffentlichten Autobiographie *Als wär's ein Stück von mir* fallen sogar manche Urteile, etwa das über Richard Billinger, diametral entgegengesetzt aus. Wegen dieser Versöhnlichkeit, die ihren Grund u.a. in Zuckmayers Unzufriedenheit mit dem amerikanischen Versuch einer Umerziehung der Deutschen hatte, kam es zwischen ihm und seiner Frau zuweilen zu Meinungsverschiedenheiten. Das zeigt ein Brief Alice Zuckmayers vom 16. September 1981 an die Dokumentarfilmregisseurin Nina Gladitz, die einen Film über das Thema »Die Verantwortung des Künstlers«[145] drehen wollte und bei

144 DLA, Nachlaß Carl Zuckmayer; Original in englischer Sprache.
145 Der Film wurde 1982 unter dem Titel *Zeit des Schweigens und der Dunkelheit* realisiert. Leni Riefenstahl erhob 1983 Verleumdungsklage gegen die darin aufgestellte Behauptung, sie habe 1940 sechzig Zigeuner aus dem Sammellager Maxglan bei Salz-

ihren Recherchen auf Zuckmayers Artikel *Künstler im Dritten Reich* (vgl. S. 407, Anm. 1) gestoßen war:

> Die Charakteristiken über Künstler aller Art hat mein Mann
> in USA geschrieben zu einer Zeit, in der man eigentlich
> noch gar nicht wusste, wie sich die einzelnen verhalten hat-
> ten. Mein Mann wurde von der Donovan-Institution auf-
> gefordert, Charakteristiken über deutsche Künstler zu lie-
> fern. Da sie zum Teil sehr humorvoll abgefasst waren, (und
> ein Bild gaben, das durchwegs stimmte) wurde er dringend
> zur Weiterbearbeitung aufgefordert. Es gab mitunter in die-
> sem Büro auch ein grosses Gelächter, wenn ein neuer Auf-
> satz eintraf. Ich persönlich war ganz fassungslos und sagte
> jedesmal nach der Lesung: ›Woher weisst du das ...‹ [...]
> Ich muss Ihnen gestehen, dass ich viel erheblicher Anti-
> nazi war als mein Mann, das heisst, ich fand weniger Erklä-
> rungen und Entschuldigungen für bestimmte Leute, die es
> nicht nötig hatten, Nazis zu werden, womit ich meine,
> wirkliche Nazis zu werden, wie zum Beispiel der Fall Hein-
> rich George, der noch zwei Monate, bevor Hitler an die
> Macht kam, köstliche kommunistische Redensarten führte,
> um allsogleich Parteigenosse zu werden. Auch mit Jannings
> konnte ich mich nicht mehr aussöhnen, während der von
> Klaus Mann so sehr attackierte Gustav [!] Gründgens un-
> endlich vielen Leuten (er war ein Freund von Göring und
> der Sonnemann[146]) das Leben gerettet hat.
> Mit Jannings und seiner Frau Gussy ging es nicht gut aus.
> Er leugnete seine Freundschaft zu Goebbels und spielte
> uns gross vor, was er den Nazigrössen alles gesagt und

---

burg als Komparsen für ihren Film *Tiefland* zwangsverpflichtet. Nach den Dreharbeiten seien sie ohne finanzielle Entloh-
nung ins Lager zurückgeschickt und von dort nach Auschwitz
deportiert worden. Leni Riefenstahl unterlag 1985 im Prozeß
vor dem Landgericht Freiburg. Das von ihr angestrengte Be-
rufungsverfahren verlor sie 1987.

146 Vgl. S. 224, Anm. zu *Schwierigkeiten*.

»verpasst« habe. Mein Mann half Werner Kraus [!] aus der Patsche, und als der dann wieder in Wien im »Ronacher« (das Burgtheater war noch zerstört) den »Köpenick« spielte, kam mein Mann in seine Garderobe, um Kraus zu sagen, wie grossartig er gespielt habe. Worauf Kraus den Kopf senkte und wie ein Schulkind sagte: ›Habe ich damit ein bisschen etwas gut gemacht?‹

So gerade und primitiv konnte Werner Kraus sein.[147]

Wie aus ihrem Brief an Nina Gladitz des weiteren hervorgeht, hatte Alice Zuckmayer vor, den *Geheimreport* zumindest in Teilen zu veröffentlichen. Doch offenbar war sie unsicher über den geeigneten Zeitpunkt und die Form, in der das geschehen könnte. Auch war ihr letztlich wohl klar, daß zwar viele Urteile erstaunlich treffsicher sind, aber die Behauptung, sie stimmten »durchwegs«, nicht zutrifft. So ist die Publikation unterblieben und erfolgt erst jetzt, elf Jahre nach Alice Zuckmayers Tod.

147 DLA, Nachlaß Alice Zuckmayer.

Editorische Notiz

Der Edition liegt ein paginierter Typoskriptdurchschlag mit handschriftlichen Ergänzungen und Korrekturen zugrunde, der sich in Zuckmayers Nachlaß im Deutschen Literaturarchiv Marbach befindet. Er ist nicht namentlich gezeichnet, doch die Autorschaft Zuckmayers ist aufgrund der von ihm mit Emmy Rado und Werner Thormann geführten Korrespondenz gesichert. Das Marbacher Exemplar des *Geheimreports* ist leider nicht ganz vollständig. Es fehlen die Seiten 122-124 und 126-131 und damit genau jene, deren Verlust auch Werner Thormann in seinem Brief an Zuckmayer vom 28. Juli 1944 beklagt hat (vgl. S. 464). Alle Recherchen nach einem vollständigen Original des Reports im Archiv des OSS blieben vergeblich. Die Vermutung liegt nahe, daß Emmy Rado es an sich genommen und behalten hat. Die Suche nach ihrem Nachlaß war bislang erfolglos.

Bei der Durchsicht des Nachlasses Werner Thormanns, der ins Deutsche Exilarchiv in Frankfurt am Main gelangt ist, fanden sich die im Marbacher Exemplar fehlenden Seiten 126-131, auf denen Zuckmayer Fred Antoine Angermayer, Hans Blüher, Martin Luserke, Wilhelm Michel, Hans Grimm, Ina Seidel und Agnes Miegel portraitiert hat. Auf diese Weise ließ sich die Überlieferungslücke wenigstens zum Teil schließen. Die Portraits auf den Seiten 122-124 müssen jedoch als verschollen gelten.

Bei der Textwiedergabe wurden Orthographie, Zeichensetzung und Stileigentümlichkeiten gewahrt, eindeutige Schreibversehen aber außer bei Namen stillschweigend korrigiert. Textergänzungen für vergessene Wörter oder Buchstaben sind in spitze, Hinweise oder Anmerkungen der Bearbeiter in eckige Klammern gesetzt. Die Umlaute wurden nach deutscher Rechtschreibung vereinheitlicht und Unterstreichungen, Sperrungen oder sonstige Hervorhebungen kursiviert wiedergegeben. Im Kommentar sind die Viten der von Zuckmayer charakterisierten Personen unter Auswertung der einschlägigen Forschungsliteratur, zum Teil auch durch Konsultation bislang ungedruckter Quellen zusammengefaßt. Alle Kontakte zu Zuckmayer vor, während und nach der NS-Zeit sind – soweit sie sich ermitteln ließen – vermerkt. Es wäre allerdings vermessen, wenn wir behaupten wollten, zu rund 150 Biographien in allen Fällen hinreichende Informationen zusammengetragen zu haben. Unser Anspruch war es, trotz eines nur sehr kleinen Budgets und innerhalb eines vertretbaren Zeitrahmens eine für künftige Forschungen möglichst brauchbare Arbeitsgrundlage zu schaffen.

Zu einigen Portraits haben wir Spezialisten um ihre Einschätzung gebeten und ihnen dabei ganz bewußt keinerlei Vorgaben gemacht. Die eingegangenen Stellungnahmen werden im fünften Band des *Zuckmayer-Jahrbuchs* als Beiträge zu einer Diskussion abgedruckt, die wir in den kommenden Bänden gerne fortsetzen würden.

Dank

an Katrin Hofmann (München), die Zuckmayers Report ursprünglich edieren wollte, von dem Vorhaben jedoch aus beruflichen Gründen zurücktreten mußte und uns ihre Vorarbeiten überließ, sowie an Melissa Müller (München), die im Zuge ihrer Recherchen für ein Buch über Künstler im ›Dritten Reich‹, das im Frühjahr 2004 im Claassen Verlag erscheinen soll, in den USA auch nach Zuckmayers Dossier und den Quellen zu seiner Entstehung und Wirkung gefahndet hat. Sie überließ uns Kopien der zitierten Quellen aus den National Archives II in Washington D.C. Für die kritische Durchsicht des Nachworts danken wir Christof Mauch (Washington D.C.); für ihr Lektorat danken wir Ulrich Fröschle (Dresden), Thomas Hilsheimer (Mainz), Christina Jung-Hofmann (Mainz) und Ulrike Weiß (Marbach).

Literaturverzeichnis

Adler 1964: Gusti Adler, *Max Reinhardt. Sein Leben*, Salzburg 1964.

F. Albrecht 1970: Friedrich Albrecht, *Deutsche Schriftsteller in der Entscheidung. Wege zur Arbeiterklasse 1918-1933*, Berlin, Weimar 1970.

R. Albrecht 1984: Richard Albrecht, *Persönliche Freundschaft und politisches Engagement: Carl Zuckmayer und Erich Maria Remarques »Im Westen nichts Neues« 1929/30*, in: *Blätter der Carl-Zuckmayer-Gesellschaft*, Jg. 10, 1984, H. 2, S. 75-86.

R. Albrecht 1989: Richard Albrecht, *Das FBI-Dossier Carl Zuckmayers*, in: *LiLi. Zeitschrift für Literaturwissenschaft und Linguistik*, Jg. 19, 1989, H. 73, S. 114-121.

T. Albrecht 1999: Thomas Albrecht, *Für eine wehrhafte Demokratie. Albert Grzesinski und die preußische Politik in der Weimarer Republik*, Bonn 1999.

Alnor 1963: Walter Alnor, *Begegnungen und Gespräche mit Hans Friedrich Blunck*, in: *Hans Friedrich Blunck Jahrbuch 1963*, hrsg. von der Gesellschaft zur Förderung des Werkes von Hans Friedrich Blunck, Hamburg 1963, S. 26-76.

Amann 1988: Klaus Amann, *Der »Anschluß« der österreichischen Schriftsteller an das Dritte Reich*, Frankfurt am Main 1988.

Aspetsberger 1980: Friedbert Aspetsberger, *Literarisches Leben im Austrofaschismus. Der Staatspreis*, Königstein/Ts. 1980.

Aspetsberger 1995: Friedbert Aspetsberger, ›*arnolt bronnen‹. Biographie*, Wien, Köln, Weimar 1995.

Aspetsberger 1998: Friedbert Aspetsberger, *Bürokratie und Konkurrenzen – eine Möglichkeit des (literarischen) Überlebens? Zu Arnolt Bronnen während der NS-Herrschaft*, in: *Macht Literatur Krieg. Österreichische Literatur im Nationalsozialismus*, hrsg. von Uwe Baur, Karin Gradwohl-Schlacher, Sabine Fuchs, unter Mitarbeit von Helga Mitterbauer, Wien, Köln, Weimar 1998, S. 202-226.

Badenhausen 1979: Rolf Badenhausen (Hrsg.), *Carl Zuckmayer und Gustaf Gründgens*, in: *Blätter der Carl-Zuckmayer-Gesellschaft*, Jg. 5, 1979, H. 4, S. 214-243.

Badenhausen 1982: Rolf Badenhausen (Hrsg.), *Gustaf Gründgens. »Laß mich ausschlafen.« Neue Quellen zur Wirklichkeit und Legende des großen Theatermannes*, München 1982.

Badenhausen/Gründgens-Gorski 1967: Gustaf Gründgens, *Briefe, Aufsätze, Reden*, hrsg. von Rolf Badenhausen und Peter Gründgens-Gorski, Hamburg 1967.

Baird 1994: Jay W. Baird, *Hitler's Muse. The Political Aesthetics of the Poet and Playwright Eberhard Wolfgang Moeller*, in: *German Studies Review*, Jg. 17, 1994, S. 269-285.

Banholzer 1981: *Marianne Zoff-Brecht-Lingen erzählt Willibald Eser über ihre Zeit mit Bert Brecht*, in: Paula Banholzer, *So viel wie eine Liebe. Der unbekannte Brecht. Erinnerungen und Gespräche*, hrsg. von Axel Poldner und Willibald Eser, München 1981, S. 152-193.

Bänziger 1975/76: Hans Bänziger, *Glücksfischer und Auswanderer. Zu Jakob Schaffner – auch ein Fall von Exilliteratur*, in: *Schweizer Monatshefte*, Jg. 55, 1975/76, H. 2, S. 624-634.

Bänziger 1978: Hans Bänziger, *Jakob Schaffner*, in: Werner Kohlschmidt (Hrsg.), *Bürgerlichkeit und Unbürgerlichkeit in der Literatur der Deutschen Schweiz*, Bern, München 1978, S. 99-118.

Bänziger 1991: Hans Bänziger, *Literarische Konsequenzen einer nationalistischen Utopie: Jakob Schaffner*, in: Gerhard P. Knapp, *Autoren damals und heute. Literaturgeschichtliche Beispiele veränderter Wirkungshorizonte*, Amsterdam, Atlanta 1991, S. 489-512.

Barbian 1993: Jan-Pieter Barbian, *Literaturpolitik im ›Dritten Reich‹. Institutionen, Kompetenzen, Betätigungsfelder*, Frankfurt am Main 1993.

Baron 1990: Ulrich Baron, *»Von Deutschland nach Deutschland«. Peter Martin Lampels mißglückte Heimkehr*, in: Inge Stephan / Hans-Gerd Winter, *»Liebe, die im Abgrund Anker wirft«*, Berlin, Hamburg 1990, S. 277-293.

Barthel 1957: Rudolf G. Binding, *Die Briefe*, ausgewählt und eingeleitet von Ludwig Friedrich Barthel, Hamburg 1957.

Becker 1973: Wolfgang Becker, *Film und Herrschaft. Organisationsprinzipien und Organisationsstrukturen der nationalsozialistischen Filmpropaganda*, Berlin 1973.

Behn 1992: Manfred Behn, *Diskrete Transaktionen. Bürgermeister Winkler und die Cautio*, in: *Das Ufa-Buch. Kunst und Krisen, Stars und Regisseure, Wirtschaft und Politik*, hrsg. von Hans-Michael Bock und Michael Töteberg in Zusammenarbeit mit CineGraph – Hamburgisches Centrum für Filmforschung e.V., Frankfurt am Main 1992, S. 388-390.

Bemmann 1994: Helga Bemmann, *Claire Waldoff. Wer schmeißt denn da mit Lehm?*, Frankfurt am Main, Berlin 1994.

Berggötz 2001: Ernst Jünger, *Politische Publizistik 1919 bis 1933*, hrsg., kommentiert und mit einem Nachwort von Sven Olaf Berggötz, Stuttgart 2001.

Bergmann 1991: Joachim Bergmann, *Die Schaubühne / Die Welt-bühne 1905-1933. Bibliographie und Register mit Annotationen*, München, London, New York, Paris 1991.

Bermann Fischer 1971: Gottfried Bermann Fischer, *Bedroht – bewahrt. Der Weg eines Verlegers*, Frankfurt am Main 1971.

Billinger 1960: Richard Billinger, *Dramen*, Band 1, Graz, Wien 1960.

Bisanz 1977: Hans Bisanz, *Alfred Kubin. Zeichner, Schriftsteller, Philosoph*, Salzburg 1977.

Blumenberg 1991: Hans Christoph Blumenberg, *»In meinem Herzen, Schatz ...«. Die Lebensreise des Schauspielers und Sängers Hans Albers*, Frankfurt am Main 1991.

Blunck 1935: Hans Friedrich Blunck, *Deutsche Schicksalsgedichte*, neue erw. Auflage, Oldenburg 1935.

Bock 1997: Hans-Michael Bock, *Biografie*, in: Wolfgang Jacobsen, *G.W. Pabst*, Berlin 1997, S. 252-284.

Bohley 1996: Johanna Bohley, *Erziehung zur Heimat? Die Heimat-und Identitätsmodelle bei Emil Strauß*, in: Christiane Caemmerer / Walter Delabar (Hrsg.), *Dichtung im Dritten Reich? Zur Literatur in Deutschland 1933-1945*, Opladen 1996, S. 231-244.

Bonitz/Huonker 1997: Kurt Tucholsky, *Gesamtausgabe, Band 21: Briefe 1935*, hrsg. von Antje Bonitz und Gustav Huonker, Reinbek 1997.

Boterman 2000: Frits Boterman, *Oswald Spengler und sein »Untergang des Abendlandes«*, Köln 2000.

Brandenburg 1937: Hans Brandenburg, *Rechenschaft*, Heft 21 der Reihe *Bekenntnisse. Eine Schriftenfolge von Lebens- und Seelenbildern heutiger Dichter*, hrsg. von der Gesellschaft der Bücherfreunde zu Chemnitz, Chemnitz 1937.

Brauneck/Sterz 1986: Erwin Piscator, *›Das Politische Theater‹ und weitere Schriften von 1915 bis 1966*, ausgewählt von Manfred Brauneck und Petra Sterz, Reinbek 1986, S. 219.

von Brentano 1952: Bernard von Brentano, *Du Land der Liebe. Bericht von Abschied und Heimkehr eines Deutschen*, Tübingen, Stuttgart 1952.

Bronnen 1960: Arnolt Bronnen, *Tage mit Bertolt Brecht. Geschichte einer unvollendeten Freundschaft*, Wien, München, Basel 1960.

Bronsen 1974: David Bronsen, *Joseph Roth. Eine Biographie*, Köln 1974.

Brües 1967: Otto Brües, *Und immer sang die Lerche. Lebenserinnerungen*, Duisburg 1967.

Brunck 1950: Constantin Brunck, *Erinnerungen an Karl Bröger. Gegen die falsche Darstellung im Deutschen Literatur-Lexikon*, in: *Frankenspiegel*, Jg. 1, 1950, H. 10, S. 31-35.

von Buddenbrock 1999: Cecilia von Buddenbrock, *Friedrich Sieburg 1893-1964. Un journaliste à l'épreuve du siècle*, Paris 1999.

Bürgin/Mayer 1980: *Die Briefe Thomas Manns. Regesten und Register*, Band 2, unter Mitarbeit von Yvonne Schmidlin bearbeitet und hrsg. von Hans Bürgin und Hans-Otto Mayer, Frankfurt am Main 1980.

Bungert 1997: Heike Bungert, *Das Nationalkomitee und der Westen. Die Reaktion der Westalliierten auf das NKWD und die Freien Deutschen Bewegungen 1943-1948*, Stuttgart 1997.

Bungert 1998: Heike Bungert, *Deutsche Emigranten im amerikanischen Kalkül. Die Regierung in Washington, Thomas Mann und die Gründung eines Emigrantenkomitees 1943*, in: *Vierteljahrshefte für Zeitgeschichte*, Jg. 46, 1998, H. 2, S. 253-268.

Busch 1998: Stefan Busch, *»Und gestern, da hörte uns Deutschland«. NS-Autoren in der Bundesrepublik. Kontinuität und Diskontinuität bei Friedrich Griese, Werner Beumelburg, Eberhard Wolfgang Möller und Kurt Ziesel*, Würzburg 1998.

Cadenbach 1977: Joachim Cadenbach, *Hans Albers*, Reinbek 1977.

Carossa 1951: Hans Carossa, *Ungleiche Welten*, Wiesbaden 1951.

Caspar 1965: Günter Caspar, Nachwort zu: Hans Fallada, *Der eiserne Gustav*, Ausgabe für die Deutsche Demokratische Republik, 3. Auflage, Berlin, Weimar 1965, S. 755-837.

Caspar 1988: Günter Caspar, *Fallada-Studien*, Berlin, Weimar 1988.

Claassen 1970: Eugen Claassen, *In Büchern denken. Briefwechsel mit Autoren und Übersetzern*, ausgew. und hrsg. von Hilde Claassen, Düsseldorf 1970.

Claßen/Schütz 1986: Ludger Claßen / Erhard Schütz, *Nachwort*, in: Erhard Schütz / Jochen Vogt, *Der Scheinwerfer. Ein Forum der Neuen Sachlichkeit 1927-1933*, Essen 1986, S. 261-374.

Claus 2001: Horst Claus, *Zuckmayers Arbeiten für den Film in London 1934 bis 1939*, in: *Zuckmayer-Jahrbuch*, Band 4, 2001, S. 341-411.

Csokor 1964: Franz Theodor Csokor, *Zeuge einer Zeit. Briefe aus dem Exil 1933-1950*, München, Wien 1964.

von Cziffra 1985: Géza von Cziffra, *Es war eine rauschende Ballnacht. Eine Sittengeschichte des deutschen Films*, München, Berlin 1985.

Dachs 1986: Robert Dachs, *Willi Forst. Eine Biographie*, Wien 1986.

Dannenberg 1983: Peter Dannenberg, *Immer wenn es Abend wird. Dreihundert Jahre Theater in Kiel*, Hamburg 1983.

Decloedt 1996: Leopold R.G. Decloedt, *»Weder Kaiser noch König – sondern ein Führer«. Die Funktionalisierung der Geschichte bei Bruno Brehm*, in: Christiane Caemmerer / Walter Delabar (Hrsg.),

Dichtung im Dritten Reich? Zur Literatur in Deutschland *1933-1945*, Opladen 1996, S. 205-213.

Delabar 1996: Walter Delabar, *Unheilige Einfalt. Zu den Verhaltenskonzepten in den Romanen Ernst Wiecherts*, in: Christiane Caemmerer / Walter Delabar (Hrsg.), *Dichtung im Dritten Reich? Zur Literatur in Deutschland 1933-1945*, Opladen 1996.

Delabar 2001: Nachwort zu: Heinrich Hauser, *Donner überm Meer* (1929), Bonn 2001, S. 196-207.

Demm 1999: Eberhard Demm, *Von der Weimarer Republik zur Bundesrepublik. Der politische Weg Alfred Webers 1920-1958*, Düsseldorf 1999.

Deutsch 1960: Julius Deutsch, *Ein weiter Weg. Lebenserinnerungen*, Wien 1960.

Deutsches Institut für Zeitungskunde 1932: *Handbuch der deutschen Tagespresse*, hrsg. vom Deutschen Institut für Zeitungskunde, Berlin 1932.

Die Schwalben ... 1994: »*Die Schwalben fliegen hoch*«. *Erinnerungen an Friedrich Sieburg zum 100. Geburtstag*, Gärtringen 1994.

Dillmann 1990: Michael Dillmann, *Heinz Hilpert. Leben und Werk*, Berlin 1990.

Dimpfl 1996: Monika Dimpfl, *Immer veränderlich. Liesl Karlstadt 1892-1960*, hrsg. vom Kulturreferat der Landeshauptstadt München, München 1996.

Dirscherl/Nickel 2000: Luise Dirscherl / Gunther Nickel (Hrsg.), *Der blaue Engel. Die Drehbuchentwürfe*, St. Ingbert 2000.

Drafz 1996: Helge Drafz, *Konvention oder Kollaboration? Zur Langlebigkeit bildungsbürgerlicher Kulturideale am Beispiel der Schriften von Otto Brües*, in: Christiane Caemmerer / Walter Delabar (Hrsg.), *Dichtung im Dritten Reich?*, Opladen 1996, S. 277-291.

Drekonja 1981: Otmar M. Drekonja, *Erinnerungen an Guido Zernatto. Unbekanntes aus der Schreibtischlade eines Österreichers aus Kärnten*, Klagenfurt 1981.

Drewniak 1983: Boguslaw Drewniak, *Das Theater im NS-Staat*, Düsseldorf 1983.

Drewniak 1987: Boguslaw Drewniak, *Der deutsche Film 1938-1945*, Düsseldorf 1987.

Dross 1969: Ernst Barlach, *Die Briefe 1888-1938*, hrsg. von Friedrich Dross, Band 2: 1925-1938, München 1969.

Dubrovic 1985 a: Milan Dubrovic, *Kultur und Politik im Salon Grete Wiesenthal*, in: Reingard Witzmann (Hrsg.), *Die neue Körpersprache. Grete Wiesenthal und ihr Tanz. Ausstellungskatalog der historischen Museen Wien*, Wien 1985, S. 31-36.

Dubrovic 1985 b: Milan Dubrovic, *Veruntreute Geschichte. Die Wiener Salons und Literaturcafés*, Wien, Hamburg, 1985.

Dussel 1987: Konrad Dussel, *Ein neues, ein heroisches Theater? Nationalsozialistische Theaterpolitik und ihre Auswirkungen*, Bonn 1987.

Düsterberg 1999: Rolf Düsterberg, *Völkermord und Saga-Dichtung im Zeichen des ›Großgermanischen Reiches‹. Hanns Johsts Freundschaft mit Heinrich Himmler*, in: *Internationales Archiv für Sozialgeschichte der Literatur*, Jg. 24, 1999, H. 2, S. 88-133.

Düsterberg 2001: Rolf Düsterberg, *›Gesegnete Vergänglichkeit‹. Hanns Johsts literarische ›Vergangenheitsbewältigung‹*, in: *Zeitschrift für deutsche Philologie*, Jg. 120, 2001, H. 4, S. 612-633.

K. Edschmid 1960: Kasimir Edschmid, *Tagebuch 1958-1960*, München, Wien, Basel 1960.

U. Edschmid 1999: Ulrike Edschmid (Hrsg.), *»Wir wollen nicht mehr darüber reden«. Erna Pinner und Kasimir Edschmid. Eine Geschichte in Briefen*, München 1999.

Ehrentreich 1965: Alfred Ehrentreich, *Martin Luserkes Vision des Shakespeare-Theaters*, in: *Bildung und Erziehung*, Jg. 18, 1965, H. 3, S. 284-295.

Ehrke-Rotermund 2002: *»Ich bange um die Eiszeit ›als wärs ein Stück von mir‹«. Der Briefwechsel zwischen Carl Zuckmayer und Tankred Dorst*, ediert, eingeleitet und kommentiert von Heidrun Ehrke-Rotermund, in: *Zuckmayer-Jahrbuch*, Band 5, 2002.

Ehrke-Rotermund/Rotermund 1999: Heidrun Ehrke-Rotermund / Erwin Rotermund, *Zwischenreiche und Gegenwelten. Texte und Vorstudien zur ›Verdeckten Schreibweise‹ im ›Dritten Reich‹*, München 1999.

von Einsiedel 1985: Heinrich Graf von Einsiedel, *Tagebuch der Versuchung. 1942-1950*, vom Autor erg. Neuausgabe, Frankfurt am Main, Berlin, Wien 1985.

Elfe 1987: Wolfgang Elfe, *Von den Schwierigkeiten ein »deutscher Patriot« zu sein. Karl Otto Paetel und Deutschland*, in: Thomas Koebner / Gert Sautermeister / Sigrid Schneider, *Deutschland nach Hitler. Zukunftspläne im Exil und aus der Besatzungszeit 1939-1949*, Opladen 1987.

Elser 1930: Richard Elser (Hrsg.), *Das deutsche Drama*, Jg. 2, 1930.

Erdmann 1997: Ulrich Erdmann, *Vom Naturalismus zum Nationalsozialismus? Zeitgeschichtlich-biographische Studien zu Max Halbe, Gerhart Hauptmann, Johannes Schlaf und Hermann Stehr*, Frankfurt am Main 1997.

Euler 1979: Friederike Euler, *Theater zwischen Anpassung und Widerstand. Die Münchener Kammerspiele im Dritten Reich*, in:

Martin Broszat / Elke Fröhlich (Hrsg.), *Bayern in der NS-Zeit*, München 1979, S. 91-173.

P. Fechter 1932: Paul Fechter, *Dichtung der Deutschen*, Berlin 1932.

P. Fechter 1941: Paul Fechter, *Geschichte der deutschen Literatur*, Berlin 1941.

P. Fechter 1948: Paul Fechter, *Menschen und Zeiten. Begegnungen aus fünf Jahrzehnten*, Gütersloh 1948.

P. Fechter 1949: Paul Fechter, *An der Wende der Zeit*, Gütersloh 1949.

P. Fechter 1952: Paul Fechter, *Geschichte der deutschen Literatur*, Gütersloh 1952.

P. Fechter 1955: Paul Fechter, *Menschen auf meinen Wegen. Begegnungen gestern und heute*, Gütersloh 1955.

S. Fechter 1964: Sabine Fechter, *Paul Fechter. Wege und Formen der Opposition im dritten Reich*, in: *Publizistik*, Jg. 9, 1964, H. 1, S. 17-39.

Fehling 1978: *Jürgen Fehling. Der Regisseur (1885-1968)*, Katalog zur Ausstellung der Akademie der Künste Berlin, Berlin 1978.

Ferber 1979: Christian Ferber, *Die Seidels. Geschichte einer bürgerlichen Familie 1811-1977*, Stuttgart 1979.

Fetting 1981: Alfred Kerr, *Mit Schleuder und Harfe. Theaterkritiken aus drei Jahrzehnten*, hrsg. von Hugo Fetting, Berlin 1981.

Feuchtwanger 1930: Lion Feuchtwanger, *Erfolg. Drei Jahre Geschichte einer Provinz*, Potsdam 1930.

Fiedler/Lang 1985: Leonhard M. Fiedler / Martin Lang (Hrsg.), *Grete Wiesenthal*, Salzburg 1985.

Filmmuseum Potsdam 1999: *Leni Riefenstahl*, hrsg. vom Filmmuseum Potsdam, Berlin 1999.

Finck 1972: Werner Finck, *Alter Narr – was nun?*, München, Berlin 1972.

Finker 1993: Kurt Finker, *Graf Moltke und der Kreisauer Kreis*, Berlin 1993.

B. Fischer 1987: Bernhard Fischer, *»Stil« und »Züchtung« – Gottfried Benns Kunsttheorie und das Jahr 1933*, in: *Internationales Archiv für Sozialgeschichte der deutschen Literatur*, Band 12, 1987, S. 190-212.

E. Fischer 1980: Ernst Fischer, *Der Schutzverband deutscher Schriftsteller, 1909-1933*, Frankfurt am Main 1980.

Flake 1960: Otto Flake, *Es wird Abend. Bericht eines langen Lebens*, Gütersloh 1960.

Forster 1967: Rudolf Forster, *Das Spiel, mein Leben*, Berlin 1967.

Frey 1999: Stefan Frey, *»Was sagt ihr zu diesem Erfolg«. Franz Lehár und die Unterhaltungsmusik des 20. Jahrhunderts*, Frankfurt am Main, Leipzig 1999.

Freydank 1990: Ruth Freydank, *Zwischen den Fronten. Die Politik der Berliner Volksbühne zwischen 1917 und 1939*, in: Dietger Pforte, *Freie Volksbühne Berlin 1890-1990. Beiträge zu einer Geschichte der Volksbühnenbewegung in Berlin*, Berlin 1990, S. 33-86.

Friedländer/Rüsen 2000: *Richard Wagner im Dritten Reich. Ein Schloss Elmau-Symposion*, hrsg. von Saul Friedländer und Jörn Rüsen, München 2000.

Fringeli 1974: Dieter Fringeli, *Ein helvetisches Ärgernis. Das Tabu Jakob Schaffner*, in: Dieter Fringeli, *Dichter im Abseits. Schweizer Autoren von Glauser bis Hohl*, Zürich, München 1974, S. 15-31.

Fritsch-Vivié 1999: Gabriele Fritsch-Vivié, *Mary Wigman*, Reinbek 1999.

Fröhlich 1987: *Die Tagebücher von Joseph Goebbels*, im Auftrag des Instituts für Zeitgeschichte hrsg. von Elke Fröhlich, Teil I: Aufzeichnungen 1923-1941, München 1987.

Fröschle 1994: Ulrich Fröschle, *»Nicht denken: halb & halb«. Gottfried Benn 1933/1993. Weimar – Bonn – Berlin*, in: *Etappe*, Nr. 10, 1994, S. 36-66.

Fröschle 1998: Ulrich Fröschle, *Friedrich Georg Jünger (1898-1977). Kommentiertes Verzeichnis seiner Schriften*, Marbach 1998.

Fröschle 1999: Ulrich Fröschle, *Die »Front der Unzerstörten« und der »Pazifismus«. Die politischen Wendungen des Weltkriegserlebnisses beim »Pazifisten« Carl Zuckmayer und beim »Frontschriftsteller« Ernst Jünger*, in: *Zuckmayer-Jahrbuch*, Band 2, 1999, S. 309-360.

Fröschle / Haase 2001: Friedrich Georg Jünger, *»Inmitten dieser Welt der Zerstörung«. Briefwechsel mit Rudolf Schlichter, Ernst Niekisch und Gerhard Nebel*, hrsg. von Ulrich Fröschle und Volker Haase, Stuttgart 2001.

Gahlings 1996: Ute Gahlings, *Hermann Graf Keyserling. Ein Lebensbild*, Darmstadt 1996.

Geisenheyner 1936: Max Geisenheyner, *Phantasien aus dem Rucksack*, Frankfurt 1936, zweite Aufl. 1942.

Gerold-Tucholsky/Raddatz 1962: Kurt Tucholsky, *Ausgewählte Briefe 1913-1935*, hrsg. von Mary Gerold-Tucholsky und Fritz J. Raddatz, Reinbek 1962.

Gerstinger 1987: Heinz Gerstinger, *Österreich – »Holdes Mädchen und böser Traum«. August Strindbergs Ehe mit Frida Uhl*, Wien 1987.

Giffei 1979: Herbert Giffei, *Martin Luserke und das Theater*, Recklinghausen 1979.

Gilbert 1989: Felix Gilbert, *Lehrjahre im alten Europa. Erinnerungen 1905-1945*, Berlin 1989.

Gillessen 1986: Günther Gillessen, *Auf verlorenem Posten. Die Frankfurter Zeitung im Dritten Reich*, Berlin 1986.

Glade 1983: Henry Glade, *Carl Zuckmayers Exil in Vermont*, in: *Blätter der Carl-Zuckmayer-Gesellschaft*, Jg. 9, 1983, H. 3, S. 112-124.

Glauert 1977: Barbara Glauert (Hrsg.), *Carl Zuckmayer. Das Bühnenwerk im Spiegel der Kritik*, Frankfurt am Main 1977.

Goldmann 1992: Bernd Goldmann, *Bernard von Brentano. Texte und Bibliographie*, Mainz 1992.

Göring 1967: Emmy Göring, *An der Seite meines Mannes*, Göttingen 1967.

Görtz / Sarkowicz 1998: Franz Josef Görtz / Hans Sarkowicz, *Erich Kästner. Eine Biographie*, München, Zürich 1998.

Görtz / Sarkowicz 2001: Franz Josef Görtz / Hans Sarkowicz, *Heinz Rühmann 1902-1994. Der Schauspieler und sein Jahrhundert*, München 2001.

Goverts 1956: Henry Goverts, *Abschied und Erinnerung. Carl Zuckmayer zum 60. Geburtstag*, in: *Merkur*, Jg. 10, 1956, H. 106, S. 1201-1206.

Goverts 1962: Henry Goverts, *Gedichte aus frühen Jahren*, Stuttgart 1962.

Goverts 1976: Henry Goverts, *Unsere Heidelberger Jahre*, in: *Festschrift für Carl Zuckmayer zu seinem 80. Geburtstag am 27. Dezember 1976*, hrsg. von der Landeshauptstadt Mainz und der Carl-Zuckmayer-Gesellschaft e. V., Mainz [1976], S. 34-42.

Graebner 2001: Grith Graebner, *»Dem Leben unter die Haut kriechen ...«. Heinrich Hauser – Leben und Werk. Eine kritisch-biographische Werk-Bibliographie*, Aachen 2001.

Graf 1992: Sabine Graf, *»Als Schriftsteller leben«. Das publizistische Werk Otto Flakes der Jahre 1900-1933 zwischen Selbstverständigung und Selbstinszenierung*, St. Ingbert 1992.

Graff 1963: Sigmund Graff, *Von SM zu NS*, Wels, München 1963.

Grob 1984: Norbert Grob, *Veit Harlan*, in: *Cinegraph. Lexikon zum deutschsprachigen Film*, hrsg. von Hans-Michael Bock, München 1984.

Grosser 1963: J. F. G. Grosser (Hrsg.), *Die grosse Kontroverse. Ein Briefwechsel um Deutschland*, Hamburg, Genf, Paris 1963.

Haack 1971: Käte Haack, *In Berlin und anderswo*, München 1971.

Hadriga 1989: Franz Hadriga, *Drama Burgtheaterdirektion. Vom Scheitern des Idealisten Anton Wildgans*, Wien 1989.

Haeusserman 1975: Ernst Haeusserman, *Das Wiener Burgtheater*, Wien, München, Zürich 1975.

Hall 1977: Murray G. Hall, *Robert Musil und der Schutzverband deutscher Schriftsteller in Österreich*, in: Österreich in Geschichte und Literatur, Jg. 21, 1977, H. 4, S. 202-221.

Hall 1985: Murray G. Hall, *Österreichische Verlagsgeschichte 1918-1938*, Wien, Köln, Graz 1985.

Hammerstein 1989: Notker Hammerstein, *Die Johann Wolfgang Goethe Universität Frankfurt am Main*, Neuwied, Frankfurt a. M. 1989.

Hanuschek 1999: Sven Hanuschek, *Keiner blickt dir hinter das Gesicht. Das Leben Erich Kästners*, München, Wien 1999.

Harlan 1966: Veit Harlan, *Im Schatten meiner Filme. Selbstbiographie*, hrsg. u. mit einem Nachwort versehen von Hans C. Opfermann, Gütersloh 1966.

Härtling 1981: Peter Härtling, *Meine Lektüre. Literatur als Widerstand*, hrsg. von Klaus Siblewski, Neuwied, Darmstadt 1981.

Hattwig 1984: Jörg Hattwig, *Das Dritte Reich im Werk Ernst Wiecherts. Geschichtsdenken, Selbstverständnis und literarische Praxis*, Frankfurt am Main, Bern, New York 1984.

Hecht u.a. 1988-2000: Bertolt Brecht, *Werke. Große kommentierte Berliner und Frankfurter Ausgabe*, hrsg. von Werner Hecht, Jan Knopf, Werner Mittenzwei und Klaus-Detlef Müller, Berlin, Weimar, Frankfurt am Main 1988-2000.

Heiber/von Kotze 1968: *Facsimile-Querschnitt durch das Schwarze Korps*, hrsg. von Helmut Heiber und Hildegard von Kotze, München, Bern, Wien 1968.

Heideking 1993: Jürgen Heideking, *Die ›Breaker‹-Akte. Das Office of Strategic Services und der 20. Juli 1944*, in: Jürgen Heideking / Christof Mauch (Hrsg.), *Geheimdienstkrieg gegen Deutschland. Subversion, Propaganda und politische Planungen des amerikanischen Geheimdienstes im Zweiten Weltkrieg*, Göttingen 1993.

Heideking/Mauch 1993: Jürgen Heideking / Christof Mauch (Hrsg.), *USA und deutscher Widerstand. Analysen und Operationen des amerikanischen Geheimdienstes im Zweiten Weltkrieg*, Tübingen, Basel 1993.

Heimpel/Heuss/Reifenberg 1957: *Die Großen Deutschen. Deutsche Biographien in vier Bänden*, hrsg. von Hermann Heimpel, Theodor Heuss, Benno Reifenberg, Berlin 1957, Band 4.

H.-J. Heinrichs 1998: Hans-Jürgen Heinrichs, *Die fremde Welt, das bin ich. Leo Frobenius: Ethnologe, Forschungsreisender, Abenteurer*, Wuppertal 1998.

W. Heinrichs 1992: Waldo Heinrichs, *The United States Prepares for War*, in: George C. Chalou (Hrsg.), *The Secret War. The Office of Strategic Services in World War II*, Washington 1992.

Heinsen-Becker 1977: Gudrun Heinsen-Becker, *Karl Bröger und die Arbeiterdichtung seiner Zeit*, Nürnberg 1977.

Heißerer 1997: Ernst Jünger / Rudolf Schlichter, *Briefe 1935-1955*, hrsg., kommentiert und mit einem Nachwort von Dirk Heißerer, Stuttgart 1997.

Helmich 1989: Bernhard Helmich, *Händel-Fest und »Spiel der 10.000«. Der Regisseur Hanns Niedecken-Gebhard*, Frankfurt am Main, Bern, New York, Paris 1989.

Hennig 1983: Eike Hennig, *Hessen unterm Hakenkreuz. Studien zur Durchsetzung der NSDAP in Hessen*, Frankfurt am Main 1983.

Hennings 1972/73: Fred Hennings, *Heimat Burgtheater*, 2 Bände, Wien 1972/73.

Hepp 1993: Michael Hepp, *Kurt Tucholsky. Biographische Annäherungen*, Reinbek 1993.

Hermand 1998: Jost Hermand, *Die deutschen Dichterbünde. Von den Meistersingern bis zum PEN-Club*, Köln, Weimar, Wien 1998.

Herzinger 1998: Richard Herzinger, *Ein extremistischer Zuschauer. Ernst von Salomon. Konservativ-revolutionäre Literatur zwischen Tatrhetorik und Resignation*, in: *Zeitschrift für Germanistik, Neue Folge*, Jg. 8, 1998, S. 83-96.

Hessler 1984: Ulrike Hessler, *Bernard von Brentano – Ein deutscher Schriftsteller ohne Deutschland. Tendenzen des Romans zwischen Weimarer Republik und Exil*, Frankfurt am Main, Bern, New York, Nancy 1984.

Hessler 2000: Ulrike Hessler, *Bernard von Brentano (1901-1964). Ein deutscher Schriftsteller ohne Deutschland*, in: Bernd Heidenreich (Hrsg.), *»Geist und Macht«. Die Brentanos*, Wiesbaden 2000, S. 197-232.

Heyworth 1983/1996: Peter Heyworth, *Otto Klemperer. His Life and Times*, 2 Bände, Cambridge 1983/1996.

Hillebrand 1982: Gottfried Benn, *Gedichte in der Fassung der Erstdrucke*, hrsg. von Bruno Hillebrand, Frankfurt am Main 1982.

Hoegner 1959: Wilhelm Hoegner, *Der schwierige Außenseiter*, München 1959.

Hoffmann/Siebig 1987: Ludwig Hoffmann / Karl Siebig, *Ernst Busch. Eine Biographie in Texten, Bildern und Dokumenten*, Berlin 1987.

Hofmann 2000: Katrin Hofmann, *Werner Maser: Heinrich George* [Rez.], in: *Zuckmayer-Jahrbuch*, Band 3, 2000, S. 538-541.

Hopfgartner 1989: Anton Hopfgartner, *Kurt Schuschnigg. Ein Mann gegen Hitler*, Graz, Wien, Köln 1989.

Horney 1992: Brigitte Horney, *So oder so ist das Leben*, aufgezeichnet von Gerd Heyerdahl, Bern, München, Wien 1992.

Huesmann 1983: Heinrich Huesmann, *Welttheater Reinhardt. Bauten, Spielstätten, Inszenierungen*, München 1983.

Hummerich 1984: Helga Hummerich, *Wahrheit zwischen den Zeilen. Erinnerungen an Benno Reifenberg und die Frankfurter Zeitung*, Freiburg im Breisgau, Basel, Wien 1984.

Ihering 1941: Herbert Ihering, *Emil Jannings. Baumeister seines Lebens und seiner Filme*, Heidelberg, Berlin, Leipzig 1941.

Jacobsen 1997: Wolfgang Jacobsen, *G. W. Pabst*, Berlin 1997.

Jaeckle 1975: Erwin Jaeckle, *Die Zürcher Freitagsrunde*, Zürich 1975.

Jannings 1951: Emil Jannings, *Theater. Film – Das Leben und ich*, bearbeitet von C.C. Bergius, Berchtesgaden 1951.

P.-E. Jansen 1999: Peter-Erwin Jansen, *Deutsche Emigranten in amerikanischen Regierungsinstitutionen. Herbert Marcuse, Franz Neumann, Leo Löwenthal und andere*, in: Peter-Erwin Jansen (Hrsg.), *Zwischen Hoffnung und Notwendigkeit. Texte zu Herbert Marcuse*, Frankfurt am Main 1999.

F. Janssen 1991: Franz Janssen, *Bewahrendes und progressives Wertebewußtsein. Der rheinische Feuilletonist und Erzähler Otto Brües*, Düsseldorf 1991.

von Jeinsen 1955: Gretha von Jeinsen, *Silhouetten. Eigenwillige Betrachtungen*, Pfullingen 1955.

Jens 1971: Inge Jens, *Dichter zwischen rechts und links. Die Geschichte der Sektion für Dichtkunst der Preußischen Akademie der Künste, dargestellt nach den Dokumenten*, München 1971.

Jens 1982: Thomas Mann, *Tagebücher 1940-1943*, hrsg. von Inge Jens, Frankfurt am Main 1982.

Jens 1986: Thomas Mann, *Tagebücher 1944 - 1.4.1946*, hrsg. von Inge Jens, Frankfurt am Main 1986.

Joseph 1991: Albrecht Joseph, *Ein Tisch bei Romanoff's. Vom expressionistischen Theater zur Westernserie*, Mönchengladbach 1991.

Joseph 1993: Albrecht Joseph, *Portraits I. Carl Zuckmayer. Bruno Frank*, Aachen 1993.

Kamin 1966: Ernst Wiechert, *Häftling Nr. 7188. Tagebuchnotizen und Briefe*, hrsg. von Gerhard Kamin, München 1966.

Kantorowicz 1978: Alfred Kantorowicz, *Politik und Literatur im Exil. Deutschsprachige Schriftsteller im Kampf gegen den Nationalsozialismus*, Hamburg 1978.

Kästner 1961: Erich Kästner, *Notabene 45. Ein Tagebuch*, Berlin 1961.

Kater 1998: Michael H. Kater, *Die mißbrauchte Muse. Musiker im Dritten Reich*, München, Wien 1998.

Katz 1989: Barry M. Katz, *Foreign Intelligence Research and Analysis in the OSS, 1942-1945*, Cambridge, Mass. 1989.

Kebir 1997: Sabine Kebir, *Ich fragte nicht nach meinem Anteil. Elisabeth Hauptmanns Arbeit mit Bertolt Brecht*, Berlin 1997.

Kempner 1983: Robert M. W. Kempner, *Ankläger einer Epoche. Lebenserinnerungen*, Frankfurt am Main, Berlin, Wien 1983.

Kesten 1970: *Joseph Roth. Briefe 1911-1939*, hrsg. und eingel. von Hermann Kesten, Köln, Berlin 1970.

Kesten 1973: Hermann Kesten (Hrsg.), *Deutsche Literatur im Exil. Briefe europäischer Autoren 1933-1945*, Frankfurt am Main 1973.

Ketelsen 1994: Uwe-K. Ketelsen, *Literatur und Drittes Reich*, 2., durchgesehene Aufl., Vierow 1994.

Kiehn 2001: Ute Kiehn, *Theater im ›Dritten Reich‹. Volksbühne Berlin*, Berlin 2001.

Kieser 1979: Rolf Kieser, *Jakob Schaffner*, in: Marianne Burkhard / Gerd Labroisse, *Zur Literatur der deutschsprachigen Schweiz*, Amsterdam 1979, S. 161-177.

Klausnitzer 1999 a: Ralf Klausnitzer, *»Wir rücken die Berge unseres Glaubens auf die Höhen des Kaukasus«. »Reichsdramaturg« Rainer Schlösser*, in: *Zeitschrift für Germanistik*, Neue Folge, Jg. 2, 1999, H. 2, S. 294-316.

Klausnitzer 1999 b: Ralf Klausnitzer, *Opposition zur »Stählernen Romantik?« Der Klages-Kreis im ›Dritten Reich‹*, in: Walter Delabar / Horst Denkler / Erhard Schütz (Hrsg.), *Banalität mit Stil. Zur Widersprüchlichkeit der Literaturproduktion im Nationalsozialismus*, Bern, Berlin, Frankfurt am Main, New York, Paris, Wien 1999, S. 43-78.

Klein 1994: Markus Josef Klein, *Ernst von Salomon, Eine politische Biographie. Mit einer vollständigen Bibliographie*, Vorwort von Armin Mohler, Limburg an der Lahn 1994.

Kliem 1957: Kurt Kliem, *Der sozialistische Widerstand gegen das Dritte Reich, dargestellt an der Gruppe »Neubeginnen«*, Magdeburg 1957.

Knilli/Maurer/Radevagen/Zielinski 1983: Friedrich Knilli / Thomas Maurer / Thomas Radevagen / Siegfried Zielinski, *Jud Süss. Filmprotokoll, Programmheft und Einzelanalyse*, Berlin 1983.

Kocka 1977: Jürgen Kocka, *Angestellte zwischen Faschismus und Demokratie. Zur politischen Sozialgeschichte der Angestellten: USA 1890-1940 im internationalen Vergleich*, Göttingen 1977.

König 1989: Peter König, *Karl Bröger*, in: Walther Killy, *Literatur-Lexikon. Autoren und Werke deutscher Sprache*, München 1989, Band 2, S. 246 f.

Koepke 1987: Wulf Koepke, *Die Bestrafung und Besserung der Deutschen. Über die amerikanischen Kriegsziele, über Völkerpsychologie und Emil Ludwig*, in: Thomas Koebner / Gert Sautermeister / Sigrid Schneider, *Deutschland nach Hitler. Zukunftspläne im Exil und aus der Besatzungszeit 1939-1949*, Opladen 1987.

Kohse 2001: Petra Kohse, *Marianne Hoppe*, Berlin 2001.

Kolbenheyer 1958: Erwin Guido Kolbenheyer, *Sebastian Karst über sein Leben und seine Zeit, 2. Teil*, in: Erwin Guido Kolbenheyer, *Gesamtausgabe der Werke letzter Hand*, Abt. 2, Band 4, Gartenberg bei Wolfratshausen 1958.

Korn 1975: Karl Korn, *Lange Lehrzeit*, Frankfurt am Main 1975.

Körner 2001: Torsten Körner, *Ein guter Freund. Heinz Rühmann. Biographie*, Berlin 2001.

Kortner 1959: Fritz Kortner, *Aller Tage Abend*, München 1959.

Kosch 1949: *Deutsches Literatur-Lexikon*, von Wilhelm Kosch, 2., vollständig neubearb. und stark erw. Auflage, Bern 1949.

Kosch 1969: *Deutsches Literatur-Lexikon*, begr. von Wilhelm Kosch, 3., völlig neu bearb. Aufl., Bern, München 1969.

Kraiker u.a. 1994: Carl von Ossietzky, *Sämtliche Schriften*, Band 6, hrsg. von Gerhard Kraiker, Gunther Nickel, Renke Siems und Elke Suhr, Reinbek 1994.

Krause 1993: Tilman Krause, *Mit Frankreich gegen das deutsche Sonderbewußtsein. Friedrich Sieburgs Wege und Wandlungen in diesem Jahrhundert*, Berlin 1993.

Krauß 1958: Werner Krauß, *Schauspiel meines Lebens. Einem Freund erzählt*, eingel. von Carl Zuckmayer, Stuttgart 1958.

Krechel 1972: Ursula Krechel, *Information und Wertung. Untersuchungen zum theater- und filmkritischen Werk von Herbert Ihering*, Köln 1972.

Kreimeier 1992: Klaus Kreimeier, *Die Ufa-Story. Geschichte eines Filmkonzerns*, München 1992.

Krull/Fetting 1987: Herbert Ihering, *Theater in Aktion. Kritiken aus drei Jahrzehnten 1913-1933*, hrsg. von Edith Krull und Hugo Fetting, Berlin 1987, S. 490-493.

Krützen 1995: Michaela Krützen, *Hans Albers. Eine deutsche Karriere*, Weinheim, Berlin 1995.

Kupffer 1970: Heinrich Kupffer, *Gustav Wyneken*, Stuttgart 1970.

Kurth 1990: Peter Kurth, *American Cassandra. The Life of Dorothy Thompson*, Boston, Toronto, London 1990.

Langenbucher 1937: Hellmuth Langenbucher, *Volkhafte Dichtung der Zeit*, 3. Aufl., Berlin 1937.

Langer 1985: Friedrich Langer, *Die Tanzgruppe Wiesenthal. Sehr persönliche Begegnungen*, in: Reingard Witzmann (Hrsg.), *Die neue Körpersprache. Grete Wiesenthal und ihr Tanz. Ausstellungskatalog der historischen Museen Wien*, Wien 1985, S. 28-30.

Lehnert 1976: Herbert Lehnert, *Bert Brecht und Thomas Mann im Streit über Deutschland*, in: John M. Spalek / Joseph Strelka (Hrsg.), *Deutsche Exilliteratur seit 1933, Band 1: Kalifornien*, München, Bern 1976.

Leo-Frobenius-Institut 1998: *Das Leo-Frobenius-Institut an der Johann Wolfgang Goethe-Universität 1898-1998*, hrsg. vom Leo-Frobenius-Institut, Frankfurt am Main 1998.

Liebe 1995: Ulrich Liebe, *Verehrt, verfolgt, vergessen. Schauspieler als Naziopfer*, neu ausgestattete Ausg., Weinheim, Berlin 1995.

Lieser 1998: Dietmar Lieser, *Zwischen Distanz und Affinität. Anmerkungen zu Josef Pontens Weg in den Faschismus*, in: Bernd Kortländer (Hrsg.), *Literaturpreise. Literaturpolitik und Literatur am Beispiel der Region Rheinland/Westfalen*, Stuttgart, Weimar 1998, S. 101-122.

Lindner 1994: Martin Lindner, *Leben in der Krise. Zeitromane der neuen Sachlichkeit und die intellektuelle Mentalität der klassischen Moderne*, Stuttgart, Weimar 1994.

Linke 2001: Norbert Linke, *Franz Lehár*, Reinbek 2001.

Loewy 1983: Ernst Loewy, *Literatur unterm Hakenkreuz. Das Dritte Reich und seine Dichtung. Eine Dokumentation*, Frankfurt am Main 1983.

Lothar 1960: Ernst Lothar, *Das Wunder des Überlebens. Erinnerungen und Ergebnisse*, Hamburg, Wien 1960.

Ludwigg 1928: Heinz Ludwigg (Hrsg.), *Fritz Kortner*, Berlin 1928.

von der Lühe 1993: Irmela von der Lühe, *Erika Mann. Eine Biographie*, Frankfurt am Main, New York 1993.

Maack 2001: Kurt Tucholsky, *Gesamtausgabe, Band 10: Texte 1928*, hrsg. von Ute Maack, Reinbek 2001.

MacDonald 1942: Elizabeth MacDonald, *Undercover Girl*, New York 1947.

Mahler-Werfel 1960: Alma Mahler-Werfel, *Mein Leben*, Frankfurt am Main 1960.

Maisch 1970: Herbert Maisch, *Helm ab, Vorhang auf*, 2., verb. Auflage, Emsdetten 1970.

E. Mann 1963: Thomas Mann, *Briefe 1937-1947*, hrsg. von Erika Mann, Berlin, Weimar 1963.

K. Mann 2000: Klaus Mann, *Mephisto. Roman einer Karriere*, überarb. Neuausgabe, Reinbek 2000.

Marcuse 1998: Herbert Marcuse, *Feindanalysen. Über die Deutschen*, hrsg. von Peter-Erwin Jansen, Lüneburg 1998.

Marquardt-Bigman 1995: Petra Marquardt-Bigman, *Amerikanische Geheimdienstanalysen über Deutschland 1942-1949*, München 1995.

Martin 1986: Bernhard Martin, *Dichtung und Ideologie. Völkischnationales Denken im Werk Rudolf Georg Bindings*, Frankfurt am Main, Bern, New York 1986.

Maser 1998: Werner Maser, *Heinrich George, Mensch aus Erde gemacht*, Berlin 1998.

Massoth 1999: Anja Massoth, *»Auch bin ich ja eigentlich gar kein ›österreichischer Künstler‹. Zuckmayers Rezeption als Dramatiker in Österreich 1925-1938*, in: *Zuckmayer-Jahrbuch*, Band 2, 1999, S. 413-460.

Mauch 1993: Christof Mauch, *Subversive Kriegführung gegen das NS-Regime. Der Widerstand gegen den Nationalsozialismus im Kalkül des amerikanischen Geheimdienstes OSS*, in: Jürgen Heideking / Christof Mauch (Hrsg.), *Geheimdienstkrieg gegen Deutschland. Subversion, Propaganda und politische Planungen des amerikanischen Geheimdienstes im Zweiten Weltkrieg*, Göttingen 1993.

Mauch 1999: Christof Mauch, *Schattenkrieg gegen Hitler. Das Dritte Reich im Visier der amerikanischen Geheimdienste 1941-1945*, Stuttgart 1999.

Maue 1990: Karl-Otto Maue, *Aufbruch – Skepsis – Rechtfertigung. Drei Strategien im literarischen Feld der Nachkriegszeit am Beispiel der Hamburger Autoren Axel Eggebrecht, Hans Erich Nossack und Hans Friedrich Blunck*, in: Inge Stephan / Hans-Gerd Winter (Hrsg.), *»Liebe, die im Abgrund Anker wirft«. Autoren und literarisches Feld im Hamburg des 20. Jahrhunderts*, Berlin, Hamburg 1990, S. 175-196.

Melchinger 1966: Siegfried Melchinger, *Schauspieler*, Hannover 1966.

de Mendelssohn 1977: Thomas Mann, *Die Tagebücher 1933-1934*, hrsg. von Peter de Mendelssohn, Frankfurt am Main 1977.

de Mendelssohn 1978: Thomas Mann, *Die Tagebücher 1935-1936*, hrsg. von Peter de Mendelssohn, Frankfurt am Main 1978.

de Mendelssohn 1980: Thomas Mann, *Die Tagebücher 1937-1938*, hrsg. von Peter de Mendelssohn, Frankfurt am Main 1980.

de Mendelssohn 1982: Thomas Mann, *Tagebücher 1940-1943*, hrsg. von Peter de Mendelssohn, Frankfurt am Main 1982.

de Mendelssohn 1983: Thomas Mann, *Über mich selbst. Autobiographische Schriften*, Gesammelte Werke in Einzelbänden, hrsg. von Peter de Mendelssohn, Frankfurt am Main 1983.

Menzel 1992: Wolfgang Menzel, *»Des Dichters Schaffen ist Gnade«. Kurt Heynicke zum 100. Geburtstag,* in: *Allmende,* Jg. 12, 1992, H. 32/33, S. 98-109.

Mertz-Rychner/Nickel 2000: *Carl Zuckmayer – Carl Jacob Burckhardt: Briefwechsel,* ediert, eingeleitet und kommentiert von Claudia Mertz-Rychner und Gunther Nickel, in: *Zuckmayer-Jahrbuch,* Band 3, S. 11-243.

Mews 1981 a: Siegfried Mews, *Carl Zuckmayer,* Boston 1981.

Mews 1981 b: Siegfried Mews, *»Who is Carl Zuckmayer?« Zur Rezeption Zuckmayers in den Vereinigten Staaten,* in: *Blätter der Carl-Zuckmayer-Gesellschaft,* Jg. 7, 1981, H. 1, S. 3-22.

Meyer 1985: Jochen Meyer, *Berlin – Provinz,* Marbach 1985 (Marbacher Magazin 35), S. 88-126.

Meyer 1994: Jochen Meyer, *Paul Steegemann Verlag 1919-1935 / 1949-1955,* Stuttgart 1994.

von Meyerinck 1967: Hubert von Meyerinck, *Meine berühmten Freundinnen,* Düsseldorf, Wien 1967.

Michalzik 1999: Peter Michalzik, *Gustaf Gründgens. Der Schauspieler und die Macht,* Berlin 1999.

Michel 1947: Wilhelm Michel, *Hölderlin und der deutsche Geist,* Stuttgart 1947 (erstmals Darmstadt 1924).

Michels 1992: Volker Michels, *Zwischen Duldung und Sabotage. Hermann Hesse und der Nationalsozialismus,* in: Martin Pfeifer, *Hermann Hesse und die Politik,* Bad Liebenzell, Calw 1992.

Middel u.a. 1979: Eike Middel u.a. (Hrsg.), *Exil in den USA,* Leipzig 1979.

Mittenzwei 1979: Werner Mittenzwei, *Das Zürcher Schauspielhaus 1933-1945 oder Die letzte Chance,* Berlin 1979.

Mittenzwei 1992: Werner Mittenzwei, *Der Untergang einer Akademie oder Die Mentalität des ewigen Deutschen. Der Einfluß der nationalkonservativen Dichter an der Preußischen Akademie der Künste 1918 bis 1947,* Berlin, Weimar 1992.

Mittenzwei 1999: Werner Mittenzwei, *Verfolgung und Vertreibung deutscher Bühnenkünstler durch den Nationalsozialismus,* in: Frithjof Trapp u.a. (Hrsg.), *Handbuch des deutschsprachigen Exiltheaters 1933-1945,* München 1999, Band 1, S. 7-79.

Moeller 1998: Felix Moeller, *Der Filmminister. Goebbels und der Film im Dritten Reich,* Berlin 1998.

Mosse 1977: Eva Mosse, *Uhu,* in: W. Joachim Freyburg / Hans Wallenberg (Hrsg.), *Hundert Jahre Ullstein,* Band 2, Berlin 1977.

Muck 1982: Peter Muck, *Einhundert Jahre Berliner Philharmonisches Orchester. Darstellung in Dokumenten,* Tutzing 1982,

Band 3: *Die Mitglieder des Orchesters – Die Programme – Die Konzertreisen – Erst- und Uraufführungen.*

Mühr 1981: Alfred Mühr, *Mephisto ohne Maske. Gustaf Gründgens. Legende und Wahrheit*, München, Wien 1981.

G. Müller 1986: Gerhard Müller, *Für Vaterland und Republik. Monographie des Nürnberger Schriftstellers Karl Bröger*, Pfaffenweiler 1986.

G. Müller 1989/1990: Gerhard Müller, *»Warum schreiben Sie eigentlich nicht?«. Bernhard [!] von Brentano in seiner Korrespondenz mit Bertolt Brecht*, in: *Exil*, Jg. 9, 1989, H. 2, S. 42-53 und Jg. 10, 1990, H. 1, S. 53-64.

G. Müller 1992: Gerhard Müller, *Schemen eines »streitbaren homme de lettres«*, in: *Exil*, Jg. 12, 1992, Nr. 2, S. 85-90.

H. Müller 1986: Hedwig Müller, *Mary Wigman. Leben und Werk der großen Tänzerin*, hrsg. von der Akademie der Künste, Weinheim, Berlin 1986.

K. Müller 1990: Karl Müller, *Zäsuren ohne Folgen. Das lange Leben der literarischen Antimoderne Österreichs seit den dreißiger Jahren*, Salzburg 1990.

K. Müller 1997: Karl Müller, *Karl Heinrich Waggerl. Eine Biographie mit Bildern, Texten und Dokumenten*, Salzburg 1997.

K. Müller 1998: Karl Müller, *Probleme männlicher Identität bei Richard Billinger. Homosexualität und Literatur während der NS-Zeit*, in: *Macht Literatur Krieg. Österreichische Literatur im Nationalsozialismus*, hrsg. von Uwe Baur, Karin Gradwohl-Schlacher, Sabine Fuchs, unter Mitarbeit von Helga Mitterbauer, Wien, Köln, Weimar 1998.

Nagl/Zeidler/Castle 1937: Johann Willibald Nagl / Jakob Zeidler / Eduard Castle (Hrsg.), *Deutsch-österreichische Literaturgeschichte*, hrsg. von Johann Willibald Nagl, Jakob Zeidler, Eduard Castle, Band 4, Wien 1937.

Naumann 2000: Klaus Mann, *Kind dieser Zeit*, erw. Neuausgabe mit einem Nachwort von Uwe Naumann, Reinbek 2000.

Nawrocka 2000: Irene Nawrocka, *Verlagssitz: Wien, Stockholm, New York, Amsterdam. Der Bermann-Fischer Verlag im Exil (1933-1950)*, in: *Archiv für Geschichte des Buchwesens*, Band 53, 2000, S. 1-216.

Netuschil 1990: Claus K. Netuschil (Bearb.), *Kasimir Edschmid 1890-1966*, Ausstellungskatalog, Darmstadt 1990.

Neuhaus 2000: Stefan Neuhaus, *Das verschwiegene Werk. Erich Kästners Mitarbeit an Theaterstücken unter Pseudonym*, Würzburg 2000.

Neumann 1978: Franz Neumann, *Die Umerziehung der Deutschen und das Dilemma des Wiederaufbaus (1947)*, in: Franz Neumann, *Wirtschaft, Staat, Demokratie. Aufsätze 1930-1954*, hrsg. von Alfons Söllner, Frankfurt am Main 1978, S. 290-308.

Neumann 1984: Franz Neumann, *Behemoth. Struktur und Praxis des Nationalsozialismus 1933-1944*, hrsg. und mit einem Nachwort von Gert Schäfer, Frankfurt am Main 1984.

Nickel 1996: Gunther Nickel, *Die Schaubühne – Die Weltbühne. Siegfried Jacobsohns Wochenschrift und ihr ästhetisches Programm*, Opladen 1996.

Nickel 1997 a: Gunther Nickel, *Geht ihr denn hin und schwängert eure Weiber. Zur Wiederentdeckung von Carl Zuckmayers Komödie ›Der Eunuch‹*, in: *Jahrbuch zur Literatur der Weimarer Republik*, Band 3, 1997, S. 101-122.

Nickel 1997 b: Gunther Nickel, *Zuckmayer und Brecht*, in: *Jahrbuch der Deutschen Schillergesellschaft*, Jg. 41, 1997, S. 428-459.

Nickel 1998: Gunther Nickel, *Carl Zuckmayers »Der Schelm von Bergen« – eine kritische Auseinandersetzung mit dem Austrofaschismus*, in: *Zuckmayer-Jahrbuch*, Band 1, 1998, S. 215-231.

Nickel 1999 a: *»Persönlich – wär so unendlich viel zu sagen«. Der Briefwechsel zwischen Carl Zuckmayer und Annemarie Seidel*, ediert, eingeleitet und kommentiert von Gunther Nickel, in: *Zuckmayer-Jahrbuch*, Band 2, 1999, S. 9-260.

Nickel 1999 b: Gunther Nickel, *»Ihnen bisher nicht begegnet zu sein, empfinde ich als einen der grössten Mängel in meinem Leben«. Der Briefwechsel zwischen Ernst Jünger und Carl Zuckmayer*, in: *Zuckmayer-Jahrbuch*, Band 2, 1999, S. 515-547.

Nickel 2000: Gunther Nickel, *Carl Zuckmayer und seine Verleger. Von 1920 bis zur Rückkehr aus dem Exil*, in: *Zuckmayer-Jahrbuch*, Band 3, 2000, S. 361-375.

Nickel 2001: Gunther Nickel, *»Des Teufels General« und die Historisierung des Nationalsozialismus*, in: *Zuckmayer-Jahrbuch*, Band 4, 2001, S. 577-612.

Nickel/Schubert 1998: *Carl Zuckmayer – Paul Hindemith: Briefwechsel*, ediert, eingeleitet und kommentiert von Gunther Nickel und Giselher Schubert, in: *Zuckmayer-Jahrbuch*, Band 1, 1998, S. 9-118.

Nickel/Weiß 1996: Gunther Nickel / Ulrike Weiß, *Carl Zuckmayer 1896-1976. »Ich wollte nur Theater machen«*, Marbach 1996 (Marbacher Kataloge 49).

Niesner 1959: Gerhard Niesner, *Friedrich Schreyvogl. Eine Monographie*, masch. Diss., Wien 1959.

Noack 2000: Frank Noack, *Veit Harlan. »Des Teufels Regisseur«*, Berlin 2000.

Oelze 1990: Klaus-Dieter Oelze, *Das Feuilleton der Kölnischen Zeitung im Dritten Reich*, Frankfurt am Main, Bern, New York 1990.

Oeser 1989: Hans-Christian Oeser, *»Die Dunkelkammer der Despotie«. Bernard von Brentanos Roman »Prozeß ohne Richter«* im Zwielicht, in: *Exilforschung. Ein internationales Jahrbuch*, Band 7, München 1989, S. 226-247.

Oettinger 1989: Klaus Oettinger, *»Getrennt auf ewig, für alle Zeiten Feinde!« Wilhelm von Scholz und die Juden*, in: *Allmende*, Jg. 24/25, 1989, S. 153-165.

Orlowski 1985: Hubert Orlowski, *Geschichtsdenken und Literatur. Zu Bruno Brehms »Kaiserreich-Trilogie«*, in Walter Weiss / Eduard Beutner (Hrsg.), *Literatur und Sprache im Österreich der Zwischenkriegszeit*, Stuttgart 1985, S. 47-59.

Pache 1991: Walter Pache, *Karriere eines deutschen Dichters*, in: *Literatur in Bayern*, 1991, H. 23, S. 14-22.

Pauck/Pauck 1978: Wilhelm Pauck / Marion Pauck, *Paul Tillich. Sein Leben und Denken, Band 1: Leben*, Stuttgart, Frankfurt am Main 1978.

Paudler 1977: Maria Paudler, *Auch Lachen will gelernt sein*, Berlin 1977.

Petzel 1985: Jörg Petzel, *Bruno Brehm*, in: Wulf Segebrecht (Hrsg.), *Der Bamberger Dichterkreis*, Bamberg 1985, S. 130-138.

Petzet 1973: Wolfgang Petzet, *Theater. Die Münchener Kammerspiele 1911-1972*, München 1973.

Pfäfflin/Kussmaul 1986: Friedrich Pfäfflin / Ingrid Kussmaul, *S. Fischer, Verlag. Von der Gründung bis zur Rückkehr aus dem Exil*, Marbach 1986.

Pfanner 1970: Helmut F. Pfanner, *Hanns Johst. Vom Expressionismus zum Nationalsozialismus*, Den Haag 1970.

Piorreck 1990: Anni Piorreck, *Agnes Miegel. Ihr Leben und ihre Dichtung*, korrigierte Neuauflage, München 1990.

Piper 1983: Ernst Piper, *Ernst Barlach und die nationalsozialistische Kunstpolitik*, München 1983.

Piper-Almanach 1964: *Stationen. Piper-Almanach 1904-1964*, München 1964.

Polgar 1984: Alfred Polgar, *Kleine Schriften*, hrsg. von Marcel Reich-Ranicki, in Zusammenarbeit mit Ulrich Weinzierl, Band 4, Reinbek 1984.

Prawy 1969: Marcel Prawy, *Die Wiener Oper. Geschichte und Geschichten*, Wien, München, Zürich 1969.

Prieberg 1986: Fred K. Prieberg, *Kraftprobe. Wilhelm Furtwängler im Dritten Reich*, Wiesbaden 1986.

Prümm 1976: Karl Prümm, *Nachwort*, in: Reger, *Union der festen Hand*, Kronberg/Ts. 1976, S. 649-707.

Radkau 1971: Joachim Radkau, *Die deutsche Emigration in den USA. Ihr Einfluß auf die amerikanische Europapolitik 1933-1945*, Düsseldorf 1971.

Rathkolb 1991: Oliver Rathkolb, *Führertreu und gottbegnadet. Künstlereliten im Dritten Reich*, Wien 1991.

Ray 2000: Roland Ray, *Annäherung an Frankreich im Dienste Hitlers? Otto Abetz und die deutsche Frankreichpolitik 1930-1942*, München 2000.

Reber 1969: Trudis E. Reber, *Wilhelm Schmidtbonn und das deutsche Theater*, Emsdetten 1969.

Reichl 1988: Johannes M. Reichl, *Das Thingspiel. Über den Versuch eines nationalsozialistischen Lehrstück-Theaters (Euringer – Heynicke – Möller)*, Frankfurt am Main 1988.

Reimann 1921: [Hans Reimann], *Die Dinte wider das Blut. Ein Zeitroman von Artur Sünder*, Hannover, Leipzig [1921].

Reimann 1959: Hans Reimann, *Mein blaues Wunder*, München 1959.

Reiner 1974: Guido Reiner, *Ernst Wiechert im Dritten Reich. Eine Dokumentation*, Paris 1974.

Renk 1992: Herta-Elisabeth Renk, *Ernst Lubitsch*, Reinbek 1992.

Renken 1970: Gerd Renken, *Die »Deutsche Zukunft« und der Nationalsozialismus*, Berlin 1970.

Renner 1986: Gerhard Renner, *Österreichische Schriftsteller und der Nationalsozialismus*, in: *Archiv für Geschichte des Buchwesens*, Band 27, Frankfurt am Main 1986.

Renner 1990: Gerhard Renner, *Frank Thiess: Ein »freier Schriftsteller« im Nationalsozialismus*, in: *Buchhandelsgeschichte*, 1990, H. 2, S. B41-B50.

Rennert 1999: Wilhelm Hausenstein, *Ausgewählte Briefe 1904-1957*, hrsg., eingeleitet und kommentiert von Hellmut H. Rennert, Oldenburg 1999.

Riefenstahl 1987: Leni Riefenstahl, *Memoiren*, München, Hamburg 1987.

Riess 1987: Curt Riess, *Meine berühmten Freunde*, Freiburg 1987.

Riess 1988: Curt Riess, *Gustaf Gründgens. Die klassische Biographie des großen Künstlers*, Freiburg 1988.

Rischbieter 2000: Henning Rischbieter, *NS-Theaterpolitik*, in: Thomas Eicher / Barbara Panse / Henning Rischbieter, *Theater im ›Dritten Reich‹*, Seelze-Velber 2000, S. 9-277.

Röder/Strauss 1980: Werner Röder / Herbert A. Strauss, *Biographisches Handbuch der deutschsprachigen Emigration nach 1933*, München 1980.

Röske 1995: Thomas Röske, *Der Arzt als Künstler. Ästhetik und Psychotherapie bei Hans Prinzhorn*, Bielefeld 1995.

Roosevelt 1976: Kermit Roosevelt (Hrsg.), *War Report of the OSS (Office of Strategic Services)*, New York 1976.

Rotermund 1980: Erwin Rotermund, *Zwischen Exildichtung und Innerer Emigration: Ernst Glaesers Erzählung »Der Pächter«. Ein Beitrag zum literarischen »Niemandsland« 1933-1945 und zur poetischen Vergangenheitsbewältigung*, München 1980.

Rotermund 1998: Erwin Rotermund, *Zwischen Anpassung und Zeitkritik. Carl Zuckmayers Exildrama »Der Schelm von Bergen« und das ständestaatliche Denken um 1930*, in: *Zuckmayer-Jahrbuch*, Band 1, 1998, S. 233-249.

Rother 2000: Rainer Rother, *Leni Riefenstahl. Die Verführung des Talents*, Berlin 2000.

Rühle 1972: Günther Rühle, *Zeit und Theater*, Frankfurt am Main, Berlin, Wien 1972.

Rühmann 1982: Heinz Rühmann, *Das war's*, Berlin, Frankfurt am Main, Wien 1982.

Russell 1958: John Russell, *Erich Kleiber. Eine Biographie*, München 1958.

Sabrow 1999: Martin Sabrow, *Die verdrängte Verschwörung. Der Rathenau-Mord und die deutsche Gegenrevolution*, Frankfurt am Main 1999.

Sachslehner 1985: Johannes Sachslehner, *Führerwort und Führerblick. Mirko Jelusich. Zur Strategie eines Bestsellerautors in den Dreißiger Jahren*, Königstein/Ts. 1985.

Sarkowicz 1980: Hans Sarkowicz, *Zwischen Sympathie und Apologie: Der Schriftsteller Hans Grimm und sein Verhältnis zum Nationalsozialismus*, in: Karl Corino (Hrsg.), *Intellektuelle im Bann des Nationalsozialismus*, Hamburg 1980, S. 120-135.

Sarkowski/Jeske 1999: Heinz Sarkowski / Wolfgang Jeske, *Der Insel-Verlag 1899-1999. Die Geschichte des Verlags, 1899-1964*, Frankfurt am Main 1999.

Scanzoni/Kende 1982: Signe Scanzoni / Götz Klaus Kende, *Der Prinzipal. Clemens Krauss. Fakten, Vergleiche, Rückschlüsse*, Tutzing 1982.

Schäfer 1998: Hans-Wilhelm Schäfer, *Sagen vom Reich. Ein mit der Wahrheit verdrängtes Werk von Hans Friedrich Blunck*, in: *Hans Friedrich Blunck. Der Dichter und seine Welt*, hrsg. von der Gesellschaft zur Förderung des Werkes von Hans Friedrich Blunck, Berlin 1998, S. 45-64.

Schaper 2000: Rüdiger Schaper, *Moissi. Triest – Berlin – New York. Eine Schauspielerlegende*, Berlin 2000.

Schattner 1996: Gerd Schattner, *Der Traum vom Reich in der Mitte. Bruno Brehm. Eine monographische Darstellung zum operationalen Charakter des historischen Romans nach den Weltkriegen*, Frankfurt am Main, Berlin, Bern 1996.

Schauder 1979: Karlheinz Schauder, *Manfred Hausmann. Weg und Werk*, 2., erw. Aufl., Neukirchen-Vluyn 1979.

Scheit 1998: Gerhard Scheit, *Dramatik der inneren Emigration oder »Nationale Verdauungsstörungen«. Über Arnolt Bronnens Stücke seit den dreißiger Jahren*, in: *Zwischenwelt. Jahrbuch der Theodor-Kramer-Gesellschaft*, Band 6, hrsg. von Johann Holzner und Karl Müller, *Literatur der »Inneren Emigration« aus Österreich*, Wien 1998, S. 127-140.

Scheurig 1993: Bodo Scheurig, *Verräter oder Patrioten. Das Nationalkomitee und der Bund Deutscher Offiziere in der Sowjetunion 1943-1945*, Berlin, Frankfurt am Main 1993 (überarbeitete und ergänzte Neuausgabe der 1960 unter dem Titel *Freies Deutschland* erschienenen Erstausgabe).

von Schirach 1967: Baldur von Schirach, *Ich glaubte an Hitler*, Hamburg 1967.

Schloz 1969: Günther Schloz, *»Wandervogel, Volk und Führer«: Männer-Gesellschaft und Antisemitismus bei Hans Blüher*, in: Karl Schwedhelm (Hrsg.), *Propheten des Nationalismus*, München 1969, S. 211-227.

Schmidtmayer 1949: Helmut Schmidtmayer, *Fred A. Angermayer und die literarischen Bestrebungen des Expressionismus*, Wien 1949.

R. Schneider 1958: Reinhold Schneider, *Aus meinen Notizbüchern 1957/1958*, Freiburg 1958.

S. Schneider 1979: Sigrid Schneider, *»Neue Volks-Zeitung«*, in: Hanno Hardt / Elke Hilscher / Winfried B. Lerg (Hrsg.), *Presse im Exil*, München, New York, London, Paris 1979, S. 347-377.

Th. Schneider 1995: Thomas F. Schneider, *»Die Meute hinter Remarque«. Zur Diskussion um »Im Westen nichts Neues« 1928-1930*, in: *Jahrbuch zur Literatur der Weimarer Republik*, Jg. 1, 1995, S. 143-170.

Th. Schneider/Westphalen 1998: Erich Maria Remarque, *Das unbekannte Werk*, hrsg. von Thomas F. Schneider und Tilman Westphalen, Band 5: *Briefe und Tagebücher*, Köln 1998.

Schneider-Nehls 1997: Ulrike Gudrun Schneider-Nehls, *Grenzgänger in Deutschland. Untersuchungen einer intellektuellen Verhaltensmöglichkeit in unserem Jahrhundert. Eine biographische Verhaltensmöglichkeit der Jahrgänge 1895-1926. Arnolt Bronnen – Eberhard Koebel – Erich Loest*, Potsdam 1997.

Schnell 1976: Ralf Schnell, *Literarische Innere Emigration 1933-1945*, Stuttgart 1976.

Schoeps 1962: Hans Blüher, *Die Rolle der Erotik in der männlichen Gesellschaft*, Neuausg., besorgt von Hans Joachim Schoeps, Stuttgart 1962.

Scholder 1982: *Die Mittwochsgesellschaft. Protokolle aus dem geistigen Deutschland 1932-1944*, hrsg. und eingeleitet von Klaus Scholder, Berlin 1982, S. 30-38.

Scholdt 2000: Günter Scholdt, *Ernst Wiechert. Ein ostpreußischer Konservativer und die Republik von Weimar*, in: Frank-Lothar Kroll, *Ostpreußen. Facetten einer literarischen Landschaft*, Berlin 2000.

von Scholz 1939: Wilhelm von Scholz, *An Ilm und Isar*, Leipzig 1939.

Schorlies 1971: Walter-Jürgen Schorlies, *Der Schauspieler, Regisseur, szenische Bühnenbauer und Theaterleiter Karl Heinz Martin*, Köln 1971.

Schrader 1992: Bärbel Schrader (Hrsg.), *Der Fall Remarque. Im Westen nichts Neues. Eine Dokumentation*, Leipzig 1992.

Schreiner 1989: Evelyn Schreiner, *Direktion Walter Bruno Iltz (1938-1945)*, in: *100 Jahre Volkstheater. Theater, Zeit, Geschichte*, Wien, München 1989, S. 116-135.

Schröder 1978: Jürgen Schröder, *Gottfried Benn. Poesie und Sozialisation*, Stuttgart, Berlin, Köln, Mainz 1978.

Schröder 1997: Jürgen Schröder, *»Wer über Deutschland reden und richten will, muß hier geblieben sein« – Gottfried Benn als Emigrant nach innen*, in: Günther Rüther (Hrsg.), *Literatur in der Diktatur. Schreiben im Nationalsozialismus und DDR-Sozialismus*, Paderborn, München, Wien, Zürich 1997, S. 131-144.

Schulte 1998: Michael Schulte, *Karl Valentin. Eine Biographie*, München, Zürich 1998.

Schültke 1997: Bettina Schültke, *Theater oder Propaganda? Die Städtischen Bühnen Frankfurt am Main 1933-1945*, Frankfurt am Main 1997.

Schulz 1940: Hans Hermann Schulz, *Das Volkstumserlebnis des Arbeiters in der Dichtung von Gerrit Engelke, Heinrich Lersch und Karl Bröger*, Würzburg 1940.

Schumann 1990: Thomas B. Schumann, *Fahne, Idee und Suggestion. Emil Strauß und der Nationalsozialismus*, in: Bärbel Rudin, *»Wahr sein kann man«. Zu Leben und Werk von Emil Strauß (1866-1960)*, Symposion der Stadt Pforzheim 8.-10. Mai 1987, Pforzheim 1990.

Schwerdt 1993: Ulrich Schwerdt, *Martin Luserke (1880-1968). Reformpädagogik im Spannungsfeld von pädagogischer Innovation und kulturkritischer Ideologie*, Frankfurt am Main, Berlin, Bern 1993.

Schwiedrzik 1991: Wolfgang M. Schwiedrzik, *Träume der ersten Stunde. Die Gesellschaft Imshausen*, Berlin 1991.

Segeberg 2001: Harro Segeberg, *Literatur als Medienereignis. Friedrich Schiller. Der Triumph eines Genies (1940)*, in: *Jahrbuch der deutschen Schillergesellschaft*, Jg. 45, 2001, S. 491-533.

Segebrecht 1987: Wulf Segebrecht (Hrsg.), *Der Bamberger Dichterkreis 1936-1943*, Frankfurt am Main, Bern, New York 1987.

Seidel 1970: Ina Seidel, *Lebensbericht 1885-1923*, Stuttgart 1970.

Sellin 2001: Fred Sellin, *Ich brech' die Herzen ... Das Leben des Heinz Rühmann*, Reinbek 2001.

Sembdner 1968: Helmut Sembdner, *Der Kleist-Preis 1912-1932. Eine Dokumentation*, Berlin 1968.

Sieferle 1995: Rolf-Peter Sieferle, *Die konservative Revolution. Fünf biographische Skizzen*, Frankfurt am Main 1995.

Siegrist 1995: Christoph Siegrist, *Der zerrissene Jakob Schaffner: Überzeugter Nationalsozialist und Schweizer Patriot*, in: Aram Mattioli (Hrsg.), *Intellektuelle von rechts. Ideologie und Politik in der Schweiz 1918-1939*, Zürich 1995.

Silex 1968: Karl Silex, *Mit Kommentar. Lebensbericht eines Journalisten*, Frankfurt am Main 1968.

Smith 1972: Richard Harris Smith, *OSS. The Secret History of America's First Central Intelligence Agency*, Berkeley, Los Angeles, London 1972.

Söhnker 1974: Hans Söhnker, *Und kein Tag zuviel*, Hamburg 1974.

Söllner 1982: Alfons Söllner, *Zur Archäologie der Demokratie in Deutschland*, Frankfurt am Main 1982.

Spalek/Strelka 1989: John M. Spalek / Joseph Strelka (Hrsg.), *Deutsche Exilliteratur seit 1933, Band 2: New York*, Bern 1989.

Spangenberg 1982: Eberhard Spangenberg, *Karriere eines Romans. Mephisto, Klaus Mann und Gründgens. Ein dokumentarischer Bericht aus Deutschland und dem Exil 1925-1981*, München 1982.

Speier 1983: Hans-Michael Speier, *Klassizismus und Widerstand. Zu Friedrich Georg Jüngers Elegie ›Der Mohn‹*, in: Harald Hartung

(Hrsg.), *Gedichte und Interpretationen Band 5. Vom Naturalismus bis zur Jahrhundertmitte*, Stuttgart 1983, S. 323-335.

Stach 1990: Gottfried Bermann Fischer, *Briefwechsel mit Autoren*, hrsg. von Rainer Stach unter redaktioneller Mitarbeit von Karin Schlapp, Frankfurt am Main 1990.

Städt. Reiß-Museum 1987: *Albert Bassermann 1867-1952. Sonderschau anläßlich seines ersten Bühnenauftritts vor 100 Jahren*, Städt. Reiß-Museum Mannheim, Theatersammlung 1987.

Steegemann 1950: Paul Steegemann, *Gab es nicht schon eine Hitler-Parodie?*, in: Günter Neumann, *Ich war Hitlers Schnurrbart*, Berlin 1950.

Steiner 1996: Maria Steiner, *Paula Wessely. Die verdrängten Jahre*, Wien 1996.

Stephan 1995: Alexander Stephan, *Im Visier des FBI. Deutsche Exilschriftsteller in den Akten amerikanischer Geheimdienste*, Stuttgart 1995.

von Sternburg 1998: Wilhelm von Sternburg, *»Als wäre alles das letzte Mal.« Erich Maria Remarque. Eine Biographie*, Köln 1998.

Strasser 1996: Christian Strasser, *Carl Zuckmayer. Deutsche Künstler im Salzburger Exil 1933-1938*, Wien, Köln, Weimar 1996.

Streim 1999 a: Gregor Streim, *Flucht nach vorn zurück. Heinrich Hauser – Portrait eines Schriftstellers zwischen Neuer Sachlichkeit und ›reaktionärem Modernismus‹*, in: *Jahrbuch der deutschen Schillergesellschaft*, Jg. 43, 1999, S. 377-402.

Streim 1999 b: Gregor Streim, *Als nationaler Pionier inner- und außerhalb des Dritten Reichs. Heinrich Hauser 1933-45*, in: Walter Delabar / Horst Denkler / Erhard Schütz (Hrsg.), *Spielräume des einzelnen. Deutsche Literatur in der Weimarer Republik und im Dritten Reich*, Berlin 1999, S. 105-120.

Strohmeyer 1999: Arn Strohmeyer, *Der Mitläufer. Manfred Hausmann und der Nationalsozialismus*, Bremen 1999.

Strothmann 1968: Dietrich Strothmann, *Nationalsozialistische Literaturpolitik. Ein Beitrag zur Publizistik im Dritten Reich*, Bonn 1968.

von Studnitz 1985: Hans-Georg von Studnitz, *Menschen aus meiner Zeit*, Frankfurt am Main, Wien, Berlin 1985.

von Studnitz 1997: Cecilia von Studnitz, *Es war wie ein Rausch. Fallada und sein Leben*, Düsseldorf 1997.

Sucher 1999: *Theaterlexikon*, hrsg. von C. Bernd Sucher, 2. Auflage, München 1999.

Sudhoff 1994: Dieter Sudhoff, *Der blinde Seher ohne Heimat. Adolf von Hatzfeld – ein zerrissenes Dichterleben*, in: *Jahrbuch Westfalen*, Jg. 48, 1994, S. 178-188.

Sünwoldt 1983: Sabine Sünwoldt, *Weiß Ferdl. Eine weiß-blaue Karriere*, hrsg. vom Stadtarchiv München, München 1983.

Sydow 1980: Kurt Sydow, *Die Lebensfahrt eines großen Erzählers. Martin Luserke*, in: *Jahrbuch des Archivs der deutschen Jugendbewegung*, Jg. 12, 1980, S. 167-186.

Taureck 1987: Margot Taureck, *Friedrich Sieburg in Frankreich*, Heidelberg 1987.

Tauschke 1997: Christian Tauschke, *»Vivisektion der Zeit«. Studien zur Darstellung und Kritik der Zeitgeschichte in Publizistik und Romanwerk Erik Regers (1924-1932)*, Hamburg 1997.

Terwort 1992: Gerhard Terwort, *Hans Fallada im Dritten Reich*, Frankfurt am Main, Berlin, Bern 1992.

Tgahrt 1981: *Eugen Claassen. Von der Arbeit eines Verlegers. Mit einer Bibliographie der Verlage H. Goverts, Claassen & Goverts, Claassen. 1935-1966*, bearbeitet von Reinhard Tgahrt, Marbach 1981 (Marbacher Magazin 19).

Theater Trier 1992: *Heinz Tietjen. Intendant, Dirigent und Regisseur. Bilder aus seinem Leben*, Ausstellungskatalog des Theaters Trier, Trier 1992.

Theilig/Töteberg 1980: Ulrike Theilig / Michael Töteberg, *Das Dilemma eines deutschen Schriftstellers. Hans Fallada und der Faschismus*, in: *Sammlung. Jahrbuch für antifaschistische Literatur und Kunst*, Band 3, 1980, S. 72-88.

Thimig 1983: Hans Thimig, *Neugierig, wie ich bin. Erinnerungen*, aufgezeichnet von Edda Fuhrich, Gisela Prossnitz und Renate Wagner, Wien, München 1983.

Thimig-Reinhardt 1973: Helene Thimig-Reinhardt, *Wie Max Reinhardt lebte*, Percha, Kempfenhausen 1973.

Tobisch 1962: Erhard Buschbeck, *Mimus Austriacus. Aus dem nachgelassenen Werk*, hrsg. von Lotte von Tobisch, Salzburg, Stuttgart 1962.

Töteberg 1992 a: Michael Töteberg, *Ein treuer Diener seines Herrn. Ludwig Klitzsch, Hugenbergs Spitzenmanager*, in: *Das Ufa-Buch. Kunst und Krisen, Stars und Regisseure, Wirtschaft und Politik*, hrsg. von Hans-Michael Bock und Michael Töteberg in Zusammenarbeit mit CineGraph – Hamburgisches Centrum für Filmforschung e.V., Frankfurt am Main 1992, S. 200-203.

Töteberg 1992 b: Michael Töteberg, *Affären, Intrigen, Politik. Personalakte Ernst Hugo Correll*, in: *Das Ufa-Buch. Kunst und Krisen, Stars und Regisseure, Wirtschaft und Politik*, hrsg. von Hans-Michael Bock und Michael Töteberg in Zusammenarbeit mit CineGraph – Hamburgisches Centrum für Filmforschung e.V., Frankfurt am Main 1992, S. 328-331.

Trapp 1999: Frithjof Trapp u.a. (Hrsg.), *Handbuch des deutschsprachigen Exiltheaters 1933-1945*, München 1999.

Tretow/Gier 1997: Christine Tretow / Helmut Gier (Hrsg.), *Caspar Neher. Der größte Bühnenbauer unserer Zeit*, Opladen 1997.

Tschörtner 1999: Heinz Dieter Tschörtner, *»Ein voller Erdentag«. Carl Zuckmayer und Gerhart Hauptmann (mit Briefwechsel)*, in: *Zuckmayer-Jahrbuch*, Band 2, 1999, S. 461-491.

Unseld/Ritzerfeld 1991: Siegfried Unseld / Helene Ritzerfeld, *Peter Suhrkamp. Zur Biographie eines Verlegers in Daten, Dokumenten und Bildern*, Frankfurt am Main 1991.

Volke 1983: *Das Innere Reich 1934-1944. Eine Zeitschrift für Dichtung, Kunst und deutsches Leben*, hrsg. von Werner Volke, Marbach 1983 (Marbacher Magazin 26).

Volkert 1989: Wilhelm Volkert (Hrsg.), *Ludwig Thoma. Sämtliche Beiträge aus dem »Miesbacher Anzeiger«*, München, Zürich 1989.

Wagner 1996: Jens-Peter Wagner, *Die Kontinuität des Trivialen. Hans Friedrich Blunck 1888-1961*, in: Christiane Caemmerer / Walter Delabar (Hrsg.), *Dichtung im Dritten Reich? Zur Literatur in Deutschland 1933-1945*, Opladen 1996, S. 245-264.

Wagner 1997: Hans-Ulrich Wagner, *Hannes Küpper (1897-1955)*, in: *Rundfunk und Geschichte*, Jg. 23, 1997, S. 245-248.

Walach 1999: Dagmar Walach, *Aber ich habe nicht mein Gesicht. Gustaf Gründgens – eine deutsche Karriere. (Katalog zur Ausstellung der Staatsbibliothek zu Berlin – Preußischer Kulturbesitz, 9. Dezember 1999 - 12. Februar 2000)*, Berlin 1999.

Weckel 2001: Petra Weckel, *Wilhelm Fraenger (1890-1964)*, Berlin 2001.

Wedekind 1969: Tilly Wedekind, *Lulu. Die Rolle meines Lebens*, München, Bern, Wien 1969.

Weigel 1999: Alexander Weigel, *Das Deutsche Theater. Eine Geschichte in Bildern*, [Berlin] 1999.

Weinzierl-Fischer 1956: Erika Weinzierl-Fischer, *Friedrich Gustav Pfiffl*, in: *Neue Österreichische Biographie ab 1815*, Band 9, Wien 1956, S. 183.

Wendt 1998: Gunna Wendt, *Liesl Karlstadt. Ein Leben*, München 1998.

Wiechert 1957: Ernst Wiechert, *Sämtliche Werke*, Band 9, München 1957.

Wiesner 1985: Louis A. Wiesner, *Die organisierte Arbeiterbewegung im Nachkriegsdeutschland*, in: Rainer Erd, *Reform und Resignation. Gespräche über Franz L. Neumann*, Frankfurt am Main 1985, S. 172-182.

Winker 1996: Klaus Winker, *Fernsehen unterm Hakenkreuz. Organisation, Programm, Personal*, 2., aktual. Aufl., Köln, Weimar, Wien 1996.

Wittmann 1995: Reinhard Wittmann, *Auf geflickten Straßen. Literarischer Neubeginn in München 1945 bis 1949*, München 1995.

Witzmann 1985: Reingard Witzmann, *Grete Wiesenthal – eine Wiener Tänzerin*, in: Reingard Witzmann (Hrsg.), *Die neue Körpersprache. Grete Wiesenthal und ihr Tanz. Ausstellungskatalog der historischen Museen Wien*, Wien 1985, S. 13-20.

Wortmann 1982: Michael Wortmann, *Baldur von Schirach. Hitlers Jugendführer*, Köln 1982.

Wulf 1989: Joseph Wulf, *Kultur im Dritten Reich*, Frankfurt am Main, Berlin 1989.

Würmann 1996: Carsten Würmann, *Vom Volksschullehrer zum »vaterländischen Erzieher«. Wilhelm Schäfer: Ein völkischer Schriftsteller zwischen sozialer Frage und deutscher Seele*, in: Christiane Caemmerer / Walter Delabar (Hrsg.), *Dichtung im Dritten Reich? Zur Literatur in Deutschland 1933-1945*, Opladen 1996, S. 158-162.

Wysling 1988: Hans Wysling (Hrsg.), *Dichter oder Schriftsteller? Der Briefwechsel zwischen Thomas Mann und Josef Ponten 1919-1930*, Bern 1988.

Zeller 1981: Bernhard Zeller, *Hermann Hesse in Selbstzeugnissen und Bilddokumenten*, Reinbek 1981.

Zeller 1983: Bernhard Zeller u.a., *Klassiker in finsteren Zeiten 1933-1945*, Marbach 1983, Band 1.

Zielinski 1981: Siegfried Zielinski, *Veit Harlan. Analysen und Materialien zur Auseinandersetzung mit einem Film-Regisseur des deutschen Faschismus*, Frankfurt am Main 1981.

Zuckmayer, *Abschied und Wiederkehr:* Carl Zuckmayer, *Abschied und Wiederkehr. Gedichte*, Frankfurt am Main 1997.

Zuckmayer, *Als wär's ein Stück von mir:* Carl Zuckmayer, *Als wär's ein Stück von mir*, Frankfurt am Main 1997.

Zuckmayer, *Aufruf zum Leben:* Carl Zuckmayer, *Aufruf zum Leben. Porträts und Zeugnisse aus bewegten Zeiten*, Frankfurt am Main 1995.

Zuckmayer, *Des Teufels General:* Carl Zuckmayer *Des Teufels General. Theaterstücke 1947-1949*, Frankfurt am Main 1996.

Zuckmayer, *Ein voller Erdentag*: Carl Zuckmayer, *Ein voller Erdentag. Betrachtungen*, Frankfurt am Main 1997.

Zuckmayer, *Gedichte 1916-1948*: Carl Zuckmayer, *Gedichte 1916-1948*, Amsterdam 1948.

Abbildungsnachweise

Deutsches Literaturarchiv (DLA): S. 6/7, S. 19 (Photographin Anny Breer), S. 25, S. 59, S. 67, S. 71, S. 75, S. 103 (Photographin Florence Henri), S. 107 (Photograph Max Ehlert), S. 113, S. 119, S. 122, S. 157, S. 161, S. 164 (Photograph Helmut Stöber), S. 165, S. 175 (Photographen Nini und Carry Hess), S. 187

Frankfurter Allgemeine Zeitung (FAZ): S. 45, S. 96, S. 133, S. 135

Ullstein Bild: S. 54, S. 93, S. 105, S. 109, S. 169

Stiftung Deutsche Kinemathek: S. 125, S. 177, S. 185

Suhrkamp Verlag: S. 21

Privatbesitz: S. 83, S. 174

Nicht ermittelt: S. 41, S. 49, S. 137, S. 147

Wir danken allen Rechteinhabern dafür, daß sie uns die Photos zur Verfügung gestellt haben. Bei einigen Aufnahmen konnten keine Rechteinhaber ermittelt werden. Wir bitten diese, sich beim Verlag zu melden.

Personenregister

Autoren von Sekundärliteratur sind nicht verzeichnet. Indirekte Nennungen wurden berücksichtigt. Halbfett gedruckte Namen und Ziffern verweisen auf Portraits von Zuckmayer, kursivierte auf die zentralen Kommentarpassagen. Zur Anlage des Registers vgl. auch die einführenden Bemerkungen zum Kommentar auf S. 189.

Inhalt

Zuckmayer-Jahrbuch, Band 5 · 2002

Zur Diskussion: Zuckmayers ›Geheimreport‹
und andere Beiträge zur Zuckmayer-Forschung

Im Auftrag der Carl-Zuckmayer-Gesellschaft
herausgegeben von Gunther Nickel,
Erwin Rotermund und Hans Wagener

592 S., brosch.,
ISBN 3-89244-608-3

Aus dem Inhalt:

Der Briefwechsel zwischen Carl Zuckmayer und Tankred
Dorst. Ediert, eingeleitet und kommentiert von Heidrun
Ehrke-Rotermund.

Zur Diskussion: Zuckmayers ›Geheimreport‹

Dagmar Barnouw: Kollektivschuld und Erinnerung.

Günter Scholdt: Zur Bewertung nichtnazistischer Literatur im ›Dritten Reich‹.

Michaela Krützen: Carl Zuckmayers Beurteilungen der
Filmstars Hans Albers und Heinz Rühmann.

Gunther Nickel: Friedrich Sieburg, Carl Zuckmayer und
der Nationalsozialismus. Mit dem Briefwechsel zwischen
Sieburg und Zuckmayer.

Friedbert Aspetsberger: Quellenhinweise zu Zuckmayers
Bronnen-Bild.

Erwin Rotermund: Ernst Glaeser im Urteil Carl Zuckmayers.

Franz Norbert Mennemeier: Gustaf Gründgens, Emil
Jannings, Werner Krauß. Zuckmayers Schauspieler-
Charakteristiken im Kontext.

Wallstein
www.wallstein-verlag.de